D1235949

*Du monde entier*

JAVIER MARÍAS

*MARCEL PROUST*

# TON VISAGE DEMAIN

*TU ROSTRO MANANA*

I

### Fièvre et lance

*FIEBRE Y LANZA*

roman

*Traduit de l'espagnol*
*Par Jean-Marie Saint-Lu*

GALLIMARD

*Titre original :*

TU ROSTRO MAÑANA
1 FIEBRE Y LANZA

© *Javier Marías, 2002.*
*First published by Santillana Ediciones Generales, S.L., Madrid, 2002.*
© *Éditions Gallimard, 2004, pour la traduction française.*

Marcel Proust
Henry James

# 1. FIÈVRE

On ne devrait jamais rien raconter, ni donner d'informations, ni proposer d'histoires, ni offrir aux gens l'occasion d'évoquer des êtres qui n'ont jamais existé, n'ont jamais foulé cette terre ni traversé le monde, ou qui y sont passés mais qui étaient maintenant à moitié en sécurité dans l'oubli incertain et borgne. Raconter c'est presque toujours faire un cadeau, même quand ce qu'on raconte contient et injecte du poison, c'est aussi tisser un lien et accorder sa confiance, et rare est la confiance qui n'est pas trahie tôt ou tard, rare est le lien qui ne s'emmêle pas ou ne fait pas de nœuds, et alors il finit par être trop serré et il faut tirer son couteau pour le trancher net. La mienne est-elle encore intacte partout où je l'ai mise, cette confiance si souvent offerte par quelqu'un qui a tellement cru en son instinct et ne l'a pas toujours écouté, et qui a été trop longtemps naïf ? (Moins maintenant, moins maintenant, mais en l'occurrence le processus de diminution est fort lent.) Est toujours intacte celle que j'ai donnée à deux amis qui la gardent encore, en face de celle que j'ai mise en dix autres qui l'ont perdue ou ruinée ; celle, rare, que j'ai accordée à mon père et celle, pudique, que j'ai accordée à ma mère, cette dernière d'ailleurs n'a pas duré longtemps, elle ne peut plus la trahir ou uniquement de façon posthume, s'il m'arrivait de faire une mauvaise découverte, et que quelque chose de caché cessait de l'être ; celle de ma sœur n'existe plus, ni celle d'aucune petite amie ni d'aucune maîtresse ni d'aucune épouse passée, présente ou imaginaire (les sœurs sont d'ordinaire les premières épouses, des épouses enfants), il semble obligé que dans ce type de relations on finisse par se servir de ce qu'on sait ou de ce qu'on a vu contre l'être aimé ou le conjoint — ou la personne qui n'a été que momentanément chaleur et chair —, contre celui qui a fait des révélations et a accepté que quelqu'un soit témoin de ses faiblesses et de ses soucis et s'est prêté aux confidences, ou s'est simplement remémoré, distraitement, à voix haute sur l'oreiller, sans prendre garde aux risques, ni à l'œil arbitraire qui ne cesse de nous regarder ni à l'oreille sélective et déformante qui nous écoute (très souvent ce n'est pas grave, une utilisation simplement domestique, défensive et traquée, pour se charger de raison lors d'un embarras dialectique quand la discussion est longue, un usage argumentatif).

La violation de la confiance consiste également en ceci : non seulement être indiscret et faire du tort ou causer une perte, non seulement avoir recours à cette arme illicite quand le vent tourne et qu'on présente la proue à celui qui a raconté et laissé voir — celui-là même qui se repend maintenant et nie et se démonte et se trouble maintenant, et voudrait effacer et se taire —, mais tirer avantage de la connaissance obtenue par faiblesse ou inattention ou générosité de l'autre, sans respecter ni prendre en considération le moyen par lequel on a pu connaître ce qu'on agite ou déforme maintenant — ou bien il suffit de l'avoir énoncé pour que l'air l'altère en le recevant — : s'il s'est agi des aveux d'une nuit amoureuse ou d'un jour de désespoir, ou d'un soir de faute ou d'un réveil désolé, ou de la loquacité enivrée d'une insomnie : une nuit ou un jour où celui qui parlait le faisait comme s'il n'y avait pas de futur au-delà de cette nuit ou de ce jour et que sa langue déliée dût mourir avec eux, ignorant qu'il y a toujours quelque chose à venir, qu'il reste toujours un peu plus, une minute, la lance, une seconde, la fièvre, et une autre seconde, le sommeil, le rêve — la lance, la fièvre, ma douleur et la parole, le sommeil, le rêve —, et aussi le temps interminable qui ne titube même pas, ne ralentit même pas sa marche après notre fin dernière, et continue à ajouter et à parler, à murmurer et à enquêter et à raconter même si nous n'entendons plus et que nous nous sommes tus. Se taire, se taire, voilà la grande aspiration que personne ne réalise, pas même après sa mort, et moi moins que quiconque, moi qui ai souvent raconté et de plus par écrit dans des Mémoires, et qui regarde et écoute plus encore, bien que je ne pose presque plus jamais de questions en échange. Non, je ne devrais rien raconter ni rien écouter, car il ne sera jamais en mon pouvoir que ce ne soit pas répété ni enlaidi contre moi, pour me perdre, ou pis encore, que ce ne soit pas répété ou enlaidi contre ceux que j'aime bien, pour les condamner.

Et puis il y a la méfiance, je n'en ai guère manqué non plus.

La façon dont la loi le signale est significative, et il est très étrange qu'elle nous prévienne, qu'elle se donne cette peine : quand quelqu'un est arrêté, du moins dans les films, on lui permet de garder le silence, parce que « tout ce qu'il dira pourra être utilisé contre lui », l'informe-t-on sur-le-champ. Il y a dans cet avertissement une intention étrange — ou alors indécise et contradictoire — de ne pas manquer tout à fait de fair play. C'est-à-dire qu'on précise à l'inculpé qu'à partir de ce moment les règles ne seront pas propres, on lui annonce ou on lui rappelle que tous les moyens seront bons pour le coincer et qu'on tirera parti de ses possibles maladresses, inconséquences et erreurs — ce n'est plus un suspect, mais un accusé dont on va tenter de démontrer la faute, de détruire les alibis, l'impartialité ne l'assiste plus, entre ce jour et celui où il passera en jugement —, tout effort visera à obtenir des preuves en vue de sa condamnation, toute surveillance et écoute et investigation et enquête à réunir des indices propres à l'incriminer et à renforcer la décision qui a été prise de l'arrêter. Et pourtant on lui offre l'opportunité de se taire, on le presse quasiment de le faire ; en tout cas, on lui fait connaître ce droit qu'il ignorait peut-être, et par conséquent on lui donne parfois l'idée : de ne pas ouvrir la bouche, de ne pas nier, même, ce qu'on lui imputera, de ne pas s'exposer au danger de se défendre seul; se taire apparaît ou est présenté comme le plus prudent, de toute évidence, et ce qui peut nous sauver encore si nous nous savons et si nous sommes coupables, la seule façon que ce jeu pas du tout franc qui a été annoncé soit sans effet ou puisse difficilement être mis en pratique, ou du moins pas avec l'involontaire ou naïve collaboration de l'accusé : « Vous avez le droit de garder le silence », c'est ce qu'en Amérique on appelle *la formule Miranda*, je ne sais même pas s'il existe quelque chose d'équivalent dans nos pays, on me l'a expliquée un jour là-bas, il y a longtemps ou pas si longtemps, mais le policier me l'a récitée incomplètement, imparfaitement, il a oublié de dire « devant le tribunal » en me lâchant très vite la fameuse phrase, « tout ce que vous direz pourra être utilisé contre vous », il y avait des témoins de son omission et l'arrestation fut invalidée à cause de cela. Et c'est au même et étrange esprit que répond cet autre droit du prévenu, de ne pas déposer contre lui-même, de ne pas se porter verbalement préjudice par son récit ou ses réponses ou ses contradictions ou ses balbutiements. De ne pas se faire de tort narrativement (ah, voilà ce qui peut constituer un grand préjudice); et par conséquent de mentir.

En fait le jeu est si peu franc et si intéressé qu'il n'y a pas de système judiciaire qui puisse se targuer d'être juste avec de telles prémisses, et peut-être n'y a-t-il pas de justice possible dans ce cas, jamais, en aucun endroit, la justice, une fantasmagorie et un concept erroné. Car ce qu'on dit à l'inculpé revient à ceci : « Si tu déclares quelque chose qui nous convienne ou qui soit favorable à nos objectifs, nous te croirons et nous en tiendrons compte, et nous le retournerons contre toi. Si au contraire tu allègues quelque chose en ta faveur ou pour ta défense, quelque chose qui puisse te disculper mais qui ne nous convienne pas, nous ne te croirons absolument pas et ce seront des paroles en l'air, puisque le droit de mentir t'assiste et que nous tenons pour acquis que tout le monde y a recours, tout le monde, c'est-à-dire tous les criminels. Si tu laisses échapper une affirmation propre à t'incriminer, ou si tu tombes dans une contradiction flagrante ou avoues ouvertement, ces paroles auront leur poids et joueront contre toi : nous les aurons entendues, nous les enregistrerons, nous en prendrons note, nous les tiendrons pour dites, il en restera un témoignage, nous les incorporerons au dossier, et elles te seront à charge. En revanche, toute phrase qui aidera à te disculper sera légère et sera rejetée, nous ferons la sourde oreille et nous n'en ferons pas cas, elle ne comptera pas, ce sera du vent, de la fumée, une vapeur, et elle ne te sera d'aucune aide. Si tu te déclares coupable, nous estimerons que c'est vrai et nous le prendrons au sérieux ; innocent, comme une simple plaisanterie et sous bénéfice d'inventaire. » On suppose ainsi que tant l'innocent que le coupable opteront pour la première solution, et donc s'ils parlent on ne fera aucune distinction entre eux, ils seront égaux ou mis sur le même plan. Et c'est alors qu'on ajoute : « Tu peux garder le silence », bien que cela ne doive pas distinguer non plus l'innocent du coupable. (Se taire, se taire, la grande aspiration que personne ne réalise, même après sa mort, et pourtant on nous le conseille et on nous y pousse dans les moments les plus graves : « Tais-toi, tais-toi et ne dis rien, pas même pour te sauver. Tiens ta langue, cache-la, avale-la, dût-elle t'étouffer, comme si tu l'avais donnée au chat. Tais-toi, et alors tu seras sauvé. »)

Dans les relations, dans la vie sans cahots, on ne donne pas ce genre d'avertissements et peut-être que nous ne devrions jamais oublier leur absence ou leur défaut, ou ce qui revient au même, la répétition correcte ou fausse, toujours implicite et menaçante, de tout ce que nous disons et de tout ce dont nous parlons. Les gens racontent irrémédiablement et racontent tout, tôt ou tard, ce qui est digne d'intérêt et ce qui est futile, ce qui est d'ordre privé et ce qui est public, ce qui est intime et ce qui est superflu, ce qui devrait resté caché et ce qui doit être diffusé, la peine et les joies et le ressentiment, les offenses et l'adoration et les plans de vengeance, ce dont nous sommes fiers et ce dont nous avons honte, ce qui avait l'air d'un secret et ce qui voulait en être un, ce qui est connu et ce qui est inavouable, ce qui est horrible et ce qui est manifeste, ce qui est substantiel — la naissance de l'amour — et ce qui est insignifiant — la naissance de l'amour. Sans y réfléchir à deux fois. Les gens ne cessent de parler et racontent sans même se rendre compte de ce qu'ils font, des mécanismes incontrôlables du piège, de l'équivoque et du chaos qu'ils déclenchent et qui peuvent se révéler funestes, parler sans cesse des autres et d'eux-mêmes, et aussi des autres en parlant d'eux-mêmes et aussi d'eux-mêmes en parlant des autres. Cette façon constante de raconter est parfois perçue comme une transaction, même quand elle se déguise, toujours avec succès, en cadeau (parce qu'elle a toujours quelque chose de cela), et même si c'est souvent, plutôt, une subornation, ou le solde d'une dette, ou une malédiction lancée à un destinataire concret ou peut-être au hasard pour que ce dernier forge à l'étourdie fortune ou malheur, ou la monnaie qui achète relations sociales et faveurs et confiance et même amitiés, et bien entendu sexe. Et aussi un amour, quand ce que raconte l'autre nous est nécessaire et devient l'air que nous respirons. Nous sommes quelques-uns à avoir été payés pour cela, pour raconter et entendre et ordonner et raconter. Pour retenir et observer et sélectionner. Pour soutirer, arranger, rappeler. Pour interpréter et traduire et inciter. Pour tirer les vers du nez et persuader et déformer. (Moi, on m'a payé pour raconter ce qui n'était pas encore ni n'avait été, le futur et probable ou simplement le possible — l'hypothèse —, c'est-à-dire pour deviner et imaginer et inventer ; et pour convaincre de tout cela.

Ensuite, la majorité des gens oublient comment ou à travers qui ils ont appris ce qu'ils savent, et il y en a qui croient l'avoir conçu eux-mêmes, quoi que ce soit, un récit, une idée, une opinion, un cancan, une anecdote, une invention mensongère, une blague, un jeu de mots, une maxime, un titre, une histoire, un aphorisme, une devise, un discours, une citation ou un texte entier, qu'ils s'approprient fièrement, convaincus d'en être les géniteurs, ou peut-être en réalité savent-ils qu'ils volent, mais ils chassent cette pensée et se la cachent à eux-mêmes. Cela se produit de plus en plus souvent à notre époque, comme s'il y avait urgence que tout tombe dans le domaine public et qu'il n'y avait plus de paternité reconnue ou, pour le dire de façon moins prosaïque, urgence à tout convertir en simples rumeur ou refrain ou légende courant de bouche en bouche et de plume en plume et d'écran en écran, tout cela de façon incontrôlée, sans constance ni origine ni lien ni propriétaire, tout cela éperonné et débridé et sans frein.

Moi en revanche j'essaye toujours de me souvenir exactement de mes sources, peut-être à cause de ma déformation professionnelle passée mais aussi présente puisqu'elle ne me quitte pas (je devais exercer ma mémoire à distinguer le vrai du figuré, ce qui était réel de ce qui était supposé, ce qui était dit de ce qui était compris); et selon leur nature je fais en sorte de ne pas me servir de mon information et de mon savoir, ou je me l'interdis même, maintenant que je ne me consacre plus à cela qu'à l'occasion, quand c'est plus fort que ma volonté et que je ne peux pas faire autrement ou quand cela m'est demandé par des amis qui ne me payent pas ou alors pas avec de l'argent, uniquement par leur reconnaissance et une vague impression d'endettement. Mauvais paiement que celui-là, car il arrive parfois, et peut-être n'est-ce pas si rare, qu'ils essayent de me communiquer cette impression pour que ce soit moi qui la subisse, et si je ne me prête pas à cet échange de rôles et que je ne la fais pas vraiment mienne et que je ne me comporte pas comme si je leur devais la vie, ils finissent par me considérer comme un porc ingrat et par me fuir : il y a beaucoup de gens qui se repentent d'avoir sollicité des faveurs, et d'avoir expliqué en quoi elles consistaient, et par conséquent de s'être trop expliqués eux-mêmes.

Il y a quelque temps, une amie ne me demanda rien, mais m'obligea à l'écouter et, avec moins de simagrées que de peur sincère, elle me fit part de son adultère tout récemment inauguré, alors que j'étais plutôt l'ami de son mari que le sien, ou depuis plus longtemps. Mauvais service que celui-là, je passai des mois tourmenté par ce que je savais — un savoir qu'elle augmentait et renouvelait théâtralement, égoïstement, proie de plus en plus sûre du narcissisme —, avec la certitude que devant mon ami je devais garder le silence : non plus désormais parce que je ne m'estimais pas en droit de lui apprendre quelque chose qu'il avait peut-être préféré — comment le savoir — continuer à ignorer; non plus désormais parce que je ne voulais pas assumer la responsabilité de déclencher chez autrui par mes paroles des actions ou des décisions, mais parce que j'étais très conscient de la façon dont m'était parvenu ce très incommode récit. Je ne peux disposer librement de ce que je n'ai pas su par hasard ni par mes propres moyens, me disais-je, ni dans le cadre d'une mission ou d'une demande. Si j'avais surpris la femme de mon ami en train de prendre un avion pour Buenos Aires avec son amant, peut-être pourrais-je envisager de révéler de façon neutre cette vision involontaire, cette information interprétable mais jamais indiscutable (pour commencer, sans preuve de la relation avec l'autre homme, c'est à mon ami et non à moi qu'il serait revenu de prendre en charge ce soupçon), même si j'aurais probablement eu le sentiment d'être un délateur et un intrus et je ne crois pas que j'aurais eu cette audace, en aucun cas. Mais cette possibilité aurait existé, voilà ce que je me disais. En revanche, ayant eu connaissance de ce que je savais par elle, il m'était absolument interdit de le retourner contre elle ou de le divulguer sans son consentement, pas même en croyant agir ainsi en faveur de mon ami, et cette croyance me tentait beaucoup dans les moments de plus grand trouble, par exemple quand je me trouvais avec eux deux ou que nous dînions tous les quatre ensemble (ma femme étant le quatrième convive, pas l'amant) et qu'elle échangeait avec moi un regard d'intelligence et de crainte satisfaite (et moi je retenais mon souffle), ou qu'il faisait négligemment allusion à quelque affaire connue de l'amant connu de quelqu'un dont le conjoint pourtant ignorait tout. (Et moi je retenais mon souffle.) Et c'est ainsi que je restai muet pendant un certain nombre de mois, entendant ce qui ne m'intéressait guère et me déplaisait fort, y assistant presque, et tout cela sûrement, me disais-je à mes moments les plus troublés, pour être dénoncé un jour, quand cette désagréable situation serait découverte, ou qu'elle sera enfin révélée ou qu'on la fera briller pour l'exhiber, comme acolyte et complice, de mèche si l'on veut, par celle dont je garde le secret et dont j'ai toujours reconnu et respecté l'autorité exclusive en la matière, sans rien dire à personne. Son autorité et la paternité de la chose, les deux, même si dans cette matière qui lui appartient sont mêlées deux autres personnes au moins, l'une qui est au courant et l'autre qui ne sait absolument rien, ou peut-être mon ami n'y est-il pas mêlé malgré tout et ne le deviendrait que si je lui racontais tout. En revanche il se peut que ce soit moi qui y sois mêlé à cause de ce que je sais, et pour avoir entendu et interprété — pensais-je —, c'est ce que me suggèrent ma longue expérience et la longue liste de mes responsabilités, dont je constate quotidiennement, chaque jour qui passe et les estompe et les éloigne et fait que parfois j'ai l'impression que je les ai simplement lues ou vues sur l'écran ou imaginées, qu'il n'est pas facile de s'en détacher, ne serait-ce que de les oublier. Ou que ce n'est absolument pas possible.

Non, jamais je ne devrais rien raconter, ni entendre quoi que ce soit.

Je l'ai fait durant quelque temps, écouter et observer et interpréter et raconter, je l'ai fait en tant que travail rémunéré durant ce temps, mais je le faisais depuis toujours et je continue encore, de façon passive et involontaire, sans effort et sans récompense, il est certain désormais que je ne peux m'en empêcher ou que c'est ma façon d'être au monde, cela m'accompagnera jusqu'à ma mort et c'est alors que je me reposerai. On m'a bien souvent dit que c'était un don que j'avais et c'est ce que me fit voir Peter Wheeler, celui qui m'alerta en me l'expliquant et me le décrivant, les choses n'existent pas tant qu'on ne les a pas nommées, tout le monde le sait ou le devine. En revanche, il m'arrive de voir ce don comme une malédiction, et pourtant je m'en tiens généralement désormais aux trois premières activités, qui sont muettes et intérieures et du domaine de la conscience et n'ont pas de raison d'affecter qui que ce soit à part celui qui les exerce, et je ne raconte que lorsqu'il n'y a pas moyen de faire autrement ou qu'on me le demande avec insistance. Car à mon époque professionnelle londonienne, ou disons rétribuée, j'ai appris que ce qui ne fait qu'arriver ne nous affecte que modérément ou pas davantage que ce qui n'arrive pas, seul le récit qu'on en fait (et aussi celui de ce qui n'arrive pas), qui est indéfectiblement imprécis, traître, approximatif et au fond nul, et pourtant c'est presque la seule chose qui compte, ce qui est décisif, ce qui nous retourne l'esprit et nous déroute et empoisonne nos pas, et à coup sûr fait tourner la paresseuse et faible roue du monde.

Ce n'est pas chose gratuite, ce n'est pas un caprice si dans l'espionnage, ou dans les conspirations, ou ce qui est de l'ordre du délit, le savoir de tous ceux qui participent à une mission ou à une machination ou à un coup — tout ce qui est clandestin, dissimulé — est diffus, partial, fragmentaire, oblique, que chacun soit au fait de sa tâche mais non de l'ensemble ni du but ultime. On voit ça au cinéma, le partisan qui pense ne pas sortir vivant de la prochaine embuscade, ou de l'attentat qu'il prépare et qui dit à sa fiancée en la quittant : « Mieux vaut que tu ne saches rien, comme ça, quand on t'interrogera, tu diras la vérité en disant que tu ne sais rien, la vérité est facile, elle a plus de force et elle est plus crédible, la vérité persuade. » (Et il est bien certain que le mensonge exige une capacité d'affabulation et d'improvisation, un esprit inventif, et une mémoire de fer, et des architectures complexes, tout le monde le pratique mais peu nombreux sont ceux qui en ont les moyens.) Ou le cerveau qui a organisé le grand vol, celui qui le conçoit et le dirige, et qui fait la leçon à son homme de main ou à un sbire : « Si tu ne connais que ta partie à toi, même si tu es pris ou si tu échoues, tout continuera quand même. » (Et il est vrai qu'on peut toujours se permettre qu'un chaînon se rompe ou qu'une faille apparaisse, l'échec définitif n'est pas immédiat et n'est pas si simple, toute entreprise, toute action résiste et a des soubresauts avant de s'arrêter ou d'échouer.) Ou le chef des services secrets qui susurre à l'agent qu'il soupçonne et qui n'a plus sa confiance : « C'est ton ignorance qui sera ta meilleure protection, ne pose plus de questions, ne pose plus de questions, ce sera ton salut et ton sauf-conduit. » (Et la meilleure façon d'éviter les trahisons est que rien ne s'y prête, ou que ce ne soit que de la blague, avec un contenu sans valeur ni poids, une coquille vide, un fiasco pour celui qui les paye.) Ou celui qui commandite un crime, ou celui qui menace d'en commettre un, ou celui qui dévoile ses misères et s'expose à un chantage, ou celui qui achète en cachette — le col de ton manteau relevé et le visage toujours dans l'ombre, n'allume jamais de cigarette —, et qui préviennent le tueur à gages ou celui qui est menacé ou le possible maître chanteur ou la femme interchangeable et déjà oubliée de notre désir et qui même ainsi nous fait honte : « Tu le sais, à partir de maintenant tu ne m'as jamais vu, tu ne sais pas qui je suis, tu ne me connais pas, je n'ai jamais parlé avec toi, je ne t'ai jamais rien dit, pour toi je n'ai ni visage ni voix ni souffle ni nom, pas même une nuque ou un dos. Cette conversation et cette rencontre n'ont jamais eu lieu, ce qui se passe ici sous tes yeux n'est jamais arrivé, n'a pas lieu, et tu n'as jamais entendu ces mots parce que je ne les ai jamais prononcés. Et même si tu les entends maintenant, je ne les dis pas. »

(Se taire, et effacer, supprimer, annuler, et s'être tu depuis longtemps : c'est la grande aspiration impossible du monde et c'est pour cela que les succédanés ne sont pas à la hauteur, et qu'il est puéril de retirer ce qu'on a dit, et vide de sens de se rétracter ; et c'est pour ça qu'est si irritante — parce que c'est la seule chose qui puisse injecter le doute et être parfois efficace, invraisemblablement — la négation à outrance, nier avoir dit ce qui a été formulé et entendu et nier qu'on ait fait ce qui a été fait et subi, il est désespérant que puisse s'accomplir sans faille et point par point ce qu'annoncent ces mots ci-dessus énoncés, possibles dans la bouche de tant de gens et si différents, de l'instigateur et de celui qui menace, de celui qui pressent le chantage et de celui qui paie furtivement ses plaisirs ou ses réussites, et aussi dans la bouche d'un amour ou d'un ami, et alors nous sommes atteints avec ces mots du désespoir d'être niés.)

Toutes ces phrases que nous avons entendu prononcer au cinéma, je les ai dites ou on me les a débitées ou j'ai entendu d'autres personnes les dire tout au long de mon existence, c'est-à-dire dans la vie, qui a une relation bien plus étroite avec les films et la littérature qu'on ne le reconnaît normalement ou qu'on ne le croit. Ce n'est pas que les seconds imitent la première ou la première les seconds, comme on l'affirme, mais que nos idées, infinies, font elles aussi partie de la vie et contribuent à l'élargir et à la compliquer, et à la rendre plus trouble et à la fois plus acceptable, mais pas plus explicable pour autant (ou alors, vraiment de loin en loin). La ligne qui sépare les faits des idées est très mince, et aussi les désirs de leur accomplissement, et ce qui est fictif de ce qui arrive vraiment, parce que, en réalité, les idées sont déjà des faits, et les désirs leur accomplissement, et ce qui est fictif arrive, bien que rien de tout cela ne soit vrai pour le sens commun ni pour les lois, qui établissent par exemple une différence abyssale entre l'intention et le délit, ou entre sa perpétration et sa tentative. Mais la conscience ne pense pas aux lois, elle n'est ni intéressée ni concernée par le sens commun, chaque conscience ne l'étant que par son sens propre, et cette ligne si mince s'estompe souvent, d'après mon expérience, et ne sépare plus rien lorsqu'elle disparaît, j'ai donc appris à craindre tout ce qui passe par la pensée et même ce que la pensée ignore encore, parce que presque toujours j'ai vu que tout était déjà là, quelque part, avant d'y arriver ou de le traverser. J'ai, par conséquent, appris à craindre non seulement ce qui se conçoit, l'idée, mais ce qui la précède ou en est le préalable. Et c'est ainsi que je suis ma propre douleur et ma fièvre.

Mon don ou ma malédiction ne sont pas tombés du ciel, ce qui veut dire que ce n'est rien de surnaturel, de supranaturel, d'antinaturel ni contre nature, cela n'a rien à voir avec des facultés exceptionnelles ni même avec la divination, bien que ce soit quelque chose de ce genre qu'ait fini par attendre de moi mon chef provisoire, ou l'homme qui m'engagea durant une période qui se prolongea, plus ou moins celle de ma séparation d'avec Luisa, quand je retournai en Angleterre pour ne pas rester auprès de ma femme pendant qu'elle s'éloignait de moi. Les gens se conduisent de façon idiote avec une remarquable fréquence, ils ont tendance à croire à la répétition de ce qui leur plaît : si quelque chose de bon se produit un jour, alors cela doit se reproduire, ou du moins être possible. Et il avait suffi qu'en une occasion je tombe juste en interprétant une relation qui pour M. Tupra était d'importance (momentanée), pour que Mr Tupra — comme en fait je l'appelais toujours jusqu'à ce qu'il m'ait instamment demandé de passer à Bertram et plus tard à Bertie, ce dont je n'avais vraiment pas envie — veuille louer mes services, d'abord de-ci de-là puis à temps complet, avec des fonctions théoriques aussi vagues que variées, parmi lesquelles celle d'agent de liaison ou d'interprète occasionnel lors de ses incursions espagnoles et hispano-américaines. Mais en réalité — dans la pratique —, c'est plutôt comme interprète de vies, selon son expression solennelle et ses attentes démesurées, que je l'intéressai et qu'il me prit. Il vaudrait mieux s'en tenir à traducteur ou interprète des personnes : de leurs comportements et réactions, de leurs penchants et caractères et de leur aptitude à endurer ; de leur malléabilité et de leur soumission, de leur volonté défaillante ou ferme, de leur inconstance, de leurs limites, leur innocence, leur manque de scrupule et leur résistance ; de leur possible degré de loyauté ou de bassesse et de leur prix calculable, de leur venin et de leurs tentations ; et aussi de leurs histoires déductibles, non pas passées mais à venir, celles qui ne s'étaient pas encore produites et pouvaient par conséquent être empêchées. Ou forgées.

J'avais fait sa connaissance chez le professeur Peter Wheeler, d'Oxford, un éminent hispaniste et lusiste déjà à la retraite, l'homme qui en sait le plus au monde sur le prince Henri le Navigateur et l'un de ceux qui en sait le plus sur Cervantès, aujourd'hui sir Peter Wheeler et premier titulaire du prix Nebrija de Salamanque, réservé aux plus grandes lumières de sa spécialité ou de son champ d'étude et — ce qui est un peu surprenant dans le monde universitaire, pingre ou appauvri selon les cas — doté d'un montant point dédaignable, ce qui fait que les yeux flétris de ses collègues internationaux, ladres ou nécessiteux, se posèrent sur lui pour l'avant-dernière fois avec envie. J'allais de temps en temps le voir de Londres (une heure de train à l'aller, une heure au retour), après l'avoir connu et un peu fréquenté plusieurs années auparavant, à l'époque où — encore célibataire, j'étais maintenant séparé, toujours seul en Angleterre — j'avais occupé le poste de lecteur d'espagnol à l'université d'Oxford deux années durant. Wheeler et moi avions sympathisé dès le début, peut-être par déférence pour celui qui nous avait présentés alors, le professeur Toby Rylands, du département de littérature anglaise, qui était un de ses grands amis de jeunesse et avec qui il avait de nombreux traits en commun, outre l'âge et la condition, par suite, de retraités malgré eux. Tandis que je fréquentais assez Rylands, je n'avais vu Wheeler qu'à la fin de mon séjour, car à cette époque il enseignait en tant que professeur émérite au Texas durant nos périodes universitaires, et pendant les vacances je rentrais à Madrid ou je voyageais, nous ne coïncidions pas. Mais à la mort de Rylands, après mon départ, Wheeler et moi prolongeâmes cette déférence qui, parce qu'elle concernait un souvenir ou un fantôme sans défense, durera, je suppose, indéfiniment : nous nous écrivions ou téléphonions de loin en loin et, si je passais quelques jours à Londres, j'essayais de me ménager un creux pour aller le voir, seul ou avec Luisa. (Wheeler également comme relève ou successeur de Rylands, ou comme son héritage : façon scandaleuse dont nous remplaçons les figures perdues de notre vie, dont nous nous efforçons de combler les vides, dont nous ne nous résignons jamais à voir se réduire le personnel sans lequel nous nous supportons mal et nous soutenons à peine, et dont en même temps nous acceptons tous d'occuper comme remplaçants les postes vacants qu'on nous assigne, parce que nous comprenons et faisons partie de ce mécanisme ou mouvement de remplacement universel et continu, qui étant commun à tous est le nôtre, et c'est ainsi que nous acceptons d'être des contrefaçons, et de vivre de plus en plus entourés de ces dernières.)

Il m'amusait et m'apprenait beaucoup par sa malice intelligente et partant jamais abusive, et par sa stupéfiante et suave perspicacité, si peu ostentatoire qu'il fallait souvent la présupposer ou la chercher dans ses observations ou interrogations apparemment inoffensives, rhétoriques ou sans importance, ou bien quasi hiéroglyphiques si on était prévenu : il fallait l'écouter « entre les mots », comme il faut parfois le lire entre les lignes dans ses écrits, même si cette façon indirecte prédominante ne l'empêchait pas non plus, s'il se lassait des sous-entendus ou les jugeait soudain un poids mort, d'être plus franc et même plus impitoyable — avec des tiers ou avec la vie ou avec lui-même, avec ses interlocuteurs il ne le faisait pas — qu'aucune personne que j'aie connue ou seulement peut-être Rylands ; et peut-être moi-même, mais dans leur sillage et comme leur pupille à tous deux. Et moi — je n'osais imaginer autre chose — il est probable que je le distrayais, et même le flattais avec ma bonne prédisposition et mon contentement facile et mon rire glorificateur qui ne s'est jamais fait prier face aux personnes que j'estime ou admire, et j'ai pour Wheeler ces deux penchants. (Moi pour lui comme relève ou successeur de personne, ou de quelqu'un inconnu de moi et peut-être de son passé ancien, remplacement très longtemps différé que le mien ou peut-être déjà écarté, celui d'un personnage lointain à l'écho ou à l'ombre, au simple reflet de laquelle il aurait déjà renoncé.)

Et donc durant ma période londonienne, au service de la BBC Radio jusqu'à ce que Mr Tupra m'en tire, j'allais dans sa maison d'Oxford, au bord de la Cherwell comme celle de Rylands, dont il avait aussi été le voisin, lui rendre visite de ma propre initiative ou, à l'occasion, sur son invitation, quand pour une raison quelconque il voulait des témoins pour ses interventions ou ses mises en scène dissimulées, ou qu'il avait des invités à qui il souhaitait offrir un minimum de variété — par exemple un Latin désormais étranger au milieu universitaire trop bien connu — ou à propos desquels il se plairait ensuite à me faire des commentaires, un autre jour en tête à tête. J'eus cette impression à deux ou trois reprises : c'était comme si Wheeler, avec ses quatre-vingts ans bien sonnés, se préparait des conversations qui pourraient le distraire ou le stimuler dans un futur proche ou pour lui encore prévisible. Et s'il prévoyait que cela le distrairait de parler par la suite de Tupra avec moi, ou de me raconter des choses indiscrètes sur lui, ses vices et zones d'ombre et ses choses drôles, il convenait que je connusse d'abord Tupra, ou du moins que je pusse lui prêter une voix et un visage et que je me sois fait une idée, pour superficielle qu'elle fût, et qu'il puisse la confirmer ou l'infirmer plus tard, ou même en discuter avec moi avec une ardeur superflue, ce n'était qu'ainsi que notre conversation pourrait être amusante. Il exigeait ses contrepoints quand il pérorait.

Je me demande si le temps énigmatique et émietté de la vieillesse consiste en cela, à avoir — pour ceux qui s'y jettent et lui appartiennent — aussi paradoxalement assez de ce temps déclinant pour en consacrer une bonne partie à la confection ou à la composition de moments choisis ; ou, pour ainsi dire, pour guider leurs nombreux temps vides ou morts vers quelques scènes préfigurées et quelques dialogues délibérés, leur partie étant mémorisée à l'avance : comme si le temps des vieillards — à la fois bref et lent, réduit et abondant, le temps du vieil homme madré — ces derniers prenaient soin de le planifier, de le canaliser et de le diriger le plus possible, et ne l'acceptaient plus — assez, ça suffit : plus de douleur ni de fièvre ; plus de parole ni de lance ni même de rêve — comme fruit du hasard, de l'inattendu et de l'étranger, mais qu'ils essayaient de le transformer en œuvre de leur machination et de leur dramaturgie et de leur calcul. Ou, ce qui revient au même, comme s'ils prenaient soin de l'anticiper et de le configurer et d'élaborer au maximum son contenu ; et c'est ainsi qu'ils voudraient le dicter, seule façon sûre de profiter vraiment de celui qui leur reste encore, qui semble s'écouler très lentement mais qui ne fait que se répandre comme de la neige sur leurs épaules, glissante et calme. Et la neige s'arrête toujours.

madré = inventif et retors avec des allures bonhommes (LITT.) ; bois aux fibres irrégulièrement enchevêtrées utilisés en ébénesterie

J'eus très probablement le sentiment, en ce qui concerne Tupra, que Wheeler voulait que je fasse sa connaissance ou que je le voie, car il aurait pu se contenter de me convoquer par téléphone et de me dire : « Je vais avoir quelques amis et connaissances pour un buffet froid, samedi en quinze ; viens aussi, tu es bien seul à Londres. » Il ignorait si j'étais bien seul ou un peu ou accompagné à l'excès, mais il avait coutume d'attribuer aux autres sa propre situation, ses manques et même ses renoncements, une ruse, s'il prenait les devants il était difficile de les lui signaler ou de les retourner contre lui, cela aurait semblé un manque d'originalité de la part de son interlocuteur, et de l'infantilisme. Mais bien qu'il ait plus ou moins dit ces mots, il resta en suspens une seconde au téléphone alors que j'avais accepté de bon gré et avais noté la date et l'heure, et il ajouta avec une hésitation feinte (mais sans dissimuler qu'elle l'était) : « Bon, tu verras, il y aura cet individu, Bertram Tupra, un ex-disciple de Toby. » (Il avait employé le mot « *fellow* », moins méprisant peut-être qu'« individu » : nous parlions indistinctement en anglais ou en espagnol, ou parfois chacun dans sa langue.) Et avant que je puisse répéter cet invraisemblable nom, il me devança en l'épelant et en concédant : « Oui, je sais, ça a l'air d'un nom inventé et ce pourrait bien être le cas, il est plus probable que le faux nom soit Bertram et non Tupra, un nom de famille pareil doit être authentique, d'origine russe ou tchèque, je ne sais pas, ou peut-être finlandais, simplement parce que ça sonne un peu comme "toundra", non?... En tout cas, il est évident que ce n'est pas un nom anglais, mais trop franchement étranger, et qui sait, arménien ou turc, ce qui fait que notre homme a dû juger prudent de le compenser par un prénom digne de notre théâtre, tu sais, Cyril, Basil, Reginald, Eustace, Bertram, on les trouve dans toutes les comédies vieillottes. C'est peut-être pour cette raison qu'il en a changé, il n'aurait pas pu circuler par ici en s'appelant, que sais-je, Vladimir Tupra, ou Vaslav Tupra, ou Pirkka Tupra, imagine un peu, quelle malchance, il y a quelques années encore, il n'aurait pu faire carrière que dans un ballet ou au cirque, je suppose, impossible évidemment dans sa partie... » Wheeler eut un bref rire de moquerie, comme s'il s'était représenté un instant Tupra, sachant à quoi il ressemblait, avec un collant et un décolleté en pointe ou fendu, en train de faire des bonds sur une scène avec ses cuisses plus que robustes et des chevilles veineuses sur le point d'éclater; ou en maillot et cape moulante et phosphorescente de trapéziste. Il fit une nouvelle pause avant de reprendre, comme s'il avait espéré mon assentiment ou s'il se demandait s'il devait ou non expliquer ce qu'il entendait par « dans sa partie ». Je ne dis rien, alors il resta dubitatif, je remarquai qu'il ne faisait pas tout à fait attention à ce qu'il ajoutait, il me sembla qu'il prenait son temps avant de se décider, et qu'il improvisait : « Je me demande s'il ne s'est pas inspiré de ce libraire légendaire près de Covent Garden, Bertram Rota, tu connais sa boutique, je crois que son nom complet était Cyril Bertram Rota, je viens juste de remarquer le côté excentrique de son nom de famille, pour quelqu'un qui a un local sur Long Acre ou dans les environs, sûrement d'origine espagnole, non? Tu connais des Rota en Espagne? C'est bien comme ça que vous dites la Rote, non? Bien entendu, Bertram pourrait être son véritable prénom, je parle de Tupra, ce serait alors son père, si c'est ce dernier qui a émigré de la toundra ou de la steppe, qui aurait eu l'idée de britanniser son fils à sa naissance pour pallier l'effet barbare, presque accusatoire de Tupra, en Espagne il aurait dû renoncer, non ?, il aurait été l'objet de plaisanteries cruelles avec votre mot pour dire "stupre". Mais ces choses toutes bêtes fonctionnent, regarde le cas de Rota, je ne m'en étais pas rendu compte jusqu'à maintenant, après tant d'années passées à saper ma fortune en achetant sur catalogue ses livres hors de prix ; il faut que je demande à son fils Anthony, je crois qu'il vit toujours... » Wheeler s'arrêta de nouveau, tout en parlant il pesait le pour et le contre, il voulait et ne voulait pas me raconter ou m'annoncer ou me demander quelque chose. « Et d'ailleurs, reprit-il, Bertram lui permet sans doute, je veux dire à Tupra, d'être appelé Bertie en toute confiance, ce qui doit lui donner l'impression de sortir directement d'un livre de Wodehouse quand il est entre amis ou avec sa fiancée, elle viendra elle aussi, au fait, une nouvelle fiancée, il a insisté pour nous la présenter, sûr qu'il sera plus fier de son physique que de sa très probable science... » Il fit une dernière pause, mais je n'étais pas d'humeur communicative ou je n'avais rien à intercaler, ce qui fait qu'il eut recours à une nouvelle digression pour conclure avec élégance, celle-ci me sembla plus intrigante que les précédentes : « Bien entendu, il parle anglais comme un enfant du pays, sud de Londres à demi éduqué, dirais-je. Et tout bien réfléchi, il est peut-être plus anglais que moi, en fin de compte je suis né en Nouvelle-Zélande et je ne suis arrivé ici qu'à l'âge de seize ans, et avec un nom changé moi aussi, pour des raisons différentes, évidemment, rien à voir avec l'euphonie patriotique ni avec les steppes. Mais bon, tout ça, tu le sais déjà et là n'est pas la question, je te retiens trop longtemps. Donc, je compte sur toi pour samedi en quinze. » Et il prit congé de son ton le plus affectueux, qui rendait imperceptible une gouaille qu'il ne fallait jamais oublier : « J'attendrai ta venue avec la plus grande impatience. Tu es bien seul à Londres. Ne me fais pas faux bond. » Il me dit ces derniers mots dans ma langue.

Tel était et tel est sir Peter Wheeler, ce faux vieillard, je veux dire que derrière son aspect vénérable et apaisé se cachent fréquemment des machinations énergiques, presque acrobatiques, et derrière ses divagations abstraites un esprit observateur, analytique, capable d'anticipation, et d'interprétation ; et qui ne cesse de juger. Durant d'interminables minutes, j'avais porté mon attention sur ce Bertram Tupra, que je me verrais dans l'obligation d'observer pendant le buffet froid, tel avait été sans doute le principal objectif, que je l'observe. Mais en fin de compte il n'avait pas expliqué pourquoi, et en fait il n'avait pas lâché le moindre mot, descriptif ou informatif, au sujet de l'individu en question ou *fellow*, simplement qu'il avait été disciple de Toby Rylands et qu'il avait une nouvelle fiancée, le reste, digressions et conjectures oiseuses sur son absurde nom. Il ne s'était même pas décidé, après ses hésitations non exprimées, à spécifier ce qu'était « sa partie », ce domaine où il n'aurait jamais réussi s'il s'était appelé Pavel ou Mikka ou Jukka. Et finalement, même, il avait détourné mon possible intérêt, en faisant pour la première fois allusion devant moi à ses racines néo-zélandaises, à son intégration assez tardive en Angleterre et à son nom changé ou apocryphe, mais en m'empêchant, en même temps, de lui demander quoi que ce fût à ce propos, lorsqu'il avait aussitôt ajouté « Mais tout ça tu le sais et ça n'a rien à voir ici », alors qu'en fait j'avais tout ignoré de cette affaire jusqu'à cet instant.

« Encore un parallèle avec Toby, alors, pensai-je après avoir raccroché, dont on murmure qu'il était d'origine sud-africaine, comme on murmurait tant d'autres légendes ; raison de plus pour qu'ils deviennent amis lorsqu'ils étaient jeunes, Britanniques étrangers ou de citoyenneté uniquement, faux Anglais l'un et l'autre.» Rylands n'avait jamais dissipé ces rumeurs et c'est à peine si je l'avais sondé à leur sujet, il n'aimait pas beaucoup évoquer son passé à voix haute, on le disait et c'est l'attitude qu'il avait eue avec moi ; et il ne me sembla pas respectueux d'enquêter pour mon propre compte après sa mort, c'était comme contrevenir à ses désirs alors qu'il ne pouvait plus les entretenir ni les révoquer (« Curieux de ne plus désirer les désirs, citai-je de mémoire pour moi-même, curieux de devoir se défaire de tout, y compris de son propre nom.») J'hésitai à faire immédiatement le numéro de Wheeler, pour qu'il développe un peu ces nouvelles données au sujet du sien, de son passé, et qu'il m'explique pourquoi diable il avait péroré si longtemps sur Tupra, au point de m'impatienter. Car juste avant son appel, j'avais essayé de faire le numéro de Madrid qui, bien qu'encore à mon nom, n'était plus le mien mais celui de Luisa et des enfants, et qui était occupé avec tant d'insistance que je voulais essayer de nouveau le plus tôt possible, ne fût-ce que pour savoir pendant combien de temps je ne pourrais l'obtenir. C'est pour cette raison que je n'appelai pas Wheeler tout de suite, sitôt après avoir raccroché, j'étais pressé de refaire ce numéro perdu dont je devais me défaire, et auquel je répondais auparavant quand j'étais chez moi, très souvent. Maintenant je ne le faisais plus jamais, parce que je n'étais pas à la maison et que je ne pouvais pas y rentrer dormir, j'étais dans un autre pays, même, et bien que je n'y fusse pas bien seul, comme le croyait Wheeler, parfois un peu quand même, ou peut-être tolérais-je mal de ne pas être constamment accompagné et de ne pas toujours m'étourdir et alors le temps me pesait et je faisais obstacle à son cours, c'est peut-être pour cela qu'il ne m'avait pas été difficile d'écouter Wheeler avec attention, d'abord, chez lui, puis d'accepter la proposition de Tupra et, si celui-ci m'offrait quelque chose, c'était une compagnie incessante, même si parfois elle n'était qu'auditive et visuelle, et aussi des rations d'étourdissement.

Le numéro de Luisa à Madrid était toujours occupé, il n'était pas en dérangement m'avait-on dit au service des dérangements, et nous refusions tous les deux d'avoir des portables, cet instrument d'aguets. Elle était peut-être connectée à Internet, je lui avais recommandé de prendre une deuxième ligne pour ne pas bloquer le téléphone, mais elle ne se décidait pas à le faire bien que je lui aie offert d'en payer les frais, elle ne se connectait que de loin en loin, c'était vrai, il était donc improbable que ce soit cela, occupé si longtemps un jeudi soir, c'était en principe un des jours que nous avions décidés pour que je parle avec le petit et la petite avant qu'ils se couchent, il se faisait vraiment tard, une heure de plus en Espagne, dix heures passées et ici neuf heures passées, ils devaient avoir dîné tous les trois devant la télévision ou une cassette vidéo, le petit et la petite ne s'accordaient pas facilement sur leurs préférences, trop d'années les séparaient, par bonheur le petit était patient et protecteur avec elle et il cédait souvent, je commençais à craindre pour lui, il était protecteur même avec sa mère et peut-être même avec moi, maintenant qu'il me voyait loin et exilé, orphelin selon ses critères ou sa compréhension, ceux qui servent de bouclier sont très malheureux dans la vie, et ceux qui surveillent, l'oreille et l'œil toujours en alerte. Ils devaient être couchés à présent même s'ils laissaient la lumière allumée quelques minutes, que nous leur accordions Luisa et moi en récompense ou comme délai supplémentaire pour qu'ils lisent aussi quelque chose — une bande dessinée, quelques lignes, un conte — en attendant que le sommeil les prenne, c'est malheureux de connaître les habitudes précises d'une maison d'où l'on est soudain éloigné et où on ne revient qu'en visite et après avoir averti et comme un parent proche et de loin en loin, on reste fixé à la toile d'araignée de la scène et du rythme qu'on a construits ou qui vous abritaient et qui semblaient impossibles sans votre contribution et sans votre existence, prisonnier de longue durée de ce à quoi on a assisté et qu'on a tant de fois réalisé, et on est incapable d'imaginer que des changements puissent se produire, même si on a conscience que rien ne les en empêche et qu'il peut bien y en avoir et qu'on puisse les rechercher, même si on apprend à les soupçonner abstraitement, quels peuvent bien être ces changements qui se produiront en votre absence et dans votre dos, on n'est plus là, on n'est plus acteur ni même témoin, et c'est comme si on avait été expulsé du temps qui avance, ce temps qui pour vous est changé en peinture glacée ou mémoire glacée, depuis la distance ennemie.

Et on croit stupidement qu'on vous réservera quelques rares absences, non sur l'essentiel mais sur le symbolique, comme s'il n'était pas infiniment plus facile de faire table rase des symboles que des faits passés et avérés, lesquels peuvent être supprimés ou effacés sans effort excessif, il suffit d'y être résolu et de maîtriser ses souvenirs. On ne peut croire que Luisa n'aura pas sous peu de nouvel amour ou un amant, on ne croit pas qu'elle ne l'attende pas déjà sans savoir qu'elle l'attend, ou peut-être même qu'elle le cherche, cou dressé et regard en alerte, sans savoir qu'elle cherche, ni qu'elle ne rêve pas passivement de l'apparition prévisible de quelqu'un qui n'a encore ni visage ni nom et qui par conséquent les renferme tous, les possibles et les impossibles, les supportables et les nauséabonds. Et pourtant, on croit bien incongrûment que Luisa n'amènera pas ce nouvel amour ou cet amant à la maison avec les enfants, ni dans notre lit qui désormais est exclusivement le sien, et qu'elle le verra presque en cachette comme si le respect pour mon souvenir encore récent le lui imposait ou l'en implorait — un murmure, une fièvre, une égratignure —, comme si elle était une veuve et que j'étais un mort qui méritât le deuil et qu'on ne peut remplacer si vite, pas tout de suite, mon amour, attends, attends, ce n'est pas encore ton heure et ne me la gâche pas, donne-moi du temps et donne-lui-en à lui, à ce mort, son temps qui n'avance plus, donne-lui le temps de s'estomper, laisse-le se transformer en fantôme avant d'occuper sa place et de chasser sa chair, laisse-le se changer en néant et attends qu'il n'y ait plus d'odeur sur les draps ni dans mon corps, laisse à ce qui fut le temps de n'avoir pas été. On croit que Luisa ne donnera pas à cet homme accès à nos habitudes et à notre portrait sans autre forme de procès, qu'elle ne permettra pas que ce soit lui soudain qui l'aide à préparer le dîner — laisse, je vais faire les omelettes — et qui s'asseye à côté d'elle et des enfants pour regarder une vidéo — personne n'est contre Tom et Jerry —, ni que ce soit lui qui entre sur la pointe des pieds ensuite — tu n'en peux plus, j'y vais, ne bouge pas — pour éteindre les lumières des deux chambres, après avoir constaté que mes deux enfants se sont endormis avec un Tintin dans les mains qui a glissé par terre sans heurts ou avec un poupon sur l'oreiller qu'étouffera la petite étreinte des rêves simples.

Mais on doit se faire à l'idée qu'il n'y a aucun deuil ni respect de ce genre pour notre souvenir ni pour ce que nous décidons maintenant d'ériger tardivement en symboles, entre autres raisons parce que Luisa n'est pas veuve et que nous ne sommes pas morts et que je ne suis pas mort, mais parce que nous n'avons pas été suffisamment attentifs et que rien ne nous est dû, et surtout parce que son temps à elle, qui enveloppe et emporte les enfants, est déjà très différent du nôtre, le sien avance sans nous incorporer et moi je ne sais pas trop quoi faire du mien, qui avance également sans m'incorporer ou dans lequel je n'ai pas encore su monter, peut-être ne serai-je jamais à jour et ne ferai-je jamais que suivre le sillage de ce temps qui est le mien. Bientôt il y aura auprès d'elle un individu qui se chargera des omelettes et qui fera quotidiennement du zèle devant elle et devant les enfants, qui dissimulera durant des mois sa contrariété de ne pas disposer d'elle pour lui seul et à toute heure, qui jouera les patients et les compréhensifs et les solidaires, et qui à demi-mot et avec des questions attentionnées et des sourires de compassion rétrospective creusera ma tombe plus profondément encore, celle où je suis enterré. C'est le plus prévisible, mais qui sait... Ce sera peut-être un individu insouciant et jovial qui l'emmènera faire la fête tous les soirs et qui ne voudra même pas entendre parler des enfants ni mettre les pieds chez nous au-delà de l'entrée, déjà habillé pour faire la bringue et tambourinant sur le montant de la porte l'air très pressé; qui l'obligera à s'éloigner d'eux et à les négliger et qui lui fera courir des risques et l'entraînera dans des excès joyeux semblables à ceux que je me permets ici, assez fréquemment... Ou cela peut aussi être un type despotique et empoisonné, qui la dominera et l'isolera et lui instillera peu à peu ses exigences et ses interdictions, déguisées en amour et en faiblesse et en jalousie et en flatteries et en prières, un homme tordu qui peut-être, un soir de pluie et de réclusion, refermera ses grandes mains sur son cou pendant que les enfants — mes enfants — regarderont du coin de la pièce en se collant au mur comme s'ils voulaient que celui-ci cède et disparaisse, et avec lui la mauvaise vision, et les larmes retenues qui ne demandent qu'à jaillir mais n'y parviennent pas, le mauvais sommeil, et le bruit prolongé et bizarre que fait leur mère en mourant. Mais non, cela n'arrivera pas, cela n'arrive pas, je n'aurai pas cette chance et je n'aurai pas ce malheur (chance dans l'imaginaire et dans la réalité malheur)... Qui sait qui nous remplace, nous savons seulement qu'on nous remplace toujours, dans toutes les occasions et dans toutes les circonstances et dans toute activité, dans l'amour, dans l'amitié, dans notre emploi et dans notre influence, dans la domination, dans la haine qui finit elle aussi par se fatiguer de nous; dans les maisons que nous habitons et dans les villes qui nous tolèrent, dans les téléphones qui nous persuadent ou nous écoutent patiemment avec le rire à l'oreille ou un murmure d'assentiment, dans le jeu et dans les affaires, dans les magasins et dans les bureaux, dans le paysage de notre confiance dont nous pensions qu'il n'était qu'à nous et dans les rues épuisées de voir tant de choses se faner, dans les restaurants et sur les promenades et dans nos fauteuils et dans nos draps, jusqu'à ce qu'ils ne conservent plus aucune odeur ni aucun vestige et qu'on les déchire pour faire des bandes ou des torchons, et dans nos baisers on nous remplace, et les yeux se ferment quand on embrasse, dans les souvenirs et dans les pensées et dans les rêveries et partout, je ne suis que neige sur les épaules, glissante et douce, et la neige toujours s'arrête...

Je regarde par la fenêtre de mon appartement naïvement meublé par quelque femme anglaise que je n'ai jamais vue, tout en raccrochant et décrochant pour refaire le numéro, je regarde la nuit paresseuse de Londres à travers le square ou la place et qui peu à peu se dépeuple d'êtres actifs et de pas décidés pour être occupé pendant un moment — un interrègne — par les inactifs au pas erratique qui les conduit maintenant jusqu'aux corbeilles et aux poubelles où ils enfouissent leurs bras de cendre à la recherche de trésors invisibles pour nous ou du hasardeux salaire de leur journée de survie, quand il ne fait pas encore vraiment nuit mais bien sûr plus jour non plus, ou quand c'est encore aujourd'hui pour ceux qui rentrent chez eux ou mettent leurs vêtements de bringue pour ressortir, mais c'est déjà hier pour ceux qui vont et viennent sans jamais s'orienter. Je lève les yeux pour chercher et continuer à regarder le monde orienté et vivant auquel je crois encore appartenir, qui se protège de la cendre crépusculaire de l'air dans ses intérieurs illuminés, pour m'éloigner sans m'assimiler à lui du monde désorienté de ces fantômes qui s'enfoncent dans les détritus au point de se confondre avec eux ; je lève les yeux au-dessus de la circulation qui se calme maintenant et des mendiants-ombre et des retardataires — cinq ou six pas de course et le bond dans le bus à impériale sans porte qui démarre presque, les talons des femmes raclent, elles courent un danger sérieux ; je regarde par-dessus et à travers les arbres et la statue vers l'autre extrémité, où se trouvent l'hôtel élégant et les bureaux énormes et les maisons habitées qui abritent des familles ou pas toujours des familles, pas toujours ce que j'étais et parfois en revanche ce que je suis maintenant — « Je serai davantage celui que je suis : je serai plus moi désormais », me dis-je ; « *I'll be more myself* », dis-je en citant pour moi-même : car je me trouve et je suis seul —; je vois parfois ceux qui sont mes égaux sous un certain aspect, des gens qui n'habitent avec personne et reçoivent tout au plus des visites, et il se peut que telle ou telle d'entre elles passe la nuit avec eux, comme cela arrive aussi dans mon appartement, si quelqu'un fait attention à moi depuis quelque observatoire.

Il y a un homme qui habite en face, au-delà des arbres dont les cimes couronnent le centre de cette place et exactement à ma hauteur, un troisième étage, les maisons anglaises n'ont pas de persiennes ou rarement, tout au plus des rideaux fins ou des contrevents qu'on ne ferme généralement pas avant que le sommeil ne commence ses chasses étourdies, et je vois souvent cet homme danser, parfois accompagné mais presque toujours seul, avec grand enthousiasme, parcourant dans ses danses ou plutôt ses farandoles son long salon d'un bout à l'autre, il occupe quatre baies. Ce n'est pas un professionnel qui répète, pas du tout, c'est certain : il est en tenue de ville, et même parfois avec cravate et tout, comme s'il venait d'entrer par la porte après sa journée de travail et que son impatience ne lui permettait que de se débarrasser de sa veste et de relever ses manches (mais la norme est qu'il porte des pulls élégants ou des polos à manches longues ou des T-shirts), et ses pas de danse sont spontanés, improvisés, non dépourvus d'harmonie ni de grâce mais sans beaucoup de mesure ni de rythme ni d'étude dirais-je, ceux que lui inspire chaque fois la musique que je n'entends pas et qu'il est peut-être le seul à entendre, avec mes jumelles de courses il m'a semblé voir — c'est ce que je crois : je les porte aux yeux de temps en temps, à la maison aussi — qu'il s'ajuste aux oreilles un écouteur ou un engin, quelque chose sans fil, sans quoi il ne pourrait sauter ni se déplacer si librement. Ce qui expliquerait que certains soirs il ne commence ses séances que très tard, surtout pour l'Angleterre, où aucun voisin ne supporterait qu'il mette sa musique à plein volume après onze heures, ni même une heure plus tôt, je ne sais pas comment il peut faire pour amortir le bruit de ses pieds dansants. Peut-être cherche-t-il à trouver le sommeil quand il commence si tard : se fatiguer, s'abandonner, s'étourdir, distraire les efforts de sa conscience. C'est un individu de trente-cinq ans environ, mince, aux traits osseux — mâchoire et nez et front — mais de constitution athlétique, épaules assez larges, ventre plat et agilité remarquable, tout semble naturel et non pas le produit d'un gymnase. Il arbore une moustache épaisse mais soignée, comme les premiers boxeurs, mais sans ondulations type XIXe siècle, droit, et il se coiffe en arrière avec la raie au milieu, comme s'il avait une tresse mais je ne lui en ai pas vu, un jour il en portera une. Je trouve étrange de le voir se mouvoir sur différents rythmes sans que j'entende jamais la musique qui le conduit, je m'amuse à la deviner, à la lui mettre mentalement pour — comment dirais-je — lui éviter le ridicule de danser en silence, devant moi en silence, cette vision est incompréhensible, incongrue, presque démente si on n'y supplée pas avec sa mémoire musicale — ou si, même, on met le disque qu'on devine, si on l'a sous la main — ce qui domine ou guide l'individu et qu'on n'entend jamais, parfois je pense « peut-être qu'il danse au son de "Hucklebuck" de Chubby Checker à en juger par le déchaînement de son torse, ou quelque chose d'Elvis Presley, "Burning Love" par exemple, avec ce dodelinement ultra-rapide et comme de pantin et ces pas si courts, ou ce doit être moins vieux, Lynyrd Skynyrd peut-être, cette chanson célèbre, je ne sais quoi de l'Alabama, il lève beaucoup ses cuisses comme l'actrice Nicole Kidman quand elle la dansait dans un film, de façon inattendue ; et maintenant c'est peut-être un calypso, je reconnais sur ses hanches un va-et-vient absurdement antillais ou allez savoir, et en plus il a pris des maracas, il vaut mieux que je détourne les yeux ou que je lui mette tout de suite sur mon tourne-disque "I Learn a Merengue, Mama" ou "Barrel of Rhum", quel fou ce type, qu'est-ce qu'il a l'air heureux, indifférent à tout ce qui nous use et nous consume, livré tout entier à ses danses qui ne sont pour personne, il serait bien étonné s'il savait qu'il m'arrive de l'observer quand j'attends quelque chose ou que je n'ai rien à faire, et il est possible que je ne sois pas le seul dans mon immeuble, c'est assez drôle de le regarder, ça rend même joyeux, et ça a aussi un certain mystère, je n'arrive pas à imaginer qui il est ni ce qu'il fait dans la vie, il se soustrait — et ce n'est pas quelque chose de fréquent — à mes facultés interprétatives ou déductives, qui tombent juste ou qui se trompent mais qui en tout cas ne s'inhibent jamais, elles se mettent au contraire immédiatement en marche pour composer un portrait improvisé et minime, un stéréotype, un flash, une supposition plausible, une esquisse ou une tranche de vie pour aussi imaginaires et élémentaires ou arbitraires qu'ils soient, c'est mon esprit d'enquête toujours en alerte, mon esprit imbécile que critiquait et me reprochait Clare Bayes dans ce pays même il y a longtemps, avant que je rencontre Luisa, et qu'il fallut étouffer avec Luisa pour ne pas l'irriter et ne pas lui faire peur, cette peur superstitieuse qui est celle qui fait le plus de mal, et même ainsi cela n'a pas servi à grand-chose, rien ne peut servir contre ce qu'on sait déjà et ce qu'on craint le plus (peut-être parce qu'on l'attire alors avec fatalisme, et qu'on le recherche, car sinon on est déçu), et on sait d'ordinaire comment les choses finissent, comment elles évoluent et ce qui nous attend, vers quoi elles tendent et quel sera leur terme ; tout est là, sous nos yeux, en réalité tout est visible très tôt dans les relations comme dans les récits honnêtes, il suffit d'oser le regarder, un seul instant renferme le germe de bien des années à venir et presque de notre histoire tout entière — un seul instant lourd ou grave —, et si nous voulons nous la voyons et la parcourons déjà, à grands traits, les variantes possibles ne sont pas si nombreuses, les indices sont rarement trompeurs si nous

savons discerner ceux d'entre eux qui sont significatifs, si
— mais c'est si difficile et si catastrophique — on y est disposé ; on voit un jour un geste flagrant, on est témoin d'une
réaction sans équivoque, on discerne un ton de voix qui dit
beaucoup et annonce plus encore, même si on entend aussi
la langue se mordre — trop tard ; on sent sur sa nuque la spé-
cificité ou la propension d'un regard quand celui-ci se sait
invisible et à l'abri et en sécurité, il y en a tant d'involontaires ;
on remarque la suavité ou l'impatience, on perçoit les intentions cachées qui ne sont jamais tout à fait cachées, ou celles
qui sont inconscientes avant qu'elles deviennent conscience
chez celui qui devra les nourrir, parfois on comprend quelqu'un avant que ce quelqu'un ne se comprenne lui-même ni
ne se connaisse ni ne se pressente seulement, et on devine la
trahison avant qu'elle soit forgée et le dédain avant qu'il soit
ressenti ; et la gêne qu'on cause, la fatigue qu'on provoque
ou l'aversion qu'on inspire déjà, ou bien le contraire qui n'est
pas toujours mieux : l'inconditionnalité qu'on a envers nous,
l'attente excessive, le dévouement, le souci qu'a l'autre de
nous plaire et d'être vital pour nous, afin de nous supplanter
ensuite et être ainsi qui nous sommes ; et la soif de possession, l'illusion qu'on crée, la détermination qui habite quelqu'un d'être ou de rester près de nous, ou de nous conquérir,
et la loyauté irrationnelle, aberrante ; on remarque quand il
y a de l'enthousiasme et quand celui-ci n'est que flatterie et
quand il est mêlé (parce que rien n'est pur), on sait qui n'est
pas franc du collier et qui est ambitieux et qui n'a pas de
scrupules et qui passera sur notre cadavre après l'avoir pié-
tiné et qui est une âme candide, et on sait ce qu'il en sera de
ces dernières quand on les rencontrera, le destin qui les
attend si elles ne se corrigent pas en se viciant et également si
elles le font : on sait si elles seront nos victimes. On voit qui
abandonnera qui un jour, quand on lui présente un ménage
ou un couple, et on le voit sur-le-champ, rien qu'en les
saluant, ou au dessert on l'a compris. On perçoit aussi quand
quelque chose tourne mal et se gâte, ou fait la culbute et que

le vent tourne, quand tout se lasse, à quel moment on cesse d'aimer comme avant ou d'être aimé, qui couchera avec nous, qui ne le fera pas, et quand un ami découvre sa propre envie, ou plutôt décide de s'y abandonner et de ne plus se laisser désormais conduire et guider que par elle seule; quand il commence à déborder ou à se charger de ressentiment; nous savons ce qui exaspère ou horripile en nous et ce qui nous condamne, ce qu'il fallait dire et que nous n'avons pas dit ou ce qu'il fallait taire et que nous n'avons pas tu, ce qui fait qu'un jour soudain on nous regarde avec d'autres yeux — yeux troubles ou mauvais : c'est déjà de l'aversion; quand nous décevons ou quand nous irritons parce que nous ne le faisons pas encore et que nous n'offrons pas le prétexte désiré pour être chassés; quel détail l'autre personne ne supporte pas et marque pour nous l'heure de devenir insupportable et pour toujours désormais; et nous savons aussi qui nous aimera, jusqu'à la mort et au-delà et parfois malgré nous, au-delà de sa mort à elle ou de la mienne ou de la nôtre à tous les deux... contre notre volonté parfois... Mais personne ne veut rien voir et c'est ainsi que personne ne voit presque jamais ce qui est devant lui, ce qui nous attend ou que nous offrirons tôt ou tard, nous ne renonçons pas à lier conversation ou amitié avec quelqu'un qui ne nous apportera que du repentir et de la discorde et du venin et des lamentations, ou avec celui à qui nous apporterons tout cela, même si nous l'entrevoyons dès le premier instant, même si c'est pour nous une évidence. Nous essayons de faire en sorte que les choses soient différentes de ce qu'elles sont et de ce qu'elles semblent, nous nous obstinons de façon insensée à tout faire pour que quelqu'un qui dès le début ne nous plaît guère finisse par nous plaire, et pour faire confiance à celui qui nous inspire une méfiance aiguë, c'est comme si nous allions fréquemment contre notre propre connaissance, parce que nous la ressentons souvent ainsi, comme connaissance plus que comme intuition ou impression ou pressentiment, tout cela n'a rien à voir avec les prémonitions, il n'y a rien de surnaturel ni de mystérieux dans tout cela, ce qui est mystérieux c'est que nous n'en tenions pas compte. Et l'explication doit être simple, de quelque chose qui est tellement partagé par tant de gens : c'est simplement que nous savons, et que nous détestons savoir ; que nous ne supportons pas de voir ; que nous haïssons la connaissance, et la certitude, et la conviction ; et personne ne veut devenir sa propre douleur et sa propre fièvre... »

En quelques occasions, je l'ai dit — deux simplement à ce moment-là —, cet homme que je n'interprète ni ne réduis, au sujet de qui je n'arrive pas à me faire une idée claire ou vague, dansa accompagné, contre son habitude, et ce fut avec deux femmes différentes, l'une blanche et l'autre noire ou mulâtre (je ne pouvais pas le savoir exactement, les lumières basses) ; mais ces fois-là aussi il me sembla plus attentif à lui-même et à sa jouissance qu'à ses partenaires, même s'il ne faisait pas de doute qu'il était heureux de compter sur elles pour varier le tableau et pouvoir les croiser et les saisir ou les frôler tout au long du salon bien dégagé, toute une zone ou frange longitudinale sans meubles, c'est-à-dire sans obstacles, comme s'il la gardait libre exprès pour faciliter ses ébats. La Blanche était en pantalon, c'était dommage ; la Noire, en revanche, jupe qui volait et montait, et parfois ne redescendait pas entièrement ensuite, elle restait accrochée à ses bas quelques instants (bon, des bas qui arrivent à la taille ou des collants comme on voudra appeler ça) jusqu'au moment où un nouvel écart ou un geste distrait de la main délivraient le tissu et le rendaient à la censure des lois de la gravité. J'eus plaisir à voir ses cuisses et fugacement ses fesses, c'est pourquoi je m'abstins de prendre mes jumelles, en principe espionner n'est pas mon genre, du moins pas intentionnellement et ici ce n'aurait pas été le cas. La femme blanche partit après la séance de danse, je la vis sortir par le porche de l'immeuble de l'homme et monter sur sa bicyclette (peut-être pour ça, le pantalon, quoiqu'il n'y ait pas de raison d'en chercher une) ; la Noire ou mulâtresse resta dormir, à ce que je crois ; ils s'arrêtèrent après avoir fait la fête assez longtemps, et les lumières s'éteignirent aussitôt, et je restai longtemps sans la voir partir, il était tard et il était plus tard encore quand je décidai de me coucher pour l'oublier. Ici chez moi, il est arrivé aussi qu'une femme reste, de temps en temps, surtout durant les premiers mois de mon installation, mois de reconnaissance et de tâtonnement : l'une est revenue, une autre voulut revenir et je ne fus pas d'accord, la troisième ne se posa même pas la question, elle se désintéressa de l'affaire avant même qu'elle s'achève — c'est-à-dire qu'il y en avait eu trois jusqu'à ce moment-là —, je ne sais rien d'elle ou ne savais rien alors, quand elle prit son petit déjeuner dans ma cuisine, moins gênée que machinale et rapide, comme si de se trouver là de si bon matin ne la concernait pas, une coïncidence de logement, elle était promise au fils d'un type important avec lequel elle était tout excitée d'annoncer son mariage imminent, et effrayée de se marier de façon si imminente, il l'appelait peut-être depuis la veille au soir ou depuis très tôt, faisant son numéro et raccrochant et décrochant et le refaisant, ce fiancé nerveux qui ne recevait pas de réponse ou simplement celles du répondeur et de la boîte aux lettres, c'est quelque chose d'insupportable, appeler et appeler en vain, moi je ne supportais plus de continuer avec Luisa, qu'est-ce qu'elle pouvait bien faire, peut-être avait-elle décroché parce qu'elle avait de la visite, peut-être que quelqu'un allait rester avec elle cette nuit-là, et que la seule façon de s'assurer que ma lointaine voix n'interromprait ou ne perturberait rien — elle devait s'être rendu brusquement compte qu'on était jeudi, après qu'ils eurent décidé impromptu de prolonger la visite : la lance, la fièvre, ma douleur, le rêve, ce qui est substantiel et ce qui est insignifiant —, c'était de coucher les enfants un peu plus tôt que d'habitude et de laisser toute la nuit le téléphone décroché, demain elle pourrait toujours prétexter une distraction.

Mais seul l'homme adulateur et appliqué reste, dans cette phase au moins, seul celui qui fait du zèle pour s'installer et occuper le creux dans le lit encore chaud sans aspirer à introduire le moindre changement, car le schéma de son prédécesseur lui semble impeccable et il ne désire qu'être celui-là, même s'il ne le sait pas encore ; le type jovial et souriant s'en va ou n'entre même pas, il ne veut pas entendre parler de partager l'oreiller au-delà des heures éveillées et actives ; et celui qui est despotique et possessif dissimule beaucoup au début, il fait bien attention à ne pas paraître intrus, il attend toujours qu'on l'encourage et même alors il décline les premières invitations (« Je ne veux pas t'embarrasser, je serais une gêne pour toi et peut-être n'es-tu pas sûre de vouloir me voir demain matin sans t'être d'abord posé la question »), il se montre déférent, respectueux et même précautionneux, il fait en sorte de ne pas laisser paraître le moindre signe envahisseur ou expansif, et il ne s'attarde ni ne demeure sur le territoire d'autrui jusqu'à une phase tardive, précisément parce qu'il projette de se l'approprier tout entier et il ne se risque pas à susciter de soupçon. Celui-là ne reste pas dormir même si on l'en implore, pas au début : celui-là se rhabille de la tête aux pieds malgré l'heure et sa mollesse et le froid, et il vainc toute paresse — celle de remettre ses chaussettes — et diffère toute avidité et toute urgence — peu lui importe qu'avidité et urgence se condensent ; il prend sa voiture ou appelle un taxi et s'en va à l'aube sans faire de bruit, aussi pour commencer à être très vite regretté, à peine a-t-il refermé la porte derrière lui et ouvert celle de l'ascenseur et laissé la femme en tenue négligée et tiède déjà retourner à son lit défait et guère accueillant, à ses draps froissés et à l'odeur qui n'a pas encore disparu. Si c'est cet homme, cet individu retors qui plus tard ne la laissera pas respirer un instant et l'isolera complètement, et qui n'aura même pas besoin de m'enfoncer, moi, ni de creuser plus profond ma tombe parce qu'il aura supprimé mon souvenir avec la première terreur et la première prière et le premier ordre ; si c'est là son visiteur de cette nuit, alors peut-être que Luisa raccrochera le téléphone quand il sera parti, aussi habillé qu'il est arrivé, portant même ses gants, et peut-être raccrochera-t-elle en entendant résonner sous le porche et dans la rue ses pas maintenant bruyants et sûrs et fermes, la progression si soutenue et si ferme qui le mène à l'extérieur. Et donc peut-être devrais-je insister encore, ou essayer de nouveau plus tard, quand je déciderai enfin de me coucher pour l'oublier, presque onze heures à Madrid et qu'est-ce que je fais ici si loin sans pouvoir rentrer dormir à la maison, qu'est-ce que je fais dans un autre pays à me comporter comme un fiancé nerveux, ou pire, comme un amoureux insignifiant, ou pire, comme un pauvre diable de soupirant qui refuse de se rendre compte de ce qu'il sait déjà, qu'il sera toujours repoussé. Ce temps est passé, ce n'est plus mon temps ou alors mon temps est passé, j'ai deux enfants depuis longtemps et c'est leur mère que j'appelle, cela fait assez longtemps pour que ma pensée ne les oublie jamais et qu'ils soient pour moi des enfants éternels, pourquoi mon temps s'est-il envolé ou pourquoi est-il resté en suspens, quel sens cela a-t-il que je sois nerveux sous prétexte que je crains pour l'avenir possible qui les attend tous les trois selon la personne qui me remplacera, que je sache il n'y a encore personne en chemin ou sur cette voie, quoique, s'il y avait quelqu'un, il n'y aurait aucune raison que Luisa me le dise, et moins encore qu'elle me parle de ses rencontres occasion-nelles qui pour le moment ne mènent à aucune inauguration, qui elle voit ou avec qui elle sort et ne disons pas avec qui elle couche et qui elle raccompagne à sa porte, un peignoir jeté sur son corps excité et nu jusqu'à cet instant, à qui elle dit au revoir avec un baiser pour la route jusqu'à la prochaine fois, ou peut-être est-il blafard au terme d'une longue journée de travail, elle sans la moindre trace de maquillage à présent, et toute décoiffée, des cheveux que les besognes de la nuit et du jour ont rendus enfantins et avec la fatigue visible dans ses cernes profonds et sur sa peau si mate, quand même le contentement momentané de la péripétie qu'il vient de vivre ne peut embellir un visage qui ne demande et ne supporte plus que repos et sommeil, encore du sommeil, et d'en finir enfin avec les pensées. Moi non plus je ne lui ai rien dit des trois femmes qui ont passé la nuit ici, même pas d'une seule, de laquelle, pourquoi l'aurais-je fait, pas même de celle qui est revenue.

Les clochards se sont retirés après avoir complété leur butin — ils ne sont qu'un interrègne de cendre et d'ombre — et la place est presque vide, quelqu'un la traverse de temps à autre, personne n'est le dernier nulle part, quelqu'un traverse toujours plus tard. Il y a de la lumière dans l'hôtel élégant et dans quelques appartements, mais dans mon champ visuel n'apparaît aucune silhouette, en cet instant. L'insondable danseur d'en face s'est arrêté et a éteint les siennes, il a commencé à une heure trop tardive pour supporter des efforts trop grands. Ce qui fait que je reste seul comme un fiancé ou un amoureux, substantiel et quelconque, je reste ici, éveillé.

« ¿ Sí ? »

J'avais décroché le téléphone sans presque le laisser sonner, je l'avais tellement à portée de main. J'avais répondu en espagnol, cela faisait un bon moment que je réfléchissais dans ma langue.

« Deza. » C'est ainsi que m'appelait Luisa quelquefois, par mon nom de famille, quand elle voulait se faire pardonner ou me soutirer quelque chose, et aussi quand elle était de mauvaise humeur, à cause de moi. « Bonsoir, tu as dû appeler, je suis désolée, ma sœur m'a tenue une heure au téléphone pour que je lui serve de psychiatre, ça ne va pas du tout avec son mari et maintenant elle me prend pour une experte. Imagine-toi. Les enfants dorment, je suis vraiment navrée, je les ai couchés à l'heure habituelle, le fait est que j'avais oublié qu'on était jeudi jusqu'à maintenant, juste en raccrochant, tu sais ce qui arrive quand on voit clairement ce que l'autre ne voit pas, on le lui répète dix fois et on s'exaspère, et ma sœur aussi, en réalité elle veut entendre ce qu'elle se dit elle-même et pas ce que je peux comprendre, ou lui conseiller. Comment vas-tu ? »

Elle avait l'air très fatiguée et vaguement absente, comme si s'adresser à moi était pour elle un dernier effort nocturne, un de plus, sur lequel elle n'avait pas compté, et comme si elle était encore en train de bavarder avec sa sœur et non avec moi, si toutefois cette conversation avait bien eu lieu. C'est toujours la même chose, quotidiennement et avec n'importe qui, constamment, dans tout échange de paroles banales ou graves, on peut croire ou ne pas croire ce qu'on nous dit, il n'y a pas d'autre alternative, trop peu de possibilités et trop simples, et c'est pourquoi l'on croit presque tout ce qu'on nous dit, ou si on ne le croit pas on se tait le plus souvent, parce que sinon tout devient compliqué et s'embrouille, on avance par à-coups et rien ne coule. Si bien que tout ce qui est dit est tenu pour vrai au début, ce qui l'est et ce qui ne l'est pas, sauf si ce qui est faux est notoire, notoirement faux. Ce n'était pas le cas avec Luisa en l'occurrence, ce qu'elle disait pouvait refléter ce qui était arrivé ou bien recouvrir quelque chose — une autre conversation téléphonique, un dîner en ville sous la protection d'une baby-sitter bavarde, une visite prolongée et son renvoi, cela ne me regardait pas et qu'est-ce que cela pouvait faire —, je devais le tenir pour vrai, en réalité je ne devais même pas m'interroger à ce sujet. Et d'ailleurs il y a une autre possibilité, en fait, tout est plein de demi-vérités, et nous nous inspirons tous de la vérité pour ourdir ou improviser nos mensonges, donc il y a toujours dans ces derniers quelque chose de vrai, une base, un point de départ, une source. D'ordinaire je sais, même si ça ne me concerne pas et qu'il n'y a pas de vérification possible (et souvent ça m'est complètement indifférent, ça ne m'importe pas). Je les détecte sans preuves, mais en général je me tais, à moins qu'on ne me paie pour les signaler, comme à mon époque professionnelle londonienne.

« Bien », dis-je, et même ce mot unique était faux. C'était à peine si j'avais envie de parler. Pas même de demander des nouvelles des enfants, il n'y avait certainement rien de nouveau. Malgré tout, elle me fit un résumé rapide, comme pour me dédommager de ne pas avoir entendu leurs voix ce soir-là : c'est peut-être pour cette raison qu'elle m'avait appelé

Deza, pour se faire pardonner son oubli que je ne lui reprochais pas, en fin de compte ces minutes avec le petit et la petite au téléphone étaient toujours routinières et idiotes, les mêmes questions de mon côté et les mêmes réponses du leur, ils ne me demandaient rien sauf quand je viendrais et ce que j'allais leur rapporter, puis une ou deux phrases affectueuses et une ou deux plaisanteries, tout cela bien rigide, puis la peine arrivait en silence, du moins la mienne, elle était supportable.

« Je suis épuisée », dit Luisa pour conclure. « Je n'en peux plus de ce téléphone, je vais me coucher tout de suite. »

« Bonne nuit. Je tâcherai d'appeler dimanche. Reposetoi. »

Je raccrochai ou nous raccrochâmes, moi aussi je me sentis épuisé et le lendemain matin une bonne dose de travail m'attendait à la BBC Radio, j'y travaillais encore, j'ignorais que ce n'était plus pour longtemps. Tout en me déshabillant pour me coucher je me souvins d'une question idiote que j'avais posée un jour à Luisa pendant qu'elle se déshabillait elle-même pour se coucher il y a de ça mille ans, juste après la naissance de notre fils, alors que je ne m'étais pas encore habitué tout à fait à son existence, ou à son omniprésence. J'avais demandé à Luisa si elle pensait que le petit vivrait toujours avec nous, tant qu'il serait enfant ou très jeune. Et elle avait répondu avec surprise et une légère impatience : « Évidemment, quelle bêtise, avec qui veux-tu qu'il vive ? » Et aussitôt elle avait ajouté : « S'il ne nous arrive rien. » « Que veux-tu dire ? » lui avais-je demandé, un peu distrait ou déconcerté, comme je l'étais souvent en ce temps-là. Elle était presque nue. Et sa réponse avait été : « Rien de mal, je veux dire. » Maintenant le petit était encore petit et il ne vivait pas avec nous mais avec elle, seulement avec elle, et avec notre nouvelle petite fille qui aurait dû elle aussi vivre toujours comme ça, avec nous. Il devait nous être arrivé quelque chose de mal, alors, ou peut-être pas à nous deux, mais à moi. Ou bien à elle.

Tupra se révéla au premier abord ou dans une soirée un homme cordial, souriant, ouvertement sympathique pour un insulaire, avec une vanité molle et ingénue qui non seulement n'était pas gênante, mais avait pour effet qu'on le regardait avec une légère ironie et avec une affection instinctive et légère elle aussi. Il était indubitablement anglais en dépit de ce nom si bizarre, beaucoup plus Bertram que Tupra : ses mimiques, son intonation, ses aigus et ses graves alternés dans une même tirade, son doux balancement sur les talons, mains jointes dans son dos quand il était debout, sa fausse timidité initiale, cette timidité qu'on adopte souvent là-bas comme simple signe de bonne éducation, ou comme déclaration préliminaire de renoncement à toute soumission verbale — la sienne fut vraiment très initiale, je veux dire que sa timidité ne dura pas au-delà des présentations ; et, malgré tout, quelque chose de ses origines étrangères lointaines ou décelables survivait en lui — elles étaient sans doute simplement paternelles —, appris peut-être de façon non délibérée et naturelle chez lui et pas tout à fait effacé par la rue et l'école, pas même par l'université d'Oxford où il avait fait ses études, qui apporte tant d'affectation et d'idiotismes dans le langage et tant d'attitudes exclusives et distinctives — on dirait presque des signes de reconnaissance ou des codes —, une superbe certaine et jusqu'à des tics faciaux dans les cas d'assimilation majeure et résolue au lieu — ou bien n'est-ce qu'une vieille légende. Ce quelque chose avait à voir avec une certaine dureté de caractère ou une certaine tension permanente, ou bien était-ce une véhémence différée, souterraine, captive, toujours impatiente de se retrouver sans témoins — ou uniquement avec les témoins de confiance — pour émerger et se manifester. Je ne sais comment dire, je n'aurais pas été étonné que Tupra, quand il était seul ou oisif, se mît à danser comme un fou dans sa chambre, avec ou sans partenaire, mais probablement avec une femme à portée de la main, il sautait aux yeux qu'il les aimait démesurément (et quand cela arrive en Angleterre, cela devient tout à fait patent, par contraste avec la simulation dominante), non seulement celle qui pouvait être avec lui mais n'importe laquelle ou presque, et même d'âge déjà mûr, c'était comme s'il avait la capacité de les voir dans leur passé, quand elles n'étaient que jeunes ou peut-être même encore enfants, pour les deviner rétrospectivement et pouvoir, avec cet œil qui sondait le passé, faire en sorte que le passé redevienne présent pendant le temps où il s'arrangeait pour le scruter et où il le faisait revenir, et que les femmes en cours de rétrécissement ou de flétrissure ou de retrait retrouvent en sa présence lasciveté et vigueur (ou alors n'était-ce qu'un éclair : le crépitement affolé et éphémère, plus encore que la flamme, d'une allumette qu'on vient de gratter). Le plus remarquable était que non seulement il obtenait qu'il en soit ainsi à ses yeux, mais aussi à ceux des autres, comme si sa vision devenait contagieuse quand il la racontait, ou, d'une autre façon, comme s'il nous persuadait et nous apprenait à voir ce qu'il voyait, lui, à cet instant, et que nous n'aurions jamais perçu nous-mêmes sans son concours ni ses descriptions ni son index qui le montrait.

Cela, je l'avais observé dès le buffet froid de sir Peter Wheeler et bien évidemment après, en plus grande connaissance de cause. Je m'aperçus plus tard, en fait, que sa perspicacité pour les biographies déjà à moitié écrites et les trajets à moitié parcourus touchait tout le monde en général, femmes et hommes, même s'il était bien plus stimulé et ému par les premières. À la soirée chez Wheeler il se présenta accompagné de celle dont il avait parlé à celui-ci comme de sa nouvelle fiancée, une femme de dix ou douze ans plus jeune que lui et qui semblait trouver chez Tupra et dans cette situation tout sauf de la nouveauté : elle prodiguait des sourires à ceux qui semblaient les plus riches et elle les frôlait apparemment sans le vouloir, et elle s'efforçait de s'intéresser aux conversations comme si elle était en train d'interpréter un rôle classique et de consulter mentalement sa montre (qu'elle regarda deux ou trois fois sans apparente coopération mentale). Elle était grande, trop même, sur ses talons bien maîtrisés, avec des jambes fortes et solides, des jambes de Nord-Américaine et une beauté un peu chevaline dans le visage, de jolis traits mais avec une mâchoire menaçante et une dentition compacte de pièces rectangulaires à l'excès, si bien que lorsqu'elle riait sa lèvre supérieure se pliait vers le haut presque au point de disparaître — quand elle ne riait pas elle était mieux. Elle sentait bon son propre parfum, une de ces femmes dont l'odeur originelle acide et agréable — très sexuée, une odeur corporelle — prévaut sur les odeurs ajoutées, c'était probablement ce qui excitait le plus son fiancé (hormis ses cuisses exhibées).

Tupra devait avoir la cinquantaine et était plus petit qu'elle, comme la plupart des hommes de la réunion ; son aspect était celui d'un diplomate ayant beaucoup voyagé et même envoyé souvent à l'improviste de-ci de-là, ou de haut fonctionnaire moins occupé dans les bureaux qu'au-dehors, c'est-à-dire pas aussi important nominalement qu'indispensable dans la pratique, plus habitué à étouffer des incendies d'importance et à colmater de larges brèches, à remédier à des offenses prébelliques et à calmer ou à tromper des insurgés, qu'à organiser des stratégies depuis un cabinet. Il avait l'air d'un type ayant les pieds sur terre, absolument pas perdu dans les hauteurs ni ahuri par le cérémonial : quel que soit son métier (« sa partie »), il évoluait certainement beaucoup plus dans les rues que sur des moquettes, même si c'étaient peut-être désormais uniquement des rues choisies, élégantes et cossues. Le volume de son crâne était atténué par des cheveux nettement plus sombres, plus touffus et plus frisés que d'ordinaire au Royaume-Uni (sauf au pays de Galles), et il se teignait probablement les tempes, où ses frisettes se transformaient quasiment en petits colimaçons, dénonçant ainsi un grisonnement inopportun mais retardé. Il avait des yeux bleus ou gris selon la lumière et des cils longs et trop fournis pour ne pas être enviés par presque toutes les femmes et regardés avec méfiance par presque n'importe quel homme. Son regard pâle était cependant moqueur même sans intention de l'être — et donc expressif même dans les moments d'inexpressivité —, et assez accueillant ou devrais-je dire appréciatif, des yeux indifférents à rien de ce qu'ils ont en face d'eux et tels que les personnes sur qui ils se posent se sentent dignes de curiosité, comme si leur disposition si active donnait dès le premier instant l'impression de devoir percer à jour ce qu'il y a dans l'être ou l'objet ou le paysage ou la scène aperçus par eux. C'est un genre de regard qui survit à grand-peine dans nos sociétés, on le réprouve et on le bannit. Bien entendu, il n'abonde pas en Angleterre, où la tradition déjà ancienne commande que le regard soit voilé ou opaque ou absent ; mais pas non plus en Espagne, où on le trouvait pourtant et où maintenant personne ne voit rien ni personne et n'éprouve pas le moindre intérêt pour cela, et où une espèce de pingrerie visuelle conduit les gens à se comporter comme si les autres n'existaient pas, ou simplement en tant que masses ou obstacles qui doivent être évités ou que simples appuis où se soutenir ou sur lesquels grimper, et si ce faisant on les écrase, tant mieux, et où l'on dirait que s'occuper de façon désintéressée de son prochain revient à lui accorder une importance imméritée qui en outre entame celle de celui qui s'y intéresse.

Et pourtant, celui qui regarde encore comme Bertram Tupra, pensai-je, celui qui met au point avec netteté à la hauteur adéquate, à hauteur d'homme ; celui qui attrape ou capture ou plutôt absorbe l'image qui est devant lui, celui-là a beaucoup gagné, surtout le savoir et tout ce que permet le savoir : persuader et influencer, pour se rendre indispensable et être regretté quand il s'écarte ou s'en va ou simplement fait mine de le faire, pour dissuader et pour convaincre et s'approprier, pour inoculer et pour conquérir. Tupra avait quelque chose en commun avec Toby Rylands, dont il avait été le disciple, cette attention chaleureuse et enveloppante ; et de la même façon il avait quelque chose en commun avec Wheeler, sauf que le regard de Wheeler était aux aguets, en embuscade, et que ses yeux avaient l'air de cogiter même lorsqu'ils paraissaient absorbés ou distraits ou somnolents, en train de penser par eux-mêmes sans intervention de l'esprit, jugeant superflu de formuler le moindre jugement, pas même pour leur propre compte. Tupra en revanche n'intimidait pas au début, il ne produisait pas cette impression et par conséquent ne vous incitait pas à être en garde, il vous invitait plutôt à baisser votre bouclier et à ôter votre heaume, pour mieux vous laisser prendre par lui. Il y avait quelque chose de commun entre eux, et lui fut le relais qui me permit de découvrir d'autres ressemblances encore entre les deux vieillards, l'ami mort et l'ami vivant : des liens de caractère ; ou peut-être pas, simplement des liens de capacité. Ou peut-être était-ce un don chez tous les trois.

Je pensai que Tupra devait être irrésistible avec les femmes (je l'ai souvent pensé, je l'ai vu), de toute classe, profession, expérience, tout degré de vanité ou âge, bien qu'il frisât déjà la cinquantaine et ne fût pas à proprement parler beau mais dans l'ensemble simplement séduisant et avec certains traits peut-être laids même objectivement : non tant son nez un peu grossier et comme partagé par un coup ancien ou par plusieurs autres ; non tant sa peau luisante et lisse — et de façon inquiétante — pour son âge et d'une jolie couleur bière (toute ride disparue, et sans recours artificiel) ; non tant ses sourcils comme des taches de suie et tendant à se rejoindre (il devait probablement éclaircir avec une pince à épiler l'espace qui les séparait); mais plutôt sa bouche trop charnue et trop moelleuse, ou aussi dépourvue de consistance qu'elle était d'une dimension excessive, des lèvres un peu africaines ou plutôt indiennes ou alors slaves, qui lorsqu'elles embrassaient devaient céder et se répandre comme de la pâte à modeler manipulée et molle ou alors elles devaient donner cette impression, avec une sorte de toucher de ventouse d'une humidité toujours renouvelée et inextinguible. Et même ainsi, me dis-je, il devait prendre qui il voulait prendre, car rien ne dure moins longtemps que l'objectivité, et alors presque rien n'est repoussant, une fois qu'on l'a perdue ou qu'on s'en est par hasard débarrassé, pour pouvoir vivre. Et il y avait certainement des personnes à qui cette bouche plaisait et qu'elle enflammait, de plus. Rarement, depuis que je suis adulte ou même quand j'étais jeune et plus hésitant, je n'ai éprouvé face à un homme la conviction qu'il n'y aurait rien à faire contre lui sur certains terrains; et que si cet individu ou *fellow* posait ses yeux sur la femme que j'aurais à mes côtés, il n'y aurait aucune possibilité de la retenir. Mais je n'avais pas de femme à mes côtés, ni lors du buffet froid de Wheeler, ni la plus grande partie du temps où Tupra m'engagea comme collaborateur. Heureusement que Luisa n'est pas avec moi, pensai-je; elle n'est pas dans les parages et je n'ai rien à craindre (je l'ai souvent pensé, je l'ai vu). Cet homme l'amuserait et la flatterait et la comprendrait, il l'emmènerait faire la fête tous les soirs et l'exposerait aux risques les plus adéquats et les plus fructueux, il se montrerait attentionné et proche et il goberait son histoire de A à Z, et en même temps il l'isolerait et lui infuserait très vite ses exigences et ses interdictions, tout cela à la fois ou dans un laps de temps très bref, et il n'aurait pas besoin de creuser ne fût-ce qu'un pouce de plus pour m'envoyer au tréfonds du fond des enfers, ni de prendre le moindre élan pour m'expédier dans les limbes, moi et le souvenir de moi, et l'occasionnelle et improbable nostalgie de moi.

Cette conviction rendait plus étrange encore à mes yeux l'attitude de sa nouvelle fiancée envers lui, car elle avait plutôt l'air de quelqu'un qui depuis longtemps aurait effectué à son côté le parcours complet : si complet qu'elle serait même parvenue à l'étirer outre mesure et à abuser du trajet commun, et par conséquent à s'ennuyer un peu avec Tupra, dont on aurait dit qu'elle le tolérait avec une affection usée et un esprit de conciliation — et peut-être aussi un peu d'adulation — plus qu'elle ne le poursuivait avec enthousiasme dans le grand salon, ou avec le côté collant de l'amant tout juste étrenné qui n'en croit pas encore sa bonne fortune (cet homme m'aime, cette femme m'aime, quelle bénédiction) et la confond avec la prédestination ou autres exaltantes fariboles. Ce n'est pas qu'on ne la voyait pas accrochée à Tupra, mais plutôt parce que c'était lui qui l'accompagnait et qui l'avait entraînée ou guidée jusqu'à la maison de Wheeler avec ces gens mi-universitaires mi-diplomates ou financiers ou politiques ou chefs d'entreprise, ou peut-être littéraires ou de professions libérales (on ne distingue pas vraiment les élégants dans un pays étranger et à l'étiquette archaïque, même si on y a longtemps vécu ; et il y avait un noble un peu ivre et gigantesque, lord Rymer, vieille connaissance à moi d'Oxford et directeur ou *warden* à la retraite d'un *college*, All Souls), que par attachement ou soumission ou désir ou affection amoureuse, ou à cause de l'habituelle impatience devant les nouveautés qui cachent encore l'inévitable terme de leur condition, qu'on préfère toujours, au fond, accélérer (ce qui est neuf est très fatigant, car cela exige un entraînement et n'est pas canalisé). Peter me l'avait présentée comme Beryl tout court. « Mr Deza, un vieil ami espagnol », avait-il dit en anglais quand ils étaient arrivés alors que je me trouvais là, et il leur avait donné une prééminence naturelle en mentionnant d'abord mon nom, la dame y obligeait et peut-être autre chose encore ; et aussitôt : « Mr Tupra, dont l'amitié remonte encore plus loin. Et voici Beryl. » Rien d'autre.

Si Wheeler voulait que j'observe Tupra et que je lui

consacre plus d'attention qu'à quiconque durant la soirée, il avait commis une erreur de calcul en invitant un autre Espagnol, un certain De la Garza, je n'avais pas compris au début s'il était attaché culturel ou de presse ou de quelque chose de plus vague et plus parasitaire encore auprès de l'ambassade de notre pays, bien que certaines de ses expressions m'aient interdit d'écarter qu'il soit seulement chargé de relations impudiques, fournisseur d'alcools, suborneur in petto ou chambellan. Un type soigné, fat et bavard qui, comme c'est généralement la norme chez mes compatriotes quand ils se trouvent avec des étrangers dans n'importe quelle occasion et à n'importe quel endroit, soit en Espagne comme hôtes ou au-dehors comme invités, qu'ils soient en majorité absolue ou en minorité individuelle, ne supportait pas en fait de fréquenter des étrangers ni de se voir dans la circonstance assommante de devoir leur dispenser une curiosité polie, et qui par conséquent, dès qu'il aperçut un compatriote, resta presque constamment collé à moi et se dispensa totalement de faire le moindre cas des autochtones (après tout, c'était nous les étrangers), à l'exception des deux ou trois ou peut-être quatre femmes sexuellement appréciables parmi la quinzaine de convives (froids, donc assis de temps à autre mais sans place fixe et de temps à autre ici ou là ou debout et immobiles), mais davantage pour les examiner d'un œil diaphane à l'excès, faire à leur propos des commentaires grossiers, me les désigner de son ingouvernable menton et même m'envoyer des coups de coude allusifs, quelque peu inconvenants et propres à vous faire rougir, que pour les approcher et faire connaissance ou entamer la conversation, c'est-à-dire pour leur faire un peu de gringue au-delà du visuel, ce qui pour lui ne devait pas être facile à faire en anglais. Je remarquai tout de suite sa satisfaction et son soulagement quand on nous présenta : avec un Espagnol sous la main, il s'épargnait la tension et la fatigue liées à l'usage pénible de l'idiome local, qu'il croyait parler, mais son accent indécent transformait les mots les plus ordinaires en âpres vocables impossibles à reconnaître sauf pour moi, ce qui n'était pas un privilège mais une torture, ma familiarité avec son inaltérable phonétique m'amenant à ne déchiffrer que des sottises et de l'arrogance, sans que je le veuille; il pouvait donner libre cours à ses critiques et ses médisances sans que les personnes critiquées dans l'assistance le comprennent, bien qu'il lui arrivât d'oublier la parfaite maîtrise de l'espagnol de sir Peter Wheeler, et quand il s'en souvenait et qu'il voyait ce dernier à portée d'oreille, il avait recours à un baragouin obscène ou patibulaire, je veux dire davantage encore que lorsque ce n'était pas le cas; il se sentait autorisé à me faire parler de sujets nationaux absurdes avec un naturel pas toujours justifié, car je ne connais pratiquement rien aux taureaux ni aux guignols de la presse du cœur ni aux membres de la famille royale, même si je n'ai rien contre les premiers et pas grand-chose contre les derniers; avec moi il pouvait également lâcher des grossièretés et être ordurier, et ça, oui, c'est quelque chose de vraiment difficile dans une autre langue (avec aisance et authenticité) que d'ailleurs on regrette ineffablement de ne pouvoir faire quand on en a l'habitude, j'ai souvent eu l'occasion de le constater à l'étranger, où j'ai vu des ministres, des aristocrates, des ambassadeurs, des potentats et des professeurs, et jusqu'à leurs respectives et très *smart* femmes et filles et même mères et belles-mères d'éducation, d'idées et d'âge variables, profiter de ma présence momentanée pour se défouler avec des jurons et des blasphèmes diaboliques dans notre langue (ou en catalan). J'étais une bénédiction et une aubaine pour De la Garza, raison pour laquelle il me recherchait et me suivait dans toute la pièce et dans le jardin, en dépit de la fraîcheur nocturne, pour faire alterner grossièretés et pédanteries, et se dédommager comme il faut en espagnol.

Je l'eus comme une ombre toute la soirée, et même si je bavardais avec d'autres personnes, en anglais forcément, il se montrait à tout bout de champ (dès que quelqu'un le plantait là, estomaqué par ses barbarismes et idiotismes phonétiques) et il s'immisçait, d'abord avec son infâme diction dans cette langue, pour passer aussitôt à la nôtre, vu les efforts que supposait pour mes interlocuteurs toute tentative de le comprendre, et avec la prétention initiale et manifeste que je lui serve d'interprète simultané (« Allez, traduis à cette mocheté la blague que je viens de dire, apparemment elle ne veut pas me comprendre »), mais aussi avec celle, plus authentique et plus ferme, de les faire tous fuir pour monopoliser mon attention et ma conversation. J'essayais de ne pas lui prêter la première ni de lui offrir la seconde et je continuais avec ce qui m'occupait sans l'écouter ou presque, ou simplement quand il élevait trop la voix, si bien que me parvenaient des fragments équivoques ou des phrases isolées, qu'il intercalait dans les moindres poses ou sans même attendre qu'il y en ait, alors que j'ignorais le plus souvent le contexte auquel ils appartenaient, car l'attaché De la Garza, en fait, s'attachait à moi à tout instant et ne cessait à aucun moment de me tenir des discours, que je lui réponde ou que je l'entende ou non.

Cela avait commencé à se produire dès notre premier assaut, qui m'avait pris au dépourvu, dont j'avais réchappé alarmé et mal en point, et durant lequel il m'avait interrogé sur mes tâches et mes attributions à la BBC Radio, pour me proposer aussitôt six ou sept projets d'émissions qui oscillaient entre le chauvinisme et la niaiserie, les deux coïncidant plus d'une fois, prétendument avantageuses pour son ambassade et pour notre pays et sans le moindre doute pour lui-même et sa promotion, car il m'informa qu'il était spécialiste de la pauvre Génération de 27 (pauvre à force d'avoir été exploitée et rebattue), du pauvre Siècle d'or (pauvre à force d'avoir été ressassé et mentionné), et des écrivains fascistes d'avant-guerre, d'après-guerre et de la guerre elle-même, pas du tout pauvres quant à eux, qui de toute façon étaient les mêmes (ils n'avaient subi que peu de pertes au cours du conflit, malchance), et auxquels il n'avait bien entendu pas accolé cette épithète, cette bande de délateurs et de maquereaux de première lui semblant composée de gens honorables et désintéressés.

« Stylistes extraordinaires pour la plupart, qui peut être aujourd'hui assez mesquin pour se souvenir de leur idéologie devant des vers et de la prose de cette qualité ? Il faut séparer une bonne fois pour toutes la littérature et la politique, vieux. (Et il martela :) une putain de fois. » Il avait ce mélange de snobisme et de grossièreté, de bêtise et de vulgarité, de mièvrerie et de brutalité, si fréquent chez mes compatriotes, véritable plaie et menace grave (il continue à faire des adeptes, écrivains en tête), les étrangers finiront par le prendre pour un trait prédominant du caractère national. Il m'avait tutoyé dès qu'il m'avait vu, par principe : il était de ceux qui ne réservent plus le vous qu'aux subalternes et aux manuels.

Je faillis jeter un gant à ses cheveux raides et gominés (il devait les avoir bien fixés, collés presque), mais je n'en avais pas sous la main, juste une serviette et ce n'est pas la même chose en dépit de la dévalorisation générale de notre époque, si bien que je me contentai de lui répondre, avec plus de mauvaise grâce que de sécheresse, pour amoindrir la charge :

« Il y a des proses et des poésies dont le style est en soi fasciste, même s'ils parlent du soleil et de la lune et s'ils sont signés par des gens qui s'autoproclament de gauche, notre presse et nos librairies en sont pleines. C'est la même chose avec les esprits, ou avec le caractère : il en existe qui sont fascistes en soi, même s'ils sont logés dans des corps qui ont tendance à lever le poing et à suer à grosses gouttes dans des manifestations et des défilés de protestation avec des rangs de photographes qui ouvrent la marche et les immortalisent, comme il se doit. Il ne manque plus maintenant que soient revendiqués l'esprit et le style de ceux qui, en plus de l'être, se proclamaient fascistes, et avec tant de fierté, au cas où on ne l'aurait pas remarqué en les lisant, à chaque page donnée par eux à l'imprimerie et à chaque dénonciation faite au commissariat. Ils ont laissé un sillage bien suffisant sans que ce soit nécessaire, parmi les auteurs actuels, même si la plupart n'en disent rien et se cherchent des prédécesseurs moins marqués d'opprobre, ce pauvre Quevedo en première ligne, et si certains ne sont peut-être pas conscients de leur hérédité la plus proche, ils l'ont dans le sang, et elle le fait bouillir, en plus.

— Putain, vieux, comment peux-tu dire ça ? De la Garza avait protesté plus par perplexité que par désaccord, il n'avait pas eu assez de temps pour ça. Comment peux-tu savoir qu'un style est fasciste en soi ? Ou un esprit. N'essaye pas de me bluffer. »

Je fus tenté de lui répondre, en imitant son langage : « Merde, si tu ne sais pas le voir après avoir lu quatre paragraphes d'un texte, ou une demi-heure après avoir fait la connaissance de quelqu'un, c'est que tu ignores tout de la littérature ou des personnes. » Mais je réfléchis un moment, réflexion superficielle. Oui, en fait, il n'était pas facile d'expliquer le pourquoi et le comment, pas même en quoi consistait cet esprit et ce style à visages si différents, mais je savais les reconnaître très vite, ou du moins le croyais-je à l'époque, ou alors était-ce du bluff, en effet. Ça l'avait été, bien sûr — mais seulement pour moi-même —, de parler de quatre paragraphes et de demi-heure, j'aurais dû dire ou penser « au bout de quelques heures », et même ainsi cela aurait été une bravade en pensée. Il y faut sans doute des jours ou des mois et des années, parfois on voit clairement dans la première demi-heure quelque chose qui s'estompe et se perd de vue ensuite et qu'on ne capte plus après une décennie ou la moitié d'une vie, ou qui ne revient plus jamais. Parfois il n'est pas bon de laisser passer le temps, de se laisser emberlificoter dans celui que nous accordons et tromper par celui qu'on nous accorde. Il n'était pas aisé non plus de définir ce que c'était qu'être fasciste, cela devient un qualificatif désuet et souvent impropre ou forcément imprécis, bien que je l'utilise généralement dans un sens familier et probablement analogique, et dans ce sens et avec cet usage je sais très bien ce qu'il signifie et je sais que je ne me trompe pas. Mais je m'en étais surtout servi devant De la Garza pour l'embêter et pour remettre à leur place les lamentables écrivains fascistes qu'il admirait tant, le type m'avait déplu dès le premier instant, j'en ai vu beaucoup comme lui depuis mon enfance et ils ne s'éteignent pas, ils ne font que se maquiller et s'adapter : ils ont l'esprit de classe et sont infatués de leur personne et très sympathiques, ils sont aimables et même formellement affectueux, ils sont ambitieux et à moitié faux (oui, ils ne sont pas tout à fait faux), ils essayent de paraître exquis et en même temps prennent des airs sans façon et même populo (mauvaise imitation, ils ne donnent pas le change, leur aversion intime pour ce qu'ils imitent les trahit très vite), de là qu'ils soient prodigues de gros mots, croyant que cela les rend simples et leur gagne des confiances réticentes, de là qu'ils combinent leur raffinement desséché avec des manières un tantinet militaires et un lexique de taulard, leur temps de service tombait à merveille pour compléter le tableau, et au bout du compte l'effet qu'ils font est celui de rustres parfumés. Il ne me donna pas l'impression d'un esprit fasciste, le dénommé De la Garza, même pas par analogie. Ce n'était rien d'autre qu'un esprit adulateur, de ceux qui ne supportent pas de ne pas plaire, même aux personnes qu'ils détestent, ils aspirent à être aimés même par ceux à qui ils nuisent. Il n'était pas de ceux qui plantent leur dague de leur propre initiative, uniquement s'ils doivent faire du zèle ou s'attirer des bonnes grâces ou sur commande, et alors là, oui, ils n'ont aucun scrupule, et sont très habiles avec leur conscience.

Mais je remis ces pensées à plus tard, et me contentai pour toute réponse de pencher la tête et de hausser les sourcils, comme pour concéder ou dire : « Chacun son idée, que veux-tu que je te dise » et je laissai tomber le sujet, sur lequel il n'insista pas, mais en revanche il profita de mon inhibition pour m'informer qu'il en connaissait aussi un rayon — à titre amateur, précisa-t-il, et non plus comme spécialiste — sur la littérature fantastique universelle, y compris celle du Moyen Âge (c'est exactement ce qu'il dit, il dit « un rayon » et « y compris celle du Moyen Âge »). À son ton, il était manifeste que le fantastique lui semblait chic. Je me dis qu'il serait un jour ministre de la Culture, ou au moins secrétaire d'État de cette branche, selon l'expression de jadis, bien que je n'aie jamais vraiment su ce que voulait dire « branche » dans cette acception bureaucratique et non arboricole.

Ces secondes de tension politico-littéraire n'empêchèrent pas l'attaché, je l'ai dit, de me coller ou de me tourner autour pratiquement sans trêve après que nous eûmes eu notre première rencontre et bien que je me sois à plusieurs reprises écarté de lui sans m'en cacher et que j'aie commencé à m'entretenir avec d'autres dans l'anglais le plus obscur, le plus affecté et le plus dissuasif pour lui dont j'étais capable. Et c'est ainsi, par exemple, que le bref moment où je parlai en tête à tête avec Tupra fut vicié par ses immixtions incongrues et occasionnelles en espagnol. Ce ne fut qu'assez longtemps après, alors que nous prenions tous les deux un café, debout à côté des canapés occupés à ce moment-là par Wheeler et la fiancée Beryl et la resplendissante veuve du doyen de York et deux ou trois autres personnes, les transferts et autres changements de place sont constants dans ces dîner nomades informels et froids.

À dire vrai, Wheeler n'avait rien fait pour nous réunir Tupra et moi, et j'en étais arrivé à me dire que sa tirade au téléphone sur l'individu ou *fellow* ou plutôt sur son prénom et son nom avait été quelque chose de fortuit et sans arrière-pensées, même si j'avais du mal à imaginer Peter s'en tenir en aucune façon aux ennuyeuses pensées premières, et moins encore à leur absence complète. Il s'était équitablement consacré à presque tous ses invités, assisté par Mme Berry (plus pomponnée que d'habitude), la gouvernante qu'il avait héritée de Toby Rylands à la mort de ce dernier, il y avait déjà deux ans de ça, et par trois serveurs engagés pour la soirée en même temps que les victuailles et dont le service se terminait à minuit précis, à ce qu'il m'avait dit avec une pointe de préoccupation (il espérait qu'à cette heure-là il ne traînerait plus beaucoup d'invités dans le coin). Nous nous étions à peine trouvés ensemble lui et moi, sachant tous deux que le lendemain nous aurions tout notre temps : je devais coucher sur place cette nuit-là, comme je le faisais parfois, pour pouvoir passer la matinée avec lui et partager son déjeuner du dimanche. À distance, je ne l'avais pas vu s'occuper de quelqu'un en particulier, en bon amphitryon, ni favoriser de rapprochements concrets, du moins pas en ce qui me concernait, car je ne pouvais croire qu'il ait fait exprès de me coller sur le dos De la Garza, qui m'avait empoisonné la vie et avait paralysé tout dialogue avec ses tentatives de bavardage et ses apostilles jamais en rapport avec ce dont on parlait ; et bien qu'il comprît l'anglais mieux qu'il ne le parlait, les nombreux verres avec lesquels il distrayait ses soliloques involontaires — il voulait participer, il ne se satisfaisait pas d'être son seul auditeur — avaient rapidement détérioré ses facultés intellectuelles (façon de parler) et avaient avili le caractère de ses observations.

Pendant que je parlais brièvement avec Beryl, par exemple, encore au début ou presque (ses phrases sans aucun allant et conventionnelles, je n'avais pas dû lui paraître fortuné), il avait rôdé autour de nous sans répit et sorti des inconvenances à son sujet que par chance personne d'autre que moi n'avait comprises (« Putain, putain, tu as vu les jambes de la nana, cette longueur ? De quoi faire du toboggan dessus. Qu'est-ce que t'en dis, qu'est-ce que t'en dis ? Tu crois qu'on pourrait la soulever au zazou avec lequel elle est venue ? Elle se fout complètement de lui, mais le type ne la quitte pas des yeux et si ça se trouve il est de ceux qui te filent un coup de couteau, britannique ou pas »). Et quand j'avais soutenu une conversation soporifique sur le terrorisme avec un historien irlandais du nom de Fahy, sa femme et un maire travailliste de je ne sais quelle malheureuse localité de l'Oxfordshire, l'attaché, entendant sortir avec netteté de mes lèvres quelques toponymes basques, avait essayé de mettre un grain de sel folklorique (« Eh, dis-leur que Saint-Sébastien est une ville que nous avons faite nous, les Madrilènes, putain, qu'on allait y passer l'été et qu'on l'a donnée tout empaquetée aux types du cru, avec un ruban et tout, parce que sinon tu parles si elle aurait été belle ; dis-le-leur, allez, qu'ils ont peut-être une université, ces types, mais avec tout ça ils sont ignorants comme pas un. » À ce moment-là il avait déjà mélangé du xérès et du whisky avec trois vins différents). Et plus encore que la fiancée Beryl, celle qui lui avait plu était la renversante veuve du doyen de York, et alors que je bavardais quelques minutes avec elle, De la Garza me répétait : « Putain, putain, cette nana est du tonnerre, putain qu'elle est appétissante », apparemment sans paroles pour faire le détail de l'ensemble, l'analyser point par point, ajouter des nuances ni ajouter quoi que ce soit (il avait maintenant ajouté du porto au reste). Son excitation était aussi puérile que l'expression « du tonnerre », plus digne de quelqu'un qui a peu dragué dans sa vie que d'un lascif naturel et expert. Je me dis que De la Garza devrait encore connaître bien des soirées au cours desquelles il succomberait à des femmes que son avidité et l'alcool lui feraient juger désirables, pour porter le lendemain ses mains à son crâne en découvrant qu'il était allé au lit avec des parentes démesurées d'Oliver Hardy ou avec des émules écervelées de Bela Lugosi. Ce n'était pas le cas de la doyenne veuve, avec son visage rougissant et placide et son thorax dilaté rehaussé par un énorme collier de ce qui me sembla être des hyacinthes de Ceylan ou du zircon imitant des quartiers d'orange dans leur forme, qui aurait pu être la mère (quoique jeune mère) de son admirateur novice et mal embouché.

Tupra, son café à la main, m'avait demandé quel était mon domaine, suivant ainsi au pied de la lettre la norme oxfordienne selon laquelle il va de soi que dans cette ville tout le monde a un domaine spécifique d'enseignement ou de recherche, ou même simplement de vantardise.

« Je n'ai jamais été très constant dans mes centres d'intérêt professionnels, lui répondis-je, et je n'ai fait partie de l'université que de façon intermittente, presque par hasard. Il y a assez longtemps de ça j'ai enseigné ici durant deux ans, littérature espagnole contemporaine et traduction, c'est de cette époque que je connais sir Peter, bien que je ne l'aie que peu fréquenté alors et beaucoup plus le professeur Toby Rylands, dont je crois savoir que vous avez été l'étudiant.» J'aurais pu m'arrêter là, c'était suffisant comme première réponse, et je lui avais même donné l'occasion de continuer notre conversation sans effort en mentionnant Toby, qu'il aurait bien pu commencer à évoquer, je l'aurais secondé avec grand plaisir. Mais Tupra laissa passer une seconde ou deux, rien, sans dire quoi que ce soit, il l'aurait probablement fait à la troisième ou à la quatrième ou à la cinquième (une, deux, trois et quatre ; et cinq), mais je n'en étais pas sûr, c'était un de ces hommes, peu nombreux, qui savent supporter le silence, qui peuvent se taire, se taire, pas pour rendre nerveux leur interlocuteur, mais pour le mettre en confiance et lui montrer qu'ils sont disposés à en entendre davantage, s'il veut en dire davantage. Par cette attitude réceptive et ses yeux courtois ou affectueusement moqueurs, il invitait à raconter. Ce fut cela, ou peut-être voulus-je aussi obtenir par mes explications superflues un droit plus grand à lui demander ensuite quel était son domaine, c'est-à-dire quelle était « sa partie », selon l'expression de Wheeler, il était bien temps que je le sache, et il était étrange que la notion de « droit » m'ait traversé l'esprit à propos de quelque chose de si innocent et de si normal, tout le monde demande aux autres ce qu'ils font dans la vie, presque en premier lieu. Ou peut-être qu'avec Tupra on se sentait obligé même s'il n'ouvrait pas la bouche, comme s'il était toujours notre tacite créditeur. Ce qui fait que j'ajoutai : Ensuite je suis allé aux États-Unis, mais je n'ai pratiquement pas repris l'enseignement en rentrant chez moi, je me suis consacré à diverses activités, j'ai appartenu quelque temps à une revue très influente, j'ai traduit, j'ai monté deux ou trois affaires, j'ai eu aussi une toute petite maison d'édition à moi, mais je m'en suis lassé et je l'ai vendue.

— Avec profit, j'espère, m'interrompit-il en souriant.

— Avec un grand profit tout à fait immérité, à vrai dire. (Et je souris à mon tour.) Maintenant je travaille à Londres pour la BBC Radio, la programmation en espagnol, vous voyez, ou bon, en anglais aussi, bien sûr, quand on aborde des sujets espagnols ou hispano-américains. C'est un peu ennuyeux et monotone, les sujets qui intéressent les gens en Angleterre ne sont guère nombreux ni très variés, terrorisme et tourisme, mortelle combinaison. » Ma langue m'avait demandé de dire « ennuyeux et monotone, c'est toujours valet, dame et roi », mais je n'étais pas certain de l'équivalent de cette locution espagnole en anglais, ni même qu'il y en ait un, « *King, Queen, Knave* » voulait dire autre chose, et durant un instant je compris De la Garza, avec sa nostalgie de sa langue et sa résistance aux langues étrangères, cela nous arrive parfois et ces dernières nous fatiguent, même si nous y sommes accoutumés et qu'elles ne nous causent pas de difficulté, et parfois c'est des langues étrangères que nous ne pouvons presque plus jamais parler que nous avons la nostalgie. Valet, dame et roi. Cela ne dura qu'un instant, parce que je fus irrité de l'entendre soudain dire en s'adressant à moi une de ses phrases absurdes et hors de propos, et qui faisait partie de je ne sais quelle argumentation arbitraire qu'il était le seul à suivre :

« Les femmes sont toutes des putes, et les plus belles sont les Espagnoles », c'est ce qui parvint à mes oreilles. À ce moment-là le porto l'avait probablement déjà inondé, car je l'avais vu porter deux ou trois toasts très rapprochés avec lord Rymer (et hop, un petit verre, et hop, un petit verre) pendant les quelques minutes où celui-ci l'avait réclamé pour compagnon de cuite et l'avait retenu pour mon propre répit. Lord Rymer, je m'en étais souvenu aussitôt, était depuis très longtemps connu à Oxford par un surnom malveillant, *the Flask*, que, avec une inexactitude sémantique mais par proximité phonétique et intentionnelle, j'inclinerais à traduire sans autre complication par la Fiasque.

« Je comprends », dit Tupra d'un ton sympathique après un sursaut. Par chance, il ne connaissait que quelques mots en espagnol, à ce que j'appris plus tard, même si figuraient parmi ces derniers, comme on aurait dû le craindre et comme je l'appris également plus tard, « femmes », « putes », « espagnoles » et « belles », ce rustre de De la Garza n'avait même pas eu la décence de se montrer obscur dans son vocabulaire lors de cette intervention. « Actuellement, n'importe quel autre travail vous paraîtrait plus attirant, n'est-ce pas ? Même si, objectivement, la BBC n'est pas mal, bien entendu, vous devez vous le répéter souvent. Mais si quelqu'un aime la diversité et est en outre saturé avant l'heure, que diable peut-il avoir à faire de l'objectivité, pas vrai ? » La voix de Tupra était grave, en général, et légèrement affligée (ici ma langue m'aurait demandé un mot de la langue que j'étais en train de parler, « *ailing* » peut-être), et elle avait comme une tonalité de corde, je veux dire qu'elle semblait surgir du passage d'un archet sur des cordes ou être due ou répondre à cela, si une viole de gambe ou un violoncelle pouvait émettre du sens (mais peut-être ai-je mal dit et était-elle plutôt affligeante et alors « *ailing* » ne conviendrait plus : l'impression suave, presque agréable, débilitante d'affliction ne provenait pas de lui, mais de celui qui l'écoutait). « Dites-moi, Mr Deza, combien de langues parlez-vous ou comprenez-vous ? Vous avez été traducteur, m'avez-vous dit. Je veux dire, à part les plus évidentes, votre anglais est magnifique, si je n'avais pas connu votre nationalité jamais je n'aurais pensé que vous étiez espagnol. Canadien, peut-être.

— Merci, je prends ça comme un compliment.

— Oh, vous devez le prendre comme cela, c'était mon intention, croyez-moi. Et à tous les effets, d'ailleurs. L'accent canadien cultivé est celui qui ressemble le plus au nôtre, surtout celui de la Colombie-britannique, comme on peut l'inférer de son nom. Dites-moi quelles langues vous pratiquez. »

Tupra ne se laissait pas distraire par les va-et-vient des conversations qui les rendent erratiques et indéfinies jusqu'à ce que la fatigue ou l'heure y mettent un terme, il revenait toujours là où il voulait être.

Il avait bu son café d'un trait (grande bouche, grande bouche) et avait aussitôt posé, avec une véritable urgence, sa soucoupe et sa petite tasse vide sur la table basse qui servait pour les canapés, comme si ce qui avait été utilisé et n'avait plus de fonction l'impatientait ou le brûlait. En se penchant pour les poser, il avait jeté un bref coup d'œil sur sa fiancée Beryl, dont la jupe très serrée couvrait tout juste les jambes, qu'elle n'avait pas croisées (de là peut-être ce coup d'œil), et donc peut-être pouvait-on entrevoir d'une hauteur inférieure à la nôtre, comment dire, la pointe de son slip si elle en avait un, je remarquai que De la Garza était assis sur un *pouf** au niveau adéquat, improbable que ce soit un simple effet du hasard. Beryl bavardait et riait avec un jeune homme très gros et paresseusement assis qu'on m'avait présenté comme le « juge Hood » et dont j'ignorais tout sauf qu'il était vraisemblablement juge en dépit de son embonpoint et de sa jeunesse, et elle continuait à ne guère faire attention à Tupra, comme si c'était un mari usé qui ne représentait plus jamais la distraction ni la fête et faisait simplement partie de la maison, non tant comme un meuble mais peut-être bien comme un portrait, qui même si on les oublie ont toujours un regard, et sont témoins de nos occupations. Tupra en échangea aussi un avec Wheeler, qui allumait avec insistance une cigarette déjà plus qu'allumée (c'était une vraie flambée) sans parler à personne tandis qu'il s'appliquait à cette tâche avec une très longue allumette, l'ecclésiale veuve de York semblait somnoler, moins volumineuse, à côté de lui, elle ne devait presque jamais veiller ou alors le vin la diminuait. Je ne perçus aucun geste ni signe entre Wheeler et Tupra, mais les yeux du premier nommé se permirent un instant d'élévation et de fixité,

* En français dans le texte. *(N.d.T.)*

à travers les flammes et la fumée, qui me parut empreint de sous-entendus et de recommandation, comme si avec l'absence forcée de clin d'œil il lui conseillait : « C'est bon, mais ne tarde pas davantage », et que ce message se référait à moi. De la même façon que Peter m'avait défini Tupra, il avait dit à ce dernier quelque chose de moi, j'ignorais quoi et pourquoi. Mais le fait est que Tupra avait dit « et est en outre saturé avant l'heure », et que je ne lui avais pas précisé depuis combien de temps j'étais à la BBC et de retour en Angleterre — comment était-il possible que je sois de retour, mon séjour appartenait au passé lointain qui ne se recrée pas, ou lui avait appartenu, et de là on ne revient pas —, il devait le savoir par Wheeler, cela ne faisait que trois mois. Oui, trois mois plus tôt à peine, j'étais encore à Madrid et j'avais normalement accès chez moi ou chez nous, car je vivais et dormais encore dans notre appartement même si l'éloignement de Luisa avait déjà débuté et avancé avec une épouvantable rapidité, une avancée perturbatrice et déconcertante et quotidienne — ou cela progressait même d'heure en heure —, c'est incroyable la rapidité avec laquelle ce qui est et a persévéré cesse d'être soudain et s'annule, une fois qu'on a traversé la dernière ligne éclairée et que commence le processus par lequel tout s'assombrit et s'estompe. On perd la confiance en celui avec qui on a partagé des années de narration continuelle, cette personne ne vous raconte plus rien ne pose plus de question ne vous répond qu'à peine et on n'ose soi-même interroger ni raconter, petit à petit on s'enferme dans le silence et vient un jour où on ne parle plus du tout, on essaye de ne pas se faire remarquer ou de devenir immatériel dans l'appartement commun depuis qu'on sait ou qu'on se souvient qu'il cessera bientôt de l'être et qu'on sait aussi qui devra le quitter, on a le sentiment d'être là en invité jusqu'à ce qu'on ait trouvé un autre endroit où se réfugier, comme un hôte mal avisé qui voit et entend ce qui ne le regarde pas, des sorties et des entrées sans nos commentaires antérieurs ni notre récit postérieur, des conversations téléphoniques qui sont pour nous des énigmes et qu'on ne déchiffre pas, et dont il est possible qu'elles ne soient pas différentes de celles que peu avant on n'écoutait et ne remarquait même pas, qu'on ne retenait bien évidemment pas comme on les retient toutes maintenant, parce que à l'époque on n'était pas sur ses gardes et qu'on ne se posait pas de questions à leur sujet, on ne croyait pas qu'elles nous concernaient et on affabulait sur la menace qu'elles représentaient. On ne sait que trop que celles de maintenant ne nous concernent pas et pourtant on sursaute chaque fois qu'on entend faire un numéro ou retentir la sonnerie. Mais on se tait, on reste peureusement attentif et on se tait, et vient le moment où notre unique courroie de transmission ou notre seule prise sont les enfants, auxquels on raconte souvent des choses uniquement pour qu'elle les entende, elle, de l'autre chambre, ou qu'elles finissent par nous revenir et pour faire preuve d'une attention qui ne sera plus jamais perçue comme telle, de même que les émotions sont repoussées, et d'ailleurs il n'y a pas d'enfant au monde qui soit un émissaire fiable. Et le jour où on s'en va enfin on ressent un peu de soulagement en plus de la peine ou du désespoir — ou est-ce de la honte —, mais ce faible soulagement mélangé ne dure même pas, il disparaît aussitôt qu'on se rend compte qu'en fait il n'existe pas comparé à celui que ressent l'autre, qui reste et ne bouge pas et respire profondément en vous voyant vous éloigner et vous perdre. Tout est ridicule et subjectif jusqu'à des extrémités insupportables, parce que tout renferme son contraire : les mêmes personnes au même endroit s'aiment et ne se supportent pas, ce qui était une habitude solide devient peu à peu ou brusquement — c'est pareil, c'est sans importance — inacceptable et indu, celui qui a étrenné un logement se voit interdire d'y entrer, le toucher, le frôlement qui allait tellement de soi qu'il n'était presque pas conscient devient hardiesse ou offense et c'est comme s'il fallait demander la permission pour se toucher soi-même, ce qui plaisait et qu'on trouvait drôle est détesté et dégoûte et insupporte et l'autre le maudit, les mots hier désirés empoisonneraient l'air et provoqueraient aujourd'hui des nausées, on ne veut les entendre sous aucun prétexte, et on fait en sorte que ceux qu'on a entendus mille fois ne comptent plus (effacer, supprimer, annuler, et s'être tu bien avant, voilà l'aspiration du monde); et c'est aussi le contraire : celui dont on s'est moqué est maintenant pris au sérieux, et celui qu'on trouvait répugnant est appelé : « Viens, viens, dit-on, je me suis tellement trompée jusqu'ici. » « Occupe cette place à côté de moi, je n'avais pas su te voir. » C'est pourquoi il faut toujours demander un délai : « Tue-moi demain, ce soir laisse-moi vivre », citai-je pour moi-même. Demain tu peux m'aimer vivante, ne fût-ce qu'une demi-heure, et je ne serai pas d'humeur à te plaire et ta volonté ne sera rien. Il n'est rien ou rien n'est rien, les mêmes choses et les mêmes faits et les mêmes êtres sont ce qu'ils sont et aussi leur envers, aujourd'hui et hier, demain, plus tard, et jadis. Et au milieu il n'y a que du temps qui s'efforce de nous éblouir, c'est la seule chose qu'il se propose et qu'il cherche et donc nous ne sommes pas de confiance, nous autres qui le traversons encore, sots et inconsistants et inachevés, tous, moi sot, moi inconsistant, moi inachevé, personne non plus ne doit se fier à moi... Sûr que j'étais saturé bien avant l'heure, je l'étais déjà en commençant et cet emploi à la BBC Radio ne m'avait jamais intéressé, ce n'avait été que la meilleure manière et la plus raisonnable de cesser d'être aussi impertinent et fantasmagorique et aussi muet, de sortir de là et ainsi de me perdre.

« Je ne me suis hasardé à traduire que de l'anglais, et je suis resté longtemps sans le faire. Je parle et comprends sans difficulté le français et l'italien, mais je ne les domine pas suffisamment pour me lancer dans la traduction en espagnol des textes littéraires de ces langues. J'ai une compréhension satisfaisante du catalan, mais il ne me viendrait pas à l'idée d'essayer de le parler.

— Le catalan ? »

C'était comme si Tupra entendait ce mot pour la première fois.

« Oui, c'est ce qu'on parle en Catalogne, autant ou plus, nettement plus aujourd'hui que l'espagnol, que le castillan, comme nous l'appelons souvent dans la Péninsule. La Catalogne, Barcelone, la Costa Brava, vous voyez. — Mais comme Tupra n'avait pas réagi immédiatement (peut-être essayait-il de se souvenir), j'ajoutai pour l'orienter : — Dalí, Miró. Des peintres.

— Cite-lui la Caballé, la soprano, intervint De la Garza presque derrière ma nuque, sûr qu'il aime l'opéra, ce zozo. » Il comprenait assurément mieux qu'il ne parlait, et quand il les captait, les noms espagnols l'attiraient comme un aimant. Il s'était levé de son pouf et revenait me harceler (Beryl avait croisé les jambes maintenant, ce n'était pas pour rien). Je supposai qu'il avait voulu de nouveau traiter Tupra de « zazou » (à cause de ses boucles, imaginais-je, et de ses colimaçons) et que sous l'effet de ses toasts abusifs c'était un autre mot, avec un z, qui était sorti.

« Gaudí ? L'architecte, proposai-je, je n'avais pas envie de le suivre, cela aurait été comme l'inviter au dialogue.

— Non, si, bien sûr, George Orwell et tout ça, dit alors Tupra, qui s'y retrouvait enfin. Pardonnez-moi, je pensais... Mes lectures sur votre guerre civile sont bien loin, ce sont des lectures de jeunesse, vous savez, c'est quand on a dix-neuf ou vingt ans qu'on lit des choses sur cette guerre romantique, sans doute à cause des nombreux idéalistes britanniques qui sont allés volontairement mourir dans ce conflit, certains étaient des poètes, on s'identifie facilement à cet âge-là. Enfin je ne sais pas maintenant, je parle de mon époque, quoique, je dirais que c'est toujours pareil, pour les jeunes gens inquiets, bien sûr : ils lisent encore Emily Brontë et Salinger, *Dix jours qui ébranlèrent le monde* et des ouvrages sur votre guerre civile, ces choses n'ont pas tellement changé. Je me souviens que l'histoire de Nin m'avait toujours beaucoup impressionné, quelle accusation démente, l'accuser d'espionnage. Et cette farce des brigadistes allemands qui se sont fait passer pour des nazis qui allaient le délivrer, ça démontre qu'il y a un temps où les gens croient les choses les plus saugrenues et les plus invraisemblables. Parfois cela ne dure que quelques jours, mais parfois aussi cela dure toujours. Le fait est que tout tend à être cru, en première instance. C'est très étrange, mais c'est comme ça.

— Nin, le dirigeant trotskiste? » lui demandai-je, surpris. Je ne trouvais pas curieux que Tupra ne connaisse ni Dalí, ni Miró, ni Montserrat Caballé, ni Gaudí (ou avais-je déduit cela de son silence), et qu'en revanche il soit si familiarisé avec Andrés Nin le calomnié, plus que moi assurément. Peut-être ne connaissait-il rien à l'art et n'avait-il pas de goût pour l'opéra, mais son terrain était la politique, ou l'histoire.

« Bien sûr. Mais il avait fini par rompre avec Trotski.

— C'est qu'il y a eu un musicien du nom de Nin, et aussi cette femme écrivain si médiocre, remarquai-je », mais je m'arrêtai là. Lectures de jeunesse, avait-il dit. Quelque chose qui était pour moi aussi réel et encore si proche que *Les hauts de Hurlevent* depuis des années : c'est-à-dire comme fiction, et fiction romantique, en outre, que les étudiants les plus farouches ou les plus en colère lisaient pour se sentir, dans leurs rêveries, vaincus et purs et peut-être héroïques. C'est certainement le destin de toute horreur et de toute guerre, pensai-je, que de finir embellies et de devenir abstraites par la répétition du récit et, avec le temps, d'alimenter des imaginations juvéniles ou adultes, plus rapidement si c'est une guerre étrangère, peut-être que la nôtre est déjà pour nombre de gens d'ailleurs aussi littéraire et lointaine que la Révolution française et les campagnes de Napoléon ou, qui sait, que le siège de Numance ou même celui de Troie. Et pourtant mon père avait failli mourir pendant cette guerre sous l'uniforme de la République dans notre ville assiégée, et il avait subi à son terme un simulacre de procès et la prison franquiste, et l'un de mes oncles avait été tué à Madrid alors qu'il n'avait que dix-sept ans, et de sang-froid, par l'autre bande — bande divisée en tant d'autres, et donc pleine de calomnies et de purges —, les miliciens sans contrôle ni uniforme qui liquidaient n'importe qui, on l'avait tué pour rien à l'âge où l'on passe presque tout son temps à forger des chimères et où tout n'est que rêveries, et sa sœur aînée, ma mère, avait cherché son cadavre à travers cette ville assiégée sans le trouver, rien que la bureaucratique et minuscule photo de ce cadavre, je l'ai vue et c'est moi qui l'ai maintenant. Peut-être que dans mon pays aussi tout cela devenait fictif et que je ne m'en étais pas rendu compte, tout va de plus en plus vite, dure de moins en moins, est déclaré fini et est plus rapidement archivé, et notre passé devient de plus en plus dense et accumulé et nourri parce qu'on décrète — et on finit même par le croire — qu'hier est caduque et qu'avant-hier n'est plus qu'histoire, et immémorial ce qui date d'un an. (Ce qui date de trois mois aussi, peut-être.) Je pensai que c'était le moment de m'enquérir de ce que c'était que « sa partie », j'en avais suffisamment acquis le droit, si tant est que j'eusse besoin de ce droit. Je ne le croyais pas avec ma pensée, mais j'avais le sentiment que c'était le cas. « Dites-moi, Mr Tupra, quel est votre domaine, si je peux vous le demander ? Ce ne serait pas l'histoire de mon pays, par hasard ?... » Je m'aperçus que j'en étais encore à solliciter l'autorisation de poser la question la plus simple et la plus impunie de nos sociétés.

« Oh non, bien sûr, vous pouvez parier sans crainte », répondit-il en riant de bon cœur, cordialement en vérité, ses dents étaient petites mais très lumineuses, ses longs cils dansaient. Son visage étaient de ceux qui deviennent plus sympathiques après chaque minute passée à s'habituer à eux, avec lui l'objectivité ne devait pas durer longtemps, et la méfiance se dissipait. On percevait tout de suite la générosité de l'intérêt démontré, comme si à chaque instant il n'accordait d'importance qu'à la personne qu'il avait devant lui et si dans notre dos s'éteignaient les lumières du monde, et que ce dernier se convertissait en un simple fond de tableau au service de notre mise en relief. Il savait de son côté fixer l'attention de ses interlocuteurs, dans mon cas la mention d'Andrés Nin avait suffi pour m'intriguer, non plus par rapport à ses connaissances, mais parce qu'il m'était venu le désir de me jeter sur *La Catalogne libre* d'Orwell ou sur l'abrégé de Hugh Thomas et de rafraîchir mes souvenirs de l'histoire du calomnié, dont je ne me rappelais presque plus rien. Et on remarquait aussi chez Tupra cette étrange tension ou véhémence différée, mais on la prenait au début pour un effet de son attitude alerte. Il était bien habillé sans aucune note exagérée, tissus et couleurs discrets (le drap toujours d'une extraordinaire qualité, cravates fines d'où l'épingle n'était jamais absente), sa vanité uniquement dénoncée — ou était-ce un reste de mauvais goût passé — par ses sempiternels gilets sous sa veste, il portait aussi ce vêtement lors du buffet froid chez Wheeler. « Non, mes activités ont elles aussi été diverses, comme les vôtres, mais négocier a toujours été ma meilleure disposition, sur différents terrains et en différentes circonstances. Et même en rendant service à mon pays, on doit s'efforcer de le faire quand on peut, non ?, même si ce service est collatéral et qu'on recherche surtout son propre bénéfice. »

Il s'en était tiré par une pirouette, tout cela était très vague, il n'avait même pas dit qu'il avait fait ses études à Oxford, bien que Toby Rylands, son maître, y eût été professeur de littérature anglaise. Cela ne signifiait rien, cependant. Dans cette université, peu importe ce qu'on apprend, ce qui compte c'est d'y avoir été et de s'être soumis à sa méthode et à son esprit, et aucun enseignement, pour excentrique ou ornemental qu'il soit, n'empêche ensuite ses docteurs ou ses licenciés de se consacrer à ce qu'ils préfèrent, à ce qui est le plus opposé : on peut passer des années à analyser Cervantès et finir dans la finance, ou suivre les anciens Perses à la trace pour faire plus tard de cette activité l'extravagant préambule d'une carrière politique ou diplomatique, telle était sûrement la dernière étape de Tupra, pensai-je de nouveau, et cette fois pas seulement grâce à mon intuition ou à cause de son aspect, mais à cause de ce verbe, « négocier », et de cette expression, « en rendant service à mon pays ». Il eut la chance — façon de parler — qu'il n'existe pas en anglais un vocable équivalent à celui de « patrie » dans ma langue, si peu équivoque (ou alors des mots très recherchés, rhétoriques) : celui qu'il avait employé, « *country* », fonctionne selon le contexte, mais il est moins émotif et pompeux et doit presque toujours se traduire par « pays ». Autrement, j'aurais peut-être été tenté — c'est-à-dire, s'il avait dit en castillan « *patria* », ce qui était impossible ; et même ainsi passa l'ombre de ce que j'aurais pu dire, sans parvenir à se profiler — de croire que son esprit pouvait être fasciste au sens analogique, en dépit de l'apparente solidarité ou sympathie avec lesquelles il s'était référé au destin de Nin, l'ex-secrétaire de Trotski, car dans ce sens familier ou analogique le mot est compatible avec toutes les idéologies, il n'a rien à voir avec elles ou alors pas forcément, c'est pour cela qu'il est aujourd'hui si imprécis, j'ai connu des hérauts officiels de la vieille gauche, celle qui avait l'air indiscutable, qui avaient un esprit intrinsèquement fasciste (et avec le style, quand ils écrivaient). Dans l'idée exprimée de rendre service j'avais vu un soupçon de coquetterie et un autre soupçon de vantardise. La coquetterie de celui qui jouit de paraître mystérieux, la vantardise de celui qui se voit ou se conçoit lui-même toujours en train d'accorder des faveurs, fût-ce à la patrie. Un troisième Britannique étranger, peut-être, un troisième faux Anglais, pensai-je, comme Toby d'après la rumeur et comme Peter de façon avouée depuis quelques semaines, je n'avais pas encore eu l'occasion de l'interroger à ce sujet. Faux Anglais au moins par son nom, ce Tupra bien étrange en effet, peut-être pas par naissance dans son cas, les nouveaux arrivants et ceux dont le nom est suspect sont partout les plus patriotes, les plus disposés à rendre des service, nobles ou vils, propres ou sales, ils éprouvent de la reconnaissance et s'offrent, ou bien est-ce leur façon à eux de se croire indispensables au pays qui condescend à les accueillir et les tolère encore maintenant, ne fait que les tolérer même s'ils ont changé de nom, comme le pauvre Anatolien Hohanness qui devint Joe Arness en Amérique, ou le richissime Autrichien Battenberg qui se transforma en Mountbatten pour son existence anglaise. Curieux que Tupra ait conservé le sien, peut-être cela lui semblait-il un excès ou un trop grand risque, et « curieux d'avoir à se défaire même de son propre nom ».

« Écoute-moi voir, Deza — j'entendis de nouveau la voix de De la Garza près de moi, il ne se fatiguait pas de me tourner autour —, si tu continues comme ça à laisser ce zazou te tenir la jambe, toutes les nanas vont s'esbigner. Au train où on va, ce gros tas va finir par nous lever mademoiselle Gambettes sous le nez, vise un peu comme il la baratine ce poussah. Comme une bête. »

Wheeler lui-même n'aurait pas compris un seul mot cette fois, avec tout son impeccable espagnol livresque. Il était vrai que le jeune juge Hood murmurait à l'oreille de Beryl et lui arrachait maintenant en récompense des éclats de rire, la lèvre supérieure de la négligente fiancée avait disparu depuis un petit moment ; ils se frôlaient de façon irrémissible sur le canapé, le juge se rengorgeant fort et comme flottant. Je ne répondis pas à l'attaché, pas tout de suite, comme s'il n'existait pas, il semblait avoir oublié avec qui était venue mademoiselle Gambettes. Mais Tupra fit alors allusion à lui, il avait dû l'observer du coin de l'œil, comme moi, ou bien il le comprenait bien qu'il ne sût pas notre langue et encore moins son argot, toujours un peu artificiel ou volontariste son argot, il avait l'air fabriqué, contrefait. Il commençait à être un peu éméché et même bien décoiffé, personne n'est jamais sorti indemne à Oxford de quelques verres avec la Fiasque.

« Il vaudrait mieux que vous vous occupiez de votre compatriote ou ami, me dit Tupra sur un ton de gouaille paternaliste, il commence à s'énerver avec les femmes et son anglais ne l'aide pas dans cette entreprise. Vous devriez lui donner un coup de main. Je ne crois pas qu'il ait ses chances avec Mrs Wadman, la doyenne veuve — il utilisa un terme légal ou ironique, *"dowager"*, pour dire ici "veuve" —, je lui ai servi tout à l'heure quelques compliments qui l'ont non seulement embellie pour toute la soirée, mais qui lui ont permis de se sentir, comment dirais-je, inaccessible, je ne crois pas que ce soir elle se considère digne d'aucun être vivant, ne la voyez-vous pas, tellement au-dessus des passions terrestres, si belle en son septembre, si paisiblement en route vers l'automne ignoré ? Il ferait mieux d'essayer avec Beryl, bien qu'elle soit très occupée et que nous devions partir bientôt, nous devons rouler jusqu'à Londres. Ou avec Harriet Buckley, elle est docteur en médecine et je crois qu'elle vient tout juste de divorcer, quelques jours à peine, son nouvel état pourrait l'encourager dans ses recherches. »

Il n'y avait pas seulement de l'humour dans ces commentaires, ils laissaient passer une pointe de satisfaction naïve, un soupçon de littérature ; et dans ses yeux pâles il n'y avait pas eu simplement leur expression moqueuse naturelle ou involontaire, l'amusement les avait aiguisés, c'était quelque chose d'intentionné. C'est alors que je me rendis compte qu'il connaissait son pouvoir de persuader les femmes et de faire qu'elles se sentent des déesses — peut-être mineures — ou des dépouilles. Ou plutôt je pensai, à ce moment-là, qu'il croyait le connaître ou que tout n'était que pure plaisanterie, parce que je n'avais pas encore pu constater en quelle haute considération il le tenait. Il avait embelli la doyenne veuve avec ses compliments, rien de moins, et il devait être très sûr de la dévotion ou de l'inconditionnalité de Beryl pour parler d'elle ainsi, comme d'une vieille copine ou d'une ancienne flamme, pour utiliser une expression anglaise, libre théoriquement de tomber dans des faiblesses d'avant-derniers verres ou de rires ultimes.

« Je ne savais pas que la veuve du doyen de York s'appelait Mrs Wadman », ce fut tout ce que je pus dire. Tupra sourit largement de nouveau, ses lèvres étaient moins exagérément longues, quand il le faisait, elles ne semblaient plus aussi humides.

« Bon, ce devrait être son nom, puisqu'elle est veuve et

qu'elle est de York, je pense. (Il jeta alors un regard autour de lui, comme si la mention de son départ imminent l'avait soudain rendu pressé. Il regarda sa montre, il la portait à droite.) Je vous prie de m'excuser maintenant, je vous laisse avec votre compatriote. Il faut que je parle au juge Hood avant de m'en aller. Cela a été un plaisir, Mr Deza, je vous assure.

— Mr Tupra, je vous dis la même chose », répondis-je.

Preuve de son anglicité, il ne me serra pas la main pour prendre congé, la norme en Angleterre est que ce contact ne se produise qu'une fois entre gens comme il faut, uniquement lors des présentations et plus jamais ensuite, même s'il se passe des mois ou des années avant la rencontre suivante entre deux individus. Je n'arrivais jamais à m'en souvenir, ma main resta vide une seconde.

« Et une chose, Mr Deza, ajouta-t-il en se balançant sur les talons après s'être écarté de moi d'un mètre à peine : j'espère que vous ne me trouverez pas indiscret, mais si vous êtes vraiment las de la BBC et que vous voulez changer d'air, nous pourrions en parler et tâcher d'arranger ça. Avec vos bonnes et utiles connaissances... Parlez-en à Peter, demandez-lui ce qu'il en pense, voyez ça avec lui, si vous le jugez bon. Il sait toujours où me trouver. Bonsoir. »

Il avait dévié un instant son regard vers Wheeler en le mentionnant, et j'avais fait la même chose, en l'imitant. Ce dernier fumait son cigare avec avarice et essayait de retenir la veuve Wadman avec un coude dissimulé mais ferme contre ses côtes, la somnolence la faisait pencher de côté et elle serait vaincue d'un moment à l'autre, tête appuyée sur l'épaule de son hôte — ou encore plus incommode, poitrine moelleuse contre poitrine moelleuse —, si personne ne la secouait : elle était prête pour ses justes rêves, son collier pourrait se décrocher, perdre ses quartiers dans le décolleté de la dame. Je vis de nouveau une correspondance dans les yeux de Peter, je veux dire vers ceux de Tupra, comme s'il lui faisait de menus reproches, tout à fait menus, avec le manque d'emphase avec lequel on fait allusion à une imprudence consommée qui en fin de compte n'a pas été grave : « Tu as exagéré, mais bon. Tu n'as pas tenu compte... », tel me sembla être le message, si tant est qu'il y en eût un. Puis Tupra longea le canapé jusqu'à se placer derrière, se pencha et appuya les avant-bras sur le dossier pour dire quelque chose de bref — une seule phrase — à l'oreille du jeune juge Hood, ou plutôt même quasiment à sa nuque, ce n'était pas confidentiel, je suppose. Le juge et Beryl cessèrent de rire, se retournèrent pour l'écouter, elle regarda de nouveau machinalement sa montre, comme quelqu'un qui attend simplement d'être recueilli ou peut-être relevé, décroisa ses longues jambes si découvertes. « Ces trois-là vont partir ensemble, ils s'en iront en même temps, me dis-je, Tupra va emmener le gros jusqu'à Londres. Ou Beryl, si c'est elle qui conduit. »

« Aussi vrai que je m'appelle Rafael de la Garza, je jure que ce soir je me tape une de ces garces. Je ne suis pas venu jusqu'ici pour m'en retourner à vide, putain de merde. Aujourd'hui je baise, je te le jure sur mon cadavre. »

De la Garza ne renonçait pas une seconde, à peine avais-je quitté Tupra qu'il revenait à la charge. Je me souvins d'un proverbe incompréhensible, comme presque tous les autres.

« Si haut que vole la garzette, le faucon lui plume la tête. »

Je l'avais sorti sans y penser, tel qu'il m'était venu.

« Quoi, comment ? Putain, qu'est-ce que tu as dit ?

— Rien. »

De la Garza repartit pourtant à vide, quelle merde, ou du moins avec pour seule compagnie le triste maire de quelque localité de l'Oxfordshire et une femme dont je présumai qu'elle était son épouse, et ils n'avaient pas l'air portés sur les mélanges (je n'avais même pas remarqué la femme jusque-là, elle ne devait guère faire obstacle aux malheurs de l'endroit qu'ils administraient) et surtout n'étaient pas en âge d'en faire, l'attaché fut pris au dépourvu et il dut les raccompagner dans sa voiture jusqu'à un endroit quelconque, Eynsham, Bruern, Bloxham, Wroxton, ou peut-être jusqu'à l'endroit le plus mal famé depuis l'ère élisabéthaine, Hog's Norton, je l'ignore. Il n'était vraiment pas en état de conduire (et le volant à droite), mais il devait se ficher pas mal d'avoir une amende et était de ces individus orgueilleux dont l'esprit n'est jamais traversé par l'idée qu'ils peuvent avoir un accident. En revanche, elle traversa celui de Wheeler, lequel manifesta sa préoccupation, il se demanda s'il ne devrait pas héberger ces trois-là pour la nuit. Je le dissuadai de cette simple idée en dépit de l'appréhension manifeste du travailliste et de sa travailliste, qui parlèrent d'appeler un taxi pour aller à Ewelme ou Rycote ou Ascot, je ne sais. Ce n'était pas un long trajet, dis-je, et De la Garza était jeune, avec des réflexes fabuleux à n'en pas douter, un vrai léopard. La dernière chose à laquelle j'étais disposé était de me retrouver au petit déjeuner avec l'amateur ou spécialiste de la littérature fantastique chic universelle médiévale, le Maître des Garces, et je me moquais comme de ma première chemise ou presque qu'il eût un accident. Les trois que j'avais prévus sortirent eux aussi ensemble, ils furent parmi les premiers à s'en aller. Par chance pour sir Peter Wheeler, le seul qui s'incrusta jusqu'à passé minuit fut lord Rymer *the Flask*, non qu'il fût en pleine forme ou qu'il n'eût pas sommeil, mais à cause de son incapacité absolue à mettre un pied devant l'autre. Mais cela n'était pas un si grand problème, car ce récipient habitait Oxford. Mme Berry appela un taxi et à nous deux nous allégeâmes de la lourde et alcoolique Fiasque le fauteuil dans lequel elle s'était enfoncée vers la moitié de la soirée, et par poussées discrètes (tâche impossible que de le porter) nous le menâmes jusqu'à la porte sous la supervision et la conduite de la canne de Peter ; la collaboration du chauffeur de taxi pour le caser à l'intérieur du véhicule ne fut absolument pas refusée, l'homme en verrait de toutes les couleurs ensuite pour l'en extraire tout seul une fois à destination. Les extras engagés ne purent filer avant d'avoir rassemblé les principaux restes sur les assiettes et les plats, après quoi j'aidai Mme Berry pour les tasses et les verres et les cendriers des dernières minutes, tout fut à peu près rangé, Wheeler détestait voir le matin les vestiges de la soirée, c'est quelque chose que presque personne ne supporte, moi non plus. Quand la gouvernante se retira Peter s'assit au pied de l'escalier, lentement, prudemment, en se tenant au pommeau de la rampe jusqu'à ce qu'il touche bien terre (je n'osai pas l'aider), et il tira de sa blague un nouveau havane.

« Vous allez fumer un autre cigare maintenant ? » lui demandai-je, étonné, sachant que cela lui prendrait un certain temps.

J'avais cru que le choix inattendu d'un siège aussi impropre pour un octogénaire de longue date obéissait à une fatigue momentanée ou que c'était une façon habituelle pour lui de faire une pause et de recouvrer quelques forces avant de monter jusqu'au premier, où était sa chambre, peut-être s'arrêtait-il toujours à cet endroit avant de commencer son ascension. Sa mobilité était bonne, mais à son âge il ne semblait pas conseillé de fréquenter si continûment, jour après jour, ces marches de bois — treize jusqu'au premier étage, vingt-cinq jusqu'au second —, peu profondes et un peu hautes. Il avait posé sa canne en travers de ses genoux comme la carabine ou la lance d'un soldat au repos, je le regardai préparer son havane, assis sur la troisième marche, ses chaussures d'une propreté absolue sur la première, la partie centrale avec moquette, ou peut-être était-ce un long tapis bien plaqué ou fixé, invisiblement agrafé. Sa posture était celle d'un jeune homme, de même que ses cheveux sans pertes quoique très blancs déjà, suavement ondulés comme si c'était de la pâtisserie, bien peignés avec leur raie marquée à gauche qui aidait à deviner chez lui l'enfant plus que lointain, cette raie devait être là, invariable, depuis sa première enfance, elle était très probablement antérieure au nom de Wheeler. Il s'était mis sur son trente et un pour son buffet froid et il n'était pas de ceux qui finissent les fêtes en semi-décomposition, dans le genre de lord Rymer ou de la veuve Wadman ou un peu aussi de De la Garza (la cravate à la fin lâche et tordue, la chemise qui se rebelle à la ceinture) : tout était intact et à sa place, jusqu'à l'eau avec laquelle il s'était peigné plusieurs heures plus tôt qui semblait ne pas avoir encore complètement séché (j'écartais l'idée qu'il pût utiliser un fixatif). Et assis comme il l'était avec une apparente insouciance, on pouvait encore le voir, il était facile de l'imaginer comme un jeune premier des années trente ou peut-être quarante, qui en Europe furent forcément plus austères, non pas tant un jeune premier de cinéma que de la vie même, ou tout au plus d'une réclame ou d'une affiche de l'époque, il n'y avait rien d'irréel dans sa silhouette. Il devait être satisfait de ses agapes et peut-être souhaitait-il en parler un peu même si nous disposions pour cela de la matinée du lendemain, ne pas les tenir encore pour terminés, il se sentait probablement plus vif — ou simplement en compagnie — que la plupart des autres soirées qui pour lui se terminaient tôt. Même si c'était moi qui étais très seul à Londres, et non pas lui ici à Oxford. « Bah, la moitié à peine, ou moins. Je ne me suis pas beaucoup fatigué. Et ce n'est pas un tel gaspillage, dit-il. Alors ? Comment as-tu passé cette soirée ? Hein ? »

Il avait demandé ça avec une très légère pointe de condescendance et de fierté, il était clair qu'il pensait m'avoir fait une grande faveur avec sa convocation et son idée, en me permettant de sortir de mon isolement supposé, de voir et de connaître des gens. Je profitai donc de son arrogance vénielle pour formuler avant toute autre chose le seul reproche qu'il méritait :

« Très bien, Peter, je vous remercie. Mais elle aurait été meilleure encore si vous n'aviez pas invité ce guignol de l'ambassade, comment avez-vous pu faire ça ? Qui diable était-ce ? Où donc avez-vous pêché cet âne bâté ? Avec un avenir politique, ça oui, il a un avenir politique et même diplomatique. Si c'est à cause de cela et que vous ayez dans l'idée de lui soutirer des subventions pour des colloques ou des publications ou quelque chose comme ça, alors je ne dis rien, même s'il est injuste que ce soit moi qui aie dû lui servir d'interprète, presque d'entremetteur et de bonne d'enfants. En Espagne il sera ministre un jour, ou au moins ambassadeur à Washington, c'est le genre de bête prétentieuse avec un parfum de cordialité apparente que la droite de mon pays multiplie et produit et que la gauche reproduit et imite quand elle gouverne, comme si elle était victime de la contagion. La gauche, c'est une façon de parler, vous savez, comme partout aujourd'hui. De la Garza est un investissement sûr, ça je le lui accorde, et à court terme, il fera carrière avec n'importe quel parti. Simplement, il ne s'en est pas allé très content. Heureusement, c'est déjà quelque chose, moi il m'a en grande partie gâché ma fête. » Voilà comment je me soulageai.

Wheeler alluma son cigare avec une de ses longues allumettes, mais pas avec la même ardeur que précédemment. Il leva ensuite les yeux et les fixa sur moi avec une légère commisération affectueuse, j'étais resté debout, face à l'escalier, pas trop loin, appuyé contre le montant de la porte coulissante qui permettait de passer du salon principal dans son bureau et qu'il laissait toujours ouverte (toujours deux lutrins visibles dans ce bureau, sur l'un le dictionnaire de sa langue ouvert, une loupe, sur l'autre un atlas, le Blaeu parfois ou le magnifique Stieler ouverts également, et une autre loupe), moi bras croisés et le pied droit également croisé sur le gauche, et de ce dernier seule la pointe verticale au-dessus du sol. De même que les yeux de son collègue et ami et semblable Rylands avaient possédé une qualité plutôt liquide et avaient fortement attiré l'attention par leur couleur différente — un œil était couleur d'huile, l'autre de cendre pâle, l'un était cruel, œil d'aigle ou de chat, il y avait de la droiture dans l'autre et c'était un œil de chien ou de cheval —, ceux de Wheeler avaient un aspect minéral et ils étaient identiques à l'excès en dessin et en taille, comme deux billes presque violettes mais jaspées et très translucides, ou même presque mauves mais veinées et pas du tout opaques, ou même presque grenat comme cette pierre, ou c'étaient des améthystes ou des cornalines, ou des calcédoines quand ils étaient le plus bleutés, ils variaient selon l'éclairage qu'ils recevaient, selon le jour et selon la nuit, selon la saison et les nuages et le matin et l'après-midi et selon l'humeur de celui qui les dirigeait, ou bien c'étaient des pépins de grenade quand ils rapetissaient, ce fruit du premier automne de mon enfance. Ils devaient avoir été très brillants, et terribles lorsqu'ils étaient en colère ou punitifs, maintenant ils conservaient des braises et une irritation fugace dans leur apaisement général, ils regardaient d'ordinaire avec un calme et une patience qui n'étaient pas naturels chez lui mais appris, travaillés par la volonté tout au long d'un temps très long ; mais ils n'avaient pas perdu leur malice ni leur ironie ni le sarcasme enveloppant, terrestre, dont on les voyait capables à chaque instant de leur assentiment ; pas plus que l'acuité d'un homme qui avait passé sa vie à observer à travers eux, et à comparer, et à reconnaître le déjà-vu dans la nouveauté, et à relier, à associer et à fouiller dans sa mémoire visuelle et prévoyant ainsi ce qui était encore à voir ou qui n'était pas encore arrivé, et à hasarder des jugements. Et quand ils avaient l'air miséricordieux — et ce n'était absolument pas rare —, une sorte de constatation mal fichue ou de respect abattu rabaissait aussitôt un peu leur miséricorde spontanée, comme si tout au fond de leurs pupilles était logée la conviction qu'en fin de compte et dans une certaine mesure, pour infinitésimal que ce fût, nous avions tous nos propres malheurs, ou que nous nous les forgions, ou que nous nous prêtions à les subir, ou que peut-être nous y consentions. « Le malheur s'invente », m'arrive-t-il de citer en pensée.

« La gauche n'a toujours été qu'une façon de parler, partout, celle à laquelle vous vous référez encore vous autres Espagnols et les Italiens et les Français, et les Hispano-Américains, comme si elle existait ou avait jamais existé hors de l'imaginaire et de la spéculation. Vous auriez dû voir ça dans les années trente, et peut-être même avant. Une simple idée collective. Déguisements, rhétorique, et partant uniformes plus austères et plus trompeurs, facettes ou modalités plus solennelles d'une seule et même chose, toujours odieuse et toujours injuste, et invulnérable, la même chose. Je préfère qu'on puisse voir tout de suite sur leur visage que les salauds sont des salauds, au moins on sait à quoi s'en tenir et on n'est obligé de convaincre personne, ce qui est beaucoup d'effort supplémentaire. Tous écrasent, incroyable que ça ne se sache pas *ab ovo*, peu importe que la cause varie, la cause publique, ou les raisons de propagande. Les comédiens et les naïfs transcendantaux appellent ça des raisons historiques ou idéologiques, moi je ne le ferais jamais, c'est tout à fait ridicule. Incroyable qu'on puisse encore penser qu'il y a des exceptions, parce qu'il n'y en a pas, pas à la longue, il n'y en a jamais eu. Cherches-en, réfléchis. La gauche comme exception, quelle bêtise. Quel gaspillage. (Il lança une grande bouffée de fumée en guise de point à la ligne et comme pour passer à un autre sujet, ce qu'il fit :) Quant à Rafita, comme l'appelait son pauvre père, je ne crois pas que tu doives continuer à te plaindre de lui ni lui garder rancune, ce serait de l'acharnement après l'avoir envoyé il y a un instant à une mort certaine sur la route (c'est peut-être déjà fait) — et il ébaucha le geste de regarder sa montre, il ne put même pas la trouver sous sa manche —, en condamnant en outre au passage, peut-être bien, le maire Pennick et son épouse soumise, leur mort ne sera sans doute irréparable pour personne, je suppose, ni dans le domaine public ni dans le domaine privé. C'est le fils d'un vieil ami, quoiqu'il soit relativement plus jeune que moi, pas moins de dix ans. Il était à Londres pendant la guerre, il m'a aidé dans les moments difficiles. Par la suite il est entré dans le corps diplomatique et a fait tout son possible pour obtenir l'ambassade, sans succès. Je veux dire celle d'ici, il a passé la moitié de sa vie à voyager à travers l'Afrique et une partie de l'Océanie, jusqu'à la retraite. Il m'a demandé de distraire Rafita de temps en temps, de l'orienter un peu et de l'aider en cas de besoin. Tu sais, des trucs de parents, qui n'arrivent jamais à voir leurs enfants adultes, ni comme les personnes peu recommandables qu'ils deviennent parfois, si toutefois ils ne l'étaient pas déjà depuis le berceau et qu'ils n'aient pas voulu le comprendre. » (« Ni comme des crétins », pensai-je sans interrompre Peter.) « Tu peux bien supposer que je ne suis pas le plus indiqué aujourd'hui pour distraire, guider ni aider qui que ce soit, mais si je donne un dîner... En fait, je croyais qu'il ne viendrait pas. À ce que je sais, il ne manque pas de compagnie à Londres. Je suis désolé que tu aies dû l'avoir sur le dos plus que de raison, la collaboration de lord Rymer a été limitée, je le vois bien, je comptais davantage sur leurs affinités. Et bien sûr j'imaginais Rafita bien plus autonome en anglais, ça fait presque deux ans qu'il est ici et j'aurais juré qu'en outre il l'avait appris dans son enfance, celui de son père est très bon, avec un accent cependant, mais rien à voir, alors là absolument rien avec l'horreur de son rejeton. Bien entendu Pablo, le père, ne boit pratiquement pas, et ce Rafita est comme une fiasque mais avec une contenance plus grande, quel animal, une bouteille toujours prête à se remplir. Son père est quelqu'un de merveilleux, son fils est un imbécile. Ça arrive, non? Aussi souvent ou aussi rarement que l'inverse. Et pourtant l'idiot arrivera plus loin. » « Il a eu un idiot complet », pensai-je de nouveau sans le dire, et qui sera ministre. Wheeler exhala une nouvelle bouffée, cette fois avec deux ou trois ronds et donc lentement, comme si cette question ne l'intéressait pas beaucoup non plus et que les explications fournies avaient été plus que suffisantes pour la trancher et passer à autre chose. Je pris mon paquet de cigarettes, il agita à distance, pour me l'offrir, sa grosse boîte d'allumettes luxueuses, je lui montrai mon briquet pour lui indiquer que j'avais du feu, allumai ma cigarette. La façon dont il me posa ensuite sa question me porta à penser qu'il était pressé de me la poser pour une raison ou une autre ou qu'elle lui brûlait la langue depuis un moment, ce n'était pas un simple passe-temps et elle ne faisait pas partie du va-et-vient fortuit d'une conversation à bâtons rompus, des commentaires postérieurs qui naissent librement ou s'imposent toujours à la fin d'un dîner ou d'une fête, quand tout le monde s'en est allé ou qu'on est soi-même parti avec quelqu'un. Tupra et le gros juge et Beryl étaient peut-être en train de parler de nous, plus très loin de Londres maintenant, ou des Fahy et de la veuve Wadman. De la Garza et le maire de Thame ou de Bicester ou d'ailleurs devaient peut-être élucubrer à propos de garces revêches à la grande gêne de la mairesse, s'ils ne s'étaient pas encore tous tués dans un virage et si le premier nommé arrivait à sortir deux mots anglais de suite (il pouvait toujours avoir recours à la mimique et lâcher au passage son volant, ce qui laissait davantage de *chances*). Et jusqu'à Mme Berry qui devait se repasser la soirée pour elle-même dans son lit sans pouvoir trouver le sommeil, elle aussi elle avait reçu des invités et avait été ancillairement hôtesse, elle ne devait pas vouloir non plus que sa longue soirée s'achève tout à fait. « Dis-moi, comment as-tu trouvé Beryl ? Quel effet t'a-t-elle fait ? Quelle impression t'a-t-elle donnée ?

— Beryl ? répondis-je un peu désorienté, je n'avais pas imaginé qu'il puisse m'interroger sur elle, plutôt sur son ami annoncé Bertram, s'il était vraiment son ami. Eh bien nous avons à peine parlé, elle semble ne s'intéresser que très fugitivement à chacun, elle n'avait pas l'air de beaucoup s'amuser, comme si elle était là par obligation. Mais de très belles jambes, elle le sait et l'exploite. Côté visage, elle a une dentition et une mâchoire trop fortes, mais même comme ça elle est assez jolie. Son plus grand attrait et son meilleur atout, c'est son odeur : une odeur rare, agréable, très sexuée. »

Wheeler me lança un regard qui était un mélange de reproche et de moquerie, ses yeux étaient en tout cas amusés. Il agita un peu sa canne, sans aller jusqu'à la lever, il se contenta de la saisir. Il me traitait parfois comme un de ses étudiants, je ne l'avais jamais été, en un certain sens je l'étais. J'étais un disciple, un apprenti de sa vision et de son style, tout comme de ceux de Toby en son temps. Mais avec Wheeler je plaisantais davantage. Ou non, et c'est seulement que ce qui cède la place et ne revient qu'en souvenir s'atténue beaucoup et semble moindre, j'avais plaisanté avec les deux, comme avec Cromer-Blake, un autre collègue de mon époque à Oxford, plus de mon âge et d'une intelligence de premier ordre, et pourtant il n'était pas arrivé bien loin, mort du sida quatre mois après la fin de mon séjour et mon départ, sans que personne dans la congrégation oxfordienne ait dit alors (et à peine par la suite, des gens cancaniers pour les choses banales, discrets pour les choses graves) que son mal était celui-là. Je l'avais vu malade et mieux et encore plus malade, sans jamais lui demander la cause de son mal. Et j'avais toujours beaucoup plaisanté aussi avec Luisa, peut-être que c'est là ma principale et décevante façon de manifester mon affection. C'est lorsqu'il y a plus que de l'affection que surgissent les problèmes, voilà ce que je crois.

« Allons allons, je te l'ai dit, tu es bien seul à Londres. Franchement, ce n'est pas à cela que je faisais allusion. Franchement : jamais je n'aurais osé seulement me demander si les humeurs animales de Beryl t'avaient ou non émoustillé, tu sauras excuser mon manque de curiosité pour ce genre de problèmes en ce qui te concerne. Je voulais dire par rapport à Tupra, quelle impression elle t'a faite relativement à lui, dans son actuelle relation avec lui. C'est ça qui m'intéresse, pas de savoir si tu as été excité par — il se tut un instant — ses sécrétions. Je ne sais pas pour qui tu m'as pris. »

Et ayant dit ces mots il tendit le bras et montra de l'index un endroit imprécis du salon, probablement pour me faire signe de lui passer quelque chose. Comme j'avais besoin d'un cendrier pour la cendre de ma cigarette, je n'hésitai pas, allai en chercher un et lui en tendis un autre pour celle de son cigare, qui avait dangereusement grandi. Il le prit et le posa sur la marche, près de lui, mais il n'en fit pas tout de suite l'usage désormais conseillé et de plus il fit non de la tête et continua de tendre dans la même imprécise direction un doigt maintenant vibrant. Il avait les lèvres serrées, comme si elles s'étaient soudain collées et qu'il avait du mal à les séparer. Son visage n'avait pas changé, cependant.

« Un porto ? Vous avez envie d'un dernier porto, Peter ? » dis-je au hasard, les différents flacons étaient restés çà et là, avec leurs chaînettes et leurs médailles. Il fit non de nouveau, comme si le mot en question lui échappait, un embarras, un blocage, peut-être que l'âge si bien porté (l'âge trompé) se venge par des riens de ce genre, de temps à autre. « Une crotte de chocolat, une truffe ? (Les plateaux respectifs n'avaient pas été retirés de la pièce. Il fit non une fois de plus, il avait toujours l'index tendu, et il l'agitait de haut en bas.) Voulez-vous que j'aille vous chercher un *foulard*\* ? Vous avez froid ? » Non,

---

\* En français dans le texte. *(N.d.T.)*

ce n'était pas cela, nia-t-il, son élégante cravate lui serrait bien le cou. « Un coussin ? » Il acquiesça enfin avec soulagement et joignit alors le majeur et l'index avant de les lever tous les deux, c'était deux coussins qu'il me demandait.

« Des coussins, bon sang, je ne sais pas ce qui m'arrive, parfois les mots les plus bêtes restent coincés, et alors je ne peux pas en sortir un autre avant d'avoir lâché celui qui me résiste, une espèce d'aphasie momentanée.

— Avez-vous consulté un médecin ?

— Non, non, ce n'est pas physiologique, ça j'en suis bien certain. Ça ne dure qu'un instant, comme si ma volonté se retirait. C'est comme une annonce, ou une prescience... — Il ne continua pas. — Donne-les-moi, s'il te plaît, mes reins t'en seront reconnaissants. »

J'en pris deux sur un canapé et les lui donnai, il les plaça derrière lui à cette hauteur, je lui demandais s'il ne préférait pas que nous nous asseyions dans le salon, il fit un geste négatif de la main qui tenait son cigare (sa longue cendre tomba alors sur la moquette), comme pour laisser entendre que ça ne valait pas la peine, qu'il ne me retiendrait pas longtemps (de la tranche de sa main il fit rouler la cendre encore compacte jusqu'au cendrier, qu'il posa au pied de la marche tachée, sans l'émietter), je retournai à ma place, mais je pris un escabeau de cinq ou six marches qui se trouvait dans le bureau pour attraper les livres des rayons élevés, je le plaçai sous le linteau et m'assis dessus, je veux dire que je restai à la même distance.

Wheeler avait dit ces dernières phrases en anglais, nous parlions davantage dans cette langue parce que c'était celle du pays et que nous l'entendions et l'utilisions toute la journée avec les autres, mais nous alternions avec l'espagnol quand nous étions seuls, et passions de l'un à l'autre selon la nécessité du moment, la commodité ou le caprice, il suffisait de glisser deux mots de l'une ou l'autre des langues pour que nous utilisions parfois automatiquement durant un moment celle qui venait d'être ainsi introduite, son castillan était excellent, avec un accent mais pas très prononcé, fluide et assez rapide — mais naturellement plus lent que le mien, ultra-rapide, plein de synalèphes sauvages et enchaînées qu'il évitait quant à lui —, trop précis dans le vocabulaire, trop soigné peut-être pour être celui d'un natif d'Espagne. Il avait employé le mot « *prescience* », mot savant mais pas aussi rare en anglais que ne l'est « *presciencia* » en espagnol, chez nous personne ne l'emploie et presque personne ne l'écrit et très peu nombreux sont ceux qui le connaissent, nous penchons davantage pour « prémonition » et « pressentiment » et même « intuition », tous ces mots ont plutôt à voir avec les sensations, une espèce de flair — l'expression familière existe, avoir du flair —, plus avec les émotions qu'avec le savoir, la certitude, aucune n'implique la *connaissance* des choses futures, ce qui est en fait le sens de « *prescience* » et aussi de « *presciencia* », la *connaissance* de ce qui n'existe pas encore et n'est pas arrivé (rien à voir, par conséquent, avec les prophéties ni les augures ni les divinations ni les prédictions, encore moins avec ce que les charlatans d'aujourd'hui appellent « voyance », tout cela incompatible avec la simple notion de « science »). « C'est comme une annonce, ou une prescience de cette volonté évanouie », voilà ce qu'aurait dit Wheeler, pensai-je, s'il avait terminé sa phrase. Ou peut-être aurait-il été plus clair encore dans sa pensée, qu'il aurait vraiment conclu : « C'est comme une annonce, ou une prescience de ce que c'est qu'être mort. » Je me rappelai quelque chose que j'avais entendu dire un jour à Rylands en parlant de Cromer-Blake, alors que nous étions très préoccupés tous les deux par sa maladie si discrète. « À qui appartient la volonté d'un malade ? », avait-il dit au bord de cette même rivière qu'on pouvait maintenant entendre pendant les silences, la Cherwell, en essayant de nous expliquer certaines attitudes de notre ami infecté. « Au malade ? À la maladie, aux médecins, aux médicaments, à la perturbation, à la douleur, à la peur ? À l'âge, au temps passé ? À celui que nous ne sommes plus... qui l'a emportée avec lui ? » (« Étrange, de ne pas continuer à aimer, paraphrasai-je pour moi-même, et de ne pas vouloir aimer, plus étrange encore. Ou alors non, me corrigeai-je aussitôt, peut-être que ce n'est pas si étrange. ») Mais Wheeler n'était pas malade, il était simplement âgé, et presque tout son temps était désormais passé, et il avait eu l'opportunité très longue de n'être plus celui qu'il avait été, ou aucun des nombreux êtres différents qu'il serait devenu. (Il s'était même défait très vite de son nom.) Il n'avait pas dit ne serait-ce que « préfiguration », ça, il y était habitué, aux représentations anticipées de toutes les choses et des scènes et des dialogues dans lesquels il intervenait, il avait certainement préfiguré et même planifié la conversation que nous étions en train d'avoir, assis tous les deux sur nos marches respectives après la fête, quand tous les autres étaient partis et que Mme Berry se retournait dans son lit sans trouver le sommeil, de façon insolite à l'étage au-dessus, en repensant à sa tâche et à ses préparatifs menés à bien, tourmentée peut-être par quelque erreur qu'elle était la seule à avoir remarquée. Cette conversation se déroulait probablement selon le jugement et le dessein de Wheeler, c'était sans aucun doute lui qui la dirigeait, mais moi en principe cela ne m'importait pas, cela m'intriguait et m'amusait, et jamais je ne lui marchandai ces plaisirs. Ce que Peter avait dit était « prescience », un latinisme arrivé sans changements ou presque jusqu'à nos langues depuis le *praescientia* original, un mot inusité, rare, et par conséquent un concept assez difficile à comprendre.

« Comme une annonce de quoi, Peter ? Une prescience de quoi ? Vous n'avez pas fini votre phrase. »

Ni lui ni moi n'étions de ceux qui se laissent distraire ou embobiner et perdent de vue leur objectif ou ce qui les intéresse. Nous n'étions pas de ceux qui lâchent leur proie. Je le savais de lui et lui de moi, j'ignorais encore à quel point il le savait, je m'en aperçus mieux le lendemain matin. C'était peut-être pour cela qu'il avait eu un léger rire, parce qu'il m'avait reconnu dans mon effort, et cette fois la fumée s'échappa entre ses dents sans dire point à la ligne.

« Ne demande pas ce que tu sais déjà, Jacobo, ce n'est pas ton style », me répondit-il en souriant encore. Il n'était pas non plus de ceux qui se laissent assiéger ni attraper facilement, mais de ceux qui ne répondent que ce qu'ils se proposaient de dire ou d'avouer par avance. Il était de ceux qui m'appelaient Jacobo ; d'autres, comme Luisa, m'appelaient Jaime, c'est le même prénom et ni l'un ni l'autre n'est exactement le mien (c'était peut-être aussi parce qu'elle en avait conscience que ma femme m'appelait parfois par mon nom de famille). C'était moi-même qui me présentais avec l'un ou l'autre ou avec le plus vrai, selon les personnes et l'atmosphère et la convenance, selon le pays où je me trouvais et la langue dans laquelle on allait parler. Wheeler aimait la forme la plus prétentieuse peut-être, ou la plus artificiellement historique, il connaissait bien la vieille tradition espagnole qui consiste à traduire de cette façon le James des rois britanniques Stuarts.

« Depuis quand est-ce que ça vous arrive ? Cela ne vous était jamais arrivé avec moi, autant que je m'en souvienne.

— Oh, cela doit faire six mois, ou un peu plus. Mais c'est très rare, cela ne m'arrive que de loin en loin, autrement ce serait grotesque. Et tu l'as vu, cela ne dure qu'un moment, il n'y a rien d'étonnant à ce que tu ne t'en sois jamais aperçu, c'est le contraire qui serait étrange, et une vraie malchance. Mais laisse, ne perds pas de temps avec ça, tu ne m'as toujours pas dit comment tu avais trouvé Beryl à part ses cuisses et son gosier : par rapport à Tupra, quelle impression t'ont-ils faite ensemble. » Il ne lâchait pas sa proie, il vous obligeait à répondre à ce qu'il voulait qu'on réponde. Je n'ai jamais résisté moi non plus à ces insistances de sa part.

Je vis que ses socquettes ou plutôt ses bas de sport tombaient un peu, c'était peut-être à cause de sa position juvénile sur l'escalier, jambes plus fléchies que dans un fauteuil ou sur une chaise, genoux plus hauts. Elles étaient froissées, soudain lâches, contrastant maintenant avec ses chaussures vernies impeccables aux semelles trop intactes (une invitation aux glissades, Mme Berry n'avait pas été trop attentive sur ce point), si ses chaussettes continuaient à descendre elles lui laisseraient les tibias à nu. Et si c'était le cas il faudrait peut-être que je le lui dise, ce fait inaperçu ne lui plairait pas, coquet et soigné comme il l'était toujours, même si j'étais son unique témoin et le seul à pouvoir le lui dire.

« Eh bien puisque ça vous intéresse, je ne donnerais pas un penny de ce couple, l'affaire n'est guère prometteuse pour votre ami Tupra. La dernière chose dont cette femme ait l'air, c'est d'être la nouvelle fiancée de quelqu'un. C'est plutôt tout le contraire, comme si elle était avec lui par fainéantise ou par routine ou parce qu'elle n'avait rien de meilleur ni de pire en perspective, très curieuse son attitude, s'agissant d'une relation récente. Justement ils m'ont fait une impression d'ancienneté et de paresse, comme s'ils étaient des vieilles flammes l'un pour l'autre — *"old flames"*, dis-je, mieux vaut traduire ça par "passions anciennes" —, qui gardent de bons rapports mais qui se connaissent par cœur et sont très vite saturés mutuellement, même s'ils se supportent et conservent un soupçon de nostalgie réciproque, qu'en fait ils éprouvent en tant que représentants de leur ancien temps respectif. C'était comme si Tupra, je ne sais pas, avait fait appel à elle pour ne pas se présenter seul au dîner, cette sorte d'arrangement, vous savez. Ce qui en principe serait curieux chez quelqu'un de son aspect et de son genre, il n'a pas l'air d'un homme qui éprouve des difficultés à trouver de la compagnie, et brillante. Et si c'était lui qui lui avait fait une faveur à elle, en la sortant, ça ne colle pas non plus, puisque je vous ai dit que Beryl s'ennuyait, comme si elle n'était venue que parce qu'elle y était obligée ou presque, ou pour respecter un accord, je ne sais pas, à peu près comme si on l'y avait traînée. Elle ne se souciait même pas de faire bonne impression à ses amis à lui, si toutefois ce sont ses amis. Durant les premières phases on veut être agréé y compris par le chat de l'autre, et par son canari, et par son pédicure, on veut être cautionné y compris par le laitier. On fait un effort continu pour plaire au cercle du nouvel aimé tout entier, même si son monde vous répugne. Chez elle, on ne voyait pas le moindre effort de ce genre. Même pas une tentative. » Wheeler examina attentivement la braise de son cigare en l'approchant tout près de son œil, son métal brillait plus que la braise ; il la ranima en soufflant dessus, son cigare ne tirait presque plus ou du moins le laissait-il croire ; et, sans me regarder en face, feignant une indifférence qu'il n'éprouvait probablement pas, il me pressa de poursuivre. Mais même s'il me dérobait ses yeux, je vis ses sourcils très blancs et très lisses se froncer de plaisir, et je remarquai dans sa voix une excitation contenue et de l'anxiété, celles que ressent celui qui met quelqu'un à l'épreuve et prévoit au fil des minutes que ce dernier peut s'en tirer avec les honneurs (mais qui attend encore en croisant les doigts, sans oser chanter victoire).

« Vraiment, dit-il, sans aller jusqu'à l'interrogation. Comme de vieilles flammes, hein ? Et elle, elle est venue jusqu'ici *velis nolis*, selon toi. » Il aimait vraiment les latinismes. « Allez, continue à me raconter ce que tu as vu.

— Je ne saurais vous en dire davantage, Peter, je n'ai presque pas parlé avec aucun des deux, et c'était avec chacun séparément, avec elle trois mots de formalité et quelques minutes avec lui, je ne les ai pas vus ensemble. Pourquoi m'interrogez-vous comme ça ? J'ai de mon côté quelques questions à vous poser sur cet individu, je ne m'explique toujours pas pourquoi vous m'avez si longtemps parlé de lui l'autre jour au téléphone. Savez-vous qu'il m'a offert du travail si je me lasse de la BBC ? Je ne sais même pas ce qu'il fait dans la vie. Il m'a suggéré d'en parler avec vous, ce n'est pas pour rien. De vous consulter à ce sujet. Vous devez savoir pourquoi. Vous me le direz quand vous le jugerez bon, Peter. C'est un homme sympathique, à première vue. Et avec une capacité de — j'hésitai : ce n'était pas de séduction, ce n'était pas d'intimidation, ce n'était pas de prosélytisme, même s'il peut sans doute se servir de tout cela — de domination, non ? Qu'est-ce qu'il fait, quel est son domaine ?

— Nous parlerons de Tupra demain au petit déjeuner. Et peut-être aussi de cette histoire de travail.» Wheeler n'avait pas été autoritaire, mais ce ton n'aurait guère admis d'objection ou de protestation. « Parle-moi encore de Beryl, maintenant, d'elle et de Tupra. Allez, je t'écoute.» Et il répéta l'idée sur laquelle je devais me centrer : vieilles flammes, allons bon... « *Old flames, well well...* » Nous continuions à parler anglais et il me mettait sur la voie, comme s'il m'encourageait (« tu brûles, tu brûles ») dans un jeu de devinettes. «... Représentants de leur passé, dis-tu. De leur passé respectif.»

J'étais maintenant absolument certain que Wheeler me soumettait à un test, mais je n'avais pas la moindre idée de sa nature ni de la raison pour laquelle il le faisait, pas plus que je ne savais si je voulais le passer avec succès, quel qu'il fût. Face à cette impression d'examen on désire instinctivement réussir, par défi, et plus encore si celui qui nous sonde et nous juge est quelqu'un que nous admirons. Mais d'aller ainsi à l'aveuglette me rendait méfiant. Cela avait à voir avec Tupra, et avec Beryl, c'était évident, et probablement avec l'offre de travail informelle ou hypothétique qu'il m'avait faite en me quittant, j'avais pris ça pour une amabilité plus que pour autre chose, ou pour une envie dernière de se donner de l'importance, même si ce type de vanité ne cadrait pas avec Tupra, il ne semblait pas en avoir besoin, elle était plus propre d'un De la Garza. Dans la bouche de l'attaché Rafita cela aurait été sans aucun doute des mots creux, quelle courge, un crâneur, une cloche. Et j'avais du mal à m'expliquer les détours et autres méandres de Wheeler, sauf s'il voulait s'amuser et m'intriguer, il pouvait parler en confiance avec moi. Je compris qu'il le ferait le lendemain matin au petit déjeuner, chaque chose en son temps choisi ou assigné, c'était lui qui décidait du temps de sa vieillesse, réduit et déclinant, mais n'est-ce pas toujours ainsi, pour ce dernier aspect ? Si bien que je lui fis plaisir, je me laissai entraîner, même si à vrai dire je ne pouvais pas ajouter grand-chose : j'inventai un peu, élaborai et ornai ce que j'avais énoncé, je m'étendis, peut-être inventai-je trop. Je remarquai que les chaussettes ou bas de sport de Wheeler (au début elles lui arrivaient au-dessous du genou, comme celles que je porte) étaient tombées un peu plus, de l'endroit où j'étais je pouvais voir une étroite frange de peau mate, sa couleur et son teint étaient davantage ceux d'un homme du Sud que d'un Anglais, maintenant que j'y pensais. Il avait pris sa canne, ses deux poings dessus, comme si décidément c'était une lance, il avait posé sur le cendrier son cigare qui ne fumait pas beaucoup, n'eût été son air de satisfaction j'aurais dit qu'il était sur des charbons ardents, des charbons ardents de petite catégorie, c'est certain, qui ne l'auraient jamais beaucoup brûlé.

« Oui, eh bien, je ne sais pas, j'ai eu l'impression qu'ils étaient un peu trop autonomes, pour un couple tout juste naissant. Cela n'aurait pas attiré mon attention s'ils avaient formé un ménage aguerri, de ceux dont l'émotion est si usée qu'au fond ils sont déjà périmés, sauf quand les conjoints restent seuls sans rien pour s'occuper, et encore. Vous, vous n'avez pas eu le temps de vivre quelque chose de ce genre, avec votre mariage si bref et si lointain, mais vous l'avez certainement observé : dans presque tous les couples il y a un moment regrettable ou de deuil tacite, où il suffit qu'il y ait une tierce personne, quelle qu'elle soit, même un chauffeur de taxi qui vous tourne le dos, pour que la femme ou le mari ne tienne absolument plus compte de l'autre. La fête n'est plus jamais en eux, celle de l'homme dans la femme ou celle de la femme dans l'homme, ou celle d'aucun d'entre eux chez aucun, cela dépend de qui se désintéresse le premier ou que la lassitude soit simultanée, presque toujours elle finit par envelopper et affecter les deux s'ils sont encore ensemble, et alors aucun des deux ne souffre trop ou alors simplement sous l'effet de la déception et du désistement, mais durant les périodes de déséquilibre cela rend l'un triste et irrite indicible-ment l'autre. Celui qui est triste ne sait pas quoi faire ni comment se comporter, il essaye tout et n'importe quoi et leurs contraires, il se creuse la cervelle pour intéresser de nouveau ou se faire pardonner même s'il ne sait pas quelle est sa faute, et cela ne sert à rien parce qu'il est déjà condamné, à rien d'être charmant ni antipathique, doux ni revêche, complaisant ni critique, amoureux ni belliqueux, attentionné ni obtus, adulateur ni agressif, compréhensif ni imperméable, tout n'est que perplexité et temps perdu. Et celui qui est irrité a conscience parfois de sa partialité et de son injustice, mais il ne peut les éviter, il se sent irascible et tout ce qui vient de l'autre le fait sortir de ses gonds, et c'est la meilleure preuve, dans la vie personnelle et quotidienne, que rien n'est jamais objectif et que tout peut être déformé et dénaturé, qu'aucun mérite ni aucune valeur ne l'est en soi sans la reconnaissance d'autrui, une reconnaissance qui est le plus souvent purement arbitraire, que les faits et les attitudes dépendent toujours de l'intention qu'on leur attribue et de l'interprétation qu'on voudra leur donner, et sans cette interprétation ils ne sont rien, ils n'existent pas, ils sont neutres ou peuvent être tout simplement niés. Les plus nettes évidences sont niées, ce qui vient d'arriver et que deux personnes ont vu peut être nié sur-le-champ par l'une d'elles, on nie ce que l'une vient de dire ou d'entendre, pas hier ni il y a quelque temps, mais une minute plus tôt seulement. C'est comme si rien ne comptait, rien ne s'accumulait ni n'avait de poids et en même temps s'effondrait, tout indifférent, sans calcul, sans mémoire, du vent, mais du vent sale, et pour toutes deux c'est désespérant, de façon différente pour chacune et avec plus d'intensité pour celle qui est triste. Jusqu'à ce que tout soit rompu. Ou bien non, et alors ça s'étire, ça s'assimile intérieurement, et à l'extérieur ça se calme et s'alanguit, ou alors se garde et pourrit sans faire de bruit et en secret, comme ce qu'on enterre. Et même si tout est caduc, les deux personnes restent ensemble, comme il m'a semblé que restaient ensemble Tupra et Beryl, plus ou moins. »

Évidemment, Wheeler ne voulait pas les perdre de vue, et

j'étais enfin revenu à eux après ma si longue digression, que cependant je pensais poursuivre. Mais au lieu de profiter de mon retour au point de départ, il sembla oublier momentanément le couple et s'intéresser à ma tirade, même s'il courait ainsi le risque que je m'écarte de nouveau de l'objectif. Ce fut de la curiosité, certainement, parce qu'il ne put s'empêcher de me demander :

« C'est ce qui t'est arrivé avec Luisa ? Sauf que vous, vous n'avez pas fait durer, et que vous n'êtes pas restés ensemble ? » Il me regarda une seconde avec cette compassion qui n'était qu'à lui et qu'il corrigeait ou minorait tout de suite. Non qu'il la perdît ou la rejetât ou la retirât, en aucune façon, il se contentait de la nuancer après le premier jaillissement, qui était très sincère et très spontané. Mais elle ne pouvait jamais demeurer dans cet état d'innocence, cet état élémentaire, peut-être que cela aurait été son mot, si c'était lui qui s'était décrit.

« Non, je n'ai pas permis, ou nous n'avons pas permis que cela arrive. Ce fut autre chose, peut-être plus simple, à coup sûr plus rapide. Quelque chose de moins poisseux. De plus propre peut-être.

— Un jour il faudra que tu me parles un peu plus de tout ça. Si tu veux, bien sûr, et si tu sais le faire, il est parfois impossible d'expliquer ce qui est le plus décisif, ce qui nous a le plus affecté, et se taire est la seule chose qui nous sauve dans les mauvais moments, parce que les explications ont toujours l'air un peu bêtes par rapport au mal qu'on fait ou qu'on nous a fait. Elles ne sont généralement pas à la hauteur du mal subi ou causé, et on ne les supporte pas, n'est-ce pas ? Je ne comprends pas votre histoire, mais je comprends que je ne comprenne pas. Je vous aimais beaucoup tous les deux. Bon, c'est absurde de le dire au passé : je vous aime beaucoup tous les deux. Je suppose que c'est parce que en tant que couple vous avez l'air d'être au passé, pour le moment. Car on ne sait jamais, non ?, avec les liens, peu importe leur genre. Les liens. (Il se tut un instant, comme s'il soupesait ce mot,

ou s'il se rappelait quelque chose de concret le concernant.)
Ce que je voulais dire c'est que je vous aimais ensemble, et
en général on aime mieux les personnes séparément, chacune de son côté, sans unions conjugales ni familiales.
Quoique, maintenant que j'y pense, je ne sais pas si j'ai jamais
vu Luisa sans toi, si je l'ai jamais vue seule, est-ce que tu t'en
souviens ? Il me semble que oui, mais je n'en suis pas absolument certain.

— Je ne crois pas, Peter, je crois que vous ne l'avez jamais
vue sans moi. Bien sûr, vous avez parlé au téléphone. » Je dus
paraître rétif à cette dernière déviation, pour moi inattendue.
Mais il ne m'échappa pas que si Wheeler et Luisa ne s'étaient
jamais vus sans moi (je n'en étais pas absolument certain non
plus, un souvenir insaisissable et vague m'effleurait), ce qu'il
avait affirmé c'était qu'il me préférait avec elle que seul, tel
qu'il m'avait connu. Cette inférence ne me vexa pas : il ne faisait aucun doute pour moi qu'elle m'améliorait, qu'elle me
rendait plus gai et plus léger, pas aussi enclin à me creuser la
cervelle, beaucoup moins dangereux, beaucoup moins
embrouillé. « *My dear, my dear* », pensai-je, et je le pensai en
anglais parce que c'était dans cette langue que j'étais en train
de parler et de plus il y a des choses qui font moins honte dans
une langue qui n'est pas la nôtre, même si elles ne sont que
pour la pensée. « Si l'oubli m'était maintenant donné, pensai-
je cette fois dans la mienne. Si c'était toi qui me le donnais,
l'oubli de toi. »

Mais avant de revenir aux Tupra — ou plutôt à Tupra et Beryl —, Peter ajouta encore quelque chose de son cru à nos circonlocutions, il aurait probablement appelé ça un *excursus*.

« Je ne sais pas si tu te rends compte — dit-il tout en ravivant la braise de son cigare avec une nouvelle allumette, avant de continuer au milieu d'un nuage de fumée ferroviaire — que tout ce que tu viens de décrire dans le domaine conjugal, privé, existe aussi dans presque tous les autres domaines, professionnel, public, politique. La négation de tout, de ce qu'on est et de ce qu'on a été, de ce qu'on fait et de ce qu'on a fait, de ce qu'on recherche et de ce qu'on a recherché, de nos motifs et de nos intentions, de nos professions de foi, de nos idées, de nos plus grandes fidélités, de nos raisons... Tout peut être déformé, détourné, annulé, effacé, si on a été déjà jugé, qu'on le sache ou non, et si on ne le sait même pas alors on est désarmé, perdu. C'est ce qui se passe lors des persécutions, des purges, des pires intrigues, des conspirations, tu ne peux pas savoir à quel point tout cela est épouvantable quand celui qui décide de te nier a du pouvoir ou de l'influence, ou quand ils sont nombreux à être d'accord, l'accord n'est même pas toujours nécessaire, il suffit d'une machination qui démarre et se développe, c'est comme un incendie, et qui convainc les autres, c'est une épidémie. Tu ne sais pas à quel point les gens persuasifs sont dangereux, n'affronte jamais ceux qui le sont à moins d'être prêt à devenir plus vils qu'eux et de croire que ton imagination, non, ta capacité de fabulation est supérieure à la leur, et que le choléra que tu provoques se répandra plus vite et dans la bonne direction. Il faut que tu gardes présent à l'esprit que la plupart des gens sont bêtes. Bêtes et frivoles et crédules, tu ne sais pas à quel point, une feuille blanche en permanence sans la moindre trace ni la moindre résistance, tu as beau avoir l'impression de le savoir tu ne peux pas vraiment le savoir, jusqu'à quel point, tu n'as pas vécu de guerres, j'espère que tu n'y auras pas droit. Celui qui est persuasif compte dessus, il y compte même outre mesure et pourtant il ne se trompe jamais, il y compte à l'excès et jusqu'à la dernière extrémité et cela lui confère une audace presque sans limites. Mais s'il est bon, il ne se trompe jamais. » Il se tut un instant, attendit que la fumée qui semblait maintenant sortir de ses cheveux de pâtisserie blanche devienne moins épaisse, et il me regarda alors fixement, avec un mélange de curiosité et de confirmation, comme s'il me voyait pour la première fois et qu'en même temps il me reconnaissait (peut-être comme sujet de la dernière phrase qu'il avait dite), ou qu'il me comparait avec quelqu'un ou avec lui-même, ou comme s'il me bénissait, peut-être. « Mais toi aussi tu as cette aptitude, tu es persuasif. Il vaut mieux ne pas t'affronter. » Il s'employait de nouveau à tirer avec soin sur son cigare, il en observa avec satisfaction la braise rougissante et souffla une nouvelle fois dessus par plaisir, pour la voir rougir davantage encore. On n'emploie plus beaucoup aujourd'hui, n'est-ce pas, l'expression "tomber en disgrâce". Tomber en disgrâce. Il est intéressant, il est curieux qu'elle soit un peu en désuétude, alors que ce qu'elle désigne, et mieux que toute autre, arrive sans relâche, constamment et partout et peut-être plus que jamais, mais de façon plus dissimulée ou moins bruyamment que dans le passé, et suppose souvent la destruction de celui qui tombe, qui est déjà littéralement à terre, comment dire, c'est une perte, une non-personne, un arbre abattu. Je l'ai souvent vu, bien plus, j'y ai participé quelquefois, je veux dire que j'ai contribué à en faire tomber plus d'un en disgrâce, et même dans une disgrâce odieuse dont on ne sort jamais. Et je l'ai même rendu possible. Et décidé. Ou bien j'ai aidé à ce que la disgrâce ordonnée par d'autres s'accomplisse. À ce qu'elle puisse être menée à bien.

— Ici, à l'université?

— Non. Bon, si, mais pas seulement. Également sur des fronts où cette chute était plus grave, et avait davantage de conséquences que de n'être pas invité à des dîners — il avait dit *"high tables"*, les *"dîners hauts"* ou de gala dans les *colleges*, j'en avais subi pas mal moi-même à mon époque — ou de devenir l'objet de murmures et de critiques ou de pâtir d'un vide social ou académique ou de se voir discrédité professionnellement. Mais de ça aussi nous parlerons demain matin, peut-être, un peu, raisonnablement. Ou peut-être que non, n'en parlons pas, je ne sais pas, on verra. On verra demain.»

Je ne sais pas comment je le regardai, je sais que mon regard ne lui plut pas. Mais non pas tant à cause de ce qu'il avait exprimé — surprise, curiosité, légère incrédulité, légère défiance, peut-être, en aucun cas, je crois, de la réprobation ou de la censure, il m'était impossible d'éprouver intuitivement ces sentiments-là envers lui — que du simple fait de son existence. C'était comme si je l'avais fait douter de sa confirmation ou de sa comparaison ou de sa reconnaissance antérieures, alors que c'était trop tard ou que ça ne s'imposait pas.

« Vous avez provoqué des épidémies de choléra? » Telle était la question qui avait accompagné mon regard.

Il appuya le bout de sa canne sur le plancher, s'agrippa à la rampe, cigare et canne dans la même main, il allait se lever mais ne le fit pas. Il resta dans cette position, bras levés, comme s'il était suspendu à une barre ou avec un geste rappelant celui qui sert à proclamer son innocence ou annoncer qu'on est sans armes : « Vous pouvez me fouiller. » Ou : « Ce n'est pas moi qui l'ai fait. »

« Tu es trop malin, Jacobo, pour que je pense ne fût-ce qu'un instant que tu as pu comprendre cette expression dans un sens autre que dûment métaphorique. Bien sûr que j'en ai provoqué. » Et après la pique jamesienne alambiquée et l'affirmation de défi qu'elle signifiait, vint très vite l'atténuation de cette dernière, ou sa réduction, ou une tentative d'explication nébuleuse et partiale, comme si Wheeler ne voulait pas lui non plus que la vision que j'avais de lui devienne trouble ou soit abîmée à cause d'un malentendu ou d'une métaphore antipathique. Je ne sais pas comment l'idée que je le prenne pour quelqu'un de méchant pouvait lui avoir traversé l'esprit. « Il y a très longtemps de ça, dit-il. N'oublie jamais que je suis né en 1913. Figure-toi, avant le début de la Grande Guerre. Il semble impossible, n'est-ce pas, que je sois toujours vivant. Je n'y crois pas moi-même, certains soirs. Dans une vie comme la mienne, il y a du temps pour trop de choses. Ma mémoire est si pleine que parfois je ne le supporte pas. Je voudrais la perdre un peu plus, je voudrais la vider un peu. Ou non, ce n'est pas vrai, je préfère qu'elle ne me manque pas encore. Ce que je voudrais, c'est qu'elle ne se soit pas aussi remplie. Quand on est jeune, tu le sais, on est pressé et on a peur de ne pas vivre assez longtemps, de ne pas profiter d'expériences suffisamment variées et riches, on s'impatiente et on accélère les événements, si on le peut, et on les amasse, on s'en fait une réserve, l'urgence des jeunes à accumuler les cicatrices et à se forger un passé, cette urgence est bien étrange. Personne ne devrait avoir ce genre de peur, nous les vieux nous devrions l'enseigner aux gens, bien que je ne sache pas comment, aujourd'hui plus personne ne nous écoute. Parce qu'à la fin de toute vie plus ou moins longue, pour monotone qu'elle ait été, et anodine, et grise, et sans bouleversements, il y aura toujours trop de souvenirs et trop de contradictions, trop de renoncements et d'omissions et de changements, beaucoup de marche arrière, beaucoup de pavillons baissés, et aussi beaucoup d'actes de déloyauté, c'est certain. Et il n'est pas facile de mettre tout cela en ordre, pas même pour se le raconter à soi-même. Trop d'accumulation. Trop de matériau brumeux et amassé et en même temps très dispersé, trop pour un récit, même s'il n'est que pensé. Et ne parlons pas des choses infinies qui tombent sous le point aveugle de l'œil, chaque vie est remplie d'épisodes littéralement invisibles, on ignore ce qui s'est passé simplement parce qu'on ne l'a pas vu, il n'y a pas eu de possibilité de le voir, une bonne partie de ce qui nous affecte et nous détermine est caché, comment dire, ne s'offre pas à la vue, s'en est soustrait, il n'y a pas eu d'angle. La vie n'est pas racontable, et il est extraordinaire que les hommes se soient consacrés à le faire depuis tous les siècles dont nous avons connaissance, qu'ils se soient entêtés à raconter ce qu'on ne peut raconter, soit sous forme de mythe, de poème épique, de chronique, d'annales, de procès-verbaux, de légendes ou de chansons de geste, de complaintes ou de chants populaires, d'Évangile, de vies des saints, d'histoire, de biographie, de roman ou d'éloge funèbre, de film, de confessions, de Mémoires, de reportage, peu importe. C'est une entreprise condamnée, manquée, et qui nous est peut-être moins utile qu'elle ne nous fait de mal. Il m'arrive de penser qu'il vaudrait mieux perdre cette habitude et laisser simplement les choses passer. Et ensuite, qu'on n'y touche plus. » Il s'arrêta, comme s'il se rendait compte qu'il s'éloignait beaucoup maintenant de la conversation qu'il avait projetée. Mais il ne devait pas avoir perdu Tupra et Beryl de vue, et cela sans le moindre doute, il pouvait se permettre des digressions de digressions de digressions et revenir ensuite où il voulait. Il fit de nouveau preuve de défi et de nouveau atténua aussitôt ce défi : « Bien sûr que j'ai répandu le choléra, et la malaria, et la peste. Je te rappelle que nous avons eu ici une longue guerre avec l'Allemagne, il y a bien moins longtemps que les années que j'ai, j'étais déjà adulte à l'époque. Et qu'auparavant j'étais passé par la vôtre. Et à l'époque aussi j'étais adulte, fais le compte. »

Je le fis mentalement en un instant. Wheeler fêtait son anniversaire le 24 octobre, et donc il n'avait pas encore vingt-trois ans lorsque la guerre d'Espagne avait éclaté, et en avril 1939, quand elle s'était achevée, il en avait vingt-cinq. Cela aussi c'était une révélation, jamais il ne m'en avait rien raconté. « Auparavant j'étais passé par la vôtre », avait-il dit, et donc il y avait pris part, il avait combattu ou peut-être simplement fait du renseignement ou de la propagande, ou peut-être avait-il été correspondant ou infirmier de la Croix-Rouge, ou chauffeur d'ambulance. Je ne pouvais le croire. Non le fait lui-même, mais que je l'aie ignoré jusqu'à ce soir-là, alors que nous nous connaissions depuis plusieurs années.

« Vous ne m'aviez jamais dit que vous aviez participé à la guerre d'Espagne, Peter, comment est-ce possible ? » « *The Spanish War* », avais-je dit, dans un excès d'obéissance à la langue que j'étais en train de parler, car c'est ainsi qu'on l'appelle localement en anglais, presque toujours. « Vous ne l'aviez jamais mentionné. » Vraiment, je ne pouvais y croire. Comment l'expliquer ? Il ne me l'avait même pas laissé entendre.

« Non. Je crois que je ne l'ai pas fait », me confirma Wheeler d'un ton sérieux, comme s'il n'avait pas l'intention maintenant non plus d'ajouter quoi que ce soit. Et aussitôt son visage resplendit d'un sourire de plaisir non dissimulé qui le fit paraître plus juvénile encore, il adorait m'intriguer pour me laisser ensuite dans l'ignorance, je suppose qu'il le faisait avec tout le monde quand l'occasion s'en présentait, en cela aussi il était comme Toby Rylands, qui suggérait souvent des faits déplorables de son passé, d'anciennes activités semi-clandestines, des fréquentations inattendues ou en principe impropres d'un professeur d'université, sans aborder tout à fait aucun récit. Il insinuait et se taisait, enflammait l'imagination mais ne l'attisait ni ne l'alimentait, et s'il se lançait dans une histoire on avait l'impression que c'était uniquement sa mémoire, et non sa volonté — sa mémoire à voix haute, articulée —, qui l'y poussait, et alors il réagissait et se réfrénait aussitôt, et par conséquent ne racontait jamais rien de complet sur ses possibles jours d'inclémence ou d'aventure, il ne permettait que des indices. Ils appartenaient à la même école et à la même époque désormais enfuie, Wheeler et lui, cette si longue amitié ne devait pas étonner, comme il devait lui manquer, le mort au vivant, immensément. « Mais je ne te l'ai pas caché non plus », ajouta Wheeler dans un grand sourire, tout en écrabouillant enfin verticalement son cigare dans le cendrier, avec force et d'un seul coup, comme si c'était une bestiole indésirable. Il avait fini par le fumer jusqu'au bout. « Si tu m'avais interrogé à ce sujet... » Et, plus amusé encore, il se fit à lui-même le plaisir de m'adresser un reproche : « Tu n'as jamais montré le moindre intérêt pour la question. Tu n'as eu aucune curiosité pour mes aventures péninsulaires. »

Quand je le voyais jouer, j'entrais d'ordinaire dans son jeu, de même que j'essayais de prolonger son plaisir quand je voyais qu'il en prenait. Et donc je lui dis ce qu'il voulait que je lui dise, en dépit du fait que je connaissais sa réponse, ou précisément pour qu'il puisse me la donner :

« Eh bien je vous le demande maintenant, Peter, et avec véhémence. Je vous assure que rien au monde ne pourra jamais m'intéresser autant. Allez, racontez-moi sans tarder ces aventures inconnues que vous avez vécues lors de la seconde guerre péninsulaire.

— N'exagère pas, nous n'y avons malheureusement pas autant participé qu'à la première. » Inutile de dire qu'il avait perçu la plaisanterie, c'est ainsi qu'on connaît en Angleterre ce qui est pour nous la guerre d'Indépendance, contre l'occupation napoléonienne : *The Peninsular War*, ils ont écrit des tas de livres sur cette campagne, contrairement à nous-mêmes, ils la considèrent comme leur. Il est significatif que les noms varient selon le point de vue, à commencer par celui des conflits. Celui qui est connu partout comme la Première Guerre mondiale ou la guerre de 14 ou même la Grande Guerre, est officiellement pour les Italiens *La Guerra del Quindici-Diciotto*, parce qu'ils n'entrèrent en lice qu'en 1915. « Il est trop tard maintenant — Wheeler était toujours aussi enquiquinant, comme prévu —, et demain nous n'aurons pas le temps, nous avons des questions à traiter, plusieurs affaires. Tu aurais dû profiter des occasions passées, tu vois ? Il faut penser aux choses au moment voulu, ou anticiper. » Il souriait toujours. Il prit de l'élan et se leva, en s'appuyant à la fois sur sa canne et à la rampe. En fait, il était fort pour son âge, il se redressa presque sans difficulté ni peine, et ce faisant, rapidement, ses chaussettes ou bas de sport tombèrent enfin tout à fait, je les vis glisser synchroniquement jusqu'aux chevilles. Tous les deux debout maintenant (je m'étais levé moi aussi de mon échelle, je n'allais pas rester assis, éducation bien désuète aussi que la mienne), il se pencha par-dessus la main courante et brandit sa canne de la main gauche, bout en l'air, comme si c'était un fouet plutôt qu'une lance, il me fit penser à un dompteur tout à coup. « Mais avant de nous dire bonsoir, ajouta-t-il, une chose en ce qui concerne Tupra et Beryl : je comprends par tes commentaires, je déduis — il prononçait maintenant chaque mot lentement, peut-être les choisissait-il avec grand soin, ou plus probablement il les savourait, tous et chacun, avec un cynisme moqueur —, apparemment je ne t'avais pas dit que finalement Tupra ne viendrait pas avec sa nouvelle petite amie, comme il me l'avait dit d'abord, mais avec son ex-femme, Beryl. Beryl est la plus récente de ses ex-femmes, tu l'ignorais, n'est-ce pas ? Je ne t'avais pas informé de ce changement, n'est-ce pas ? Bon, c'est évident. »

Je souris alors à mon tour ou même je ris, certainement, j'allumai une nouvelle cigarette, un peu plus de fumée, la fumée tient compagnie et protège, je dois reconnaître qu'à un degré élevé le culot parfois ne me déplaît pas. Bien entendu, cela dépend de la personne chez qui je le constate, pour les petites choses il faut savoir être injuste.

« Voyons, Peter, vous savez parfaitement que vous ne me

l'avez pas dit, et au nom de quoi m'auriez-vous informé de ce changement, qui n'était absolument pas de mon ressort, maintenant je commence à penser qu'en fait il l'était, pour une raison que vous devez connaître mais que moi j'ignore. Vous avez mentionné par téléphone sa nouvelle amie, d'une façon toute fortuite, voilà tout. Dites-moi ce que vous avez derrière la tête, j'ai l'impression qu'en l'occurrence il n'y a pas grand-chose de fortuit, n'est-ce pas ? Un jeu, un test, une devinette, un pari ? » Et c'est alors que je pris conscience d'un détail minime : c'était pour cela que Wheeler, toujours si comme il faut dans les présentations, s'était permis d'omettre le nom de Beryl en disant les nôtres. Ce n'était pas tout à fait indu si c'était le même que celui de l'homme qui était avec elle, et on pouvait le comprendre de cette façon. « Mr Tupra, dont l'amitié remonte encore plus loin. Et voici Beryl », avait-il dit, et il était possible de comprendre « Beryl Tupra » si tel était toujours son nom, si elle ne l'avait pas remplacé en se mariant avec quelqu'un d'autre, par exemple. S'il s'était agi de la nouvelle fiancée, Peter se serait chargé de savoir son nom complet pour la présenter dans les règles. Cela ne voulait en rien imiter les innovations niaises, en fait je l'avais entendu dire pis que pendre de la coutume actuelle, propre aux adolescents mais implantée chez bien des adultes sots, qui consiste à priver de leurs noms de famille les gens en société, de prime abord, équivalent du tutoiement généralisé dans ma langue.

Mais bien entendu il ne répondit pas à ma question. Il était tard, son calendrier était fait, ou il avait décidé de son horaire pour ce week-end, il faisait ce qu'il voulait quand il voulait.

« Il est intéressant, il est remarquable que sans le savoir tu aies détecté la nature de leur relation, et en ne les ayant vus ensemble que de loin », dit-il, et il porta sa canne à son épaule, maintenant comme le fusil d'un soldat dans un défilé ou lors d'une garde, le manche comme une crosse, ce fut un geste méditatif. « Tupra a de sérieux doutes actuellement, à ce qu'il m'a raconté. Ils se sont enfin séparés il y a un an, après quelques éclats et un long abattement, puis ils ont demandé le divorce par consentement mutuel, il doit y avoir six mois de ça. Ils sont maintenant sur le point de l'obtenir pour de bon, techniquement ils ne sont pas encore des ex-époux, me semble-t-il. Et comme cela arrive souvent devant ce qui est imminent, l'un d'eux, Beryl, a proposé de revenir, de paralyser tout le processus et de faire une nouvelle tentative. Malgré sa nouvelle petite amie (ce ne doit pas être bien crucial, Tupra les remplace trop rapidement, ces derniers temps, ses petites amies), il commence à avoir des doutes. Il commence à prendre de l'âge, il s'est déjà marié deux fois et Beryl a été très importante pour lui, suffisamment pour qu'il ait la nostalgie de cette importance, je veux dire pour la lui donner, même si elle ne l'a plus, à mon avis, réellement. D'un côté, il est tenté par le retour, mais il se méfie. Il sait qu'elle ne brille par aucun aspect, ni sentimental ni économique, même si elle ne se sortira pas si mal de ce divorce, il n'a pratiquement pas fait obstacle à ses requêtes. Mais Beryl est habituée à une plus grande aisance, disons aux imprévus, aux agréables surprises fréquentes dans la profession de Tupra, aux extras, et en nature. Et bien entendu à ne pas être seule. Il craint, il soupçonne qu'elle ne veuille revenir que pour ça, par appréhension et impatience, non par véritable nostalgie, ni par affection obstinée, ni parce qu'elle a réfléchi (laissons l'amour tranquille), mais parce que sa situation ne s'est pas améliorée cette année, contrairement à ce qu'elle croyait, c'est probable. Elle ne s'est même pas refaite, comme on dit, semble-t-il, et elle n'est plus toute jeune, il faut dire, ce qui fait qu'elle ne sait pas attendre, ni espérer, elle est pressée et elle a oublié, tu sais que les femmes cessent d'être jeunes dès qu'elles pensent qu'elles ne le sont plus, ce n'est pas tant leur âge que cette croyance qui les fait véritablement vieillir au début, ce sont elles-mêmes qui se mettent au rancart. Et donc Tupra la met à l'épreuve ces jours-ci, il lui a entrouvert sa porte, il ne la repousse pas, il l'emmène avec lui, il la ramène, il la jauge, ils sortent de nouveau ensemble de temps à autre. Il veut voir.

Mais Tupra a peur que Beryl ne fasse semblant. Qu'elle ne cherche qu'à gagner du temps et un appui passager en attendant le bon remplaçant qui n'est pas encore apparu : celui qui s'amourachera d'elle ou l'aimera et qu'en plus elle voudra agréer. »

La profession de Tupra. Une fois encore, cela ne m'avait pas échappé. Mais je le laissai de côté et ne pus m'empêcher d'être acerbe. Rien de tout cela ne collait avec quelqu'un comme M. Tupra, c'est-à-dire avec quelqu'un comme l'individu que je croyais avoir entrevu. Tout était possible, cependant. Ceux qui ont le plus de possibilités de choisir choisissent presque toujours mal, c'est bien connu.

« Il doit en pincer fort pour elle, dis-je, il doit être plus que borgne s'il ne fait que craindre. Il saute aux yeux qu'elle est plus attentive à n'importe quel autre futur possible qu'à aucun présent en compagnie de cet homme. Bien sûr, je n'ai pas qualité pour affirmer quoi que ce soit, mais je ne sais pas, c'était comme si elle se rappelait de temps à autre le rôle de reconquête que d'après vous elle a annoncé à son mari, et alors elle fait de son mieux pendant un moment, ou plutôt comme si elle s'appliquait de façon routinière à lui plaire et même à le flatter, je suppose. Mais elle ne semble même pas capable de faire en sorte que ce rappel ou cet élan dure un peu, c'est sans doute trop artificiel, pure invention, ça ne doit pas même exister comme spectre, et bref, vous le savez bien, le plus ardu dans les fictions ce n'est pas de les créer, c'est de les faire durer, parce qu'elles ont tendance à tomber toutes seules. Un effort surhumain, pour les faire tenir debout. » Je me tus, peut-être m'étais-je aventuré à l'excès, je cherchai un appui solide, prosaïque. « Tenez, même De la Garza l'a remarqué, qu'elle n'avait strictement rien à foutre de lui, il a vu et dit ça aussi clairement que je vous le dis, il n'a pas fait dans la nuance. Et je ne crois pas qu'il se trompait, il a bien observé Beryl, quel sacré canon, c'est exactement ce qu'il a dit. Tenez-en compte. Ou bien était-ce de la doyenne veuve qu'il a dit ça, mais cela ne fait rien : il ne l'a pratiquement pas quittée des yeux, surtout au-dessous de la ceinture et côté cuisses. » J'étais passé à ma langue maternelle quand c'était devenu obligatoire : « elle n'avait strictement rien à foutre de lui », « quel sacré canon ». Traduction exacte impossible. Ou plutôt non, il y a une traduction à tout, c'est une question de travail, mais je n'allais pas essayer de le faire à ce moment-là. La réapparition de ma langue entraîna Wheeler à l'employer lui-même provisoirement.

« Canon ? Canon, as-tu dit ? » Il m'avait demandé ça sur un ton un peu perplexe et aussi un peu ennuyé, il n'aimait pas découvrir des lacunes dans ses connaissances. « Je ne connais pas cette expression. Bien que je la comprenne sans difficulté, je crois. C'est quoi, quelque chose comme "bien roulée" ?

— Bon. Oui. Bon. Mais croyez-moi, Peter. Je suis incapable de vous l'expliquer maintenant, mais je suis bien sûr que vous la comprenez, et parfaitement. »

Wheeler se gratta les cheveux à la hauteur d'une patte. Non qu'il les portât longues ni dessinées, pas du tout, dans sa fierté il était élégant ; mais il les laissait pousser quand même un peu, il n'aurait plus manqué que ça, il n'était pas de ces types obscènes qui n'ont pas le visage encadré, figures grosses même sans graisse. De mauvaises gens, dans mon expérience (à une grande exception près, dans mon expérience, il y en a pour tout, c'est malcommode et déconcertant, on ne sait pas à quoi s'en tenir), presque autant que les types qui portent barbiche, collier, impériale. (Le bouc, c'est autre chose.)

« Canon, je suppose que c'est plutôt dans le sens de modèle, hmm, susurra-t-il, soudain tout pensif. Ça me fait penser à quelque chose comme "elle est craquante", cette expression je la connais, je l'ai apprise il y a quelques mois. Tu dis ça, toi, craquante ? Ou bien est-ce vulgaire ?

— Familier, plutôt.

— Malgré tout, je devrais aller plus souvent en Espagne. J'y suis allé si rarement ces vingt dernières années qu'encore un peu et je serai incapable de lire un journal avec profit, la langue familière change tout le temps. Ne te rabaisse pas, quoi qu'il en soit. Il se peut que Rafita ne soit pas aussi idiot que nous l'avons supposé, ça me réjouirait pour son cher père. Mais sa perception n'a rien à voir avec la tienne, tiens-le pour certain, ne te trompe pas. »

Brusquement je lui trouvai l'air fatigué. Quelques minutes plus tôt il souriait avec vivacité, l'air jovial, maintenant il me paraissait épuisé, absent. Et alors moi aussi je sentis ma propre fatigue. Pour un homme de son âge cela avait dû être terrible, une journée aussi pleine et aussi longue, avec les préparatifs, l'attention, les serveurs, la fête, la fumée et les subtilités et les verres et toutes ces conversations. Peut-être que ses chaussettes, enfin affalées, avaient marqué la limite, ou avaient été la cause.

« Peter, lui dis-je, probablement par superstition, mais évidemment de façon imprudente, je ne sais pas si vous vous êtes rendu compte que vos chaussettes sont tombées. » Et je m'enhardis à montrer ses chevilles d'un doigt timide.

Il se reprit aussitôt, chassa la fatigue avec trois clignements d'yeux, qu'il eut la présence d'esprit de ne pas baisser pour le vérifier. Il l'avait peut-être déjà remarqué, il le savait, ça lui était égal. Son regard s'était assombri, ou il était opaque maintenant, ses yeux deux têtes d'allumettes tout juste soufflées. Il sourit de nouveau, mais faiblement, ou avec une pitié paternelle. Et il revint à l'anglais, cela lui serait toujours moins pénible, comme ma langue pour moi.

« À un autre moment je t'aurais été infiniment reconnaissant de cette remarque, Jacobo. Mais maintenant ce n'est pas grave. Tu vois, je vais aller me coucher tout de suite, et je pense les ôter avant, tu peux en être sûr. Il faudrait que nous allions dormir, pour être frais demain matin, nous avons beaucoup de choses en suspens. Merci de m'avoir averti, en tout cas. Et bonne nuit. » Il fit demi-tour et se disposa à monter les marches qui le séparaient du premier étage, où il avait sa chambre, la chambre d'amis que j'allais occuper et que j'avais occupée en d'autres occasions était au deuxième et avant-dernier. En faisant ce demi-tour, Wheeler donna sans le vouloir un coup de pied dans le cendrier, qui était resté là avec son cadavre de cigare. Il roula, ne se cassa pas, ses rebonds amortis par la partie couverte par le tapis sur lequel il neigea de la cendre, je m'empressai de le rattraper alors qu'il valsait encore. Wheeler entendit et identifia le bruit sans pour autant se retourner. Toujours de dos il me dit d'un ton indifférent : « Ne te donne pas la peine de faire le ménage. Mrs Berry rangera tout demain. Elle ne supporte pas la saleté. Bonne nuit. » Et il commença à monter en s'aidant de sa canne et de la rampe, vaincu de nouveau par l'épuisement, comme si on avait soudain projeté sur lui une énorme vague qui l'aurait trempé et secoué, sa silhouette brusquement désarticulée, légèrement ramassée en dépit de sa haute taille, comme s'il grelottait, le pas hésitant, chaque marche lui coûtait, ses jolies chaussures vernies toutes neuves avaient l'air d'être lourdes, sa canne n'était plus qu'un bâton de vieillesse. J'écoutai, la rumeur tranquille ou patiente ou alanguie de la rivière me devint audible. Elle semblait parler avec sérénité, ou sans entrain, d'un ton presque défaillant, un filet. Un fil de continuité, cette Cherwell, elle aussi entre le mort et le vivant avec leurs ressemblances, entre Rylands mort et Wheeler vivant.

« Pardonnez-moi de vous retenir une seconde encore, Peter. Je voudrais vous demander...

— Dis-moi, fit Wheeler en s'arrêtant mais toujours sans se retourner.

— Je ne crois pas pouvoir m'endormir tout de suite. Vous avez certainement quelque part *La Catalogne libre* d'Orwell et l'histoire de la guerre civile de Thomas, je suppose. Je voudrais y jeter un coup d'œil, chercher quelque chose avant de me coucher, si vous n'y voyez pas d'inconvénient. Si vous me les prêtez, s'ils sont quelque part à portée de main plus ou moins. »

Cette fois, en revanche, il fit demi-tour, de nouveau. Il leva sa canne et me désigna un endroit par-dessus ma tête, en la dirigeant légèrement à sa gauche, c'est-à-dire, à ma droite à moi, comme une baguette. Ses muscles s'étaient ramollis, son teint comme de l'écorce d'arbre ou de la terre humide, tellement altéré tout à coup.

« Presque tout ce qui concerne la guerre d'Espagne est là, dans le bureau, derrière toi. Rayons ouest. » Et il me gronda, susceptible : « Je suppose, dis-tu. Je suppose. Comment n'aurais-je pas ces livres ? Rappelle-toi que je suis hispaniste. Et bien que j'aie écrit sur des siècles d'un plus grand intérêt et d'un plus grand *momentum*, le XX$^e$ n'en est pas moins le mien pour autant, pas vrai ? Celui que j'ai vécu. Et le tien aussi, qu'est-ce que tu crois. Bien qu'il te reste beaucoup à vivre du suivant.

— Merci, excusez-moi, Peter, je vais les chercher tout de suite, avec votre permission. Reposez-vous bien. Bonne nuit. »

Il me tourna le dos de nouveau, il n'avait plus désormais que quelques marches à monter. Il savait que je ne détournerais pas les yeux de sa silhouette tant que je ne la verrais pas en haut, saine et sauve, j'avais peur de ses semelles, si lisses. Et c'est probablement pour cela, parce qu'il le savait, qu'il ne tordit même pas le cou quand il m'adressa encore la parole ce soir-là, une dernière fois, mais continua à me présenter sa nuque comme l'obscure origine de ses paroles. Elle était comme celle de Rylands, ondulée et blanche, comme un chapiteau ouvragé, délavé par le temps. De dos ils se ressemblaient encore plus, ces deux amis, ils étaient encore plus proches. De dos, ils étaient le même.

« Si tu as l'intention de me chercher dans l'index onomastique, pour voir si j'y suis et savoir de cette façon ce que j'ai fait dans la guerre d'Espagne, tu ferais mieux de ne pas perdre une seule minute de sommeil pour ça. Je ne suis même pas sûr que ce genre d'index se trouve chez Orwell. Mais surtout, tiens compte du fait qu'en Espagne je ne m'appelais pas Wheeler. »

Je ne voyais pas son visage, mais j'étais sûr qu'il avait récupéré son sourire vivace pendant qu'il me disait ces mots. J'hésitai à répondre ou non. Je le fis : « Ah. Eh bien dites-moi comment vous avez jugé bon de vous appeler, alors. »

Je sentis qu'il était tenté de se retourner, mais ce mouvement lui était un peu laborieux, ce soir-là du moins, à cette heure tardive.

« Ça, c'est beaucoup demander, Jacobo. Du moins pour ce soir. Nous verrons ça un autre jour. Mais je te le répète, ne perds pas ton temps, jamais tu ne me trouverais dans ces index nominatifs. Pas dans ceux de cette époque.

— Soyez sans crainte, Peter, j'en tiendrai compte, dis-je. Mais à vrai dire, ce n'était pas ça que je pensais regarder, je vous le jure, ça ne m'avait même pas traversé l'esprit. C'est autre chose que je veux consulter. » Je me tus. Il resta immobile. Il resta muet. Il demeura immobile. Il demeura muet. Alors j'ajoutai aussitôt, pour tâcher de ne pas le vexer : « Mais malgré tout vous m'avez donné une grande idée. »

Wheeler acheva de monter sa volée de marches en silence. Je respirai, soulagé, en le voyant enfin en haut. Alors il mit de nouveau sa canne sur son épaule, en fit de nouveau sa lance, et il murmura sans me regarder, flatté, tout en tournant à gauche pour disparaître à mes yeux :

« Quelle sottise. Une grande idée. »

Les livres parlent au milieu de la nuit comme parle la rivière, calmement ou sans entrain, ou bien est-ce de nous-même que vient ce manque d'entrain, à cause de notre fatigue et de notre somnambulisme et de nos rêves, même si on est ou si on se croit tout à fait éveillé. On collabore peu, ou on le croit, on a le sentiment d'apprendre les choses sans effort ou presque et sans y faire trop attention, les mots glissent doucement, mollement, sans l'obstacle de la vigilance propre au lecteur, de la véhémence, on les absorbe passivement ou comme un cadeau, et ils ont l'air de quelque chose qui ne calcule ni ne coûte ni n'est source de profit, leur rumeur est elle aussi tranquille ou patiente ou languissante, ils sont aussi un fil de continuité entre les vivants et les morts, quand l'auteur qu'on lit est désormais défunt ou alors non, mais qu'il interprète ou relate des faits passés qui ne palpitent pas mais peuvent malgré tout se modifier ou se nier, être tenus pour des vilenies ou des hauts faits, et c'est là leur façon de continuer à vivre et de continuer à troubler, sans nous accorder jamais le moindre répit. Et c'est au milieu de la nuit qu'on ressemble le plus à ces faits ou à ces temps, qui ne peuvent plus opposer de résistance à ce qu'on peut en dire ou à la narration ou à l'analyse ou à la spéculation dont ils sont l'objet, comme les morts sans défense, plus encore que lorsqu'ils étaient vivants et durant bien plus longtemps, la postérité est infiniment plus longue que les quelques malheureux jours de tout homme. Et à l'époque où ils étaient encore sur terre, peu nombreux sont ceux qui ont pu lever les équivoques ou réfuter les calomnies, souvent ils n'en ont pas eu le temps, où ils ne s'en sont même pas rendu compte pour pouvoir tenter de le faire, parce que tout se passait dans leur dos. « Il y a un temps où les gens croient les choses les plus saugrenues et les plus invraisemblables, avait dit Tupra sans donner à sa phrase la moindre importance. Parfois cela ne dure que quelques jours, mais parfois aussi cela dure toujours. »

Andrés Nin n'eut absolument pas le temps de démentir les diffamations ni de les voir plus tard réfutées par d'autres, à ce que raconte Hugh Thomas dans son abrégé, là il fut aisé de trouver les références, là, oui, il y a un index onomastique, ce qui n'est en effet pas le cas chez Orwell, étonnant que Wheeler se soit rappelé ce détail, ou peut-être ne fut-ce qu'une déduction simplement parce que *La Catalogne libre* est un livre de 1938, publié en pleine guerre, personne alors ne se préoccupait seulement des noms. Avant tout, et à tout hasard, je cherchai le nom de Wheeler chez Thomas, rien de plus simple pour Peter que de m'avoir menti à ce sujet et s'assurer ainsi que je ne le trouverais pas, si je le croyais et que je ne prenais même pas la peine d'aller y voir. Mais c'était vrai, il n'y figurait pas, pas plus que Rylands, je le vérifiais histoire de vérifier, ça ne me coûtait rien. Quel fichu nom de famille pouvait bien avoir utilisé Wheeler en Espagne, maintenant il avait réussi à asticoter ma curiosité. Peut-être qu'une de ses aventures était consignée dans ce livre ou dans celui d'Orwell, ou dans n'importe lequel des nombreux ouvrages sur la guerre civile qu'il avait sur les rayons ouest de son bureau, à ce que je pus voir (et je m'y attardai trop), et, si c'était le cas, je ne pouvais le savoir alors que l'aventure en question était publique, cela me parut irritant. Ce qui n'était pas public, c'était le nom, ou l'alias, nombreux furent ceux qui en eurent un pendant la guerre. Je me rappelai qui était Nin, mais pas ses vicissitudes finales, auxquelles Tupra avait sans nul doute fait allusion. Il avait été secrétaire de Trotski en Russie, où il avait passé la plus grande partie des années vingt, jusqu'en 1930 ; de cette langue, le russe, il avait traduit pas mal de choses en catalan, et aussi quelques-unes en castillan, depuis *Les leçons d'Octobre* et *La révolution permanente*, de son protecteur et chef temporaire, jusqu'à *Anna Karénine* de Tolstoï et *La chasse tragique* de Tchekhov et *La Volga se jette dans la Caspienne* de Boris Pilniak, ainsi que quelques Dostoïevski. Après le début de la guerre il fut secrétaire politique du fameux POUM ou Parti ouvrier d'unification marxiste, toujours vu d'un mauvais œil par Moscou. Ça, en revanche, je m'en souvenais, et aussi de la chasse plus tragique que dramatique subie par ses membres de la part des stalinistes au printemps 37, surtout en Catalogne, où ce parti était le mieux implanté. C'est ce qui obligea Orwell à quitter rapidement l'Espagne pour ne pas être emprisonné et peut-être exécuté, car il avait été très proche du POUM, si tant est qu'il n'en eût pas fait partie — je lisais ici et là, sautant des pages, passant d'un volume à l'autre (j'en avais entassé plusieurs sur le bureau impeccable de Peter), cherchant surtout ce qui concernait les brigadistes allemands et qui avait tellement impressionné Tupra —, et en tout cas il avait combattu avec la vingt-neuvième division, constituée de miliciens du POUM, sur le front d'Aragon, où il avait été blessé. Comme cela a été le cas avec tant de personnes, de mouvements, d'organisations et même de peuples, ce parti est plus célèbre et il est plus mémorable par la dissolution et la persécution brutales dont il a été l'objet que par sa constitution ou ses œuvres, il y a des fins qui marquent. En juin 37, comme le relatent Orwell, avec force détails et de toute première main, Thomas et d'autres de façon plus distante et résumée, le POUM fut déclaré illégal par le gouvernement de la République, à la demande des communistes, pas tant espagnols — mais également — que russes, et à ce qu'il semble par une décision ou à cause de l'insistance personnelle d'Orlov, chef du NKVD en Espagne, le service secret ou la sécurité soviétique. Pour justifier la mesure et la détention de ses principaux dirigeants (non seulement Nin, mais aussi Julián Gorkin, Juan Andrade, le militaire José Rovira et d'autres) et de ses militants, sympathisants et miliciens, et bien que ces derniers aient très loyalement combattu sur le front, on fabriqua des preuves fausses et assez grotesques, depuis une lettre prétendument signée par Nin et adressée à Franco, rien que ça, jusqu'au contenu accusateur d'une valise (divers documents secrets avec le sceau du comité militaire du POUM, dans lesquels celui-ci se dénonçait comme parti de la cinquième colonne, traître et espion au service de Franco, Mussolini et Hitler, payé par la Gestapo elle-même) opportunément trouvée par la police républicaine dans une librairie de Gérone, où l'avait laissée en garde quelque temps plus tôt un individu bien habillé. Le libraire, un certain Roca, était un phalangiste récemment démasqué par les communistes catalans, tout comme le probable auteur de la fausse lettre, un certain Castilla, découvert à son tour à Madrid avec d'autres conspirateurs. Tous deux furent convertis en *agents provocateurs** et obligés de collaborer à la farce, pour donner une vraisemblance tirée par les cheveux au lien entre le POUM et les fascistes. Il se peut qu'ils aient ainsi sauvé leur vie.

Rien de cela ne m'intéressait vraiment, mais tous, avec plus ou moins d'attention et de connaissance, de sympathie ou d'antipathie envers les victimes de ces purges, le rapportaient : Orwell, Thomas, Salas Larrazábal, Riesenfeld, Payne, Alcofar Nassaes, Tinker, Benet, Preston, Jackson, Tello-Trapp, Koestler, Jellinek, Lucas Phillips, Howson, Walsh, le bureau de Wheeler déjà tout encombré de ses nombreux livres ouverts, je n'avais pas assez de doigts pour tenir les pages et mes cigarettes, par chance la plupart des volumes possédaient un index onomastique, Nin était prénommé Andreu ou Andrés selon le cas. Nin fut arrêté à Barcelone le 16 juin et disparut tout de suite (il fut donc plutôt enlevé), et comme

* En français dans le texte. *(N.d.T.)*

c'était le dirigeant le plus connu, non seulement en Espagne mais aussi et surtout à l'étranger, sa destination ignorée causa un bref scandale et fut un long mystère — peut-être même éternel —, mystère qui en tout cas dure encore à notre époque, où il ne doit pas y avoir beaucoup de gens, je suppose, préoccupés par sa résolution, même s'il y aura bien un jour un romancier idiot et malhonnête (s'il n'est pas déjà arrivé, et que je ne sois pas au courant) pour décider de le dévoiler et prétendre y arriver : d'après les bibliographies il y a déjà eu un film mi-anglais mi-espagnol sur ces mois et sur ces faits, je ne l'ai pas vu mais apparemment, par bonheur, il n'est pas idiot, contrairement à tant d'espagnolades molles, fallacieuses, vaguement rurales ou provinciales et pleines de sensiblerie sur notre guerre, qui sont inévitablement applaudies par les bonnes consciences de mon pays, celles qui sont compatissantes par profession et démagogiques par vocation, elles en perçoivent des intérêts.

Sans doute à cause de ce mystère, les historiens ou mémorialistes ou narrateurs commençaient à diverger sur ce point. Tous étaient encore d'accord sur le fait stupéfiant que le gouvernement lui-même, avec les théoriciens responsables de l'ordre à sa tête — Ortega, le directeur général de la Sûreté, Zugazagoitia, le ministre de l'Intérieur, Negrín, le Premier ministre, et encore moins le président Azaña —, n'avait pas la moindre idée de ce qu'on avait fait de Nin. Et quand on le leur demandait et qu'ils disaient ne pas savoir ce qu'il était devenu, personne ne les croyait, de façon aussi logique qu'ironique, bien qu'ils fussent en effet incapables de répondre, d'après Benet, « parce qu'ils ignoraient les manœuvres d'Orlov et de ses gars du NKVD », qui auraient agi pour leur propre compte. On vit apparaître des graffiti avec la question « Où est Nin ? », qui provoquèrent souvent la réponse des staliniens « À Burgos ou à Berlin », laissant entendre par là que le dirigeant révolutionnaire s'était enfui et était passé à l'ennemi, c'est-à-dire chez ses véritables amis Franco ou Hitler. Les accusations étaient si incroyables et si grossières (les membres du POUM furent qualifiés de « trostsko-fascistes », suivant en cela au pied de la lettre les insultes de Moscou) que, pour les soutenir et leur donner un ton un peu plus décent, la presse socialiste et républicaine se vit dans l'obligation d'épauler la presse communiste : *Treball*, *El Socialista, Adelante, La Voz*, nul organe ne voulut être le dernier dans la diffamation.

Je ne me rappelle pas quels historiens d'un ouvrage collectif soutenaient que Nin avait été immédiatement transféré à Madrid pour son interrogatoire, et qu'un peu plus tard « il fut enlevé alors qu'il était détenu à l'hôtel d'Alcalá de Henares », en dépit de la surveillance policière dont il était l'objet, par « un groupe de gens armés et en uniforme qui l'emmenèrent sous la menace ». D'après eux, dans la lutte supposée entre les agents qui le gardaient et les mystérieux assaillants en uniforme (ils ne précisaient pas de quel uniforme il s'agissait), « un portefeuille avec des papiers au nom d'un Allemand et divers écrits dans cette langue, en même temps que des insignes nazis et des billets espagnols du camp franquiste tomba par terre ». Mais l'affaire des brigadistes à laquelle avait fait allusion Tupra était un peu plus claire chez Thomas et chez Benet (c'était sans doute le monumental *Spanish Civil War* du premier — je ne sais pourquoi diable je le qualifie d'« abrégé », il fait plus de mille pages — que Thomas avait lu dans sa jeunesse). Selon Thomas, Nin fut transféré en voiture de Barcelone « à la prison même d'Orlov » à Alcalá de Henares, ville natale de Cervantès voisine de Madrid mais « quasiment une colonie russe » à cette époque, pour être interrogé personnellement par le plus oblique des représentants de Staline dans la Péninsule, avec les méthodes soviétiques habituellement réservées aux « traîtres à la cause ». À ce qu'il semble, la résistance de Nin à la torture fut stupéfiante, c'est-à-dire épouvantable, puisque Howson mentionne un rapport non précisé — et peu fiable, espérons-le — selon lequel Nin aurait été écorché vif. Ce qui est sûr, c'est que celui-ci refusa de signer le moindre document reconnaissant sa culpabilité ou celle de ses compagnons, et qu'il ne révéla pas non plus les noms des trotskistes moins notoires ou tout à fait inconnus qu'on lui demandait. Orlov, qui avait perdu les pédales devant son entêtement, était hors de lui, ce que voyant ses camarades Bielov et Carlos Contreras, qui le secondaient dans cette tâche infructueuse (ce dernier nom est un alias, celui de l'Italien Vittorio Vidali, comme l'étaient également Orlov pour Alexandre Nikolski et Gorkin pour Julián Gómez, qui donc n'en avait pas, comme on le voit), craignant tout comme lui la probable fureur que leur inefficacité à convaincre ferait naître chez Yezhov, leur supérieur à Moscou et chef suprême du NKVD, suggérèrent de mettre en scène « une attaque nazie pour délivrer Nin » et se défaire de cette pittoresque façon de l'embarrassant séquestré, qui était assurément trop brisé et mal en point pour pouvoir être rendu à la lumière, et même à la pénombre, pas même peut-être aux ténèbres. « Et par une nuit sombre, relatait Thomas comme si c'était la rumeur de la rivière et le fil, probablement le 22 ou le 23 juin, dix membres allemands des Brigades internationales prirent d'assaut la maison d'Alcalá où Nin était détenu. Ils parlèrent avec ostentation allemand pendant l'attaque simulée, et laissèrent derrière eux quelques billets de chemin de fer allemands. Nin fut tiré de là et assassiné, peut-être au Pardo, le parc royal au nord de Madrid. » Benet disait quant à lui — plus fluvial encore, ou plus mêlé à la rivière, ou comme un fil continu plus serré, peut-être parce qu'il me parlait dans ma langue — qu'Orlov avait enfermé Nin « dans la cave d'une caserne d'Alcalá de Henares pour l'interroger personnellement ». (On peut supposer que dans cette cave, maison, caserne, hôtel ou prison — curieux comme les historiens n'étaient pas d'accord sur la nature de l'endroit — on parlait pendant les séances en russe, que l'interrogé connaissait sans doute mieux — Tolstoï, Tchekhov, Dostoïevski — que celui qui l'interrogeait l'espagnol.) Nin « finit par l'exaspérer de façon telle qu'Orlov décida de le liquider, de peur des représailles de son supérieur à Moscou, Yezhov. Il ne trouva rien d'autre que d'imaginer un *sauvetage* effectué par un commando allemand des Brigades, prétendument nazi, qui le liquida dans un faubourg de Madrid et l'enterra probablement dans un petit jardin intérieur du Pardo ». Et Benet ajoutait, ne pouvant pas ne pas voir la grave ironie et faisant allusion au fait que ce palais était devenu la résidence officielle de Franco pendant les trente-six ans de sa dictature : « (Que le lecteur considère le destin de ces os émus sous les pas de cet autre antistaliniste décidé, quand il se promenait dans ce coin lors de ses moments de loisirs.) » Et il apostillait : « Comme victimes d'une malédiction — le silence de Nin — les gars d'Orlov devaient apparaître durant les semaines suivantes dans les caniveaux de Madrid, avec une balle dans la nuque ou un chargeur dans le ventre. » Ce fut peut-être le cas de Bielov, mais pas celui de Vidali ou Contreras (ou, aux États-Unis, Sormenti), qui fut pendant une longue période leader des communistes de Trieste, ni d'Orlov lui-même, qui, pas plus tard qu'en 38, et quand il reçut l'ordre de quitter l'Espagne et de rentrer à Moscou, ne voulut pas se leurrer sur le destin qui l'y attendait et s'embarqua incognito sur un bateau pour resurgir plus tard au Canada et mener ensuite de nombreuses années durant une existence secrète de citoyen des États-Unis, où il finit par publier un livre en 1953, *The Secret History of Stalin's Crimes* (en ne s'y impliquant guère, bien entendu), et par rendre quelques services au FBI dans des affaires difficiles d'« espionnage », comme celle des frères Soble et celle de Marc Zbrowsky : combien de choses inutiles n'apprend-on pas pendant ses nuits d'étude imprévues. Cela, soit dit en passant, conduisait certain exégète plutôt simpliste, rageur et frivole — je ne me rappelle pas qui, les tomes continuaient à s'accumuler devant moi, j'étais allé chercher des crottes et des truffes en chocolat, je m'étais servi un verre, j'avais mis la pagaille dans les rayonnages de Wheeler et sa table de travail était dégoûtante — à conclure que le major Orlov avait été dès le début une taupe des Américains et que la plupart des individus qu'il avait fait exécuter en Espagne comme membres de la cinquième colonne étaient en fait des rouges purs et loyaux, victimes de Roosevelt et non de Staline. Il ne fait aucun doute que ce manichéen avait raison en ce qui concerne Nin, sinon tout à fait pour la « loyauté » (s'il fallait être loyal à Staline, il ne l'était évidemment pas) du moins pour ce qui est d'être « pur » et « rouge ». Et bien qu'il ne fût pas un ange ni un saint, ni même quelqu'un d'inoffensif (qui a pu l'être dans cette guerre ?), son assassinat et celui de ses camarades (un historien chiffrait par centaines et un autre par milliers les membres du POUM et les anarchistes de la CNT envoyés à la fosse par Orlov et ses acolytes espagnols et russes), ainsi que la diffamation diffusée et crue par de trop nombreuses personnes et qui ne cessa même pas après sa suppression physique et l'écrasement de son parti, constituèrent, selon toutes les voix que j'entendis dans les pages de cette nuit silencieuse près de la rivière Cherwell, la plus grande et la plus nuisible des vilenies commises par un bord contre les gens de son propre bord durant la guerre.

« Le fait est que tout tend à être cru, en première instance. C'est très étrange, mais c'est comme ça », avait aussi dit Tupra, je m'en souvenais, je me souvins de ses mots pendant que je continuais à lire de-ci, de-là : pour couronner ces calomnies insensées, on publia à Barcelone en 1938 un livre signé par un certain Max Rieger (à coup sûr un pseudonyme, peut-être de Wenceslao Roces, dont je connaissais le nom parce qu'il avait été plus tard le traducteur de la *Phénoménologie de l'esprit* de Hegel), prétendument traduit du français en espagnol par Lucienne et Arturo Perucho (ce dernier directeur de l'organe des communistes catalans, *Treball*), et avec une préface du célèbre écrivain plus ou moins catholique et plus ou moins communiste José Bergamín — ah! ces mélanges —, qui, sous le titre de *Espionnage en Espagne*, compilait tous les bobards, mensonges et accusations lancés contre Nin et le POUM, en les donnant pour bons et même pour meilleurs, en les approuvant, en insistant, en les enjolivant, en les documentant avec des preuves fabriquées, en les amplifiant, en les augmentant et en les exagérant. Je me souvins d'avoir un jour entendu mon père parler de ce prologue de Bergamín, qui justifiait la persécution et les assassinats des gens du POUM et refusait à ses dirigeants le droit de se défendre, de quelque façon que ce soit (cela venait après la bataille : on l'avait déjà refusé de fait à quelques-uns, torturés et emprisonnés ou exécutés sans jugement), comme d'une grande indécence, une de plus à ajouter à celles, nombreuses, dont se sont rendus coupables nombre d'intellectuels et d'écrivains de l'un et l'autre bord pendant la guerre, et plus encore, quand elle s'acheva, ceux du bord vainqueur. Je lus un commentateur malhonnête et incompétent — c'était peut-être Tello-Trapp mais cela pouvait être quelqu'un d'autre, j'avais commencé à prendre des notes sur des feuilles volantes et de façon assez désordonnée, le bureau du pauvre Peter était en passe de devenir un vrai capharnaüm — qui tentait de sauver Bergamín parce qu'il l'avait connu personnellement (« personnage fascinant et plein de séduction », « vraiment digne de Don Quichotte, amant de la vérité ») et parce qu'il aimait beaucoup sa poésie « profonde, pure et romantique » et « sa voix de chandelle » — j'engloutis une crotte et une truffe en chocolat et bus deux gorgées pour me remettre, je me demandai comment on pouvait sortir pareille niaiserie et continuer à écrire —, mais en fait la préface en question, que je trouvai citée à profusion quelque part, ne laissait aucune possibilité de racheter son auteur : le POUM était « un petit parti qui trahissait », mais il n'avait même pas réussi à être « un parti, mais une organisation d'espionnage et de collaboration avec l'ennemi ; c'est-à-dire, non pas une organisation en connivence avec l'ennemi, mais l'ennemi même, une partie de l'organisation fasciste internationale de l'Espagne... La guerre espagnole donna au trotskisme international au service de Franco sa véritable forme visible de cheval de Troie... ». Ce madré de glossateur ne pouvait que regretter et condamner ce prologue, mais « nous ne savons

133

pas », disait-il, si son responsable « l'a écrit sous l'emprise du parti communiste, ou de bonne foi », alors que ce qui est le plus probable ou même quasi évident, c'est qu'il l'ait écrit en totale liberté et avec une totale mauvaise foi, comme ne manquait pas de le remarquer le toujours pondéré et objectif Thomas : « Il n'est pas possible qu'il ait cru ce qu'il écrivait. » Le texte de cet « amant de la vérité » faisait bien la paire avec l'affiche ou la vignette qui, d'après Orwell et d'autres, circula largement dans Madrid et Barcelone au printemps 37, et sur laquelle le POUM était représenté en train d'ôter un masque portant la faucille et le marteau pour laisser à découvert un visage traversé par un svastika. Mon père n'exagérait pas en parlant d'indécence.

C'est alors que je remarquai que Wheeler avait aussi, sur ses rayons très fournis, en six grands tomes reliés, la collection de fascicules que l'*Abc*, sous le titre de *Doble Diario de la Guerra Civil 1936-1939*, avait publiés de 1978 à 1980, c'est-à-dire entre trois et cinq ans après la mort de Franco. Il aurait été impossible de prendre plus tôt une initiative de ce genre, consistant en la reproduction en fac-similé, en deux couleurs, de pages entières, de colonnes, d'éditoriaux, de nouvelles, d'interviews, d'échos de société, d'articles, d'opinions, de chroniques, des deux *Abc* qui existaient pendant la guerre, celui de Madrid, républicain, et celui de Séville, franquiste, conformes aux pouvoirs respectifs auxquels étaient soumises l'une et l'autre des deux villes au commencement du conflit. Celui qui avait été publié par l'édition madrilène était imprimé à l'encre rouge, et en gris-bleu celle de Séville, si bien qu'il était aisé de suivre la vision ou la version des mêmes faits — à vrai dire, ils n'avaient jamais l'air d'être les mêmes — selon la presse des deux bords. Je fus tenté de chercher ce qui correspondait à ce printemps 37, même si les événements relatifs au POUM avaient eu lieu à Barcelone principalement. Un peu fatigué et pressé alors, je ne trouvai pas grand-chose au premier coup d'œil. Mais l'une de ces quelques nouvelles me poussa à laisser momentanément de côté les grands tomes — un livre nous mène toujours à un autre et à un autre encore et tous parlent, la curiosité est insane, non pas tant à cause de ce qu'on croit communément que de l'épuisement auquel elle nous conduit — et à m'interroger bêtement au sujet de Ian Fleming, le créateur de l'agent 007, l'auteur des romans de James Bond. La note en question appartenait à l'*Abc* madrilène du 18 juin 1937, et pour ce journal elle était probablement secondaire, car elle n'occupait qu'une demi-colonne. Le titre disait : « Arrestation de plusieurs personnalités du POUM ». Je la lus très vite, et poussai ensuite par terre et sans égards plusieurs des livres pour me faire juste la place qu'il fallait sur la table et installer une vieille machine à écrire électronique que j'avais vue au rebut dans un coin, couverte de sa housse, et transcrire la totalité de la nouvelle. Je ne voulais pas imaginer que Wheeler ou Mme Berry puissent se réveiller et descendre et découvrir le chaos dans lequel j'avais plongé leur bureau si bien rangé et si propre, et de plus en un laps de temps un peu trop bref pour expliquer pareil sinistre : des dizaines de livres hors de leurs rayonnages, grands ouverts et disséminés par terre et même envahissant sans aucun respect les deux lutrins décoratifs de Wheeler avec leur dictionnaire et leur atlas, chacun avec sa loupe ; les plateaux de crottes en chocolat et de truffes laissés n'importe comment et n'importe où, avec les inévitables débris et taches que cela supposait sur plusieurs pages, comme je fus consterné de le voir ; un verre et une bouteille de whisky et un Coca-Cola en boîte que j'avais pris dans le réfrigérateur pour mélanger ces deux boissons, et un récipient avec des glaçons à moitié fondus, une ou deux gouttes ou même trois répandues et des ronds très nets sur le bois, je n'avais pas pensé à prendre des sous-verres ; mon cendrier et celui de Peter pleins et qui sait, peut-être aussi quelque laide et jaunâtre trace de nicotine dans un endroit criant, peut-être des brûlures que je n'avais pas vues sur des pages clés ; mes cigarettes et mon briquet et des allumettes et une cartouche vide de mon stylo dansant dans un coin ou à moitié cachés, peut-être un pâté tombé pendant que je plaçais la recharge ; à présent une machine sans sa housse et des papiers et des folios griffonnés ou dactylographiés, en anglais ou en espagnol selon les citations. Je m'en verrais pour tout remettre en place, tout laisser dans l'état où cela se trouvait avant ces dévastatrices études nocturnes et improvisées.

« Barcelone le 17, 4 heures de l'après-midi », indiquait la première et la plus courte partie de la nouvelle. « La police a effectué quelques arrestations d'éléments importants du POUM, parmi lesquels Jorge Arques, David Pérez, Andrade y Ortiz. Nin, qui avait été arrêté hier, a été transféré à Valence. » Elle était signée « *Febus* », manifestement un autre alias. La deuxième partie ajoutait : « Barcelone le 17, 0 heure. Durant toute la journée, la police a continué à effectuer des arrestations de membres importants du POUM. Comme on le sait, le dirigeant le plus prestigieux de ce parti, Andrés Nin, a été arrêté voici quelques jours, et transféré de la délégation de l'État, en Catalogne, à Valence, d'où il est parti pour Madrid. Quatorze arrestations environ ont été effectuées ensuite, parmi lesquelles celle du directeur du journal *La Batalla*, organe du POUM, et de quelques-uns des rédacteurs de ce quotidien. Les ateliers, la rédaction et l'administration du journal mentionné ont été mis sous séquestre par les autorités. Suite aux déclarations des détenus, il a été procédé à de nouvelles investigations, qui ont eu pour résultat l'arrestation de cinquante autres personnes. Toutes ont été transférées à la délégation de l'État en Catalogne. *Figurent parmi les détenus plusieurs femmes, d'une beauté singulière, de nationalité étrangère.* Cette mission est menée à bien par des agents des brigades criminelle et sociale assistés par des gardes d'assaut de la Sûreté. Ils ont mis sous séquestre tous les locaux que cette organisation possédait à Barcelone et étudié minutieusement la documentation trouvée dans les archives par vingt-cinq agents spécialisés dans cette tâche. Dans une villa de San Gervasio, ancienne propriété de Beltrán y Musitu, où le POUM avait installé une caserne, une fouille minutieuse est en cours, et on y a déjà trouvé plusieurs milliers d'équipements complets pour soldats, du dernier modèle. » Toujours sous la signature de « *Febus* ».

Le passage souligné n'était pas de la main de ce rédacteur pseudonyme, ni de la mienne, mais de celle de Wheeler, qui avait souvent procédé de même dans les nombreux livres que j'avais feuilletés et aussi saccagés, tout comme il avait fait des annotations marginales, pas très longues, et, qui plus est, généralement chiffrées ou abrégées et donc difficilement compréhensibles pour moi ou pour quiconque pourrait les voir. En l'occurrence, à droite de la demi-colonne reproduite à l'encre rouge, il avait écrit verticalement (il n'avait que très peu d'espace), à la plume comme toujours et de son écriture impossible à confondre, et que je connaissais bien : « Cf. *From Russia with Love* », c'est-à-dire « Cf. *Bons baisers de Russie* », du latin jusque dans les marges, même si l'abréviation « *Cf.* » est une façon fréquente en anglais de renvoyer dans un texte à un autre ouvrage, l'équivalent des « *Vide* » ou « *V* » espagnols. *Bons baisers de Russie*, la deuxième aventure ou livraison de James Bond, si mes souvenirs étaient bons, la troisième ou la quatrième tout au plus ? Et je me demandai aussitôt s'il ne faisait pas allusion au film, que bien sûr j'avais vu en son temps (encore avec le grand Sean Connery, de cela j'étais sûr), ou au roman du malheureux Ian Fleming dont il était tiré. La curiosité gratuite ou immotivée (qui est celle qui affecte les érudits) fait de nous des pantins, nous secoue et nous précipite d'un côté et de l'autre, affaiblit notre volonté et le pire est qu'elle nous scinde en deux et nous disperse, nous fait désirer avoir quatre yeux et deux têtes ou plutôt plusieurs existences, avec pour chacune quatre yeux et deux têtes. Je pus malgré tout rester concentré un peu plus longtemps sur ce *Doble Diario*, mais il ne proposait pas grand-chose sur les vicissitudes de Nin et du POUM, lesquelles, d'ailleurs — je m'en rendais compte —, ne m'intéressaient pas beaucoup en elles-mêmes, ou du moins ne m'avaient pas intéressé avant que je n'ouvre ces volumes, Orwell et Thomas d'abord. (Tout cela par la faute de Tupra, c'était lui qui m'avait embarqué là-dedans, il l'avait fait dès le premier instant.)

Dans le même *Abc* républicain daté du jour suivant, 19 juin 1937, je vis une page entière sur la séance plénière du comité du parti communiste qui avait commencé à se tenir à Valence. Lors de la première session était intervenue avec « un rapport » Dolorès Ibárruri, assurément plus connue à l'époque et aujourd'hui et dans l'avenir par son alias, la Pasionaria, laquelle, « toujours dévouée à Staline » et peut-être dans « un accès d'hystérie », comme l'avait dit en murmurant Benet un peu plus tôt, avait consacré quatre mots furibonds et sans pitié aux victimes de l'épuration de ces jours-là : « Dans cette séance du Monumental Cinéma, dit-elle, levons le drapeau du Front populaire. Les ennemis de cette union sont certaines gauches et les trotskistes. Les mesures qu'on pourra prendre pour les liquider ne seront jamais excessives. » J'eus envie de souligner cette dernière phrase, qui invitait tant aux liquidations qui suivirent en effet, mais je m'abstins, après tout ces volumes appartenaient à Peter et il y avait peu de chance que je les consulte de nouveau de toute ma vie, après cette nuit de veille rare et non préméditée.

Je vis que l'*Abc* franquiste de Séville se faisait pour sa part l'écho presque inaudible des purges catalanes dans une note succincte et neutre du 25 juin, dont l'indifférence cadrait mal avec les accusations qui plaçaient le POUM et ses dirigeants au service de Franco, de Mussolini, d'Hitler, de sa Gestapo, et même de la garde maure : « Le gouvernement rouge — tel en était le titre — à la suite de la perte de Bilbao a fusillé plusieurs dirigeants du POUM. La situation en Catalogne. » La notice disait : « Salamanque, le 24. Des informations de source française affirment qu'à la suite de la perte de Bilbao le gouvernement de Valence a pris l'offensive contre le POUM et d'autres partis peu proches de celui-ci pour éviter que ne se produise le contraire. » (Phrase presque inintelligible, bien sûr, la droite toujours plus inculte que la gauche.) « Selon ces informations, Andrés Nin, Gorkin et un troisième dirigeant dont on ignore le nom, ont été transférés à Valence et exécutés. Tous les dirigeants trotskistes ont été arrêtés sur ordre du consul des Soviets, Ossenko, qui a reçu de son gouvernement l'ordre de procéder en Catalogne à une répression semblable à celle qui vient d'être réalisée en Russie contre Tukachewsky et ses amis. »

Manifestement, ces informations étaient tout à fait inexactes et pas seulement en ce qui concernait Nin, vu que plus d'un mois plus tard, le 29 juillet 1937, l'*Abc* républicain de Madrid, toujours sous la signature de *Febus*, reproduisait sans commentaire la note rendue publique par le ministère de la Justice « sur les condamnés pour délits de haute trahison ». « Les dossiers concernant onze accusés, dix du Parti ouvrier d'unification marxiste et un de la Phalange espagnole, ont été remis au Tribunal d'espionnage et de haute trahison » (qui vient en effet d'être créé le 22 juin à ce propos, comme le prouve le fait que l'instruction numéro 1 de ce tribunal spécial soit celle qui a été menée contre le POUM), Juan Andrade et « Julián Gómez Gorkin étant mentionnés parmi les premiers ». Ces dossiers étaient constitués par une « abondante documentation trouvée dans le local du POUM : clés, codes télégraphiques, documents concernant un trafic d'armes, de la contrebande d'argent et d'objets de valeur, divers journaux de différentes capitales de province, principalement de Barcelone ; des communications d'éléments étrangers faisant allusion à des entrevues tenues sur le territoire loyal et au-dehors, et la participation d'éléments étrangers dans les précédentes affaires d'espionnage et de subversion du mois de mai dernier ». Le texte s'achevait par un avertissement éloquent à de possibles intercesseurs : « Seront, donc, inutiles toutes les démarches entreprises qui ne se réduiraient pas à la stricte et fidèle application de la loi. » Cette affaire de « divers journaux de différentes capitales de province » me sembla la plus indéfendable et la plus traîtresse de tout ; et que par-dessus le marché ils soient « principalement de

139

Barcelone », alors que le local du POUM mis sous séquestre se trouvait précisément dans cette ville, circonstance aggravante retentissante et très probablement rédhibitoire. Les dix accusés étaient des hommes et avaient des noms espagnols, par conséquent les nombreuses femmes de nationalité étrangère et d'une beauté singulière semblaient s'en être sorties et s'être volatilisées, ce qui correspondait bien à leurs caractéristiques.

Quant au « consul des Soviets, Ossenko », d'après l'encre gris-bleu — en réalité Antonov-Ovseenko —, si les arrestations avaient effectivement été ordonnées par lui pour exécuter à son tour les ordres de son gouvernement russe, ce dut être *in extremis* et cette obéissance ne lui servit pas à grand-chose, puisqu'en juin — il faut croire que ce fut tout à la fin du mois, pour qu'il ait eu au moins le temps de les mener à bien et d'être au fait de l'exécution de Nin — il fut requis à Moscou pour être nommé commissaire du peuple à la Justice et être aussitôt incorporé sur place dans sa nouvelle charge : « plaisanterie typique de Staline », susurrait maintenant Thomas dans une note en pied de page, car le vieux camarade Antonov-Ovseenko n'arriva jamais à son poste et disparut à tout jamais sans laisser de trace, et sans qu'on puisse dire si ce fut dans un camp de concentration lent et lointain ou expédié promptement sous terre sitôt qu'il posa le pied sur le sol de sa patrie. Son compatriote de Madrid, Orlov, avait assurément retenu la leçon mortelle de ce consul — vétéran de l'attaque du palais d'Hiver de Saint-Pétersbourg et vieil ami personnel de Lénine — quand il fut à son tour, un peu plus tard, appelé de Russie avec de bons baisers.

Cette annotation de Wheeler continuait quant à elle à m'intriguer : « Cf. *From Russia with Love* ». Que diable ce roman ou ce film d'espions déjà froids pouvaient-ils avoir en commun avec Nin, ou avec le POUM, ou avec ces belles étrangères ? Et si le *Doble Diario* ne cessait point d'attirer mon attention pour mille autres raisons et que je ne pensais pas abandonner encore mes lectures, même s'il commençait à se faire tard — tout éveillait ma curiosité gratuite, depuis des gros titres incompréhensibles comme celui du 18 juin 1937 qui disait *verbatim* : « Le torero Sidney Franklin, originaire de Brooklyn, met en évidence les mensonges de Franco », jusqu'à certains articles, sur lesquels je tombai çà et là, écrits par mon père alors qu'il était tout jeune encore dans l'*Abc* madrilène et par conséquent reproduits maintenant à l'encre rouge, soit signés de son propre nom, Juan Deza, soit avec le pseudonyme qu'il avait utilisé parfois pendant le conflit —, je me souvins brusquement de quelque chose qui me poussa à laisser les grands tomes de côté et à me lever, indécis. Dans une petite chambre contiguë à celle des invités que j'avais occupée parfois et qui devait avoir été préparée à mon intention ce soir-là, j'avais vu des romans policiers ou de mystère, dont Wheeler, comme toute personne spéculative et plus ou moins philosophe, était secrètement amateur (pas tout à fait secrètement, mais il ne pouvait non plus garder cette partie

ns ses salons ou dans son
l collègue fouineur et mau-
e). Il m'était arrivé de me
s lui qui les écrivait sous
ttres *dons* d'Oxford et de
ent pas voir ces activités
le lumières ou d'érudits
presque toujours par se
éloge et les ventes qui
ineures ou de divertis-
chent jamais d'impor-
rémunératrices que celles qu'ils
et de valeur et que pourtant presque per-
onne ne lit. C'était le cas de nombre d'entre eux : le titulaire
de la chaire de poésie à Oxford, Cecil Day-Lewis, avait été
Nicholas Blake pour les amateurs d'énigmes, l'angliciste
J.I.M. Stewart, également d'Oxford, avait été Michael Innes,
et jusqu'à l'un de mes ex-collègues, l'Irlandais Aidan Kavanagh, spécialiste du Siècle d'or et chef de la sous-faculté
d'espagnol dans laquelle j'avais été affecté, qui avait publié
des romans d'horreur désinvoltes et à succès sous l'alias exagéré de Goliath Cherubim, qui donc a jamais pu s'appeler de
cette façon.

Lors d'une nuit d'insomnie passée dans cette même maison
j'avais un peu fureté dans cette petite pièce, je me souvenais
d'y avoir vu des œuvres d'auteurs policiers classiques, Ellery
Queen et Agatha Christie, Van Dine et Van Gulik, Woolrich,
Highsmith et Dexter, et bien entendu Conan Doyle, Simenon
et Chesterton, je connaissais tous ces noms à travers mon
père — beaucoup plus spéculatif que moi —, pas directement
leurs créations (Sherlock Holmes et Maigret mis à part, qui
font partie de la culture générale de base). La chance serait
peut-être avec moi — la curiosité impérieuse, quand elle nous
tient — et Fleming serait alors avec eux, même s'il n'était pas
à proprement parler un auteur policier, j'imagine que tous
ceux susnommés l'auraient dédaigné avec un rictus, il y a

aussi toujours des plébéiens pour les plébéiens, et des parias pour les parias toujours également (mystères de la voracité, je suppose). Je fus indécis durant quelques secondes. Si je montais maintenant les deux étages je risquais davantage de réveiller Wheeler ou Mme Berry, mais je devrais de toute façon les monter plus tard pour me coucher (mais je n'aurais pas alors à les redescendre pour les remonter de nouveau), et le bruit de la vieille machine dont je m'étais servi avec allégresse avait déjà représenté un risque considérable, je m'en rendis compte soudain. Je songeai à mettre un peu d'ordre, avant, dans la pagaille du bureau ; mais je pensais regarder encore un peu ce *Doble Diario* qui contenait des nouvelles extravagantes et des textes inconnus de mon père jeune, très jeune, écrits alors qu'il ne soupçonnait pas que ceux qui avaient droit à l'encre rouge perdraient la guerre ni qu'il serait lui-même dénoncé après la défaite par son meilleur ami, avec la complicité d'un autre individu qui ne le connaissait même pas — peut-être loué pour cette besogne, prêt peut-être à offrir avec plaisir une signature et faire ainsi du zèle devant les vainqueurs franquistes —, ni que pour cette raison ses principales vocations ou aspirations, l'enseignement et la spéculation intellectuelle, seraient vouées à l'échec. J'abandonnai donc le débarras qu'était devenu le bureau sans essayer d'y remédier pour le moment et montai lentement, en faisant bien attention, les deux étages, comme un intrus ou un espion ou un *burglar* (il n'y a pas de mot spécifique pour cela dans ma langue, pour le type de voleur qui se glisse dans les maisons), je m'agrippai à la rampe, comme l'avait fait Peter, mon équilibre n'était pas parfait, question bêtise je me posais là, je veux dire qu'avec mes derniers petits verres solitaires j'avais glissé sans réfléchir vers un début d'imitation de la Fiasque.

En dépit de mes précautions j'allumai des lumières au passage, il aurait été pire de trébucher et de rouler bien plus bas dans l'escalier que le cendrier, faute de vision pour faire mes pas ivres et silencieux. Il en avait une jolie collection,

Wheeler, de romans policiers, plus nourrie que dans mon souvenir, il en était fort amateur, sans nul doute, y étaient également représentés Stout, Gardner et Dickson, Mac-Donald (Philip) et MacDonald (Ross), Iles et Tey et Buchan et Ambler, les deux derniers étaient plutôt du sous-genre espionnage, ou du moins le croyais-je — je connaissais aussi tous ces noms à travers mon père —, il y avait donc un espoir de trouver Fleming et il se réalisa dès que j'eus compris que l'ordre était alphabétique et que j'y vis mieux : je ne tardai pas à apercevoir alors les dos de la collection complète des célèbres missions du commandant Bond, il y avait même une biographie de son créateur. Je pris *Bons baisers de Russie*, ça avait l'air d'être la première édition comme le reste des volumes, tous avec leurs jaquettes usées, et en cherchant la page pour le vérifier je vis que l'exemplaire était dédicacé à la main à Wheeler par l'auteur, donc ils s'étaient connus, les mots autographes de Fleming ne permettaient pas d'en deviner davantage, c'est-à-dire s'ils étaient devenus amis : « *To Peter Wheeler who may know better. Salud! from Ian Fleming 1957* », l'année de publication du livre. « *Who may know better* », pour être si bref, était une phrase très ambiguë — elle l'était en partie pour cette raison —, qui pouvait se traduire et même se comprendre de plusieurs manières : « Qui peut en savoir davantage », « Qui est peut-être plus au courant », « Qui est probablement plus au fait », même « Qui est peut-être plus savant » (sur quelque chose de concret, faudrait-il comprendre dans ce cas). Mais il y avait aussi de la place pour toute une gamme d'interprétations moins littérales, d'après le sens qu'a fréquemment « *to know better* » ou « *to know better than...* », et dans toutes ces versions possibles il y aurait eu un soupçon d'avertissement ou de reproche, je ne sais comment dire, « Pour Peter Wheeler, qui ferait mieux de ne pas... » ou « qui doit se garder de... » à quoi que ce soit qu'il fît allusion ; ou « Pour qui il vaudrait mieux » ; ou « Qui doit savoir ce qu'il fait » ; ou même « C'est son affaire » ou « Libre à lui de », une nuance ou une insinuation de ce genre. Je regardai les autres romans, depuis *Casino Royal*, de 1953, jusqu'à *Meilleurs vœux de la Jamaïque*, de 1966, titres désormais posthumes. Les cinq plus anciens portaient une dédicace écrite, celle de *Bons baisers de Russie* était en fait la dernière, et ceux qui avaient été publiés ensuite n'en avaient pas, et aucune des quatre précédentes n'était plus expressive, au contraire, toutes plus anodines ou laconiques directement, « *To Peter Wheeler from Ian Fleming* », « *This is Peter Wheeler's copy from the Author* », etc. Wheeler et Fleming avaient peut-être cessé de se fréquenter vers 1958. Donc ce dernier — lus-je sur le revers de sa biographie — était mort, en 1964, à cinquante-six ans et en pleine éclosion de son succès ou plutôt des films de Bond avec Connery, véritable impulsion de celui de ses romans. Quant au mot en espagnol, « *Salud !* », je supposai qu'il n'avait été dicté que par la condition d'hispaniste du destinataire, sans autre mystère. Cette relation ou amitié entre l'éminence oxfordienne et l'inventeur de 007 ne me semblait pas coller en principe, mais presque tout avait cessé de coller dernièrement. Et en fin de compte Wheeler n'était pas aussi éminent dans les années cinquante — et ne parlons pas des années trente, pendant la guerre d'Espagne — qu'il l'était devenu plus tard (le titre de sir lui avait été octroyé après que nous avions fait connaissance lui et moi, par exemple, il n'était encore que le « professeur Wheeler » quand Rylands me l'avait présenté).

Je me fatiguais à rester debout, j'étais mal à l'aise et je titubais un peu, et je décidai alors de redescendre avec l'exemplaire de *Bons baisers de Russie* pour l'examiner calmement dans le bureau — je le descendis en le serrant contre moi comme si c'était un trésor —, et c'est alors, en descendant, et à mesure que j'éteignais les lumières que j'avais allumées pour monter sans trébucher, que je découvris une grosse tache de sang en haut de la première volée de marches de l'escalier. Ce n'était pas une petite goutte, je veux dire : elle était sur le parquet, pas sur la partie recouverte par le tapis, elle était circulaire, d'environ quatre ou cinq centimètres de diamètre ou bien entre un pouce et demi et deux, plus qu'une goutte c'était une tache (heureusement, ça n'allait pas jusqu'à la flaque) qui dépassa ma compréhension quand je la vis et peut-être même après. La première chose à laquelle je pensai, quand enfin je me mis à penser avec une activité pensante (jusque-là, rien de tout cela), fut que ce sang était le mien, que je l'avais laissé tomber sans m'en rendre compte, en montant ; que je m'étais donné un coup ou que je m'étais égratigné ou râpé avec quelque chose sans même m'en apercevoir — à qui n'est-ce pas arrivé —, absorbé comme je l'étais dans mes maraudes livresques et en outre très peu sobre. Je regardai derrière moi, vers le haut, les marches de la volée suivante que j'éclairai de nouveau, je regardai aussi celles d'en bas, il n'y avait pas d'autres gouttes et c'était bizarre, quand on saigne on en laisse presque toujours tomber plusieurs, ce qu'on appelle une traînée ou une trace, sauf si on s'en aperçoit quand la première tombe et qu'on colmate aussitôt sa blessure — le trou, mais ça, personne ne peut le colmater — pour ne pas continuer à tacher. Et dans ce cas on se préoccupe de nettoyer, plus tard, celle qu'on a vue par terre, après avoir arrêté l'hémorragie, ça d'abord. Je me palpai, me regardai, me touchai les mains, les bras, les coudes — j'avais ôté ma veste et retroussé mes manches durant mes études acharnées —, je ne vis rien, sur mes doigts non plus, qui saignent incroyablement à la moindre petite piqûre ou égratignure ou coupure, fût-ce celle d'une feuille, je passai sur mon nez mon pouce et mon index, le nez saigne lui aussi parfois sans motif apparent, je me rappelai un ami dont le nez avait eu motif de saigner, il avait trop pris de cocaïne pendant quelques années et il trafiquait un peu, de petites quantités, et après avoir traversé avec succès et un modeste chargement une douane italienne (la coke parfumée à l'eau de Cologne, pour égarer les chiens, le paquet parfumé, veux-je dire), avant qu'il ne quitte les locaux une lente goutte de sang commença à descendre le long d'une de ses fosses nasales, si lente qu'il ne s'en rendit même pas compte : cela n'a rien de particulier, où que ce soit, sauf dans une douane, le détail avait suffi pour qu'un carabinier à l'œil critique lui ordonne de s'arrêter et que commence une fouille en règle avec tous les chiens pour assesseurs, la goutte lui valut un long séjour dans une prison de Palerme, avant que la diplomatie espagnole ne le tire de là, cette taule était une fourmilière, un guêpier, cela lui rapporta des désagréments et des cicatrices, mais cela lui servit aussi pour établir des contacts et des alliances notables et prolonger indéfiniment cette mauvaise vie et pour l'intensifier je suppose, la dernière nouvelle que j'avais eue de lui était qu'il commençait à mener une existence aisée et respectable comme entrepreneur du bâtiment à New York et Miami, après avoir fait ses débuts dans le métier à La Havane avec la réhabilitation d'hôtels, il n'avait jamais rien eu à voir avec cette branche. Étonnant comme une seule goutte de sang qui ne tombe même pas — elle ne fait que perler — peut trahir quelqu'un et changer sa vie, à cause de l'endroit où elle s'est mise à perler, pour cela seulement, le hasard ne fait guère de distinctions.

Je regardai ma chemise, mon pantalon de haut en bas, il est atterrant de penser au nombre de points d'où l'on peut saigner, depuis n'importe lequel et tous, probablement, cette peau qui est la nôtre ne résiste à rien, elle ne vaut rien, tout la blesse, un ongle suffit à l'ouvrir, un couteau la fend et une lance la déchire (et détruit aussi la chair). Je portai même le dos de ma main à mes lèvres et y mis un peu de salive, pour voir si c'étaient mes gencives ou si cela venait de plus en arrière et de plus bas et si ce sang était craché par une toux oubliée à laquelle je n'aurais pas fait attention, je me caressai le cou et le visage, en me rasant il m'arrive de me couper et peut-être qu'une coupure que je croyais à tort cicatrisée s'était rouverte. Mais pas une seule trace sur mon corps, il semblait sans aucune fissure, bien fermé, la goutte n'était pas à moi, alors elle était peut-être à Peter, il avait tourné à gauche en allant se coucher, je regardai dans cette direction mais je ne vis pas non plus d'autres taches sur le court espace qui séparait l'escalier de sa chambre, elle pouvait être à n'importe lequel des invités alors, qui serait monté au premier pendant le buffet froid, en quête d'une deuxième salle de bains parce que celle du rez-de-chaussée était occupée, ou en quête d'une alcôve rapide, et en compagnie. Elle pouvait être aussi à Mme Berry, pensai-je, cette silhouette si opaque et tacite, cela faisait des années que je l'entrevoyais dans sa discrétion, de loin en loin, presque un fantôme, d'abord au service de Toby Rylands, puis à celui de Wheeler qui l'avait engagée ou prise à sa charge, jamais je ne m'étais posé de questions à son sujet, on la tenait pour évidente et fiable, depuis que je la connaissais elle s'était occupée de façon satisfaisante de l'intendance et des besoins des deux professeurs célibataires et retraités, d'abord de l'un puis de l'autre, mais je ne pouvais rien savoir des siens, ni de ses problèmes, ni de sa santé, de ses angoisses, de sa possible famille, de ses origines ou de son passé, de son probable et disparu M. Berry, c'était la première fois que je pensais à ça, à un M. Berry dont elle serait devenue veuve ou dont elle aurait peut-être divorcé et avec lequel elle maintenait des relations, qui sait, il y a des personnes dont nous tenons pour sûr qu'elles ont toujours été destinées à leurs fonctions, qu'elles sont nées pour ce qu'elles font ou ce que nous les voyons faire, alors que personne n'est jamais né pour quoi que ce soit, qu'il n'y a pas de destin qui vaille et que rien n'est assuré, même pas pour ceux qui sont nés princes ou plus riches et qui peuvent tout perdre, ni pour les plus pauvres ou les esclaves qui peuvent tout gagner, bien que cela n'arrive que rarement et presque jamais sans rapine ou sans fraude, sans ruses ou sans trahisons ni tromperies, sans conspiration, sans renversement ou sans usurpation ou sans effusion de sang.

En tout cas je pensai que je devais nettoyer celle-là, la tache en haut de la première volée de marches, c'est curieux — une condamnation — comme on se sent responsable de ce qu'on trouve ou découvre, même si cela ne nous concerne pas du tout, comme nous sentons que nous devons nous en occuper ou porter remède à ce qui à certain moment n'existe que pour nous et que nous croyons être les seuls à savoir, même si cela n'a rien à voir avec nous et que nous n'y avons pas pris part : un accident, une situation pénible, une injustice, un abus, un nouveau-né abandonné, bien entendu un cadavre ou ce qui pourrait le devenir, un blessé grave, à cet ami qui trafiquait un peu — camarade de classe, il s'appelait ou s'appelle encore Comendador s'il n'a pas changé de nom en Amérique ou là où il se trouve, des années et des années durant il avait été juste avant moi quand on faisait l'appel, si c'était à lui de réciter la leçon ou s'il restait muet je savais que je serais le suivant, il avait été mon signe avant-coureur pendant toute mon enfance — il était arrivé quelque chose de ce genre et il s'était enfui et en même temps ne s'était pas enfui : il était allé chercher un paquet chez le revendeur qui l'approvisionnait d'habitude et qui lui confiait quelques missions à l'occasion, comme celle qui avait fini par l'envoyer dans cette taule palermitaine ; il sonna plusieurs fois sans succès, c'était étrange parce qu'il avait prévenu, on lui ouvrit enfin mais l'homme n'était pas là, il avait dû sortir à l'improviste, c'est ce qu'il comprit vaguement du discours que lui tenait sur le seuil sa petite amie, celle que le dealer avait à l'époque, tout comme Comendador celui-ci changeait de fille tous les quatre matins, il n'aurait pas fallu qu'elles flairent quelque chose, et parfois ils les échangeaient, comment dire, pour les amortir. La fille en question avait l'air complètement abrutie, elle balbutiait, elle avait eu un mal fou à reconnaître mon ami (« Ah oui, je t'ai vu, je t'ai vu au Joy », avait-elle dit) et elle se dirigea en titubant vers la pièce où son ami de quelques jours avait laissé le paquet tout prêt pour qu'elle le lui remette sans connaître son contenu, mais au bout de deux secondes et avant d'arriver à ladite pièce, sans que Comendador et elle aient échangé autre chose que des phrases sans lien (« Qu'est-ce que tu as, qu'est-ce que tu as pris ? », l'interrogeait-il, « Maintenant je te regarde », répondait-elle), il la vit trébucher et partir comme une flèche dans le couloir, faire en courant un ou deux mètres en vacillant à cause de son faux pas, et heurter un mur de front, un bon coup (« Très sec, comme une branche qu'on casse »), et la fille tomba de tout son haut sans connaissance. Il vit tout de suite qu'elle s'était légèrement ouvert le front, elle était tout juste vêtue d'une chemisette longue qui lui arrivait à mi-cuisse et qu'elle n'avait sûrement passée que devant l'insistance de la sonnette et une vague conscience de ce qu'on lui avait dit de faire, rien dessous, à ce que put observer Comendador à l'instant qui suivit la chute, la mort, l'évanouissement. Il vit alors également une tache de sang par terre, pareille peut-être à celle que j'avais sous les yeux maintenant, mais plus fraîche, en fait elle semblait provenir de la fille, d'entre ses jambes, elle avait peut-être ses règles et ne s'en était pas rendu compte dans son état somnolent et absent, narcotisé possiblement, ou alors elle s'était blessée avec quelque chose de pointu ou de coupant en tombant, quelque chose qui était par terre, une écharde, c'était improbable. Mais ce n'était pas cela qui était le plus préoccupant, ni la petite fente de son front, mais son air aliéné ou abruti suivi de sa perte de connaissance, qui s'était produite en même temps que le coup sans être due à celui-ci, c'était sûr, ou pas uniquement, mais à ce que cette fille pouvait avoir pris un peu plus tôt ou depuis Dieu seul savait combien d'heures, si ça se trouve elle avait enchaîné toute une matinée d'excès avec la préalable nuit de bringue de rigueur. Comendador se baissa, la redressa prudemment, elle était inerte, il la fit asseoir dos au mur, sur le plancher, s'arrangea pour que ses fesses soient couvertes, les pans de la chemisette mouchetés de rouge, il essaya de la ranimer, lui parla, lui tapota les joues, la secoua par les épaules, vit ses yeux mi-clos ou plutôt entrouverts et malgré tout couverts de givre, voilés, sans foyer ni vision ni vie, elle lui fit penser à une morte et alors il la crut vraiment morte, sans rémission et pour toujours morte sous ses yeux et à sa seule connaissance. Il n'insista pas. Il s'aperçut que la porte de la rue était restée ouverte, il entendit des pas dans l'escalier, et quand ils se furent perdus il recula jusqu'à l'entrée pour la fermer, revint dans le couloir, vit de là le petit paquet qu'il était venu chercher, il était sur la table de nuit de la chambre contiguë, vers laquelle se dirigeait la fille dans son somnambulisme avant de trébucher et de se briser le crâne contre un mur. Le lit de cette chambre était défait, sur les draps aussi une tache de sang, pas grande, peut-être qu'elle avait eu le début de ses règles pendant qu'elle dormait ou agonisait déjà sans savoir ce qui lui arrivait, elle ne s'était pas rendu compte du flux ou elle n'avait pas eu la volonté ou la force de l'endiguer, j'ignore si le mot est adéquat. Comendador imagina sans s'y arrêter diverses possibilités, très rapides, empreintes de panique, mieux valait de toute façon emporter le paquet, si par un mauvais hasard infirmiers ou policiers se présentaient avant le retour du dealer, pour ce dernier ce serait une sacrée vacherie s'ils le voyaient. Il prit son parti, passa par-dessus les jambes de la fille assise et sale, entra dans la chambre, fit main basse sur la marchandise et la mit dans sa poche, retraversa le couloir et continua jusqu'à la porte sans se retourner. Il l'ouvrit, vérifia qu'il n'y avait personne, la referma délicatement derrière lui et en quatre bonds et trois enjambées descendit les étages et se retrouva dans la rue.

Alors il s'enfuit et aussi ne s'enfuit pas, car ce fut juste alors, quand il fut clair pour lui qu'il n'avait plus aucune possibilité de revenir à cette maison et d'y entrer, même s'il le voulait, ni d'aider la fille si elle était vivante, ce fut alors qu'il courut comme un fou jusqu'à une cabine et essaya de localiser le dealer sur son portable, pour l'avertir de ce qui était arrivé et partager ce qu'il savait. Il tomba sur le répondeur au bout du fil, il laissa un message très bref et confus, pensa que l'homme pouvait être dans sa boutique, ou qu'au moins il y trouverait ses employés, que Comendador connaissait et qui feraient quelque chose, le dealer était gérant d'une boutique de vêtements italiens chers, de marque, une franchise ou comme on voudra appeler ça, et il s'y consacrait de plus en plus, tous tendent à la respectabilité dès qu'ils entrevoient une occasion et qu'on les laisse faire ou qu'ils peuvent le faire, tous ceux qui transgressent la loi et ceux qui aspirent à subvertir l'ordre, les délinquants comme les révolutionnaires, ces derniers souvent en privé, ils dissimulent leur tendance quand ils vivent de leurs représentations, Comendador et moi en avons connu quelques-uns. Comendador ignorait le numéro de téléphone de cette boutique mais elle n'était pas loin, alors il se mit à courir comme un fou et il courut dans les rues comme il ne l'avait plus jamais fait depuis son enfance, ou depuis l'université peut-être, pendant les manifestations de la fin du franquisme, devant ses gardes de plus en plus lents et protégés. Et tout en courant il se remémorait ce qui était encore un passé si immédiat qu'il avait de la peine à croire que ce ne soit plus le présent et qu'il ne puisse pas le changer, en pensant : « Je n'ai rien fait, je n'ai pas essayé, pas même de savoir quoi que ce soit ni de m'assurer de ce qui se passait, je ne lui ai pas tâté le pouls, je ne lui ai pas fait de bouche-à-bouche ni de massage cardiaque, je n'ai jamais rien fait de tout cela et je ne sais pas comment on fait à part ce que j'ai vu inutilement dans dix mille films, qui sait, je l'aurais peut-être sauvée et maintenant il est trop tard, chaque minute qui passe il est trop tard, elle nous condamne davantage, moi et cette fille mais surtout elle, elle n'est peut-être pas encore morte mais elle va mourir pendant que je cours, ou quand j'arriverai et parlerai avec les employés de la boutique chic et que je leur raconterai ce qui s'est passé, ou pendant qu'ils chercheront à joindre Cuesta ou Navascués, son associé, qui a sûrement une clé de l'appartement et pourra leur ouvrir, nous ouvrir si jamais je décide de revenir là-bas avec eux, mieux vaut ne pas y aller, j'ai la marchandise sur moi, mais entre-temps il se peut que cette gamine imprudente meure à cause du temps que je perds ou plutôt que j'ai perdu, celui que j'aurais dû employer à tout essayer, en risquant le tout pour le tout, ou à appeler une ambulance, j'aurais pu lui humidifier les tempes, la nuque, le visage, j'aurais pu lui faire respirer du cognac, ou de l'alcool, ou de l'eau de Cologne, j'aurais pu au moins nettoyer le sang, je suis aussi égoïste et misérable et lâche que je le pensais, mais une chose est de le savoir et une autre de le constater, et voir que ça a des conséquences. » Il entra dans la boutique comme un cheval au galop et ils étaient tous là, Cuesta le dealer et Navascués son associé et les employés, le premier avait éteint son portable, il s'occupait de quelques clientes qui sursautèrent, il n'avait rien entendu, Comendador se fit pressant, lui raconta tout de façon précipitée, Cuesta l'emmena dans son bureau de l'arrière-boutique, le calma, prit le téléphone fixe, fit son propre numéro à la hâte mais sans alarme excessive et quelques secondes plus tard Comendador l'entendit parler avec sa petite amie dans la maison dont il était sorti comme une fusée, sans se retourner. « Qu'est-ce qui t'est arrivé, l'entendit-il dire, Comendador me dit que tu t'es cognée et que tu t'es évanouie. Ah, bon. C'est que comme tu ne réagissais pas, il ne savait pas quoi penser, ce type. Mais tu ne les as pas toujours sur toi ? Tu devrais y faire plus attention, tu sais bien que tu ne peux pas en sauter une seule. Tu vas bien, tu es sûre, tu ne veux pas que je vienne ? Sûr ? Bon. Passe-toi un peu d'alcool sur ta blessure, mets-y un sparadrap, tu ne couperas pas à la bosse, mais il vaut mieux que tu la désinfectes, n'oublie pas, hein ? Bon, bon. Oui, oui, on dirait que tu lui as flanqué une sacrée frousse, il est venu ici en courant, il est complètement hors d'haleine. Oui, il me dit que tu as pu le lui donner avant de tomber dans les pommes, oui, normal que tu ne t'en souviennes pas. D'accord, je le lui dirai. On se voit plus tard. Allez, je t'embrasse. » Cuesta lui expliqua rapidement, la fille était diabétique, elle avait ce genre de crise quand elle buvait un peu trop le soir et qu'elle oubliait ses médicaments pour jouer avec le sort, les deux choses allaient généralement ensemble et elle se faisait piéger plus souvent que de raison, c'était une insensée, une gamine. Elle s'était remise, elle allait mieux, elle avait pris sa pilule, mais un peu trop tard, et sa blessure n'était rien, une petite bosse et un peu de sang. La gamine était désolée d'avoir fait cette frayeur à Comendador, elle lui faisait une bise, qu'il lui pardonne de lui avoir fait passer un si mauvais moment, et elle le remerciait de s'être fait tant de souci pour elle, c'était un amour, Comendador était un amour.

Je me souvins de cet épisode tandis que je me rendais à la salle de bains du rez-de-chaussée, prenais un paquet de coton et un flacon d'alcool et remontais en haut de la première volée de marches de l'escalier pour nettoyer cette tache peu explicable qui n'était pas de ma responsabilité, par chance elle était sur le plancher et non sur le tapis. Comendador n'avait pas parlé à Cuesta, en lui faisant son récit rapide et agité dans la boutique, des taches de sang qui venaient sans aucun doute de sa petite amie, celle du sol et celle du lit et celles, petites, sur sa chemisette, et apparemment elle ne les avait pas mentionnées non plus au téléphone, par conséquent cela n'avait pas de sens — cela aurait même été indiscret, sans tact — qu'il l'interrogeât à ce propos. La fille avait peut-être honte et préférait faire comme s'il n'y en avait pas eu et donc que personne n'avait pu les voir : c'était peut-être pour ça — sans le dire — qu'elle lui demandait pardon. Et c'est ainsi que Comendador ne sut jamais avec certitude d'où elles venaient ni à quoi elles étaient dues, en son for intérieur il tint pour bonne l'explication d'une menstruation inopinée ou non arrêtée à temps par une distraction bien compréhensible, et au bout de quelques jours il commença à douter, même, d'avoir vu ces fameuses taches, il nous arrive parfois ce genre de choses avec ce qu'on nie ou ce qu'on tait, avec ce qu'on garde pour soi et ensevelit, cela s'estompe peu à peu sans remède et nous en arrivons à ne pas croire que cela ait existé ou soit vraiment arrivé, nous tendons à nous méfier incroyablement de nos perceptions quand elles appartiennent au passé et ne sont confirmées ni ratifiées du dehors par personne, nous renions notre mémoire parfois et finissons par nous raconter des versions inexactes de ce à quoi nous avons assisté, nous ne nous fions même pas à nous-mêmes en tant que témoins, nous soumettons tout à des traductions, nous en faisons de nos actes les plus nets et elles ne sont pas toujours fidèles, de sorte que ces actes commencent à s'estomper, et au bout du compte nous nous livrons et nous nous donnons à l'interprétation perpétuelle, y compris de ce dont nous sommes sûrs et que nous savons de façon certaine, et que nous faisons ainsi flotter, tant cela devient instable, imprécis, et rien n'est jamais fixé ni jamais définitif et tout danse jusqu'à la fin de nos jours, peut-être parce que nous avons du mal à supporter les certitudes, pas même celles qui nous conviennent et nous réconfortent, ne parlons pas de celles qui nous déplaisent ou nous mettent en question ou nous font mal, personne ne veut devenir cela, sa propre douleur, sa lance et sa fièvre.

« J'ai peut-être eu peur en voyant la blessure sur le front de la fille, le coup avait eu l'air terrible et très spectaculaire, et voir jaillir un peu de sang m'a peut-être fait prendre pour du sang, justement, qui sait, une tache sombre sur le plancher, par exemple, il n'y avait pas beaucoup de lumière dans ce couloir, m'avait dit Comendador en me racontant cet épisode, quelques jours plus tard. — Et celui du lit, et les gouttes ? lui dis-je. — Je ne sais pas, ça pouvait être n'importe quoi, c'était peut-être du vin, du cognac, même, elle avait probablement bu au goulot dans le couloir et au lit et tout s'était répandu et elle ne s'en était même pas rendu compte avec son malaise, abrutie comme elle l'était ou avec l'impression de mourir comme cela avait dû être le cas avant qu'elle fasse l'effort de se lever pour venir m'ouvrir. — Tu veux dire que tu es convaincu d'avoir vu ce sang en plusieurs endroits et en même temps tu crois possible de ne pas l'avoir vu ou même qu'il n'y en ait pas eu, que c'était un simple effet de ton imagination, ou de ta propre crainte d'en voir ? — Oui, je suppose que oui, je suppose que c'est possible », répondit Comendador, perplexe.

J'étais maintenant en train de nettoyer la tache chez Wheeler avec du coton humide, le sang n'était pas frais mais il n'était pas non plus sec ou desséché, et le bois bien verni, ciré, poli, permettait de l'enlever ou de l'absorber, non sans effort cependant ni sans insister et user beaucoup plus d'alcool et de coton que je ne l'avais supposé, je les posais de côté, dans le cendrier de Peter — ceux qui étaient sanglants —, et en même temps je procédais avec prudence pour ne pas abîmer le parquet ni remplacer une trace par une autre, avec l'alcool on ne sait jamais. Ce qui est le plus difficile à nettoyer avec ces taches ou même avec des gouttes minuscules, c'est leur cercle, leur circonférence, je ne sais pas pourquoi ils s'accrochent beaucoup plus au sol que le reste, ou à la faïence du lavabo ou de la baignoire, partout où ces gouttes ou ces taches tombent, et en plus cela se produit tout de suite, même quand le sang est encore tout frais, à peine versé, il y a une loi physique à coup sûr, mais je l'ignore. « C'est peut-être, pensai-je, c'est peut-être une façon de s'accrocher au présent, une résistance à disparaître qu'opposent également les objets et tout ce qui est inanimé, pas seulement les personnes, c'est peut-être la tentative de toute chose de laisser sa trace, de rendre plus difficile sa négation ou son estompement ou son oubli, c'est sa façon de dire "J'ai existé", ou "J'existe encore, donc il est sûr que j'ai existé", et d'empêcher les autres de dire "Non, cela n'a pas existé, ça n'a jamais été, cela n'a pas traversé le monde ni foulé la terre, cela n'a jamais existé et n'est jamais arrivé". Et à présent, pendant que je continue à frotter et que ce cercle de sang têtu commence à céder et à s'estomper, je me demande si une fois que je l'aurai complètement effacé et qu'il n'en restera aucune trace je commencerai à douter de l'avoir vu, comme Comendador ses taches en son temps, et d'avoir été, à genoux comme une vieille souillon espagnole, mais sans le coussin de mousse qu'elles plaçaient sous elles pour ne pas planter leurs genoux dans le sol dur, elles en faisaient assez les pauvres en nous montrant leurs cuisses de dos, je veux dire aux enfants, ou aux garçons. Et quand il n'en restera plus le moindre vestige, alors je commencerai peut-être à ne pas être sûr que cette tache n'a pas été un effet de mon imagination, causé par la veille et les nombreuses lectures et les trop nombreux verres et les voix opposées et la languissante et paresseuse rumeur de la rivière. Et par ma sinueuse conversation avec Wheeler. » Et durant quelques secondes j'eus envie — ou bien ce n'était que superstition — de ne pas la supprimer définitivement et tout à fait, de laisser une trace que je puisse revoir le lendemain matin qui avait déjà commencé d'après les horloges, un fragment de circonférence, une courbe minime qui puisse me rappeler « J'existe encore, donc il est sûr que j'ai existé : tu me vois et tu m'as vue ». Mais je terminai mon travail et le bois redevint net, personne ne saurait rien désormais de ce sang si je me taisais et si je ne posais aucune question à Wheeler ni à Mme Berry. Et je redescendis cette volée de marches et ne jetai pas dans la poubelle de la cuisine les morceaux de coton rouges ou marron et usés, mais allai à la salle de bains remettre à leur place le paquet et le flacon, puis je levai le couvercle des w.-c. et vidai le cendrier dans la cuvette, pour tirer la chaîne aussitôt — la phrase demeure encore dans ma langue, bien qu'il n'y ait plus de chaînes et qu'on ne les tire plus — et en finir ainsi avec les derniers témoignages matériels.

« Quelle chance tu as toujours, mon salaud, avais-je dit à Comendador. Tu laisses par terre une pauvre fille qui s'est fendu le crâne et qui en plus perd son sang, tu l'abandonnes en la croyant morte ou sans même vouloir rien savoir, et au bout du compte c'est elle qui te fait des excuses pour la peur que tu as eue et qui te remercie d'avoir fichu le camp sans lui venir en aide. Si ça m'arrivait à moi et que je faisais la même chose, s'il m'arrive un truc comme ça et que je me conduise comme toi, sûr que la fille meurt et que par-dessus le marché j'aurais pu la sauver si je n'avais pas perdu autant de temps. Et je l'aurais à tout jamais sur la conscience. » Comendador m'avait alors regardé avec un mélange de supériorité et d'envie résignée, je connaissais bien ce regard depuis notre enfance et par la suite je l'ai vu chez bien d'autres gens tout au long de ma vie, même s'il ne me concernait pas : c'est le regard de ceux qui ne voudraient pas être tels qu'ils sont

— plus sûrement pour des raisons esthétiques, ou disons narratives plus que morales — et qui en même temps savent qu'ils ont tous les atouts dans leur jeu et qu'ils se tirent toujours parfaitement de tout en étant exactement comme ils sont, et non comme ceux qu'ils envient. « Mais c'est que tu n'aurais pas fait la même chose, Jaime, tu ne te serais pas conduit comme moi, me répondit-il. Toi, tu serais resté jusqu'à ce qu'elle revive, d'une manière ou d'une autre, et si tu n'y étais pas arrivé tu aurais tout de suite appelé un docteur ou une ambulance, même avec la marchandise sur toi et Dieu sait quoi encore dans la maison ou dans le corps de la fille. Même en courant tous les risques. Et si elle était morte, ce serait parce qu'elle devait mourir de toute façon, pas parce que tu aurais pris la fuite ni à cause de ta négligence. J'ai cette chance, tu le sais, celle des lâches, elle est toujours bien plus grande que celle des courageux ou des intrépides, quoi qu'en disent les contes du monde entier et les légendes. En fait, il ne s'est rien passé, et non seulement la fille, mais Cuesta non plus ne m'en tient pas rigueur. Il n'a même pas perdu confiance et ne se sent pas déçu, ce qui aurait été assez grave à ce moment-là. Mais cela ne m'empêche pas de m'être fait une idée de mon caractère. Ce n'est pas que je l'ignorais, attention, mais maintenant je l'ai expérimenté, je l'ai vécu dans ma propre chair, comme on dit, et de même que la fille et Cuesta oublieront très vite cet épisode, s'ils s'en souviennent encore, moi je ne l'oublierai jamais, parce que ce qui s'est passé pour moi durant d'assez longues minutes, c'est qu'une gamine est morte sous mes yeux et que j'ai pris mes jambes à mon cou avec mon chargement bien à l'abri et sans rien faire pour elle. — Bon, tu as été prévenir, tu as couru, au moins as-tu fait en sorte que d'autres s'en chargent », lui dis-je. Comendador n'était pas de ceux qui se trompent, ou pas beaucoup (peut-être qu'il se trompe davantage, maintenant qu'il est devenu quelqu'un de respectable à New York ou à Miami ou là où il se trouve). « Oui, cela aurait pu être encore pire, tout est possible, mais toi et moi nous savons que ce que j'ai fait n'est rien, ce n'est pas ce que je devais faire. Et donc même si la fille est en bonne santé et qu'il ne lui est rien arrivé de mal par ma faute ni à cause de mon égoïsme, je le garderai sur la conscience de toute façon.» Puis il ajouta avec un demi-sourire, comme pour se donner un démenti (son demi-sourire du lycée devant les camarades ou les professeurs, celui qui finissait toujours par le sauver des pires menaces et des pires punitions, celui qui semait un doute et démentait toujours, autant ce qu'il avait affirmé un instant plus tôt que ce qu'il jurait tout en soulevant une lèvre pour faire ce demi-sourire) : « Heureusement que ma conscience est capable de beaucoup supporter.» Il était vrai qu'il avait de la chance, que ce soit ou non celle des lâches. On ne pouvait même pas prendre pour de la malchance, finalement, l'histoire de la goutte lente qui dansa sous son nez devant un carabinier très déductif à Palerme. Il avait fait un séjour derrière des barreaux particulièrement coupants, mais grâce à ces fils tranchants il avait laissé tombé broutilles et risques terre à terre pour devenir un chef d'entreprise plein aux as, la dernière chose que je savais de lui, je ne recevais guère de ses nouvelles et j'aimais mieux ça en réalité, je préférais que nos contacts se soient refroidis et espacés, ou peut-être étaient-ils terminés : il y a des frères et des cousins, il y a des amis d'enfance et il y a d'anciennes amours dont on ne sait plus quoi faire une fois adulte. Peut-être que je suis un de ceux-là pour quelqu'un d'autre, ou pour une vieille flamme. Ce dont je n'étais nullement convaincu, c'était qu'à la place de Comendador je me serais comporté différemment de lui. Je ne pouvais le vérifier, en tout cas, puisque je ne l'avais pas vécu dans ma propre chair, comme on dit. Qui sait. Personne ne sait rien avant de voir, et même alors. Le même individu peut réagir de manières différentes ou opposées selon le jour et sa peur et son état d'esprit, selon ce qu'il est en situation de perdre ou l'importance qu'il donne à son portrait ou son histoire à chaque étape de sa vie, selon qu'il raconte ou tait son comportement par la suite, qu'il soit noble ou mesquin, qu'il soit vil ou élevé, quel qu'il soit. Ou selon qu'il espère qu'on le lui compte plus tard, qu'on en parle, que d'autres le racontent s'il meurt et ne peut le faire lui-même. Personne ne sait rien de la prochaine fois, même s'il y a eu un antécédent, aucune fois antérieure ne nous oblige à rien, ni ne nous condamne au fil des répétitions, et celui qui hier était généreux et vaillant peut devenir traître et fuyant demain, celui qui était lâche et délateur il y a des siècles peut être aujourd'hui loyal et droit, et il se peut que le futur nous conditionne et nous oblige plus que le passé, ce qu'il nous reste à connaître plus que ce que nous connaissons, ce qui n'est pas prouvé que ce qui est tenu pour certain, ce qui doit advenir que ce qui est arrivé, ce qui est possible que ce qui s'est produit. Et en même temps, malgré tout. Et rien de ce qui a été ne s'efface jamais tout à fait, même pas la tache de sang frottée et nettoyée et son cercle, un analyste aurait sans aucun doute trouvé un vestige microscopique sur le bois au bout du temps, et au fond de notre mémoire — ce fond rarement visité — il y a un analyste qui attend avec sa loupe ou son microscope (et c'est pourquoi l'oubli est toujours borgne). Ou pire encore, il arrive que cet analyste soit dans la mémoire d'autrui, à laquelle nous n'avons pas accès (« Est-ce qu'il s'en souvient, est-ce qu'il est au courant ?, nous demandons-nous avec appréhension. Est-ce qu'il y pense, ou est-ce qu'il l'a oublié ? Est-ce qu'il se souvient de moi ou bien me verra-t-il comme quelqu'un d'inconnu et de nouveau ? Est-il informé ? Est-ce que son père ne le lui aurait pas dit, sa mère ne le lui aurait-elle pas raconté, me reconnaîtra-t-il, le lui aura-t-on transmis ? Ou bien ignorera-t-il qui je suis, ce que je suis, ne saura-t-il rien ? (Tais-toi, tais-toi et ne dis rien, pas même pour te sauver. Tais-toi, et alors tu seras sauvé.) Je le saurai à la façon dont il me regardera, mais peut-être ne le saurai-je pas pour cette raison même, parce qu'il voudra me tromper par son regard. ») Il y a beaucoup de choses qui m'appartiennent ou non, dans ma mémoire, sans aller plus loin. Qui savait, qui sait, personne ne sait. Et sûr que Nin ne savait pas lui non plus qu'il résisterait jusqu'à la tombe, quand ses voisins politiques le tortu-rèrent dans la langue qu'il avait apprise et qu'il avait bien ser-vie. Là-bas, là-bas même, près de ma ville, Madrid, où je ne vis plus. Là-bas, dans une cave ou dans une caserne ou dans une prison, dans un hôtel ou une maison d'Alcalá de Henares. Là-bas, dans la colonie russe où est né Cervantès.

Et Nin était là, dans le roman de Fleming, vers le début, je ne tardai pas à le trouver, Wheeler avait marqué le paragraphe comme il l'avait fait pour certains dans le *Doble Diario* et dans les autres livres, lecteur minutieux et attentif autant qu'impulsif, il inscrivait dans les marges des interjections burlesques, ou des notes dépréciatives pour l'auteur (il ne laissait passer ni les raisonnements faux, ni le mensonge, ni l'ignorance, ni la bêtise : « *Silly* », ou « *Foolish* », décrétait-il, sobre et accablant à la fois), ou aussi enthousiaste selon les cas, et des renvois simplement remémoratifs, et des points d'exclamation ou d'interrogation quand il n'accordait pas crédit à quelque chose ou le jugeait inintelligible, et parfois il griffonnait « Mauvais » (le malhonnête ou l'incompétent, Tello-Trapp ou un autre, il en avait repéré quelques-uns) et il signalait d'une flèche ce que condamnaient sa tête machinatrice et ses yeux minéraux et exigeants, ou « Excellent » quand une phrase lui semblait juste ou l'émouvait, « *Quite moving* », avais-je lu une fois, dans *La Catalogne* d'Orwell, je crois. « *Quite right* », mettait-il avec approbation parfois aussi, je l'avais vu dans Benet, et « *Quite true* » souvent chez Thomas, qu'il devait connaître personnellement vu que ce dernier avait enseigné tout près d'Oxford, à l'université de Reading, lieu célèbre pour sa vieille prison et pour la ballade qu'y écrivit le reclus C.3.3., pas précisément un alias.

Ce paragraphe se trouvait vers la fin du septième chapitre, intitulé « The Wizard of Ice », c'est-à-dire « Le magicien de glace », dans un jeu de mots intraduisible avec le fameux magicien d'Oz. « Bien entendu, Rosa Klebb, lus-je en anglais dans ce paragraphe, possédait une forte volonté de survie, sinon elle ne serait pas devenue l'une des femmes les plus puissantes de l'État, et assurément la plus crainte. Son ascension, rappelait Kronsteen, avait commencé avec la guerre civile espagnole. À cette époque, comme agent double à l'intérieur du POUM — c'est-à-dire travaillant pour l'OGPU de Moscou et pour l'Intelligence communiste en Espagne —, elle avait été le bras droit, et une sorte de maîtresse, disait-on, de son chef, le célèbre Andreas Nin. Elle avait travaillé avec lui entre 1935 et 1937. Il avait été ensuite assassiné sur ordre de Moscou, et le bruit courait que c'était elle qui l'avait tué. Que cela fût vrai ou non, dès lors Rosa Klebb avait gravi, lentement mais en ligne absolument droite, les marches du pouvoir, survivant aux revers, survivant aux guerres, survivant (parce qu'elle ne forgeait pas de loyautés et ne se liait à aucune faction) à toutes les purges, jusqu'à ce que, en 1953, avec la mort de Beria, ces mains tachées de sang finissent par s'agripper à la marche (si près désormais du sommet) que constituait le chef du département des opérations de SMERSH. »

Tant que j'y étais, je tapai le passage à la machine. J'avais déjà trouvé l'OGPU dans d'autres livres, et c'était la même chose que le NKVD, ou, en fait, que le KGB un peu plus tard, c'est-à-dire les services secrets soviétiques. Beria était, bien entendu, le très célèbre Lavrenti Beria, commissaire des Affaires intérieures ou chef de la police secrète de nombreuses années durant et jusqu'à la mort de Staline, dont il était l'instrument le plus rusé et le plus impitoyable pour l'organisation de conspirations, épurations, purges, règlements de comptes, recrutement forcé, répression, chantage, campagnes de terreur et de diffamation, interrogatoires, torture et bien sûr espionnage. Quant à SMERSH, initiales que je ne connaissais pas, Fleming expliquait dans une note préalable, signée par lui : « ... contraction de Smiert Spionam — Mort aux espions —, existe, et à ce jour est encore le département le plus secret du gouvernement soviétique. Au début de 1956, quand fut écrit ce livre, la force de SMERSH, tant à l'intérieur qu'à l'étranger, était d'une quarantaine de milliers de membres, dont le chef était le général Grubozaboyschikov. Ma description de son aspect est correcte. À ce jour, le quartier général de SMERSH est là où je l'ai situé au chapitre quatre : au numéro 13 de Sretenka Ulitsa, à Moscou... » Je jetai un coup d'œil à ce chapitre quatre qui, sous le titre de « The Moguls of Death » — disons « Les nababs de la mort » —, commençait avec les mêmes informations, ou à peu près : « SMERSH est l'organisation officielle du gouvernement soviétique chargée des assassinats. Il opère tant à l'intérieur qu'à l'étranger et, en 1955, il employait un total de quarante mille hommes et femmes. SMERSH est une contraction de Smiert Spionam, qui signifie "Mort aux espions". C'est un nom qui n'est utilisé que par le personnel et par les fonctionnaires soviétiques. Aucun particulier doué de bon sens ne saurait permettre que ces mots franchissent ses lèvres... » Quand les gens passaient devant le numéro 13 de la large et triste rue en question, poursuivait le narrateur, ils baissaient les yeux avec un frisson dans le dos ou, s'ils y pensaient à temps et pouvaient le faire sans attirer trop l'attention, ils changeaient de trottoir avant d'arriver à l'abominable hauteur de ce bâtiment laid et sans le moindre charme. Enfin, qui sait, je ne sus pas non plus où aller vérifier si SMERSH avait vraiment existé ou si tout — note préalable en tête — n'était qu'une argutie de romancier pour étayer ou renforcer une fausse véracité.

Je revins à Rosa Klebb et au chapitre sept. À vrai dire, je n'avais jusque-là jamais lu une seule ligne de Ian Fleming, mais j'avais vu, comme presque tout le monde, les premiers films de la série Bond. Je croyais me rappeler ce personnage dans sa version cinématographique, une femme mûre, aux cheveux courts et raides couleur carotte, sans le moindre attrait ni le moindre scrupule, et qui à la fin affrontait Connery d'une façon inoubliable pour l'enfant que j'étais quand j'avais dû voir à Madrid *Bons baisers de Russie* (j'avais sans doute dû me glisser dans un cinéma permissif : la censure franquiste a toujours été si idiote que ces films étaient interdits aux moins de dix-huit ans) : du bout de sa chaussure (ou peut-être des deux) elle faisait surgir, grâce à un mécanisme, une ou deux terribles lames horizontales imprégnées d'un poison fulgurant et fatal, une simple égratignure de ces fers suffisait pour que la personne ainsi griffée passe aussitôt l'arme à gauche sans rémission, et donc la femme se battait à coups de pied affilés avec Bond ou Connery tandis que ce dernier la tenait à distance avec une chaise, comme font les dompteurs de cirque avec leurs lions décrépits et leurs tigres dégoûtés de ces puérilités. Dans le film, je m'en souvenais aussi, le rôle de la très cruelle Klebb était exceptionnellement tenu pas la célèbre chanteuse et actrice autrichienne (rares, ses apparitions à l'écran) Lotte Lenya, la plus grande et la plus authentique interprète des chansons et opéras de Bertolt Brecht et Kurt Weill (*L'opéra de quat'sous* le plus connu), et en fait, si ma mémoire ne me trompait pas, femme et veuve de ce dernier, qui avait composé pour elle jusqu'à sa mort, relativement antérieure, bien entendu, à cette adaptation de Ian Fleming. Lequel, soit dit en passant, et à en juger par les quelques pages que je lus dans le bureau de Wheeler, me sembla meilleur écrivain, plus habile et plus perspicace, que ce que la hautaine histoire de la littérature s'accorde jusqu'ici à lui concéder. La description de Rosa Klebb qui suivait, sans aller plus loin, contenait des trouvailles curieuses et tout à fait estimables, j'en copiai quelques paragraphes : « ... Une grande partie de son succès était dû au caractère particulier de son deuxième instinct en importance, l'instinct sexuel. Parce que Rosa Klebb appartenait sans aucun doute à la moins fréquente de toutes les typologies sexuelles. Elle était neutre... Les histoires d'hommes et, oui, de femmes, étaient trop circonstanciées pour qu'on en puisse douter. Elle pouvait jouir de l'acte physiquement, mais l'instrument n'avait aucune importance. Pour elle le sexe n'était qu'un prurit. Et cette neutralité psychologique et physiologique la soulageait sur-le-champ de tant d'émotions, de sentiments et de désirs humains. La neutralité sexuelle constituait l'essence de la froideur d'un individu. Naître ainsi était quelque chose de magnifique et de prodigieux. L'instinct grégaire était lui aussi mort en elle... Et bien entendu, quant au tempérament, c'était une flegmatique : imperturbable, supportant la douleur, fainéante. Son vice prédominant était certainement la paresse. Le matin, il devait lui en coûter de s'arracher à son lit tiède et souillé. Ses mœurs privées devaient être négligées, sales même. Il n'était sûrement pas agréable, pensa Kronsteen, de se pencher sur le côté intime de sa vie, quand elle se relaxait, après avoir quitté son uniforme... Rosa Klebb devait avoir quarante ans bien sonnés, supposa-t-il, en calculant d'après les dates de la guerre d'Espagne... Seul le diable sait, pensa Kronsteen, à quoi ressemblaient ses seins, mais la protubérance uniformée qui reposait sur la table avait l'air d'un sac de terre rempli n'importe comment... » (« Sac de farine, sac de viande, pensai-je, on y plante sa baïonnette et sa lance. ») « Les *tricoteuses** de la Révolution française devaient avoir des visages comme le sien... Et leurs traits devaient transmettre la même impression, conclut Kronsteen, de froideur, de cruauté et de force que ceux de cette — oui, il dut se concéder le mot émouvant — *terrifiante* femme de SMERSH. »

Fleming avait également l'air très bien documenté (SMERSH à part ; il faudrait interroger Wheeler à ce sujet, il savait certainement si cette organisation avait existé ou si c'était une invention), la mention du POUM et d'Andrés Nin en était un indice, même s'il appelait ce dernier « Andreas ». D'après cette invention, il aurait peut-être été tué par une femme de nationalité étrangère — d'une beauté singulière,

---

* En français dans le texte. *(N.d.T.)*

qui sait, dans sa jeunesse d'Espagne — qui aurait en outre été sa collaboratrice et sa maîtresse, pour plus de traîtrise et d'amertume. Wheeler, en tout cas, avait associé la référence dans le *Doble Diario* à « plusieurs femmes » détenues à Barcelone en juin 37 avec le personnage funeste, sinistre et neutre de *Bons baisers de Russie* (elle, elle n'aurait jamais été arrêtée), en marquant le paragraphe du chapitre sept de deux traits verticaux, et dans la marge il avait écrit « *Well well, so many traitors indeed* », c'est-à-dire « Tiens tiens, tant de traîtres, vraiment ». Oui, il y en avait eu beaucoup, dans mon pays et à cette époque et à d'autres, plus tard et bien entendu dans toutes les époques antérieures, jusqu'aux plus immémoriales, depuis le commencement même du temps et en tous lieux. Comment était-il possible qu'il y ait eu tant de trahisons, ou tant qui furent couronnées de succès, c'est-à-dire, que personne ne soupçonna ni ne détecta avant leur accomplissement ? Quel étrange penchant avons-nous pour la confiance ? Ou peut-être que ce n'est pas cela, mais une tendance à ne rien vouloir voir ni savoir, ou à l'optimisme ou à la tromperie consentie, ou bien est-ce un orgueil qui nous porte à croire qu'il ne nous arrivera pas ce qui arrive à nos égaux et leur est toujours arrivé, ou que nous allons être respectés par ceux qui ont déjà — et sous nos yeux — été déloyaux envers d'autres, comme si nous étions différents de ces derniers, orgueil qui nous induit à penser sans raison que nous serons à l'abri des revers subis par nos ancêtres et même des déceptions qui touchent nos contemporains : ceux qui ne sont pas « moi », je suppose, tous ceux qui ne le sont pas, ne le seront et ne l'ont jamais été. Nous vivons, je suppose, dans l'espoir inavoué qu'un jour seront rompus les règles et le cours et la coutume et l'histoire, et que cela ne concernera que nous, notre expérience, que ce ne sera qu'à nous — c'est-à-dire à moi seul — qu'il sera donné de le voir. Nous aspirons toujours, je suppose, à être des élus, et il est peu probable qu'autrement nous serions disposés à parcourir le trajet entier d'une vie entière qui, brève ou longue, nous vainc peu à peu.

Là même, dans le *Doble Diario* que je pris de nouveau, il y avait quelques articles de mon père, de l'époque où il avait encore confiance bien que ce fût la guerre : l'un du 2 juillet 1937, à l'occasion du troisième centenaire de la publication du *Discours de la méthode* de Descartes, en 1637 à Leyde ; un autre du 27 mai, où il déplorait les changements de noms démentiels de rues et de places (et même de villes) qui étaient en train d'être effectués tant dans « la zone dominée par la faction » que dans la « loyale » (les termes sont de lui) et concrètement à Madrid : « Et il est en tout point lamentable, disait-il, que nous imitions en cela les rebelles, parce qu'il ne faut pas les imiter en quoi que ce soit. » Ou bien : « On a changé le triple nom du Prado, du Paseo de Recoletos et de la Castellana pour celui d'avenue de l'Union prolétaire. Pour commencer, cette union, malheureusement, n'existe pas, et il nous semble beaucoup plus intéressant de la rechercher que de l'écrire au coin des rues... Dans un certain sens, on dirait que ces nouvelles inscriptions veulent achever l'œuvre des bombardiers factieux, dans la tâche de défigurer notre capitale. » Et il y en avait aussi quelques-uns qui étaient plus strictement politiques, signés soit de son pseudonyme de l'époque, soit de son nom, Juan Deza, je trouvais fantomatique de voir mon nom sur ces vieilles pages reproduites à l'encre rouge. Là se trouvaient ses textes de jeunesse, qui constituèrent à coup sûr une partie des nombreuses charges dont il se vit accuser — la plupart inventées, imaginaires, fausses — peu après la fin de la guerre et la défaite, quand il fut trahi et dénoncé aux autorités factieuses victorieuses par son meilleur ami d'alors, un certain Del Real avec lequel il avait partagé classes et conversations, intérêts et cafés et amitiés et réunions et cinéma et probablement quelques javas tout au long de ces années, celles des études qu'ils firent tous les deux, et aussi j'imagine celles de la guerre et du siège de Madrid avec les bombardements factieux dévastateurs et les obus des canons rebelles qui arrivaient des environs et des collines, ces obus qui dessinaient leur parabole et tombaient sur le siège de la Compagnie du Téléphone ou sur la place voisine quand le tir manquait son but, appelée pour cela « place du pot », comme à ce jeu de billes, avec un invraisemblable humour noir, presque trois ans de leur vie à tous les deux, la vie de tout le monde, quand les gens étaient assiégés et couraient dans les rues et à travers les places aux noms changeants les mains sur leur chapeau et casquettes et bérets et jupes au vent et bas déchirés ou simplement sans bas, en recherchant les trottoirs que n'enfilaient pas les canons pour marcher ou courir jusqu'à une bouche de métro ou un refuge.

Les deux amis avaient même partagé, avec un troisième compagnon qui mourut jeune un peu plus tard, la publication d'un petit livre de 1934 qui recueillait les trois journaux de voyage jugés les meilleurs par la Société de géographie, parmi ceux qui avaient été rédigés par tous les étudiants ayant participé à ce qu'on appelait alors la Croisière universitaire en Méditerranée qui, organisée par la faculté de philosophie et lettres de la république à Madrid, mena étudiants et professeurs à Tunis et en Égypte, en Palestine et en Turquie, en Grèce et en Italie et à Malte, en Crète, à Rhodes et Majorque, durant quarante-cinq jours de l'été 33 enthousiastes et optimistes, au cours de l'un desquels les passagers furent honorés par la visite du grand Valle-Inclán, qui monta je ne sais où ni pour quelle raison à bord pour faire une causerie. Le bateau de la Compagnie transméditerranéenne qui les emmenait s'appelait *Ville-de-Cadix*, et ses traversées trouvèrent leur fin sous les coups du sous-marin italien *Ferrari*, orgueil de Mussolini, qui le torpilla et le coula dans les eaux de la mer Égée le 15 août 1937, en pleine guerre, alors que le navire marchand revenait d'Odessa avec des aliments et du matériel de guerre, à ce que j'avais entendu dire à mon père, ou ce fut peut-être le 14 du même mois, en sortant des Dardanelles, comme je l'avais lu par hasard dans le Thomas un instant plus tôt, au cours de cette interminable nuit.

Ce compagnon de publication, de voyage, d'université et même de lycée un peu plus tôt (aussi durable, donc, que notre amitié, à Comendador et moi), se chargea de promouvoir et de diriger la chasse à celui qui n'était encore le père de personne. Il mena une campagne de diffamation, chercha des « témoins à charge » qui puissent nourrir celle-ci lors d'un procès (ou d'un simulacre, il n'y avait pas autre chose à cette époque triomphale) et l'on tâcha de trouver une signature de plus grande valeur et de plus grande autorité que les siennes à apposer sur la plainte formelle qui un jour de mai 39 fut déposée au commissariat. Cette signature était celle d'un professeur de cette même faculté, Santa Olalla son nom, au fanatisme reconnu et avec qui mon père n'avait jamais eu cours ni même le moindre contact, bien que, apparemment, l'enseignant ne se soit pas privé non plus de figurer dans l'expédition de la Croisière de 33, qui n'avait rien de fanatique. Bien des années plus tard, quand je fus à mon tour étudiant dans les mêmes salles (mais depuis longtemps et encore à l'époque éternellement franquistes), ce Santa Olalla continuait à y prêcher en sa qualité de vétéranissime professeur désormais — il avait dû obtenir son titre très vite et sans difficulté —, et sa réalité et sa réputation à mon époque étaient celles d'un véritable fasciste, au sens analogique mais aussi par idéologie et par tempérament, c'est-à-dire *stricto sensu*. Je crois savoir que le délateur principal, Del Real, avait aussi obtenu une chaire dans une université du Nord (La Corogne, Oviedo, Santander, Saint-Jacques, je ne sais pas), en récompense probablement de ses services immédiats et spontanés à la précoce et hyperactive police franquiste de 1939. Mais à ce qu'il semble, cet autre enseignant délateur se permit par-dessus le marché de se vanter d'être « à moitié de gauche » face à ses étudiants rebelles des années soixante-dix — rien d'exceptionnel à cela, au fond —, et quelques naïfs et ignorants jeunes septentrionaux de cette turbulente décennie le trouvaient « adorable ». Ainsi va le monde (« Parle, accuse, dénonce. Cache-le ensuite, et alors tu seras sauvé »).

La dernière fois que mon père entendit parler plus ou moins personnellement de lui ce fut en ce même mois de mai 39, six semaines après la fin de la guerre, en pleine répression et suppression et purge consciencieuse des vaincus et peu après son arrestation et son emprisonnement le jour de la San Isidro, patron de Madrid, quand une connaissance commune — ou peut-être fut-ce ma mère qui était allée le voir et qui n'était alors ni ma mère ni sa femme — lui raconta que Del Real se vantait de son grand exploit dans tout Madrid avec ces mots ou d'autres du même ordre : « Je vais obtenir que Deza prenne trente ans de prison, et peut-être même quelque chose de pire. » N'importe quel détenu pouvait facilement à l'époque avoir droit à ce « quelque chose de pire », avec ou sans motif, qu'il y ait ou non des preuves contre lui : s'il n'y en avait pas on en fabriquait, et ce n'était même pas la peine, il suffisait en principe d'une simple dénonciation pour qu'il soit condamné, celle d'un concierge, d'un voisin, d'un jaloux, d'un curé, d'un aigri, d'un rival, d'un délateur professionnel ou stagiaire, d'un amoureux éconduit, d'une fiancée répudiée, d'un compagnon, d'un ami, toutes étaient tenues pour bonnes, il valait mieux exagérer que rester un peu court à l'heure de compléter l'« attrition » commencée en 36, le mot était de Thomas. Et ce « quelque chose de pire » avait pour nom poteau d'exécution.

Juan Deza eut de la chance, tout compte fait, par rapport à tant d'autres, et son délateur ne réussit pas à l'envoyer au poteau. Pendant la guerre, mon père avait été soldat de l'armée populaire, ou de la République, comme il préférait l'appeler (il venait d'avoir vingt-deux ans quand elle éclata, il était plus jeune que Wheeler de quelques mois), mais, affecté à des tâches administratives à l'arrière, à Madrid, il se retrouva d'abord dans une compagnie d'intendance, puis fut nommé traducteur de l'armée de terre, plus tard il rendit service comme collaborateur ou assistant de don Julián Besteiro jusqu'à la capitulation, et n'eut donc jamais à prendre part aux combats. Et comme il savait qu'il n'avait pas eu à tirer un seul coup de fusil, il avait aussi la certitude absolue de n'avoir tué personne, ce dont, disait-il, il se réjouissait infiniment. Il avait écrit ses articles de l'*Abc* et de quelques autres publications, animé des programmes de radio durant une période en 1937 où il avait été envoyé à Valence, et sur commande de l'état-major il avait traduit un volumineux livre anglais dont il ne se rappelait pas l'auteur, mais le titre, oui, *Spy and Counter-Spy (A History of Modern Espionage)*, et qui ne vit sûrement jamais la lumière qu'il lui donna en espagnol pour le ministère de la Guerre. Mais les accusations de ses dénonciateurs incluaient des « délits » beaucoup plus graves et — bien que fantaisistes — conçus dans la pire intention, d'une fausseté difficile à démasquer : parmi plusieurs autres, celui d'avoir collaboré au journal moscovite *Pravda*, celui d'avoir servi d'agent de liaison, d'interprète et de guide en Espagne du « bandit doyen de Canterbury » (Dr Hewlett Johnson, connu comme « le Doyen rouge » ou « *the Red Dean* », que mon père n'avait jamais vu), et celui d'être parfait connaisseur de toute la trame de la « propagande rouge » tout au long du conflit, ce qui équivalait à une invitation très directe à lui arracher une si exceptionnelle information par tous les moyens (autrement dit les moyens habituels). Rien de cela n'arriva, par bonheur : il put compter sur des témoins sincères, y compris parmi les témoins « à charge » ; il tomba miraculeusement sur un sous-lieutenant juriste d'une grande décence, qui loin de déformer ses réfutations au cours de l'instruction (comme c'était la coutume dans ce système judiciaire) lui proposa de les prendre sous sa dictée pour plus d'exactitude, se méfiant des accusations, et qui avant de le renvoyer dans sa cellule lui dit : « Je ne vous serre pas la main parce qu'on nous voit et qu'on pourrait penser que nous avons une quelconque relation, mais dans l'esprit je suis avec vous » (« Antonio Baena, se souvenait mon père, jamais je n'oublierai ce nom ») ; et il tomba aussi sur un juge heureusement paresseux qui égara son dossier et finit par surseoir à son cas en raison du comportement anormal d'un « témoin à charge » et de la confusion qui s'était ensuivie. Et c'est ainsi que Juan Deza, mon père, passa un certain temps en prison pendant lequel il enseigna à lire et à écrire, à faire des additions, des soustractions et des multiplications à des compagnons reclus analphabètes (et aux plus instruits quelques notions de français), et qu'il put sortir ensuite — sans leur avoir appris à faire les divisions — mais pour vivre victime de représailles durant de longues années, se voir bien entendu interdit d'exercer tout enseignement à quelque niveau que ce soit, à la différence de ses accusateurs bien en chaire, et aussi de publier une seule ligne dans la presse de son pays, dont l'encre était désormais entièrement bleue. Un des « témoins à charge » qui s'était quant à lui reflété dans le miroir obscur de sa fonction, autre camarade de faculté à qui sa victime avait rendu visite et prêté des livres sous les bombardements, romancier au succès facile ou prostitué par la suite (Flórez son nom), lui fit parvenir ce message par l'intermédiaire de son amie ma mère : « Si Deza oublie qu'il est diplômé, il pourra vivre ; dans le cas contraire, nous le coulerons. » Mais c'est là une autre histoire. Je l'ai vu quelquefois se plaindre en silence de sa situation malheureuse, et je l'ai vu passer de mauvais moments. Mais jamais je ne l'ai vu aigri, jamais il ne nous a transmis, à nous ses enfants, le moindre ressentiment, et celui que nous pouvons éprouver nous l'avons développé nous-mêmes. Je ne l'ai pas davantage entendu se lamenter, ni prononcer à voix haute les noms de ses délateurs hors du cercle de famille et de celui de ses amis les plus intimes, dont certains les connaissaient bien et de toute première main — ces deux noms — depuis le jour de la San Isidro 1939. Malgré les crocs-en-jambe et les entraves il sut se débrouiller dans la vie, et s'il ne s'est pas plaint, même dans les années les plus dures et les plus ingrates, je ne suis pas homme à le faire à sa place. Ou peut-être que si. Je le serais peut-être, et le seul, de plus, avec mes deux frères aînés et ma jeune sœur, à faire ce qui n'offense pas non plus, se lamenter un peu pour autrui, pour ma mère maintenant et aussi pour lui.

De la même façon, je ne m'étais jamais abstenu de mentionner ces noms quand l'occasion se présentait ou que cela venait à propos, parce que je les connaissais depuis mon enfance, Del Real et Santa Olalla, Santa Olalla et Del Real, et pour moi ils avaient toujours été les noms de la trahison, et ces noms-là il n'y a jamais de raison de les protéger. Et c'était à cela que je pensais tandis qu'en cette longue nuit près de la Cherwell j'avais enfin commencé à rassembler tous les livres de Wheeler que j'avais tirés de sa bibliothèque ouest et semés à travers son bureau ou studio, et à tout remettre mal en ordre, à nettoyer et débarrasser la table et à enlever plateaux et bouteilles et mon verre et la glace, tâche ardue que tout cela pour quelqu'un d'aussi fatigué et absorbé que je l'étais et à cette heure si tardive, j'aurais préféré ne pas la connaître et je n'avais regardé aucune pendule. Comment était-il possible que mon père n'ait rien soupçonné ni détecté ? C'était un homme intelligent et cultivé, pas un idiot, et assez précoce, mais bien sûr un optimiste invétéré, faisant au début confiance à tout le monde. Mais même ainsi. Comment pouvait-on passer toute sa vie auprès d'un camarade, d'un ami intime — d'enfance, de collège, de jeunesse —, sans se rendre compte de sa nature, ou du moins de sa nature *possible* ? (Mais peut-être toute nature est-elle possible chez tout le monde.) Comment peut-on ne pas voir sur une durée si longue que celui qui finira et finit par nous perdre nous perdra ? Ne pas pressentir ni deviner sa trame, sa machination et sa danse circulaire, ne pas sentir sa haine ni respirer son malheur, ne pas capter son lent affût et sa très lente et languissante attente, et l'impatience qui s'ensuit et qu'il a dû contenir Dieu sait combien d'années ? Comment puis-je ne pas connaître aujourd'hui ton visage de demain, celui qui existe déjà ou est en train de se forger sous la figure que tu montres ou sous le masque que tu portes, et que tu ne me montreras que lorsque je ne m'y attendrai pas ? Cet homme avait sans aucun doute dû apaiser grandement son effervescence et se mordre les lèvres jusqu'au sang, et refroidir ce sang quand il bouillait, et repousser le terme de sa malheureuse et fétide fermentation, pour le repousser encore et encore. Tout cela se remarque, se perçoit, se sent et même à l'occasion se palpe et sa sueur nous parvient et ce qu'il condense nous étourdit. Au minimum on le pressent. En réalité on le sait, ou on doit le savoir. C'est peut-être que lorsque les choses se produisent nous ne nous rendons pas compte que nous savions qu'elles allaient se produire, et que c'était ainsi justement qu'elles devaient se produire ? Et n'est-il pas vrai qu'au fond elles ne nous étonnent pas autant que nous le montrons devant les autres et surtout devant nous-mêmes, et que nous en voyons alors toute la logique et que nous reconnaissons et même que nous nous rappelons les avertissements négligés que quelque couche de notre inconscience a pourtant écoutés ? C'est peut-être que nous voulons nous convaincre de notre propre stupéfaction, comme si nous y trouvions une consolation incongrue et des excuses inutiles qui de fait ne servent à rien : « Ah ! je ne savais pas, comment pouvais-je imaginer et encore moins soupçonner, c'est la dernière chose à laquelle je me serais attendu et jamais je n'y aurais pensé, je l'aurais juré, j'en aurais mis ma main au feu, j'en aurais donné ma tête à couper, j'aurais parié mon or et risqué mon honneur, oh quelle duperie, quelle désillusion, que cette trahison est incroyable et non véritable. » Mais cette stupéfaction ne se produit quasiment jamais. Pas au plus profond, pas dans le savoir qui n'ose pas se dire ni se prononcer ni même se savoir ni se connaître ni avoir conscience de soi, pas dans celui qu'on craint tant qu'on le déteste et le nie et qu'on se le cache à soi-même et qu'on le fuit, ou qu'on ne le regarde que du coin de l'œil et le visage toujours caché. Oui, elle existe, cette stupéfaction, dans nos couches les plus hautes qui ne sont pas seulement les couches superficielles et épidermiques mais qui en réalité sont toutes nos couches, les moyennes et les basses et les profondes, et jusqu'à celles qui sont les plus secrètes et les plus enfouies, et les veineuses, celles du dehors et du dedans et celles des profondeurs, celles de la vie quotidienne et externe de la pointe de la lance et celles de notre pause solitaire, celles de la compagnie qui rit allègrement et celles du début abyssal du sommeil, quand nous guettons un instant durant ce que nous devenons dans notre totalité et quelle histoire sera racontée quand s'achèvera notre achèvement. Oui, jusqu'à cette couche de reddition et d'angoisse ou de prémonition qui admet cette perplexité, cette surprise. Mais pas la plus profonde, que nous n'atteignons presque jamais, celle qui habite dans l'envers du temps et ne se trompe ni ne fait d'erreur, celle qui se confond avec la peur ou adopte son déguisement, celui de la peur, et c'est pourquoi nous ne tenons pas compte d'elle, pour que la crainte ne nous gouverne pas et ne nous dicte pas notre conduite et ne nous amène pas à succomber sous nos craintes, ou à les favoriser. Nous rejetons les indices et refusons d'interpréter tant de signes (« Tais-toi, tais-toi, et alors sauve-moi »), et nous les reléguons et les jetons dans le sac aux idées, pour leur en opposer d'autres dont au fond nous savons qu'ils ne sont pas des signaux mais des feintes et des simulacres qui recherchent notre confiance et notre torpeur ou notre endormissement (« Garde un œil ouvert quand tu somnoles, garde-le », citai-je pour moi-même). Parce que en réalité il serait impossible qu'on nous trompe si nous le voulions — ne pas nous tromper —, tâche vaine et entreprise manquée. Mais nous ne le faisons généralement pas. Nous n'avons pas l'habitude de le vouloir : la protection et l'alerte nous ennuient, et nous aimons tous jeter loin de nous notre écu et marcher, légers, en brandissant notre lance comme une parure.

Devenu adulte j'avais interrogé mon père, mais sans trop insister. Lorsque nous étions enfants et adolescents on nous avait raconté l'histoire à mes frères et sœur et à moi, mais seulement dans son squelette, le moins possible, comme si lui et ma mère ne voulaient pas encore nous mettre trop au courant de ce qui nous attend tous dans une plus ou moins grande mesure et qui en fait commence dès l'enfance — mouchardage, cafardage, trahison, coup de poignard, délation, tromperie, dénonciation, vente —, et pourtant à cette époque nous entendions immanquablement parler par divers conduits de l'exemple constitutif ou du cas le plus important rapporté par les Évangiles, parce que d'autres, plus anciens, ceux de Jacob et David, d'Absalon, d'Adonias, ceux de Dalila et de Judith et même celui de Caïn, peu aimé, avaient un objectif et alléguaient un motif, et c'est pourquoi leurs trahisons étaient moins pures et moins désintéressées, moins inattendues et plus compréhensibles, moins gratuites et moins graves (les fameuses trente pièces ne furent jamais le motif, mais un simple habillage et un symbole tangible dans lequel incarner l'acte, et le représenter). Mais Juan Deza n'avait jamais beaucoup aimé parler de cette affaire, peut-être parce que son simple souvenir lui faisait mal, peut-être pour ne pas être tenté de manifester de rancune, ou peut-être pour ne pas donner d'importance — pas même par son récit — à quelqu'un pour qui il n'avait que mépris depuis le jour de la San Isidro 1939, sinon depuis un peu plus tôt.

« Mais tu n'avais jamais eu de pressentiment ? lui avais-je demandé, profitant d'une occasion où il rappelait d'autres épisodes de cette époque.

— Avant mon arrestation ? Bon, si, bien sûr, j'avais eu vent de la campagne de diffamation et de délation qu'il avait lancée. Des nouvelles indirectes, provenant de la zone nationale à laquelle il était passé sans rien dire à personne, nous n'avons jamais su avec exactitude à quel moment ni comment (sortir de Madrid n'était pas facile, presque impossible sans aide extérieure) ; assez tard, bien sûr, en fait nous ne nous en aperçûmes qu'à ce moment-là, qu'il était passé de l'autre côté. Je ne sais pas : il prévoyait que la défaite était là, je suppose, et il prenait d'avance position. Non que je ne me rendisse pas compte à quel point cela pouvait être dangereux, et de sa possible portée. Quelqu'un qui a été ton ami de longues années durant parle avec une autorité venimeuse s'il l'emploie contre toi. Les gens pensent qu'il a une bonne connaissance des faits, qu'il sait ce qu'il dit. Bien qu'en ces jours-là, convaincre, franchement, ne fût pas une condition indispensable, pas plus que persuader. Il suffisait d'un peu d'emphase et de véhémence, et même ça ce n'était pas une exigence.

— C'est à cela que je faisais allusion tout à l'heure, à la période qui précéda ses mensonges. Tu n'avais jamais rien soupçonné, il ne t'était jamais passé par la tête qu'il pouvait agir contre toi, qu'il t'avait dans le collimateur, qu'il cherchait à te perdre ? »

Mon père était resté muet un instant, mais pas comme quelqu'un qui hésite et médite une réponse pour qu'elle ne soit pas inexacte, c'était plutôt la pause de quelqu'un qui veut souligner de cette façon une vérité, ou une certitude.

« Non. Je n'avais jamais rien imaginé de ce genre. Au début, quand je l'ai su, je n'y ai pas cru, j'ai pensé que ce devait être une erreur ou un malentendu, ou un mensonge des autres, dont l'intention m'échappait. Un piège. Ensuite, quand la chose m'arriva par de trop nombreux canaux et que je ne pus plus en faire abstraction mais dus y croire et me résigner à l'accepter, cela me parut incompréhensible, inexplicable. »

C'était le mot qu'il employait toujours, « incompréhensible », je veux dire les quelques fois où je m'étais enhardi à essayer de le faire parler un peu plus de tout ça.

« Mais tout au long de tant d'années de relations, avais-je insisté, tu n'avais jamais eu le moindre indice, le moindre soupçon, un avertissement intime, une intuition, un pressentiment, quelque chose ?

— Rien », avait-il répondu, de plus en plus laconique et assombri, et alors je changeais de sujet pour ne pas l'éteindre. Je suppose qu'il était amer de se rappeler son ingénuité ou sa bonne foi, non pas tant de les avoir eues mais de n'avoir pu les conserver. Ou c'était ce qu'il devait croire ? La vérité est qu'il les conservait, et même trop à mon avis (cela lui procura d'autres désagréments, quoique moins aigres et avec cette différence qu'ils ne le surprirent cette fois qu'à moitié), j'ai été plus cynique et circonspect, je crois, mais pas assez non plus pour des temps aussi déloyaux que le nôtre. J'ai peut-être eu davantage les pieds sur terre et j'ai été plus pessimiste, voilà tout, et aussi plus embrouillé.

Ma mère était morte alors que j'étais encore trop jeune pour m'interroger de façon réfléchie sur ces questions, ce qui fait que devenu vraiment adulte (je veux dire, avec la conscience de l'être), je ne pus plus rien lui demander : elle, qui avait davantage les pieds sur terre, aurait peut-être hasardé au moins une explication possible : elle n'avait pas été aussi amie avec lui que mon père, mais elle avait bien sûr connu le traître. Elle s'était battue pour tirer Juan Deza de sa prison, bien qu'ils ne fussent pas encore fiancés à l'époque, simplement de vieux camarades de faculté inséparables. Elle s'était aussi beaucoup battue pendant la guerre, à ce que je savais, pour aider et remédier ici ou là, dans la mesure de ses possibilités. Un peu plus tôt, en 1936, lorsque le soulèvement militaire et la « révolution » simultanés du 18 juillet firent des semaines qui suivirent un chaos absolu dont profitèrent l'un et l'autre camp (chacun dans les territoires dont il était maître) pour régler de rapides et irréversibles comptes et tuer en toute tranquillité sans aucun contrôle, il lui était revenu de rechercher, en tant qu'aînée de huit frères et sœurs très jeunes ou encore enfants, celui qui avait dix-sept ou dix-huit ans et qui, un soir, n'était pas rentré à la maison. Lors de ces premiers mois après la conflagration, l'idée qui venait à l'esprit des familles quand cela arrivait — avant toute autre, la terreur dominait tellement — était que l'absent avait pu être arrêté arbitrairement par une ronde de miliciens, transféré dans un des locaux de la police politique, les *chekas*, puis, le soir ou la nuit, et sans autre forme de procès, exécuté sur une route ou un chemin quelconques des environs. Le matin, les membres de la Croix-Rouge les parcouraient pour enlever les cadavres des fossés et des faubourgs, les photographier, les enterrer, et, si cela était possible, les identifier pour archiver sur une fiche la fin de leur vie et leur mort. La même chose dans les deux zones, dans une sinistre et démente symétrie. À Madrid, à partir d'un certain moment, il y eut ce qu'on appela des tribunaux populaires, mais même si des magistrats y siégeaient (assujettis aux « commissaires politiques » des partis, privés d'indépendance), les méthodes expéditives et plus que sommaires continuèrent à ne ressembler que trop à celles qui avaient précédé leur instauration plutôt inutile pour freiner ou canaliser tant de fureur.

Et donc ma mère s'était lancée par les rues pour hanter commissariats et *chekas* à la recherche du jeune frère perdu, avec l'espoir contradictoire de ne trouver aucune trace de lui : pas dans ces lieux fatidiques qui étaient pourtant ceux par lesquels il fallait toujours commencer, après les disparitions. Elle n'eut pas de chance et le trouva, ou plutôt sa photo de mort toute récente, de jeune mort, de frère mort. Dieu seul sait pourquoi il avait été arrêté par ceux qui l'avaient emmené à la *cheka* de la rue Fomento en même temps qu'une amie qui l'accompagnait et qui subit le même noir destin que lui, prématuré et violent. Peut-être parce qu'il avait mis ce matin-là une cravate insensée et que ces gens ne leur avaient pas trouvé un air suffisamment révolutionnaire (les fameux bleus de travail qui — je l'avais lu chez Thomas, j'avais entendu mes parents le dire, je les avais vus sur mille photos — devinrent l'uniforme civil quasi obligé de tout Madrilène féroce et armé), ou parce qu'ils n'avaient pas salué poing levé, ou parce qu'une imprudente petite croix ou médaille pendait à son cou à elle, des fautes de ce genre étaient prétexte à recevoir une balle dans la tempe ou une décharge dans la poitrine en ces jours de soupçonnite aiguë comme alibi pour l'assassinat superflu, tout comme de l'autre côté ne pas lever le bras à la mode fasciste ou nazie, ou présenter une allure délibérément prolétaire, ou avoir été lecteur de journaux républicains, ou avoir la réputation de passer au large des innombrables églises péninsulaires, celles de la patrie.

Je n'avais jamais cru à l'existence de cette photo bureaucratique de petit format dont j'avais entendu parler. Je veux dire que je ne croyais pas qu'elle soit conservée quelque part, ou gardée, ou en possession de ma mère Elena à qui il était revenu de la trouver, qu'elle l'ait demandée dans la *cheka* aux commissaires politiques de 36 et qu'ils la lui aient donnée, alors qu'elle devait avoir vingt-deux ans, aînée de huit frères et sœurs mais encore très jeune également. Et quand je la découvris par hasard, longtemps après sa mort, enveloppée dans un étrange petit morceau de satin avec deux larges rubans de couleur rouge qui en flanquaient un noir, et le satin rangé dans une petite boîte métallique d'amandes d'Alcalá de Henares avec une autre photo, pas enveloppée celle-là, du frère encore vivant, et la carte de la bibliothèque du doyenné de la faculté des lettres et plusieurs papiers des années trente soigneusement pliés pour qu'ils tiennent tous dans la boîte (parmi eux un poème de rue naïf dédié à Madrid, couronné par le drapeau de la République avec sa couleur violette, quel risque avait couru ma mère en le conservant durant l'éternité du franquisme), ma première impulsion fut de ne pas la regarder, la photo, et de ne pas m'arrêter sur ce que j'avais perçu comme la trace d'un flash ou d'une tache de sang et reconnu rien qu'en dépliant le tissu, je l'avais reconnu à l'instant bien que je ne l'eusse jamais vu et que l'épisode si lointain et si mortel fût très loin dans ma mémoire à ce moment-là. Mon impulsion fut de la recouvrir avec le petit morceau de satin, comme on protège de tout œil vivant le visage d'un cadavre, ou comme si j'avais eu la soudaine conscience qu'on n'est pas responsable de ce qu'on voit mais qu'on l'est de ce qu'on regarde, ce qu'on peut toujours refuser de faire — on peut faire ce choix — après l'inévitable première vision, celle qui est traîtresse, involontaire, fugitive, celle qui vient par surprise, on peut fermer les yeux ou se les cacher avec la main aussitôt, ou tourner la tête, ou choisir de tourner rapidement une page sans s'y arrêter (« Tourne-la, tourne-la, je ne veux ni ton horreur ni ta souffrance. Tourne-la, et alors tu seras sauvé »).

Jusqu'au moment où je m'arrêtais à penser, le cœur battant, et je pensai alors que si ma mère avait demandé et emporté et conservé toute sa vie la photo de cette atrocité, ce n'était assurément pas à cause d'un quelconque sentiment malsain ni pour garder vivante une rancune qui aurait forcément manqué de destinataires concrets, car rien de tout cela ne cadrait avec son caractère. Mais probablement pour pouvoir être certaine, chaque fois que cela lui semblerait impossible — rien d'autre qu'un rêve —, que son frère Alfonso était mort de façon si mesquine et qu'il ne rentrerait plus jamais à la maison, ni en cette nuit passée à courir les rues et les commissariats et les *chekas*, ni en aucune autre. Et pour que l'élément d'irréalité qui finit par envelopper les pertes non transitoires ne s'empare pas tout à fait de ses imaginations nocturnes. Et peut-être aussi, parce que laisser la photo dans ce fichier de morts administrées serait revenu à laisser aux intempéries le corps qu'elle ne put jamais voir, dont elle ne put jamais savoir où il gisait, et ne pas lui donner de sépulture. Et quant à la détruire plus tard, je comprends qu'elle ne l'ait pas fait non plus, même si je suis convaincu qu'elle ne la regarda plus jamais, et que c'était certainement pour ne pas courir le risque de la voir qu'elle l'avait rangée dans ce morceau de tissu rouge et noir, comme un avis ou un signal dissuasif qui l'aurait avertie : « Souviens-toi que je suis là. Souviens-toi que j'existe encore, et qu'il est donc sûr que j'ai existé. Souviens-toi que tu pourrais me voir, et que tu m'as vu. » Et il est presque certain qu'elle ne l'a jamais montrée, cette photo, je ne crois pas. Pas à ses parents, bien sûr, pas à sa mère délicate et toujours craintive, toujours dépassée par tant d'enfants et par les sollicitations continuelles de son mari, le père, qui la voulait tant pour lui qu'il la séquestrait presque ; et pas à lui, pas à ce père aussi sympathique qu'autoritaire, d'origine française, et à cause de qui mon véritable prénom n'est pas Jacobo ni Jaime ni Santiago ni Diego ni Yago, qui sont tous un seul et même prénom, mais Jacques, qui l'est aussi dans sa forme française et par lequel elle a été la seule à m'appeler dans ma vie, ma mère, sauf quelques amis parisiens et si je n'oublie personne. Non, elle n'a pas dû la leur montrer, même si c'était à elle, forcément, qu'il revenait de leur annoncer la nouvelle et de leur raconter sa découverte, ni à ses autres frères et sœurs, tous plus jeunes et impressionnables, et le seul qui ne l'était pas, je veux dire impressionnable, l'aîné des garçons qui la suivait en âge, était caché quelque part dans la ville, changeant sans cesse de domicile en attendant de pouvoir se réfugier dans une ambassade neutre, ou non alignée officiellement. Peut-être malgré tout la montra-t-elle à mon père et à lui uniquement, cette photo, à l'ami inséparable et qui sait, déjà amoureux d'elle si ça se trouve, ou bien la découvrit-il lui-même au commissariat et la prit-il dans le fichier avec un frisson et une malédiction muette, et ce fut lui qui dut la lui montrer à elle, la dernière chose qu'il aurait voulue. Car je crois qu'il l'avait accompagnée durant toute cette nuit et le jour suivant, dans son long pèlerinage angoissé, et à la fin totalement désolé.

Le pire ou presque dans cette photo ce sont les numéros et les étiquettes sur le cou et la poitrine du jeune garçon exécuté sans délit ni faute ni procès, qui fut et ne fut pas mon oncle Alfonso, ou qui l'aurait été. Un 2, et au-dessous 3-20, savoir ce qu'ils signifiaient, quelle méthode de classement improvisé on utilisait pour les morts non nécessaires et anonymes, ils furent si nombreux tout au long de ces années que personne n'a pu les compter et encore moins les nommer, si nombreux dans toute la péninsule, nord et sud et est et ouest. Mais non, le pire, ce n'est pas ça, et comment le serait-ce puisqu'il y a des taches de sang sur le jeune visage, la plus grande sur

# ¡VIVA MADRID!

*Primera Edición*

¡VIVA MADRID!
¡Madrid...!
¡Que hermoso eres!
¡Como acarician las calles
los ojos negros
de tus mujeres
¡Como brilla en la mañana
la risa republicana
de tu gente jaranera!
¡Como ríes...!
¡Como embalsaman tu cielo
perfumes de primavera...
rosas, nardos, alelíes...!
¡Madrid...!
¡Como brilla le alegría
de tu noble corazón!
¡Como sale a borbotones
de tu pecho la riqueza,
remediando la tristeza
cuando tienes ocasión...!
¡Como prodiga tu mano
la limosna del cariño,
en la frente del anciano
y en las mejillas del niño...!
Das curso a tu «calderilla»
sin concederla valor,
derrochando con amor
lo que es una pesadilla
para más de un «gran señor»,
Eres noble, cual cordero,
que vá por donde le guía
la sanguinolenta arpía
disfrazada de carnero.
Sufres callado y humilde
la opresión de los tiranos,
siendo el blanco resignado
de sus tratos inhumanos
Pero un día, sonriente,
sin un gesto de desmayo,
demuestras que eres valiente,
que no necesitas ayo,
y elevas noble tu frente.
Y en esa tarde sublime
del día 15 de abril,
mientras un tirano gime,
tu gritas: ¡Viva Madrid!
Mientras, en Gobernación,
un gran corazón latía,
sin recibir todavía
los mandos de la nación,
que ostentaba aquel Borbón
trece de una dinastía.

Y tú en la calle agitando
tu bandera tricolor,
no veías el dolor
que su pecho iba minando,
por que sufría pensando
en el triunfo de tu honor.
...............................
¡Ya triunfaste noble «gato»!
Solo corresponde ahora,
un recuerdo, dulce y grato,
al gran ALCALA ZAMORA.
¡Modista republicana!
De estudiantes que acaudillas
con tu risa picaresca y cristalina
eres brava capitana.
¡Como ríes...!
¡Como lanzas a tu paso
las saetas del amor!
!Como esquivas ondulante
el intento de un «valiente»,
castigando sonriente
su «temerario valor»...!
¡Como llenan el ambiente
tus gorgeos cantarinos,
que van locos desde el «Puente»
hasta los Cuatro Caminos,
llenando de besos mil
tantos rincones divinos
del BARRIO DE CHAMBERI...!
¡Que hermosa eres mujer!
Contigo... ¡Viva Madrid!
¡Viva este Madrid castizo
pozo de tanta ilusión.
que en un día satisfizo
ansias de liberación,
sin derramar una sola
gota de su sangre brava,
enarbolando en la calle
la enseña republicana!
¡Sangre, trabajo y amor!
¡Cuanto te quiero salero
¡Con tu cielo me embeleso!
Recibe un profundo beso
del POETA CALLEJERO...!

*Julio G. Miranda*

Madrid, 7 de Junio de 1931

## Precio 10 cts.

Canto a Madrid con motivo de los festejos organizados por el Exmo. Ayuntamiento en honor a la República Española
A los organizadores y al Ilustre Gobierno provisional, dedica éste humilde trabajo su autor
Registrado en el Registro de la propiedad intelectual.  Es propiedad

Imp. Sombreret, 11-Telef. 71269

l'oreille, d'où l'on dirait qu'il a jailli, mais aussi sur le nez et sur la joue et le front et sur la paupière gauche fermée, comme des éclaboussures, et son visage ne semble presque pas le même que celui du jeune garçon vivant de l'autre photo qui n'était pas enveloppée dans du satin, ce garçon avec sa cravate. Ce qui est le plus reconnaissable c'est ce qu'on peut entrevoir, sur les deux, de ces incisives centrales un peu saillantes, et aussi cette oreille gauche d'où le mort avait saigné, qui a l'air la même que celle du vivant. Une main amicale était posée sur l'épaule de ce dernier, et quel que soit son propriétaire (ses manches de chemise retroussées comme les miennes maintenant, pendant que je rangeais), il s'était penché pour poser et être sur la photo dans le cadre de laquelle il n'était pas entré malgré tout, c'était peut-être un autre de ses frères, de ma mère Elena et de mon oncle Alfonso, il portait de son vivant une pochette et se coiffait avec une raie sur le côté gauche au-dessus de ses cheveux en pointe sur son front, selon la coutume prédominante à cette époque et qui dura jusqu'à mon enfance, je portais la raie de ce côté-là moi aussi, étant enfant, quand c'était encore ma mère qui nous coiffait avec de l'eau, mes deux frères et moi, avec plus d'application et de minutie la chevelure de ma sœur, plus courte ou plus longue, selon les ans (c'était peut-être sa main aussi, mais fraternelle alors, qui avait eu la responsabilité de coiffer le garçon vivant, quand il était plus petit). Cette photo enveloppée elle l'avait de nouveau enveloppée et rangée après l'avoir vue et ne pas l'avoir vue puis l'avoir regardée un peu, très peu parce qu'il est difficile de le faire et plus encore de la supporter, elle n'aurait jamais dû m'être montrée et je ne dois la montrer à personne. Mais il y a des images qui restent gravées même si elles ne durent que le temps d'un éclair, et c'est ce qui m'était arrivé avec celle-là, au point que je puis la dessiner avec précision de mémoire et c'est ce que je fis tout à coup, après avoir débarrassé la table de Wheeler et alors que tout avait l'air intact, j'évitais ainsi un désagrément domestique à Peter et à Mme Berry quand ils descendraient le lendemain matin, plus tôt que moi sans aucun doute : il devait être très tard, je préférais continuer à ignorer l'heure. Et donc je crois vraiment que mon père eut de la chance, au fond, à la fin de la guerre, quand nombre de vainqueurs ne pensaient qu'à se dédommager, de choses comme celle de mon oncle et même de bien pires encore, et aussi des peurs éprouvées ou de la frustration subie ou des faiblesses montrées ou de la compassion reçue, ou de faits imaginaires ou de rien du tout dans de nombreux cas — le climat était si propice à la vengeance, à l'usurpation, à la récupération, et à l'accomplissement incroyable des rêves les plus chimériques du dépit et de l'envie et de la rage —, et quand certains dotés de plus de cervelle abritaient une autre idée plus large et plus enveloppante, moins passionnelle et plus abstraite, mais dont les résultats étaient tout aussi sanglants quand on les mettait en pratique : l'idée de l'élimination totale de l'ennemi, du vaincu, puis du suspect, et celle du neutre et de l'ambigu et du non-fanatique et du non-enthousiaste, puis celle du modéré et du réticent et du tiède, et toujours celle de celui qu'ils trouvent antipathique.

Si bien qu'en d'autres occasions j'avais de nouveau interrogé mon père, après avoir laissé passer un certain temps depuis la fois précédente, et j'avais essayé de resserrer un peu le siège, jamais beaucoup, je ne voulais pas lui causer de peine excessive ni de mélancolie. Je ne me rappelais pas comment le sujet surgissait, mais il avait chaque fois surgi tout seul, car il ne me venait jamais à l'idée de le forcer. Et je lui avais dit :

« Mais dans l'affaire Del Real, tu n'as vraiment jamais rien su, ou est-ce que tu n'as pas voulu nous en parler ? »

Il me regarda de ses yeux bleus dont je n'ai pas hérité, avec son honnêteté habituelle qui ne m'a pas été transmise non plus ou pas dans la même mesure, et me répondit :

« Non, je n'en ai rien su. Et quand je suis sorti de prison il me dégoûtait tellement que je me suis dit que ça ne valait même pas la peine de le savoir. Ni à travers des tiers ni directement.

— Parce que rien au fond ne t'aurait empêché alors d'aller le trouver, ou de prendre ton téléphone et lui dire : "Mais qu'est-ce que c'est que ça, tu es devenu fou, pourquoi veux-tu me tuer", n'est-ce pas ?

— Cela aurait été lui accorder une importance qu'en réalité il ne méritait pas, quelle que soit l'explication qu'il m'aurait donnée, et le plus probable est qu'il n'en aurait eu aucune et qu'il n'aurait même pas essayé. J'ai vécu ma vie et j'ai essayé de ne pas m'intéresser à lui, même pas quand je subissais des représailles et des refus que je lui devais, à sa grande initiative. Je l'ai supprimé de mon existence. Et c'est la meilleure chose que je pouvais faire, j'en suis convaincu. Non seulement pour mon esprit, mais aussi d'un point de vue pratique. Je ne l'ai jamais revu et je n'ai plus jamais eu le moindre contact avec lui, et quand j'ai appris sa mort, bien des années plus tard, je crois que c'était dans les années quatre-vingt, je ne me rappelle même pas la date exacte, je n'ai rien éprouvé et je n'ai pas eu pour lui deux pensées. En réalité, il était mort depuis des décennies, depuis le jour de la San Isidro 1939. J'imagine que tu comprends.

— Oui, je comprends bien, répondis-je. Ce que je ne comprends pas et n'ai jamais compris c'est que tu n'aies jamais rien soupçonné, que tu ne l'aies pas vu venir alors que tu l'avais près de toi depuis des années et des années, ce genre de chose, c'est dans le caractère. Ni pourquoi il a fait ça, pourquoi on fait ce genre de chose, surtout sans nécessité. Je ne m'explique pas qu'il n'y ait rien eu entre vous, aucun ressentiment, une friction, je ne sais pas, vous auriez courtisé tous les deux la même femme, que sais-je, une offense inconsciente de ta part, ou qu'il aurait pu prendre pour telle même si ce n'en était pas une. Je suis sûr que tu as dû y réfléchir, tout retourner dans ta tête, te souvenir. Je ne peux pas croire que tu ne l'aies pas fait, quand tu étais en prison au moins et que tu ne savais pas ce que tu allais devenir. Ensuite... oui, après, oui, je le crois, que tu ne te sois plus posé de question. Ça, je n'ai aucun mal à le croire.

— Je ne sais pas », avait répondu mon père, et il m'avait regardé un instant avec intérêt, curiosité, presque, comme s'il me rendait un peu, avec déférence, ceux que je lui montrais. Il me regardait parfois de cette façon, comme s'il essayait de mieux comprendre l'homme si différent de lui que j'étais, comme pour essayer de se reconnaître en moi en dépit des différences les plus évidentes et peut-être un peu superficielles, et il me semblait qu'il arrivait quelquefois, « entre les lignes », pour ainsi dire, à me reconnaître. Et après cette pause il avait ajouté : « Tu te souviens de Lissarague ? Ce qu'il a fait est extraordinaire, je vous l'ai raconté plus d'une fois. » Et avant que je lui réponde que je m'en souvenais parfaitement, il entreprit de me rafraîchir la mémoire (ça, c'était quelque chose qu'il aimait beaucoup rappeler et raconter) : « Son intervention fut décisive. Son père, un militaire, avait été assassiné, et il était lié à la Phalange, si bien que, grâce à ces deux particularités, il jouissait à l'époque de la considération franquiste. Mes accusateurs lui demandèrent s'il était au courant de ma conduite pendant la guerre, et comme il répondait par l'affirmative, ils le citèrent comme témoin à charge. Mais lorsqu'on l'interrogea pendant le procès, non seulement il nia toutes les fausses accusations qu'on m'imputait, mais il parla aussi très favorablement de moi. Le procureur s'énerva et, abasourdi par sa déclaration, lui décocha : "Mais est-ce que vous savez que c'est comme témoin à charge que vous avez été cité ?" Ce à quoi Lissarrague répondit : "Je pensais que j'avais été cité pour dire la vérité." Le juge, stupéfait, lui demanda alors de lui expliquer, si tout ce qu'il disait était vrai, à quoi obéissaient alors les très graves dénonciations portées contre moi. Et Lissarrague répondit de façon concise et sans hésiter : "La jalousie." Tu vois, lui et d'autres l'avaient vu comme ça et ne cherchèrent pas ailleurs. Et moi, pourtant, je ne suis pas sûr que l'explication était aussi simple.

— Eh bien un point de plus en ma faveur, en profitai-je pour dire aussitôt. Raison de plus pour que tu te sois posé des questions, non ? Si la raison la plus simple ne te suffisait pas, celle que tout le monde sauf toi tenait pour bonne.

— Non, ça ne me suffisait pas, avait alors répliqué mon père avec un léger accent d'amour-propre intellectuel. Mais cela ne signifie pas que j'aie trouvé l'explication complexe, ni que la trouver m'intéressait suffisamment pour y passer mon temps ou adresser de nouveau la parole à cet homme, je n'allais pas lui demander de comptes. Il y a des personnes dont les mobiles ne méritent pas d'être examinés, même s'ils les ont poussés à commettre des actes terribles, ou précisément pour cela. C'est là quelque chose, je le sais, qui va totalement contre la tendance actuelle. Aujourd'hui tout le monde se demande ce qui conduit un tueur en série ou de masse à tuer en série ou massivement, un collectionneur de viols à accroître sans cesse sa collection, un terroriste à mépriser toutes les vies au nom d'une cause primitive et d'en finir avec le plus grand nombre possible d'entre elles, un tyran à tyranniser sans limites, un tortionnaire à torturer sans limites, qu'il le fasse de façon bureaucratique ou sadique. Il existe une obsession de comprendre ce qui est odieux, au fond il y a une fascination malsaine pour ça, et on fait par là une immense faveur aux gens odieux. Je ne partage pas cette curiosité infinie de notre époque pour ce qui n'a en aucun cas de justification, même si on y trouve mille explications différentes, psychologiques, sociologiques, biographiques, religieuses, historiques, culturelles, patriotiques, politiques, idiosyncrasiques, économiques, anthropologiques, peu importe. Je ne peux perdre mon temps à m'interroger sur le mal et le pernicieux, leur intérêt est toujours médiocre dans le meilleur des cas et souvent nul, je t'assure, j'ai beaucoup vu. Le mal est généralement simple, même s'il n'est parfois pas *si* simple, si tu es capable d'apprécier la nuance. Mais il y a des recherches qui souillent, et il y en a même qui vous contaminent sans rien donner d'appréciable en échange. Il existe aujourd'hui un goût de s'exposer à ce qui est le plus bas et le plus vil, au monstrueux et à l'aberrant, de se pencher pour l'observer sur l'infrahumain et s'y frotter comme si cela avait du prestige ou si c'était amusant, comme si c'était plus important que les cent mille conflits qui nous assaillent sans tomber dans cela. Il y a dans cette attitude un élément d'orgueil, aussi, un de plus : on approfondit l'anormal, le répugnant et le mesquin comme si notre norme était celle du respect, de la générosité et de la droiture et comme s'il fallait analyser au microscope tout ce qui en sort : comme si la mauvaise foi et la trahison, la malveillance et la volonté de faire mal ne faisaient pas partie de cette norme et étaient exceptionnelles, et méritaient pour cela toute notre inquiétude et notre plus grande attention. Et il n'en va pas ainsi. Tout cela fait partie de la norme et n'a rien de mystérieux, pas plus que la bonne foi. Mais cette époque se donne à la sottise, aux évidences et au superflu, et nous nous en contentons. Ce devrait plutôt être le contraire : il y a des actes si abominables ou si méprisables que le simple fait qu'on les commette devrait annuler toute curiosité possible pour ceux qui les commettent, et ne pas la créer ni la susciter, comme cela se fait aujourd'hui de façon si imbécile. Et c'est ce qui s'est passé dans mon cas, bien que ce fût *mon* cas, ma vie. Ce que cet ex-ami avait fait avec moi était si injustifiable, et si inadmissible et si grave du point de vue de l'amitié, que sa personne tout entière cessa à l'instant de m'intéresser : son présent, son avenir et aussi son passé, même si j'en faisais partie. Je n'avais pas besoin d'en savoir davantage, et je n'y étais pas disposé non plus. »

Il s'était arrêté et m'avait de nouveau regardé fixement et dans l'expectative, comme si je n'étais pas l'un de ses fils bien connus mais un ami plus jeune, un ami de fraîche date qui serait venu le voir ce matin-là chez lui à Madrid, dans sa maison si lumineuse et si accueillante. Et comme s'il avait pu attendre de moi une réaction nouvelle à ce qu'il venait de dire.

« Tu es meilleur que moi, tel fut mon commentaire. Ou s'il n'est pas question de meilleur ou de pire, alors tu es plus malin et plus libre. Je ne peux pas le jurer, mais je crois que moi j'aurais cherché à me venger. Après la mort de Franco, je ne sais pas, quand cela aurait été faisable. »

Mon père avait ri alors, et ça, oui, il l'avait fait paternellement, plus ou moins comme lorsque enfants nous sortions d'énormes naïvetés ou des incongruités devant les visiteurs.

« C'est possible, avait-il dit, toi tu as une propension à t'accrocher aux choses, Jacobo, tu as du mal à te dégager de certaines, tu ne sais pas toujours prendre de la distance. Mais surtout c'est le signe que tu te sens encore très jeune. Tu crois encore disposer d'un temps illimité, assez pour le gaspiller. Tu auras peut-être du mal à le comprendre, mais essayer de me venger n'aurait été que perdre plus de temps encore à cause de lui, et de ce point de vue les mois de prison m'ont suffi. De plus, je lui aurais donné une sorte de justification a posteriori, un mauvais prétexte, un motif anachronique à sa conduite. Tiens compte du fait que dans l'ensemble d'une vie la chronologie perd peu à peu de son importance, on ne distingue plus autant ce qui est venu avant de ce qui est venu ensuite, ni les actes de leurs conséquences, ni les décisions de ce qu'elles entraînent. Il aurait pu penser qu'en fin de compte je lui avais fait quelque chose, peu importe quand, et aller au tombeau plus en accord avec lui-même. Et il n'en a pas été ainsi, il n'en a rien été. Je ne lui ai jamais fait de tort, jamais je ne lui ai ni ne lui avais fait quoi que ce fût, ni avant ni après ni bien entendu à cette époque. Et c'est peut-être ça qu'il n'a pas toléré, qui lui faisait mal. Il y a des personnes qui ne vous pardonnent pas de bien vous comporter avec elles, de leur être loyal, de les défendre et de leur accorder votre soutien, ne parlons pas de leur rendre un service ou de les tirer d'un ennui, cela peut être la sentence définitive pour le bienfaiteur, je te parie ce que tu voudras que tu en connais des exemples toi-même. C'est comme si ces personnes se sentaient humiliées par l'affection et les bonnes intentions, ou qu'elles pensaient qu'en agissant ainsi on les rabaisse, ou qu'elles ne supportaient pas de se croire en dette imaginaire, ou obligées d'être reconnaissantes, je ne sais pas. Bien entendu, ces individus ne voudraient pas le contraire non plus, grand Dieu, ils sont d'une grande insécurité. Et ils pardonneraient encore moins qu'on se conduise mal avec eux, et de façon déloyale, qu'on leur refuse des services et qu'on les laisse dans leur pétrin. Il y a des personnes qui sont tout simplement impossibles, et la seule attitude sage est de s'écarter d'elles et de les tenir éloignées, de ne les laisser approcher sous aucun prétexte, bon ou mauvais, de faire en sorte qu'elles ne comptent pas sur vous, de ne pas exister pour elles, pas même pour les combattre. Bien sûr, c'est là un *desideratum*. Malheureusement, on ne devient pas invisible à volonté et selon son choix. Mais regarde, quand j'étais en prison notre amie Margarita est venue me visiter (un rideau métallique nous séparait), et elle était si indignée des manifestations de mon délateur qu'elle entendait ici et là, que sa véhémence attira l'attention de mes geôliers. Ils lui demandèrent de qui elle parlait comme ça, ils devaient craindre que ce ne soit de Franco lui-même. Elle le leur dit, car elle était d'humeur très vive, et alors ils la firent accompagner jusqu'à chez lui pour vérifier si c'était vrai. Sa mère était là, Margarita la connaissait (bon, nous la connaissions tous, les rapports avaient été ceux d'une longue et pleine amitié) et elle profita de l'occasion pour essayer de la convaincre de faire entendre raison à son fils pour qu'il retire cette dénonciation injuste et incompréhensible. Cette dame, qui l'aimait beaucoup, l'écouta avec un mélange de stupeur et de malaise. Mais finalement, sa foi maternelle fut plus forte que toute autre considération, et pour disculper son fils elle ne trouva rien d'autre à lui dire que : "La patrie est la patrie." Ce à quoi Margarita répondit : "Oui, et les mensonges sont les mensonges." »

Mon père s'était tu de nouveau, mais cette fois il ne me regarda pas, il dirigea son regard vers le bras de son fauteuil. Brusquement il me parut fatigué, ou peut-être distrait par quelque chose d'étranger à la conversation. Je ne savais pas exactement s'il s'était un peu perdu dans ses souvenirs et ne pensait rien ajouter, ou s'il voulait encore relier le dernier épisode au précédent et me présenter une conclusion. Je me dis que je n'aurais pas l'occasion de le savoir, parce que ma sœur était arrivée (mon père avait peut-être entendu son ascenseur) et venait d'entrer dans le salon, elle n'avait eu le temps d'entendre que la phrase citée de Margarita, je suppose, parce qu'elle nous demanda aussitôt d'un ton jovial et de reproche mal feint :

« Mais de quoi discutez-vous donc ? »

Et j'avais répondu :

« De rien, nous parlions du passé.

— De quel passé ? J'en faisais partie ? »

Mon père était particulièrement heureux de voir ma sœur, bien qu'elle ressemblât un peu moins que moi à notre mère. Ou pas exactement : elle lui ressemblait davantage parce que c'était une femme, mais moins par ses traits, que je reproduisais sur mon visage d'homme avec une inquiétante fidélité. Il lui avait répondu avec un sourire ironique et content, dans une fusion harmonieuse et habituelle :

« Non, tu n'en faisais pas partie, pas même comme embryon de projet de possibilité de hasard. » Et aussitôt il ne s'était adressé qu'à moi, pour conclure : « Les mensonges sont les mensonges, tu vois. En fait, il n'y a rien d'autre à dire, ni davantage de temps à perdre avec ces choses.

— Quand on en est sorti, évidemment. Je veux dire : plus ou moins bien, ajoutai-je

— Une fois qu'on en est sorti, c'est tenu pour acquis. Qu'on s'en soit bien ou moins bien sorti. Mais c'est tenu pour acquis : si je n'en étais pas sorti, nous ne serions pas en train de discuter toi et moi, et cette jeune personne encore moins.

— Dites, c'est secret défense, ce dont vous discutez ? »

C'est ce que ma sœur avait dit alors, je m'en souvenais bien, et c'est ainsi que me revenaient ces souvenirs tandis que je me glissais enfin dans le lit bien connu préparé par Mme Berry de très longues heures plus tôt, après avoir remis à sa place également l'exemplaire dédicacé de *Bons baisers de Russie* dans la pièce contiguë, je croyais avoir tout laissé en ordre, et j'avais même nettoyé une étrange tache de sang que je n'avais pas versé ni provoqué et qui maintenant, au milieu de l'ébriété et de la fatigue, et comme je l'avais prévu avant de l'effacer complètement et de supprimer son cercle ou sa fin extrême, commençait à me sembler irréelle, produit de mon imagination. Ou de mes lectures peut-être. Sans m'en rendre compte, j'avais beaucoup lu sur les jours de sang de mon pays. Sang de Nin, sang de mon oncle qui ne le fut pas, sang de tant d'hommes sans nom ou qui avaient dû le quitter et ne plus habiter la terre. Et sang de mon père recherché, que les autres n'avaient pu répandre (sang de mon sang qui ne jaillit ni ne m'éclaboussa). « La patrie est la patrie », pauvre et captive mère que celle du traître. Phrase inextricable, sans signification, comme toute tautologie, creux le mot, rudimentaire le concept, fanatique son application. Il ne faut jamais se fier à ceux qui l'ont employé ou auraient pu le faire, mais comment savoir si ce mot était employé dans ce sens par quelqu'un qui parlait anglais et disait « *country* », qui signifie presque toujours « pays » et parfois simplement « campagne », mot totalement inoffensif dans ma langue. Du deuxième étage on entendait encore mieux la rumeur de la rivière, calme et patient ou mou et languissant le son qui monte, ou était-ce à cause de l'aile du bâtiment où je me trouvais maintenant, enfin couché. Je remarquais déjà une légère clarté dans le ciel ou du moins le croyais-je, elle était à peine perceptible, je pouvais tout à fait douter de ma vue. Mais làbas on est invité à la remarquer, même lorsqu'il fait nuit noire et à l'heure que les Latins appelaient conticinium, mot que ma langue a maintenant oublié, par cette curieuse volonté anglaise de dormir sans persiennes à laquelle je n'ai jamais pu m'habituer, il n'y en a pas, ils n'en ont pas, pas plus que de rideaux ou de contrevents à leur place, mais souvent des voilages transparents qui ne protègent ni ne cachent ni ne calment, comme si les habitants de cette grande île, où j'ai passé plus de temps qu'il n'était à conseiller et jamais de façon prévue, si j'ajoute l'avant et l'après, le maintenant et l'avant-hier, devaient garder un œil ouvert quand ils s'endorment. « Et les mensonges sont les mensonges », autre tautologie sans signification, même si en l'occurrence le mot n'était pas creux, ni le concept rudimentaire, ni fanatique son utilisation, mais universel, sans effort, routinier, constant, au point de devenir machinal et irréfléchi parfois, et plus il l'est plus il est difficile de l'identifier, de le distinguer, et plus grande est alors sa vérité, celle des contrevérités, et plus grand notre manque de défense. « Les mensonges sont les mensonges, mais il y a un temps pour tout croire. » Comme si je croyais maintenant la rivière en comprenant sa rumeur, et qu'en croyant la comprendre je répétais avec elle, tandis que je m'endormais avec l'œil ouvert de ce pays qui pour certains est patrie, doucement, mollement, avec l'œil ouvert de ma contamination et de la clarté inexistante : « Je suis la rivière, je suis la rivière et par conséquent un fil de continuité entre vivants et morts tout comme les contes qui nous parlent la nuit, je ressemble aux temps et aussi aux faits, je suis la rivière. Mais la rivière est la rivière. Et rien de plus. »

## 2. LANCE

On ne sait jamais vraiment quand on gagne la confiance des gens, et moins encore quand on la perd. Je veux dire celle de quelqu'un qui n'en parlerait jamais, n'émettrait pas de protestations d'amitié ni de reproches, n'emploierait jamais ces mots — méfiance, amitié, inimitié, confiance —, ou seulement comme élément moqueur de ses représentations et dialogues naturels, comme résonance et citation de tirades et de scènes des temps anciens qui nous semblent toujours naïfs, demain aujourd'hui le sera lui aussi pour ceux qui viendront, quels qu'ils soient, et seuls ceux qui le savent clairement s'épargnent les accélérations du pouls et le manque d'air, et ne soumettent donc pas leurs artères aux soubresauts. Mais c'est quelque chose qu'il est difficile de voir ou d'accepter, si bien que les cœurs ne cessent de chavirer et les bouches d'être empâtées et d'avoir des exhalaisons et les jambes de trembler, comment ai-je pu — se disent les hommes en leur for intérieur — être aussi bête, être aussi malin, aussi suspicieux, aussi crédule, aussi poire, aussi sceptique, celui qui fait confiance n'est pas forcément plus ingénu que celui qui se méfie, le cynique ne l'est pas moins que celui qui se rend sans conditions et s'est remis entre nos mains et nous présente sa nuque pour le premier ou le dernier coup de hache, ou sa poitrine pour que nous la transpercions de notre lance la plus pointue. Les plus sceptiques et les plus malins

201

et les plus rusés eux-mêmes deviennent un peu naïfs une fois qu'ils sont expulsés du temps, une fois qu'ils sont passés et qu'on connaît leur histoire (elle court de bouche en bouche et prend ainsi forme). C'est peut-être cela, la fin et la connaissance de la fin, savoir ce qui est arrivé et ce que sont devenues les choses, qui a été surpris et qui a mené la mystification, qui s'en est sorti à son avantage ou en piteux état ou bien a fait partie nulle, et qui n'a pas parié et par conséquent n'a couru aucun risque, qui — même ainsi — est sorti perdant parce qu'il a été entraîné par le courant du grand fleuve plus puissant, toujours peuplé de tant de tricheurs, tant de gens qui finissent toujours par compromettre tous les passagers, même les plus passifs, les indifférents, les méprisants et les réprobateurs, ceux qui sont opposés et les plus réticents ; et aussi les riverains. Il ne semble pas possible de rester à part, en marge, de s'enfermer chez soi et de ne rien savoir et ne rien vouloir — ne pas vouloir vouloir même, c'est à peu près inutile —, ne pas ouvrir sa boîte aux lettres et ne jamais répondre au téléphone, ni tirer le verrou, même si quelqu'un persiste à sonner et qu'on dirait qu'il va enfoncer notre porte, il ne semble pas possible de faire semblant qu'il n'y a personne ou que celui qui était là est mort et ne vous entend pas, de devenir invisible à volonté et quand on le veut, de se taire et de retenir éternellement sa respiration tant qu'on est vivant, c'est autre chose, ce n'est pas tout à fait possible non plus quand on croit ne plus habiter cette terre, s'être défait, même, de son propre nom. Il n'est pas si facile que cela arrive, il n'est pas facile de l'effacer et de s'effacer et qu'il n'y ait plus aucune trace, pas même la dernière courbe ou la dernière fin du cercle, il n'est pas simple de n'être plus que cette tache de sang qu'on lave et qu'on frotte et qu'on élimine et alors..., alors les gens peuvent commencer à douter qu'on ait jamais existé. Et dans chaque vestige on perçoit toujours l'ombre d'une histoire, peut-être pas complète ou indubitablement incomplète, pleine de lacunes, fantomatique, hiéroglyphique, cadavérique ou fragmentaire comme des morceaux de plaques commémoratives ou comme des ruines de tympans aux inscriptions illisibles, et on peut même parfaitement ignorer la façon dont elle s'achève, comme dans le cas de Nin et dans celui de mon oncle Alfonso et de sa jeune amie avec une balle dans la nuque et sans nom jamais, et dans celui de tant d'autres dont je ne sais et dont personne ne raconte rien. Mais une chose est la façon de finir et une autre la fin elle-même, qu'on connaît toujours : tout comme une chose est le temps et une autre son contenu, jamais répétitif, infiniment variable, alors que le temps est homogène et ne s'altère pas. Et c'est cette fin connue qui nous permet de taxer tout le monde de naïveté et de vanité, les intelligents et les sots, ceux qui se livrent et ceux qui sont fuyants et revêches, les ingénus, les circonspects et ceux qui ont ourdi des conspirations et tendu des pièges, les victimes et les bourreaux et les fugitifs, ceux qui sont inoffensifs et ceux qui ont été nuisibles, depuis la fausse supériorité — le temps y mettra fin, c'est le temps, le temps qui y remédiera — de ceux qui ne sont pas arrivés à leur terme et cheminent encore à tâtons, borgnes, ou marchent, légers, avec lance et écu, ou déjà fatigués et lents, l'écu cabossé et la lance émoussée et sans tranchant, sans que nous nous rendions compte ou presque que bientôt nous serons avec eux, avec les expulsés ou ceux qui sont déjà passés et alors..., alors nos jugements si pleins de commisération et si aigus seront eux-mêmes taxés de vains et de naïfs, pourquoi a-t-il fait ça, dira-t-on de toi, pourquoi tant d'angoisse et une telle accélération du pouls, à quoi bon tel mouvement, et tel chavirement du cœur ; et on dira de moi : pourquoi a-t-il parlé ou s'est-il tu et a-t-il été si absent, à quoi bon tel vertige, tant de doutes et un tel tourment, pourquoi donc a-t-il fait tous ces pas. Et des deux on dira : pourquoi se sont-ils affrontés et à quoi bon tant d'efforts, pourquoi se sont-ils fait la guerre au lieu de regarder et de rester tranquilles, pourquoi n'ont-ils pas su se voir ou continuer à se voir, et à quoi servent tous ces rêves et cette égratignure, ma douleur, ma parole, ta fièvre, et tant de doutes, et un tel tourment.

Et pourtant c'est et ce sera toujours ainsi, c'est ce que me dit Tupra en certaine occasion et ce que me dit clairement Wheeler le lendemain matin pendant notre petit déjeuner. Et si Tupra ne me l'avait pas dit aussi clairement, c'est sans aucun doute parce qu'il ne devait jamais parler de ça ni employer des mots comme méfiance, amitié, inimitié, confiance, ou pas sérieusement, sans les relier à lui-même, comme si aucun d'entre eux ne pouvait lui incomber ni le toucher, et n'entrait dans ses expériences. « C'est le style du monde », disait-il parfois, comme si c'était vraiment tout ce qu'on pouvait dire à ce sujet et que tout le reste ne soit qu'ornement et peut-être un tourment inutile. Il n'attendait rien, je crois, aucune loyauté mais aucune trahison non plus, et s'il se trouvait face à l'une ou à l'autre il ne semblait pas s'étonner, ni prendre d'autres mesures que les plus recommandables du point de vue pratique. Et il n'attendait ni estime ni affection mais ni antipathie ni aversion non plus, bien qu'il sût parfaitement que la terre est infestée de chacun de ces sentiments, et que souvent les individus ne peuvent éviter ni les uns ni les autres et d'ailleurs ne le veulent pas, parce qu'ils sont mèche et aliment de leur combustion, et aussi leur raison et leur lumière. Et parce qu'ils n'ont pas besoin de motif ni d'objectif pour rien de tout cela, de finalité ni de cause, de reconnaissance ni d'offense ou pas toujours, ou selon

Wheeler, qui fut plus explicite, « leurs probabilités coulent dans leurs veines, et ce n'est qu'une question de temps, de tentations et de circonstances qui puissent les amener à les réaliser ».

Je n'ai jamais su, donc, si j'ai jamais gagné la confiance de Tupra, ni si je l'ai perdue, ni quand, il n'y a sans doute pas eu un moment pour chacune de ces deux phases ou pour ces mouvements de l'âme, ou on n'aurait pas pu leur donner de nom, ces noms, celui de gain, celui de perte. Il ne parlait pas de cela, en fait il ne parlait clairement de presque rien, et sans les explications préliminaires de Wheeler en ce dimanche oxfordien, je n'aurais peut-être jamais rien su de précis ni d'imprécis sur mes fonctions, et je n'aurais même pas deviné leur sens ni leur objet. Bien entendu, je n'ai jamais pu tout savoir ni tout comprendre : ce qu'on faisait de mes avis ou de mes impressions ou de mes rapports, à qui ils étaient destinés en dernière instance ou à quoi ils servaient exactement, quelles conséquences ils entraînaient ni s'ils en entraînaient ou s'ils appartenaient au contraire à ce genre de tâches et d'activités qu'on accomplit dans certains organismes et institutions parce qu'on les fait depuis longtemps, mais sans que personne se souvienne pourquoi on a commencé un jour à les faire ni se demande s'il faut les poursuivre. Il m'est arrivé de penser qu'on ne faisait que les archiver, à tout hasard. Quelle formule étrange, mais qui justifie tout : à tout hasard. Jusqu'aux choses les plus absurdes. Je crois que cela n'est plus le cas, mais autrefois, quand on visitait les États-Unis, on demandait dans un formulaire à tout voyageur qui y entrait de dire s'il avait l'intention d'attenter contre la vie du président de ce pays. Comme on peut le penser, jamais personne n'y a répondu par l'affirmative — c'était une déclaration sous serment — sauf pour faire une blague qui coûtait généralement très cher à une frontière si austère, et moins que quiconque l'hypothétique magnicide ou chacal qui y aurait débarqué précisément et sans autre objet ou mission que celle-là. La raison de cette question insensée était apparemment que, s'il prenait à un étranger l'envie d'attenter contre Eisenhower ou Kennedy ou Lyndon Johnson ou Nixon, on ajoutait à la charge principale celle de parjure ; c'est-à-dire que la question était posée de façon malintentionnée et à tout hasard. Je n'ai jamais compris, cependant, l'importance ou l'avantage de cette circonstance aggravante supplémentaire contre quelqu'un accusé de descendre ou d'essayer de descendre la personne de plus haut rang de cette nation, ce qui serait en soi un délit d'une gravité difficile à surpasser. Mais c'est ainsi que fonctionnent les choses qui sont là à tout hasard, je suppose. On prévoit les faits les plus invraisemblables et les plus improbables et on agit en comptant avec eux même s'ils ne se produisent jamais, presque toujours inutilement. On effectue des tâches infructueuses ou superflues qui ne seront sûrement jamais d'aucune utilité ni d'aucun profit, on travaille sur des éventualités et des idées et des hypothèses, sur le néant et sur ce qui n'existe pas et sur tout ce qui n'arrive pas et n'est jamais arrivé précédemment. Et c'est cela, tenir compte du hasard.

Au début on m'appela, trois fois dans le bref espace d'une dizaine de jours, pour servir d'interprète, bien que ces gens eussent pu en trouver d'autres à engager à l'heure, et en comptent même quelques-uns de passables dans leur personnel, comme la jeune Pérez Nuix, dont je fis la connaissance un peu plus tard. En deux de ces occasions j'eus à peine à intervenir, car les deux individus chiliens et les trois Mexicains avec lesquels Tupra et son subordonné Mulryan partagèrent leurs rapides déjeuners — tous les cinq hommes d'affaires ennuyeux, vaguement diplomates, vaguement législatifs et parlementaires — parlaient un anglais utilitaire assez acceptable, et ma présence au restaurant ne fut nécessaire que pour balayer une hésitation de type lexical et pour que les termes finaux des accords préalables auxquels ils parvinrent visiblement soient bien clairs pour les deux parties et qu'il n'y ait pas de possibilité de malentendus ultérieurs, volontaires on non. En fait, je ne fus requis que pour faire le résumé. Je ne compris pas grand-chose à ce dont ils traitaient, comme c'est le cas pour moi dans n'importe quelle langue quand je n'arrive pas à m'intéresser à ce que mes oreilles entendent. Je veux dire que bien sûr je comprenais les mots et aussi les phrases, et que je pouvais les convertir et les reproduire et les transmettre sans aucun problème, mais que je ne compris ni les sujets ni leurs fonds respectifs, qui m'étaient indifférents.

La troisième occasion fut plus étrange et plus distrayante et j'y méritai mieux mon salaire, parce que je fus convoqué dans le bureau de Tupra où je dus traduire ce qui de toute évidence me sembla un interrogatoire. Non pas celui de quelqu'un qu'on venait d'arrêter ou d'un prisonnier ni même d'un suspect, mais peut-être bien en revanche — pourrait-on dire — celui d'un infiltré ou d'un transfuge ou d'un informateur en qui Tupra et Mulryan n'auraient pas encore eu entière confiance, tous deux posaient des questions (mais Mulryan davantage que Tupra, qui restait sur la réserve) que je répétais en espagnol à ce Vénézuélien grand et solide d'âge moyen, en civil et un peu mal à l'aise dans ces vêtements, ou disons inquiet, contraint, comme s'ils lui avaient été prêtés et provisoires ou récemment acquis, comme s'il se sentait instable et peut-être un peu acteur sans l'uniforme plus que probable auquel il devait être habitué. Avec sa moustache raide et son visage large et hâlé, ses sourcils véloces simplement séparés par deux petites touches cuivrées qui encadraient un espace aussi fin qu'une mouche transférée du menton sur le front, avec son thorax très convexe, parfait pour porter et rehausser des médailles mais trop gonflé pour ne supporter qu'une chemise blanche, une cravate sombre et une veste claire croisée (vision rare à Londres, elle avait l'air sur le point d'éclater, avec ses trois boutons fermés comme une réminiscence de sa vareuse), je n'avais aucune peine à l'imaginer avec une casquette plate de militaire sud-américain, ou mieux, ses cheveux à épaisses pointes noires et blanches qui naissaient trop bas réclamaient à cor et à cri une visière vernie qui concentrerait toute l'attention sur elle et cacherait ou dissimulerait leur implantation si envahissante.

Les questions de Mulryan, plus quelques-unes, occasionnelles, de Tupra, étaient polies mais très rapides et très directes (ils semblaient tous deux aller toujours directement au fait, tout comme dans leurs conversations avec les juristes ou sénateurs ou diplomates chiliens et mexicains, ils n'étaient pas disposés à y passer plus de temps qu'il n'en fallait, on voyait qu'ils étaient experts en négociations, entraînés, et qu'il leur était égal d'être un peu abrupts), et je vis qu'ils attendaient la même chose de moi dans mes traductions, que je reproduise avec exactitude non seulement leurs paroles mais aussi leur instance et leur ton plutôt coupant, et si j'hésitai par deux fois parce que le manque total de préambules et de circonlocutions ne convient pas toujours très bien à ma langue, Mulryan me fit en ces deux occasions un geste doux mais non équivoque, en joignant deux doigts pour me faire signe de me dépêcher et de ne pas réfléchir à des formulations de mon cru. Ce militaire vénézuélien ne savait pas un mot d'anglais, mais il prêtait autant l'oreille aux voix des Britanniques lorsqu'ils lui posaient les questions qu'à la mienne quand je lui permettais de comprendre leurs interrogations, bien qu'il ne regardât inévitablement que moi, ne s'adressât qu'à moi, qui n'étais que le commissionnaire, au moment de donner ses réponses, trop conscient qu'il était que j'étais le seul à les comprendre d'emblée. Je n'étais pas beaucoup plus informé de l'ensemble du sujet traité grâce à lui et je ne comprenais pas avec une totale précision le fond de ces questions, mais ma curiosité se réveilla davantage, assurément, que pendant les repas, soporifiques en vérité et aux contenus plus abstraits pour un profane. Je me souviens de lui avoir traduit des questions, à ce militaire déguisé et mal à l'aise, au sujet des forces sur lesquelles ils comptaient, lui et les siens, qui que fussent ces derniers, les certaines et les probables, et qu'il répondit qu'il n'y avait jamais rien de sûr au Venezuela, que ce qui était considéré comme sûr n'était jamais que simplement probable, et ce qui était défini comme probable était toujours une inconnue. Et je me souviens que cette réponse impatienta Mulryan, qui poussait à concrétiser et à préciser au maximum, et qu'elle provoqua l'une des interventions de Tupra, peut-être plus au fait des généralités et des réponses évasives à cause de ses possibles équipées de plusieurs années à l'étranger, et de ses travaux et missions de terrain, et de ses pactes avec divers insurgés, c'est ce que je pensai, je lui avais construit ce passé dès le premier moment, chez Wheeler. « Dites-moi alors les forces probables », c'est aussi simplement que cela qu'il avait esquivé les réserves de l'interrogé et la mauvaise humeur de Mulryan. Il interrogea aussi le premier sur le soutien logistique garanti « *from abroad* », que je traduisis par « de l'étranger », mais en ajoutant « extérieur, du dehors », pour qu'il n'y ait pas de doute. Il comprit très certainement la même chose que moi, à savoir qu'il s'agissait là d'un euphémisme pour faire allusion à un seul soutien concret, celui des États-Unis. Il répondit que cela dépendait dans une grande mesure du résultat et de la popularité de la première phase des opérations, que « les gens de l'extérieur » attendaient toujours le dernier moment avant de s'engager clairement et de participer « avec armes et bagages » à une quelconque entreprise, il utilisa cette expression, peut-être ici autant au sens littéral qu'au sens figuré. Mais devant l'irritation visible et croissante de Mulryan il ajouta que « l'Ambásador » — il l'appela ainsi, avec une diction hispanique mais dans un anglais supposé, écartant toute espèce de doute sur la personne à qui il faisait allusion — lui avait promis une reconnaissance officielle immédiate s'il n'y avait qu'une faible opposition ou si cette dernière était « embullée » tout de suite, je n'avais jamais entendu ce participe ridicule mais je saisis sans aucun problème sa signification. Le terme ne me semblait guère martial, plus propre d'un politicien baratineur et abruti ou d'un cadre supérieur tout aussi abruti, versions modernes des vendeurs de lotions contre la calvitie.

« Et vous pensez cela possible, qu'il n'y ait pas de résistance ou qu'elle se réduise à des foyers isolés ? » lui demanda Mulryan (j'avais traduit ainsi le mot absurde, non seulement la fidélité était difficile en l'occurrence, mais elle m'aurait fait honte). Et il ajouta : « Cela ne semble pas très probable, avec ce chef si querelleur et obstiné et tellement idolâtré en son temps, il a encore de nombreux inconditionnels, n'est-ce pas ? Et si la résistance est forte, les gens de l'extérieur ne lèveront pas le petit doigt et ne reconnaîtront personne avant de constater que la situation s'est décantée dans l'un ou l'autre sens, et cela pourrait prendre du temps. Ils attendraient les événements, et c'est aussi cela ce qu'ils sont venus vous dire. Non ?

— Bon, c'est possible, nous devrions peut-être le comprendre de cette façon. Mais si nous respectons le chef, je veux dire sa personne physique, je ne crois pas que de nombreuses unités jouent leur vie uniquement pour défendre son siège, pas plus qu'il n'y aurait beaucoup de Vénézuéliens pour le faire. L'énorme lassitude du pays agirait en notre faveur, et la classe politique traditionnelle nous appuierait pleinement, c'est sûr, sitôt que nous annoncerions de rapides élections.

— Vous voulez dire probable, intervint Tupra.

— Je veux dire très probable, effectivement », se corrigea le militaire, troublé et sans esquisser ne fût-ce qu'un demi-sourire, il avait vraiment l'air sur ses gardes, tendu et fragile comme s'il se sentait en faute, ou pris entre des loyautés opposées.

Il ne m'échappa pas durant l'interrogatoire que ni Mulryan ni Tupra n'utilisèrent jamais le moindre vocatif, ils n'appelèrent d'aucune façon ce civil mal déguisé, pas une seule fois ils ne lui dirent « M. Untel », ni bien sûr « général », ou « colonel », ou « commandant », ou quel que fût le grade de cet individu. J'imaginai qu'ils préféraient que j'ignore au moins avec qui ils parlaient, puisque j'étais au courant de tout ce dont il était question.

« Voyons si je comprends bien quelque chose qui est important, ou même plus, qui est décisif, poursuivit alors

Tupra. Vous n'iriez en aucun cas contre le chef, contre sa personne, n'est-ce pas ? Vous n'iriez que contre son siège, comme il a été dit. Contre lui, contre son intégrité physique, en aucun cas. Ai-je bien compris ? »

Ce monsieur vénézuélien desserra sa cravate, de façon instinctive, c'est tout juste s'il le fit, c'était plutôt le geste de se soulager ; il remua dans son fauteuil ; il étira un peu les jambes comme s'il venait soudain de se rendre compte que le pli de son pantalon n'était pas droit, en fait il en remonta les jambes avec tact et en levant les pieds, l'un après l'autre, et je remarquai alors qu'il portait des bottines d'un vert très foncé, comme de la peau de crocodile, d'imitation peut-être, je ne sais pas faire la distinction. Je pensai qu'il ruminait et gagnait du temps, qu'il n'était pas sûr de ce qu'il convenait de répondre maintenant. Je pensai que Tupra était plus habile que Mulryan et que c'était pour cela qu'il ne se prodiguait pas, pour ne pas se faire connaître ni s'user et être toujours frais, en supervisant avec un certain recul.

« Ce serait tenter le diable, je ne sais pas si vous me comprenez. Ce serait dangereux, cela pourrait avoir des effets contraires, allumer une flamme qui ne devrait jamais naître, ne fût-ce que de la taille d'une seule allumette. Il ne devrait lui être fait aucun mal, c'est une chose qui est tout à fait claire pour nous, nous prendrions des gants, ne vous inquiétez pas, il est intouchable. Autrement, les soutiens sur lesquels nous comptons seraient ébranlés. Pas tous, bien sûr, mais une partie. »

Je me souviens que Tupra eut un sourire de pitié affectée et fit une pause, et que Mulryan n'osa pas reprendre les questions avant d'être bien certain que son supérieur s'était de nouveau retiré de l'interrogatoire, momentanément. Et il fit bien, parce que Tupra ne s'était pas encore écarté.

« Alors vous me semblez bien peu déterminés, dit-il. Et dans ce genre d'aventures le manque de détermination équivaut à un échec certain, pas simplement probable. Tout comme l'absence de haine, vous devriez le savoir, monsieur, par vos études ou par votre expérience. Selon la mienne, au moins, il faut toujours être prêt à aller plus loin qu'il n'est nécessaire, même si on n'y va pas ensuite, ou si on décide de se freiner le moment venu, ou qu'on n'a pas besoin d'y aller. Mais telle doit être l'intention première, et non le contraire. On ne peut s'imposer de limites à l'avance, et en deçà de ce qui pourrait facilement devenir nécessaire, est-ce que je me trompe ? Si telles sont la résolution et les intentions, mon opinion est qu'il ne faut rien tenter. Et je déconseillerai, pour le moment, tout financement et tout appui. »

Ce militaire quelque peu dénaturé fit non de la tête avec véhémence tout en écoutant ma version espagnole des paroles de Tupra, peut-être comme quelqu'un qui n'en croit pas ses oreilles et se désespère face à un malentendu très cher, mais peut-être — également — comme quelqu'un qui se rend compte trop tard qu'il s'est trompé dans sa réponse et qu'il a ainsi provoqué un désastre pour lequel il n'y aura probablement pas de remède, parce que toute rétractation ou rectification ou tout nuancement semblera toujours insincère et intéressé — voiles amenées — selon la gaffe commise. Ce faux civil ou faux soldat était sans doute en train de penser : « Bon sang, ce que ces types voulaient entendre c'était que nous n'hésiterions pas s'il fallait le liquider, et non, comme je le croyais, que nous ménagerions sa peau, à ce crétin, aussi mal que les choses puissent tourner. » Oui, il pouvait être en train de penser cela, ou autre chose que je n'eus ni l'imagination ni le temps d'élaborer mentalement, car sitôt que cessa mon espagnol il s'empressa de se répandre en protestations :

« Mais non, vous ne m'avez pas compris, messieurs », dit-il avec agitation et une plus grande expressivité que jusque-là. Peut-être ne parlait-il pas ainsi, mais c'est ainsi que je me le rappelle, les lexiques et les accents d'Amérique se confondent beaucoup dans la mémoire, et dans les récits. « Bien sûr que nous serions prêts à le supprimer, si nous ne pouvions faire autrement. Nous ne manquons pas de détermination, et quant à la haine, vous savez, la haine se provoque en un clin d'œil, à tout instant, il suffit d'une petite étincelle, quatre phrases bien assemblées et elle se répand, et il vaut mieux ne pas l'enflammer dès le début, pour qu'elle ne s'apaise pas, mieux vaut garder la tête froide avant le corps-à-corps, n'est-ce pas ? J'ai seulement dit que nous ne pensons pas qu'il soit nécessaire de faire du mal au chef, ce serait très improbable, et préférable pour tout le monde, c'est sûr, que cela ne le devienne pas. Mais croyez-moi, si les choses tournaient vraiment mal pour nous, et que pour qu'elles tournent bien nous devions le liquider, notre pouls ne changerait pas non plus. Vous savez, on lui tire une balle et voilà tout, c'est rapide et ce n'est pas difficile, nous avons quelques types habitués à ces tâches. Et que les siens viennent ensuite se lamenter, le libérateur est mort. Ils pourront bien faire ce qu'ils voudront, il n'y aura plus rien à faire, il n'y aura plus de tyran, il est allé au diable. »

« C'est rapide et ce n'est pas difficile, pensai-je. Sûr, je le sais bien, il y a toujours eu quelques types habitués à ces tâches. Dans la tempe, dans l'oreille, dans la nuque, un jet de sang, mais après ça se nettoie. » Je traduisis avec autant d'expressivité qu'il me fut possible, Tupra et Mulryan ne me regardaient pas pendant que je le faisais, ils le regardaient, lui, le Vénézuélien, cela attira toujours mon attention chez eux, parce que l'instinct de chacun le pousse à diriger ses regards vers celui qui émet le son, celui qui parle, même s'il ne fait que traduire, même s'il n'est que celui qui reproduit et répète et pas celui qui dit, et eux en revanche ils fixaient, invariablement, le responsable original ou ultime des mots, même s'il restait forcément muet durant la transmission de ces derniers. J'observai plus d'une fois que cela rendait nerveux les gens qu'on interrogeait, et qui me regardaient, eux, même s'ils ne me comprenaient alors que par déduction (très facile pour eux, la déduction).

Le faux civil ou militaire ne fit pas exception quant à la nervosité (pour moi, en fait, c'était le premier), mais peut-être fut-il troublé, plus que par les deux paires d'yeux posées sur lui pendant que je l'imitais, par la réponse immédiate de Tupra, qui dit :

« Mais vous vous rendez bien compte que si vous lui collez une balle vous devrez aussi en coller une à pas mal de vos compatriotes, avec ou sans haine, à chaud ou à froid, lors de combats et qui sait lors d'exécutions, rapides elles aussi mais plus difficiles. Et c'est quelque chose qui ne devrait plaire à personne, et aux gens de l'extérieur moins qu'à quiconque, vraiment, y compris à nous. Avec un risque de boucherie pareil, et sans la certitude que cela soit finalement utile, mon opinion est qu'il ne faut rien tenter. Et je crains de devoir déconseiller pour le moment tout financement et tout appui. »

Le Vénézuélien fronça très fort ses sourcils serrés, aspira profondément, lentement, et sa poitrine gonfla plus encore, comme celle d'un batracien, il fit le geste de dénouer sa cravate (et non plus de la desserrer), cacha ses bottes vertes sous son fauteuil comme pour les écarter et les sauver de la morsure d'une bestiole, ou, plus symboliquement, comme quelqu'un qui entreprend une retraite instinctive, vaincu par le désarroi. Je songeai qu'il pouvait bien être en train de penser : « Quel jeu jouent ces fils de la Grande-Bretagne ? Si ce n'est ni une solution ni l'autre, alors qu'est-ce qu'ils veulent que je leur réponde, ces bâtards de la Grande Pute ? »

« Mais que voulez-vous donc ? » dit-il après quelques secondes, comme quelqu'un qui se fatigue de jouer aux devinettes et abandonne, le ton n'était même pas parvenu à être interrogatif.

Ce fut encore Tupra qui lui répondit :

« Que vous nous disiez la vérité, rien de plus. Sans nous interpréter. Sans chercher à nous plaire. »

La réaction du militaire fut instantanée, je la traduisis avec précision, bien que ce ne fût pas tout à fait facile :

« La vérité, la vérité. La vérité c'est ce qui arrive, la vérité c'est quand ça se passe, comment voulez-vous que je vous la dise maintenant ? Avant que ça ne se produise on ne la connaît pas. »

Tupra eut l'air un peu étonné et un peu amusé par cette réponse mi-philosophique mi-banale, ou simplement confuse. Mais il ne varia pas dans ses exigences. En revanche, il sourit, et ne se priva pas de son apostille :

« Et même pas après, si souvent. Et parfois ça ne se passe même pas. Ça n'arrive pas, en fait. Même comme cela c'est ce que nous voulons, vous voyez : on vous demande quelque chose d'impossible, d'après vous. Et si en ce moment vous n'êtes pas en mesure d'y satisfaire, si vous voulez consulter vos camarades et voir si cet impossible devient un petit peu possible — il s'arrêta — ce serait facile. Je crois savoir que vous restez quelques jours encore à Londres. Avant que vous ne partiez nous vous appellerons, pour le cas où vous auriez réussi : l'exploit, l'impossibilité. Nous avons votre téléphone. Mulryan, veux-tu avoir l'amabilité de raccompagner monsieur. (Et il s'adressa aussitôt à moi, sans changer de ton et pratiquement sans pause :) Mr Deza, pouvez-vous rester encore un instant, je vous prie ? »

Le faux ou vrai militaire se leva, lissa sa cravate, sa veste, son pantalon, fit le geste inutile de remettre sa chemise dans ce dernier, prit par terre une serviette qu'il avait posée près de son fauteuil et qu'il n'avait ni saisie ni ouverte. Il serra la main de Tupra et la mienne d'une manière distraite, perplexe, absente (une main molle, un peu flasque, peut-être simplement à cause de sa perplexité). Il dit :

« Je crois que je n'ai pas votre numéro, en revanche.

— Non, je crois que non, fut la réponse de Tupra. Au revoir.

— Monsieur ? » murmura Mulryan avant de disparaître, tandis qu'il refermait de l'extérieur les deux battants de la porte de ce bureau qui n'avait rien de bureaucratique, il rappelait plutôt ceux des *dons* d'Oxford que j'avais connus, celui de Wheeler lui-même, celui de Cromer-Blake, celui de Clare Bayes, plein de rayonnages débordants de livres, avec un globe terrestre qui avait vraiment l'air ancien, partout dominaient le bois et le papier, je ne vis ni matériaux vulgaires ni métal, je ne vis ni fichiers, ni ordinateur. Mulryan avait murmuré comme s'il demandait, à la manière d'un majordome, « Rien d'autre, monsieur ? », mais on aurait plutôt dit qu'il se mettait au garde-à-vous (il n'y eut pas de coups de talon, ça non). Il sautait aux yeux qu'il avait de la dévotion pour son supérieur, une véritable dévotion.

Et c'est alors, quand nous fûmes enfin seuls, Tupra derrière sa vaste table et moi assis en face de lui, que pour la première fois il requit de moi quelque chose de semblable à ce qui fut ensuite mon principal travail durant le temps où je restai à son service, et aussi quelque chose qui avait à voir avec ce que m'avait à moitié expliqué Wheeler ce fameux dimanche à Oxford, le matin et pendant le déjeuner. Tupra frotta d'une seule main ses joues couleur d'orge, toujours si bien rasées et sentant toujours l'*after-shave* comme si celui-ci y restait imprégné ou comme s'il en renouvelait sans cesse l'application en cachette, il sourit de nouveau, prit une cigarette qu'il accrocha à ses lèvres menaçantes (elles avaient toujours l'air sur le point d'absorber), ne l'alluma pas tout de suite, je n'osai pas allumer la mienne non plus .

« Dites-moi ce que vous en avez pensé. » Et il fit un signe de tête en direction de la porte à double battant. « Qu'en avez-vous tiré ? » Et comme j'hésitais (je ne savais pas exactement à quoi il faisait allusion, il ne m'avait rien demandé après les Chiliens et les Mexicains), il ajouta : « Dites quelque chose, ce qui vous vient à l'esprit, parlez. » En général il supportait très bien le silence, sauf quand il était totalement étranger à sa volonté et à sa décision ; sa véhémence ou sa tension permanentes semblaient alors exiger qu'il remplisse la totalité du temps de contenus palpables, reconnaissables ou calculables. C'était différent si le silence venait de lui.

« Eh bien, répondis-je, je ne sais pas ce que veut exactement de vous ce monsieur vénézuélien. Appui et financement, à ce que je comprends. Je suppose qu'on prépare, ou qu'on avance la possibilité d'un coup d'État contre le président Hugo Chávez, voilà plus ou moins ce que j'en ai tiré. Ce monsieur était en civil, mais par son aspect et à ce qu'il disait ce pourrait être un militaire. Ou bon, j'imagine qu'il s'est présenté devant vous en tant que militaire.

— Quoi d'autre ? Cela, n'importe qui l'aurait déduit, Mr Deza, à votre place, dans votre fonction.

— Quoi d'autre sur quoi, Mr Tupra ?

— Qu'est-ce qui vous fait penser qu'il était militaire ? Avez-vous déjà vu un militaire vénézuélien ?

— Non. Enfin, à la télévision, comme tout le monde. Chávez lui-même est militaire, il se fait appeler commandant, non ? Ou sous-lieutenant, je ne sais pas, parachutiste en chef, peut-être. Mais je ne suis pas certain que ce monsieur le soit, bien sûr, militaire. Je veux dire qu'il s'est probablement présenté à vous comme tel. J'imagine.

— Nous verrons ça plus tard. Quel effet vous produit la trame, la menace d'un putsch contre un gouvernant élu lors d'un vote populaire, et par acclamation, en plus ?

— Très mauvais, le pire des effets. Souvenez-vous que mon pays a souffert quarante ans à cause d'un coup d'État semblable. Trois ans de guerre romantique peut-être (vue par des yeux anglais), mais ensuite trente-sept d'accablement et d'oppression. Mais en laissant de côté la théorie, c'est-à-dire les principes, dans ce cas concret ça me laisserait plutôt indifférent. Chávez a essayé de faire un putsch en son temps, si ma mémoire et bonne. Il a conspiré et s'est soulevé avec ses unités contre un gouvernement élu, et civil. Même s'il était corrompu et que c'était un voleur, lequel ne l'est pas de nos jours, ils brassent tous trop d'argent et sont comme des entreprises, et les chefs d'entreprise veulent leurs bénéfices. Donc il ne pourrait pas se plaindre s'il était délogé. Les Vénézuéliens, c'est autre chose. Eux, oui. Mais il semble qu'ils se plaignent déjà pas mal de celui qu'ils ont élu par acclamation. Être élu ne vaccine pas contre le fait de devenir aussi un dictateur.

— Je vois que vous êtes au courant.

— Je lis les journaux, je regarde la télévision. Rien de plus.

— Dites-m'en davantage. Dites-moi si le Vénézuélien disait la vérité.

— À quel sujet ?

— En général. Par exemple, sur le point de savoir s'ils toucheraient ou non au commandant, en cas de nécessité.

— Il a dit deux choses différentes à ce sujet. »

Tupra sembla s'impatienter un peu, mais très peu. Il me donnait l'impression de passer du bon temps, que le dialogue lui plaisait, ainsi que ma rapidité, une fois vaincue mon hésitation initiale et stimulé par ses questions, Tupra était un grand questionneur, il n'oubliait jamais rien de ce qu'on avait déjà répondu et il était donc capable de revenir dessus au moment où celui qu'il interrogeait s'y attendait le moins et l'avait oublié, lui, nous oublions beaucoup plus ce que nous disons que ce que nous entendons, ce que nous écrivons beaucoup plus que ce que nous lisons, ce que nous envoyons beaucoup plus que ce que nous recevons, c'est pourquoi nous tenons si peu compte des offenses que nous infligeons et tellement en revanche de celles que nous subissons, et c'est pourquoi presque tout le monde garde à quelqu'un un chien de sa chienne.

« Ça, je le sais, Mr Deza. Ce que je vous demande, c'est si l'une des deux était vraie. À votre avis. S'il vous plaît. »

Je trouvai à ce « s'il vous plaît » un air inquiétant. Par la suite, je pus observer qu'il avait souvent recours à ce genre de formules « ayez la bonté », « je vous en prie », avant de s'irriter tout à fait. Cette fois-là, je ne fis que le pressentir, si bien que je m'empressai de répondre, sans trop y réfléchir sur le moment et sans y avoir réfléchi du tout auparavant.

« À mon avis, l'une ne l'était absolument pas. L'autre oui, mais dans un contexte qui n'était pas vrai lui non plus.

— Expliquez-moi cela, je vous prie. » Il n'avait toujours pas allumé sa cigarette qui pendait, elle devait être toute mouillée en dépit de son filtre, je connaissais cette marque extravagante, Rameses II, des cigarettes égyptiennes de tabac turc, un peu piquantes, le pharaonique paquet rouge avait l'air d'un dessin de Tintin sur la table, elles étaient très chères à l'époque, il devait les acheter chez Davidoff ou chez Marcovitch ou chez Smith & Sons (si les deux derniers existaient encore), il ne me semblait pas les avoir vues chez Wheeler, peut-être ne les fumait-il qu'en privé. Je n'allumai pas la mienne non plus, une cigarette plus commune, elle était sèche, mes lèvres ne sont pas humides.

Je n'avais rien fait d'autre qu'improviser, à dire vrai. Je n'avais rien à perdre. Ni rien à gagner, j'avais été appelé comme traducteur et j'avais rempli ma fonction. Rester encore était une marque de déférence de ma part, même si Tupra ne m'en donnait pas le sentiment, peut-être même au contraire, c'était un de ces curieux individus qui font un emprunt et réussissent à faire en sorte que ce soit celui qui le leur accorde qui se sente débiteur.

« Il ne m'a absolument pas semblé vrai qu'ils soient disposés à passer leur grand parachutiste par les armes, même si le succès ou l'échec de l'opération en dépendait. J'ai donc tenu pour certain qu'ils ne lui causeraient en aucun cas le moindre dommage physique, quand bien même les choses tourneraient mal pour eux faute de l'avoir supprimé.

— Et quel serait le contexte non vrai de cette vérité ?

— Eh bien, je vous ai dit que j'ignore comment ce monsieur s'est présenté à vous, et ce qu'il veut tirer de vous...

— De moi, rien, de nous, rien, nous n'avons rien à donner, m'interrompit Tupra. On ne nous envoie ces gens que pour que nous nous prononcions, c'est-à-dire que nous donnions notre avis sur leur degré de conviction et leur sincérité. C'est pourquoi il m'intéresse de connaître votre opinion, vous parlez la même langue, ou bien n'est-ce plus la même aujourd'hui ? Dans certains films américains je ne comprends même pas la moitié des dialogues, bientôt on devra les sous-titrer pour les montrer ici, je ne sais pas si c'est la même chose avec l'espagnol de là-bas. Enfin, il y a des nuances de vocabulaire, des expressions que je ne peux distinguer ni apprécier en traduction. Un autre genre de nuances, en revanche, oui, précisément grâce au fait de ne pas comprendre ce que quelqu'un dit pendant qu'il le dit, cela peut être fort utile. Les paroles, voyez-vous, distraient parfois, et n'entendre que la mélodie, la musique, est bien souvent fondamental. Dites-moi maintenant ce que vous pensez. »

À ce moment-là j'étais armé d'audace et de flegme, et donc je me décidai à improviser davantage. Mais n'en pouvant plus j'allumai ma cigarette, non pas la mienne cependant, mais une précieuse Rameses II que je lui demandai la permission de prendre (il me la donna bien entendu, et sans faire mauvaise figure, chacune d'elles pouvait coûter la moitié d'une livre ou à peu près).

« Mon impression est qu'il est possible que ce coup d'État ne soit même pas sérieusement préparé. Ou que s'il se prépare vraiment, cet homme n'y prendra pas part ou aura à peine son mot à dire. J'imagine que vous aurez vérifié son identité. Si c'est un militaire en exil ou écarté du corps ou à la retraite, un opposant qui a des contacts dans le pays mais qui agit de l'extérieur, le plus probable est qu'il se consacre à recueillir des fonds à partir de rien, ou de très vagues objectifs et une information plus que mince. Et que la destination finale de ce qu'il pourra récolter soit ses propres poches, en général on ne demande ni ne rend beaucoup de comptes sur les frais d'une action clandestine qui a avorté. Si au contraire il est dans l'active, et qu'il a un commandement et réside dans le pays, et qu'il se présente à nous comme un traître à son chef pour le bien de sa patrie et bien malgré lui, alors il ne serait pas impossible que ce soit le commandant en personne qui l'envoie, pour sonder, pour anticiper, pour enquêter, pour se prévenir et, si l'occasion s'en présentait, pour recueillir de la même façon des fonds de l'étranger qui finiraient à coup sûr dans les poches de Chávez lui-même, le tour ne serait pas mal joué. Je pense qu'il peut également n'être ni l'un ni l'autre, c'est-à-dire qu'il ne soit ni n'ait jamais été militaire. Quoi qu'il en soit, je ne crois pas qu'il soit derrière rien de sérieux, rien qui se produise un jour. Comme il l'a dit lui-même, la vérité c'est quand ça se passe, rude façon de l'exprimer. Eh bien, je dirais que la sienne, sa vérité à lui, ne se produira jamais, avec ou sans appui, avec ou sans financement, de l'intérieur, du dehors ou d'une autre planète.» Je m'étais laissé entraîner par l'audace, je me réfrénai. Je me demandai si Tupra allait dire quelque chose, ne fût-ce qu'au sujet du titre sous lequel s'était présenté à lui le Vénézuélien (j'avais dit « se présente à nous » consciemment, pour essayer de m'inclure). « S'il ne le fait pas, pensai-je, c'est qu'il fait partie de ces individus qu'il n'est pas possible de piéger, et qui ne disent que ce qu'ils veulent vraiment dire ou dont ils savent qu'il n'importe absolument pas que cela se sache.» « Bon, ce ne sont que des spéculations, bien sûr, ajoutai-je. Des impressions, des intuitions. Vous m'avez demandé mon impression.»

Alors, enfin, il alluma lui aussi sa coûteuse Rameses II pleine de salive. Il n'avait pas dû supporter de me voir jouir de la mienne, qui d'ailleurs était à lui, la moitié d'une livre convertie en fumée par une bouche étrangère et continentale. Il toussa un peu après la première bouffée, picotement égyptien, peut-être n'en fumait-il que deux ou trois par jour, pas plus, et ne s'y habituait-il pas.

« Oui, je sais bien que vous ne pouvez pas savoir, dit-il. Ne croyez pas. Moi non plus, ou guère davantage. Pourquoi croyez-vous cela, dites-moi.»

Je continuai à improviser, du moins le crus-je.

« Eh bien, il ne fait aucun doute que l'homme avait le type du militaire sud-américain, j'ai bien peur qu'ils ne soient guère différents des Espagnols d'il y a vingt ou vingt-cinq ans, ils portaient tous la moustache et ne souriaient jamais. Son aspect réclamait à l'évidence un uniforme, et une casquette, et des décorations sur la poitrine comme des cartouchières, en surabondance. Mais il y avait quelques détails qui ne collaient pas, à mon avis. Ils m'ont fait penser que ce n'était pas un militaire déguisé en civil, comme je l'avais cru au début, mais un pékin déguisé en militaire déguisé en civil, je ne sais pas si vous voyez ce que je veux dire. Des détails insignifiants, m'excusai-je. Et ce n'est pas que j'aie beaucoup fréquenté les militaires, je n'ai rien d'un expert. » Je m'interrompis, mon audace momentanée était en train de retomber.

« Ça n'a pas d'importance. Oui, je vous comprends. Dites-moi quels détails.

— Eh bien, ils sont vraiment minimes, à vrai dire. Tenez, il a employé quelques mots impropres, comment dire. Ou bien les soldats ne sont plus ce qu'ils étaient et ont été contaminés par les pédanteries ridicules des politiciens et des présentateurs de la télévision, ou cet individu n'était pas militaire ; ou alors il l'a été, mais cela fait longtemps qu'il n'est plus en activité. Ensuite, il a eu trop spontanément le geste de rentrer sa chemise dans son pantalon, comme quelqu'un qui est habitué aux vêtements civils. Je sais, c'est une bêtise, et il arrive que les militaires soient en costume cravate, ou en chemise s'il fait chaud et il fait chaud au Venezuela. Mais j'ai pensé qu'il ne l'était pas ou qu'il y avait longtemps qu'il avait quitté l'armée et qu'il n'avait pas mis de vareuse, qu'il avait été écarté du corps, je ne sais pas. Même pas une *guayabera* ou un liki-liki, ou comme on appelle ça là-bas, tous ces vêtements se portent hors du pantalon. Je l'ai aussi vu excessivement préoccupé par le pli de son pantalon, et par la qualité du repassage de sa tenue en général, mais enfin, il y a partout des officiers très soignés et très coquets.

— Vous n'imaginez pas à quel point, dit Tupra. Liki-liki », répéta-t-il. Mais il ne posa pas de question. « Continuez.

— Bien. Peut-être avez-vous remarqué ses bottes. Des bottes basses. Elles pouvaient paraître noires à distance ou avec une mauvaise lumière, mais elles étaient vert bouteille et comme en peau de crocodile, ou peut-être de caïman. Je n'imagine pas un militaire de haut rang chaussé de la sorte, pas même en ses jours de congé total et de grosse nouba. Elles semblaient plus propres d'un narcotrafiquant ou d'un fermier de sortie en ville, que sais-je. » Je me fis l'impression d'être un Sherlock mineur, ou plutôt un Holmes imposteur. Et alors je reculai un peu ma chaise, dans l'espoir soudain de voir les pieds de Tupra. Je n'avais pas remarqué la façon dont il était chaussé, et l'idée me traversa brusquement l'esprit qu'il portait le même genre de bottes, et que j'étais en train de déraper lourdement. Un Anglais : c'était improbable, mais sait-on jamais, il avait un nom bizarre. Et il portait toujours un gilet, ce qui était mauvais signe. De toute façon, la chance ne fut pas avec moi, il n'y eut pas de distance, la table m'empêcha d'apercevoir ses pieds. Je nuançai, mais si ses chaussures étaient excentriques, le résultat serait encore pire : « Évidemment, dans un endroit où le commandant en chef apparaît en public déguisé en drapeau national et coiffé d'un béret de couleur rouge bordel, comme je l'ai vu récemment à la télévision, on ne peut écarter l'idée que ses généraux et ses colonels portent des bottes de ce genre, ou des socques, ou des chaussons de danse, n'importe quoi en ces temps histrioniques et avec un pareil modèle à imiter.

— Des socques ? » demanda Tupra, davantage peut-être pour s'amuser que parce qu'il ne m'avait pas compris. « *Sabots ?* », avait-il dit, reprenant le terme que j'avais employé : grâce aux cours de traduction naguère donnés à Oxford et à mes travaux pour négriers, je connais les mots les plus absurdes en anglais.

« Oui, vous savez. Ces chaussures de bois, avec le bout en plusieurs couches. Les infirmières en portent, et aussi les Flamands, bien sûr, du moins dans leurs tableaux. Les geishas aussi, je crois, avec des socquettes, non ? »

Tupra eut un bref sourire, et moi aussi. Peut-être venait-il d'imaginer un instant avec des socques le Vénézuélien qui venait de sortir. Ou bien encore Chávez en personne, avec des socques épaisses et des chaussettes blanches. Au premier abord et dans une fête, c'était un homme sympathique. Il l'était aussi au deuxième, dans son bureau, bien qu'il y fît clairement comprendre qu'on ne pouvait jamais oublier tout à fait le caractère sérieux du travail, mais qu'il ne fallait pas s'y installer à vie.

« Vous avez dit déguisé en drapeau ? Enveloppé dans un drapeau, avez-vous sans doute voulu dire, ajouta-t-il.

— Non, répondis-je. Le dessin imprimé sur sa chemise ou sur sa vareuse, je ne me souviens pas, était le drapeau lui-même, avec ses étoiles et tout, je vous assure.

— Des étoiles ? Là tout de suite, je ne me souviens pas du drapeau vénézuélien. Des étoiles ? » Il ne semblait pas s'être senti visé par mon allusion aux bottes, ce qui me soulagea.

« Il est à bandes, je ne sais pas exactement. Une rouge, une jaune, je crois bien, peut-être une bleue. Et des étoiles groupées quelque part. Le Président était habillé d'étoiles, de cela je suis sûr, avec de larges bandes, une vareuse ou une chemise à bandes horizontales avec ces couleurs ou d'autres du même type. Et des étoiles, comme je vous le dis. Si ça se trouve, c'était un liki-liki, une tenue de gala, il me semble, j'ignore si c'est le cas au Venezuela, mais ça l'est en Colombie.

— Des étoiles. Vraiment. » « *Indeed* », avait-il dit, sans interrogation. Il rit de nouveau brièvement, et moi aussi. Le rire unit les hommes entre eux de manière désintéressée, et entre elles les femmes, et ce qu'il établit entre femmes et hommes peut être un lien encore plus fort et plus tendu, une union plus profonde, plus complexe, et plus dangereuse parce qu'elle est plus durable ou aspire davantage à durer. Ce qui dure de façon désintéressée finit par devenir rare, parfois parce que cela devient laid et difficile à supporter, quelqu'un doit forcément être en dette à la longue et les affaires ne peuvent pas marcher autrement, l'un ou l'autre un peu plus, et le dévouement et l'abnégation et le mérite peuvent être un chemin sûr pour prendre la place du créditeur. J'ai ri comme cela avec Luisa en des occasions sans fin, brièvement et de manière inattendue, trouvant tous deux dans une même chose ce qui était drôle sans accord préalable, tous deux brièvement et en même temps. Avec d'autres femmes aussi, à commencer par ma sœur ; et quelques-unes encore. La qualité de ce rire, sa spontanéité (sa simultanéité avec le mien, peut-être) m'ont permis de savoir m'approcher ou de m'écarter à l'instant, et j'ai vu là quelques femmes dans leur totalité avant de les connaître, presque sans parler, sans être regardé ou presque sans regarder. Un léger décalage, en revanche, ou le soupçon de mimétisme, de réponse complaisante à ma stimulation ou à mon indication, la perception d'un rire bien élevé ou offert pour flatter, celui qui n'est pas tout à fait désintéressé et est excité par la volonté, celui qui ne rit pas tant qu'il veut rire ou qu'il se prête ou désire ou même condescend à rire, ce rire je l'ai vite écarté ou je lui ai assigné une place de second rang, d'accompagnement simplement, ou même de cortège dans mes périodes de faiblesse. Tandis que l'autre rire, celui de Luisa, qui nous devance presque, celui de ma sœur, qui nous enveloppe, celui de la jeune Pérez Nuix, qui se confond avec le nôtre et n'a rien de délibéré et est fait d'oubli de nous deux (tout désintéressement et gratuité et nivellement, en revanche), je lui ai en général donné une place principale qui s'est ensuite révélée durable ou non, dangereuse parfois, et à la longue (quand il y a eu durée) difficile à supporter sans qu'apparaisse ou s'interpose une petite dette symbolique ou réelle. Mais on supporte moins encore l'absence ou la raréfaction de ce rire, ce qui arrive toujours, l'une ou l'autre des deux, le jour où il faut s'endetter un peu plus, l'un des deux un peu plus. Il y avait longtemps que Luisa me l'avait retiré ou me le rationnait, le sien, je ne pouvais croire qu'elle l'avait perdu en toute occasion, elle devait l'offrir à d'autres, quand quelqu'un nous le retire c'est le signe qu'il n'y a plus rien à faire. Ce rire désarme. Il désarme avec les femmes, et d'une façon différente avec les hommes également. J'ai désiré des femmes uniquement pour leur rire, intensément, en général elles l'ont vu. Et il m'est arrivé de savoir qui était quelqu'un uniquement en l'entendant rire ou parce que je ne l'entendais jamais l'émettre, ce rire inattendu et bref, et jusqu'à ce qui allait se passer ou ce qu'il allait y avoir entre ce quelqu'un et moi, amitié ou conflit ou aversion

225

ou rien, je me suis rarement trompé, il se peut que cela ait tardé mais cela a fini par arriver, et d'ailleurs cela peut toujours arriver tant qu'on n'est pas mort ou que nous ne mourons pas ce quelqu'un et moi. Tel était le rire de Tupra et tel était le mien, et je dus donc me demander un instant qui de lui ou de moi serait désarmé plus tard, peut-être le serions-nous tous les deux. « Liki-liki », répéta-t-il. Impossible de ne pas répéter un mot pareil, c'est irrésistible. « Bon, on ne peut juger de l'extérieur des usages d'un endroit, n'est-ce pas ? ajouta-t-il, avec un sérieux nonchalant ou peu sérieux.

— C'est vrai. C'est vrai, répondis-je, tout en sachant que cette phrase ne l'était (je veux dire vraie) pour aucun de nous deux.

— Autre chose ? » demanda-t-il. Il n'avait rien laissé percer, non sur l'identité (je ne l'attendais pas), mais sur la condition ou la charge supposée du Vénézuélien à qui j'avais doublement servi d'interprète. Je fis une tentative :

« Pourriez-vous donner un nom à ce monsieur ? Surtout pour le cas où nous aurions à faire de nouveau allusion à lui. »

Tupra n'hésita pas. Comme s'il avait tenu prête une réponse à ma tentative, plus qu'à ma curiosité :

« Cela ne me paraît pas probable. Pour vous, Mr Deza, il s'appellera Bonanza, dit-il avec un sérieux plus ironique encore.

— Bonanza ? » Il dut noter ma stupéfaction, je n'avais pu éviter de prononcer le z comme dans mon pays, ou comme dans une partie de ce dernier, et bien entendu à Madrid. À ses oreilles anglaises, ce devait sonner comme « Bonantha », quelque chose comme ça, comme Deza devait sonner comme « Daetha », ou quelque chose comme ça.

« Oui, n'est-ce pas un nom espagnol ? Tout comme Ponderosa, non ? dit-il. Eh bien Bonanza pour vous et pour moi. Y a-t-il autre chose que vous auriez pu observer ?

— Simplement vous confirmer cette impression, Mr Tupra : le général Bonanza n'attenterait jamais contre la vie de

Chávez, ou Mr Bonanza, qui que ce soit en réalité. Vous pouvez en être sûr, que ce soit bon pour vos intérêts ou non. Il l'admire trop, même s'il est son ennemi, et je crois que ce n'est pas le cas. »

Tupra prit son très voyant paquet rouge orné de pharaons et de dieux et m'offrit une deuxième Rameses II, geste peu commun dans les îles, gros gaspillage à n'en pas douter, brin turc, picotement égyptien, je la pris. Mais c'était pour la route, pas pour continuer, parce que en même temps qu'il me la donnait il se leva et longea la table pour me raccompagner jusqu'à la sortie, il montra la porte d'un geste bref. J'en profitai alors pour regarder ses chaussures en passant, elles étaient sobres, à lacets, marron, aucun problème. Il le remarqua, il remarquait presque tout, toujours.

« Quelque chose qui ne va pas avec mes chaussures ? me demanda-t-il.

— Non, non, elles sont très jolies. Et très propres. Splendides, enviables », lui répondis-je. Elles contrastaient avec les miennes, noires, à lacets également. À Londres, je n'arrivais pas à me discipliner pour les brosser chaque jour, il faut le dire. Il y a des choses pour lesquelles on devient paresseux, quand on n'est pas chez soi et qu'on vit à l'étranger. Mais moi j'étais bien chez moi, ou du moins n'avais-je pas d'autre maison pour le moment, je l'oubliais trop souvent, la force de l'habitude s'entêtait à ressentir l'impossible parfois, que je pouvais encore revenir.

« Je vous dirai où trouver les mêmes, un autre jour. » Il allait m'ouvrir la porte, ne le fit pas tout de suite, resta quelques secondes les deux mains sur les pommeaux des deux battants. Il tourna la tête, me regarda de côté mais sans me voir, il ne pouvait pas, j'étais juste derrière lui. C'était la première fois depuis tout ce temps que ses yeux vifs, avenants, moqueurs même sans le vouloir, ne trouvaient pas les miens. Je ne voyais que ses longs cils, de profil. À faire envie aux dames, et de profil encore plus. « Vous avez dit tout à

l'heure "en laissant de côté les principes", si je me souviens bien. Ou "en laissant de côté la théorie", est-ce possible ?
— Oui, je crois avoir dit quelque chose comme cela.
— Je me demandais.» Il avait toujours les mains sur les pommeaux. « Permettez-moi de vous poser la question : jusqu'à quel point êtes-vous capable de laisser de côté les principes ? Je veux dire, jusqu'à quel point le faites-vous d'ordinaire ? Faire abstraction de ça, de la théorie, n'est-ce pas ? Nous le faisons tous de temps en temps, sinon nous ne pourrions pas vivre ; par convenance, par crainte, par nécessité. Par sacrifice, par générosité. Par amour, par aversion. Dans quelle mesure le faites-vous ? répéta-t-il. Comprenez-moi.»

C'est alors que je m'aperçus que non seulement il remarquait toujours presque tout, mais qu'il enregistrait et conservait tout également. Le mot « sacrifice » ne me plut pas, il me fit un effet semblable à l'expression qu'il avait eue chez Wheeler, « en rendant service à mon pays ». De plus il avait ajouté : « On doit s'efforcer de le faire quand on peut, non ? » Quoiqu'il l'ait minimisé aussitôt : « Même si ce service est collatéral et qu'on recherche surtout son propre bénéfice. » Moi aussi j'enregistrais et conservais, plus que ce qui est normal.

« Cela dépend pour quoi », répondis-je, et j'utilisai aussitôt un pluriel (« them ») parce qu'il ne m'interrogeait que sur les principes, à ce que je compris. « Je peux les laisser relativement de côté, pour donner mon avis dans une conversation. Un peu moins, pour juger. Pour juger des amis, beaucoup plus, je suis partial. Pour agir, beaucoup moins, me semble-t-il.

— Mr Deza, merci pour votre collaboration. Nous resterons en contact avec vous, je l'espère.» Il m'avait dit cela sur un ton appréciatif, ou avec une légère affection. Cette fois, il ouvrit la porte, les deux battants en même temps. Je vis de nouveau ses yeux, plus bleus que gris dans la lumière du matin, toujours pâles, amusés apparemment devant n'importe quel dialogue ou situation, attentifs, toujours avides, c'était comme s'ils honoraient ce qu'ils regardaient, ou même ils n'avaient pas besoin de regarder : ce qui entrait dans leur champ visuel. « Mais ici nous n'avons pas d'intérêts, vous le comprendrez, s'il vous plaît », ajouta-t-il sans transition, bien qu'il se référât maintenant à quelque chose qui n'était pas immédiatement antérieur. La plupart des gens n'y seraient pas revenus, n'auraient pas récupéré ce commentaire que j'avais fait, si marginal (« que ce soit bon pour vos intérêts ou non »), incroyable comme les mots, prononcés ou écrits, légers ou graves, tous, insignifiants ou chargés de signification, s'égarent et deviennent lointains et restent en arrière. C'est pour cela qu'il faut répéter, éternellement et absurdement il faut répéter : depuis le premier vocable, depuis le premier balbutiement humain et même depuis le premier index qui montra sans dire. Encore et encore et toujours, et inutilement une fois de plus. Nous, lui et moi, nous ne les perdions pas avec autant de facilité, une anomalie sans nul doute, une malédiction. « Nous nous contentons de donner notre avis, et uniquement quand on nous le demande, bien entendu. Comme vous venez si aimablement de le faire, quand je vous l'ai demandé. » Et il eut un rire bref de nouveau, petites dents d'une grande luminosité. Il me fit l'effet d'un rire bien élevé ou peut-être impatient, et donc le mien ne l'accompagna pas, cette fois.

Je n'ai jamais su de façon claire si j'avais vu juste sur tel ou tel point avec le colonel Bonanza de Caracas ou bien de l'exil et de l'extérieur, on ne me communiquait pas les résultats, et encore moins de façon claire : ils ne me concernaient pas, et peut-être que personne n'était concerné non plus. Parfois il ne devait même pas y en avoir, et les avis ou les rapports devaient être simplement archivés, à tout hasard. Et s'il fallait prendre des décisions sur quelque chose (le soutien et le financement d'un putsch, par exemple), il est probable qu'elles étaient prises par les différents responsables — ceux qui auraient au cas par cas confié la mission, ou sollicité notre avis — sans constatation ni certitude possibles et uniquement à leurs risques et périls, c'est-à-dire en faisant ou non confiance, en pariant pour ou contre ce que Tupra et les siens auraient vu et pensé, ou peut-être recommandé.

Dans un premier moment, pourtant, je supposai naïvement que je devais avoir vu juste sur un point, parce qu'il ne fallut pas beaucoup de jours après cette matinée passée à interpréter doublement, la langue et les intentions — inexact quant à ces dernières, mais disons-le comme ça pour l'instant —, pour qu'on me propose de quitter mon poste à la BBC Radio et de travailler exclusivement pour Tupra (ou éminemment) auprès de lui et de son dévoué Mulryan, de la jeune Pérez Nuix et des autres, avec des horaires très souples en théorie et des appointements nettement plus élevés, aucune raison de se plaindre sous cet aspect, bien au contraire, je pouvais envoyer davantage d'argent à la maison. L'impression d'avoir réussi à un examen fut inévitable, et qu'on m'incorporait à quelque chose, de quelque nature que ce soit, et donc je ne me suis pas posé beaucoup de questions à ce sujet, ni plus tard ni actuellement, parce que ce quelque chose fut probablement toujours imprécis (et l'indéfinition était son essence), et parce que sir Peter Wheeler m'avait quelque peu averti, ou dans une mesure suffisante : « Ça, les livres ne t'en diront rien, aucun livre, ni les plus anciens ni les plus modernes, ni les plus exhaustifs, qu'on publie de nos jours, Knightley, Cecil, Dorril, Davies, je ne sais pas, Stafford, Miller, Bennett, tant et tant, pas même de façon énigmatique ceux qui en leur temps furent les plus énigmatiques, Rowan, Denham, et qui le sont toujours. Ne cherche pas là. Même des allusions, tu n'en trouveras pratiquement pas. Tu ne réussiras qu'à perdre ta patience et ton temps. » Tout au long de ce dimanche d'Oxford je ne peux pas dire qu'il m'ait parlé à demi-mot, mais peut-être à trois quarts de mot, trois quarts tout au plus, jamais avec des mots complets. Il se peut qu'il ne les ait pas connus lui non plus, ou pas complètement, il se peut que personne ne les ait connus, pas même Tupra, ni Rylands quand il vivait. Il n'y en avait peut-être pas.

Mon incorporation ne se fit pas d'emblée, je veux dire qu'après avoir pris la décision de m'engager, on me chargea ou me demanda de remplir des tâches au coup par coup, de plus en plus souvent, graduellement mais à un rythme toujours croissant et rapide, et au bout d'un mois, peut-être moins, ma collaboration devint complète, ou en eus-je le sentiment. Les modalités de ces tâches variaient, leur essence en revanche peu ou pas du tout, cela consistait à écouter et à faire attention et interpréter et raconter, à déchiffrer des conduites, des aptitudes, des caractères et des scrupules, l'indifférence et les convictions, l'égoïsme, les ambitions, les attitudes inconditionnelles, les faiblesses, les forces, les vérités et les répugnances ; les indécisions. J'interprétais — en trois mots — des histoires, des vies, des personnes. Des histoires à venir, fréquemment. Des personnes qui ne se connaissaient pas elles-mêmes, et qui n'auraient pu aventurer sur elles le dixième de ce que je voyais, ou qu'on me priait de voir et d'exprimer, tel était mon travail. Des vies qui pouvaient encore se perdre dans leur jeunesse et ne pas durer assez pour être appelées telles, des vies inconnues et encore à vivre. Parfois on me demandait d'être là et de poser des questions, celles qui me viendraient à l'esprit, dans des entrevues ou des rencontres (ou bien était-ce des interrogatoires discrets, sans intimidation), même quand il n'y avait pas de difficultés de compréhension, pas de langue à traduire, tout en anglais et entre Britanniques. D'autres fois en revanche on m'utilisait comme interprète de la langue, l'espagnol et même l'italien, mais dans le vaste ensemble de conversations et de vérifications (ainsi se nommait cette activité silencieuse), ces fois-là devinrent vite les moins nombreuses, et en tout cas je ne me contentais plus jamais de traduire des mots, on me demandait mon point de vue à la fin, presque mon pronostic quelquefois, comment dire, un pari. En d'autres occasions on me préférait comme présence absence, et j'assistais aux conversations de Tupra ou de Mulryan ou de la jeune Nuix ou de Rendel avec leurs visiteurs d'une sorte de cabine contiguë au bureau du premier, qui permettait de voir et d'entendre ce qui se passait dans celui-ci sans être vu, comme dans les commissariats. Ce qui dans le bureau de Tupra était un miroir ovale et oblong correspondait dans cette pièce à une fenêtre de la même dimension et de la même forme : verre transparent d'un côté, étamé de l'autre, qui n'invitait pas au moindre soupçon parmi tant de livres, et dans ce qui, plus qu'à un bureau, ressemblait à un club ou à un salon privé. Cette cachette était une modalité ancienne et privée des invisibles refuges d'où les victimes d'une agression ou les témoins d'un crime identifient les suspects disposés en rang, ou d'où les supérieurs contrôlent sans être vus les interrogatoires des détenus, et veillent à ce que les mains des policiers ne soient pas trop lestes pour les gifles et les coups de serviette mouillée. Ce devait être une cabine pionnière, adéquate et donc faite qui sait dans les années quarante ou même trente : elle avait l'air d'avoir été conçue comme une imitation réduite d'un compartiment de train de ces époques ou des époques précédentes, tout en bois, avec deux bancs étroits et longs face à face, perpendiculaires à la fenêtre ovale, et entre les deux une petite table fixe pour prendre des notes ou appuyer les coudes. Ce qui fait qu'on surveillait forcément dans une position oblique ou inclinée, avec l'impression inévitable de regarder par la fenêtre d'un wagon en train de rouler, ou plutôt arrêté en permanence à une gare, une étrange gare-bureau, plus accueillante qu'il n'y en eut jamais, le paysage, un intérieur et toujours le même, seuls y changeaient les personnages, les visiteurs et leurs hôtes, assez peu variés ces derniers, qui étaient généralement deux ou trois tout au plus, Tupra et Mulryan, ou eux deux plus moi-même (comme cela avait été le cas avec le commandant Bonanza), ou Tupra avec la jeune Nuix et Rendel s'il fallait parler allemand ou russe ou hollandais ou ukrainien (on disait que Rendel était d'origine autrichienne, et qu'initialement son nom était Rendl ou Randl ou Redl ou Reinl ou même Handl, il n'avait dû le britanniser qu'à moitié, Randall ou Rendell ou Rendall ou Randell auraient été plus vraisemblables, mais pas Haendel), ou Mulryan et moi et une autre personne moins assidue, ou la jeune Nuix, Tupra et moi... Lui et Mulryan (ou plutôt l'un des deux) n'étaient jamais absents. Et vu qu'il me revenait parfois d'occuper le refuge, je dus supposer que lorsque j'étais de l'autre côté, dans la gare-bureau, l'un des absents devait se poster là et nous surveiller, bien que je n'en aie pas été totalement certain au début ; et je dus imaginer que lors de cette première occasion avec le capitaine Bonanza, Rendel ou la jeune Nuix (et je pensai : « Espérons que c'était elle ») devaient être dans le wagon-cabinet, à observer le lieutenant mais également moi, presque certainement, et qu'ensuite ils avaient dû faire leur rapport objectif sur ma personne en plus de celui sur le sergent (il se dégradait peu à peu dans ma mémoire, cet homme), le rapport de quelqu'un qui reste invisible et absent et regarde impunément à son aise est toujours plus objectif et dépassionné, toujours plus que celui de quelqu'un qui est à son tour regardé par ses interlocuteurs et qui intervient et parle, et ne peut jamais s'attarder longtemps à son observation muette, sans créer de grandes tensions, une situation violente.

C'est là sans aucun doute le succès de la télévision, parce qu'on y voit et regarde les gens comme on ne peut jamais le faire dans la réalité sauf si on est caché, et même ainsi dans la réalité on ne dispose que d'un seul angle et d'une seule distance, ou de deux si on utilise des jumelles, il m'arrive de les emporter dans ma poche quand je sors, et à la maison je les garde sous la main. Tandis que sur un écran on a la possibilité d'épier sans souci et par conséquent d'en voir et d'en savoir davantage, parce qu'on n'est pas suspendu aux regards rendus et qu'on ne s'expose pas à son tour à être jugé, on n'est pas obligé de partager sa concentration ou son attention entre un dialogue auquel on participe (ou son simulacre) et la froide étude d'un visage, des expressions, des inflexions de voix, des pores, des tics et des hésitations, des pauses et des bouches sèches, de la fébrilité, des mensonges. Et inévitablement on juge, on émet aussitôt un jugement, de quelque classe qu'il soit (ou on ne l'émet pas, et on le garde pour soi), il ne tarde que quelques secondes et sans qu'on puisse l'éviter, même si c'est un jugement rudimentaire et qu'il adopte la forme la moins élaborée de toutes, qui est le plaisir ou le mécontentement (qui cependant sont déjà des jugements ou leur possible anticipation, ce qui les précède généralement, même si bien des gens ne franchissent jamais le pas ni la limite, et ne sortent donc jamais de leurs simples et inexplicables attrait ou rejet : inexplicables pour eux, parce qu'ils ne franchissent jamais ce pas et s'en tiennent toujours à leurs réactions épidermiques). Et on se surprend à se dire, presque sans le vouloir, tout seul devant l'écran : « Je le trouve sympathique », « Je ne peux pas sentir ce type », « Je la dévorerais de baisers », « Il me tape sur les nerfs », « Je lui donnerais tout ce qu'il voudrait », « Elle a une de ces têtes, je la giflerais », « Un fat », « Il ment », « Sa compassion est fausse », « Qu'est-ce qu'il va trinquer dans la vie », « Quel crétin », « C'est un ange », « C'est un crâneur, un type imbu de lui-même », « Je ne supporte pas ces deux snobs », « Le pauvre, le pauvre », « Je le fusillerais sans hésiter, et tout de suite », « Il me fait pitié », « Il m'assomme », « Il feint », « Quelle ingénuité », « Vous parlez d'une gueule », « Quelle femme intelligente », « Qu'est-ce qu'il peut me dégoûter », « Je le trouve drôle ». Le registre est infini, tout est possible. Et le verdict instantané est sûr, ou du moins le pense-t-on quand il arrive (dans un deuxième temps un peu moins déjà). On a une conviction, sans passer par le moindre argument. Sans qu'aucune raison la soutienne.

C'est pour cela aussi qu'on me confiait des bandes vidéo. Parfois je les visionnais sur place, dans l'immeuble sans nom et simplement avec un numéro, sans plaques ni enseignes ni fonction apparente, seul ou en compagnie de la jeune Nuix ou de Mulryan ou Rendel ; et parfois je les emportais à la maison, pour les regarder avec plus d'attention et mieux les décortiquer et présenter ensuite mon rapport, presque toujours uniquement oral, on me le demandait rarement par écrit, ou pas si rarement par la suite, il me semble en avoir rédigé pas mal.

Il y avait de tout sur ces vidéos, c'était un matériau très hétérogène, souvent mélangé, presque en vrac sur certaines bandes, sur d'autres regroupé et distribué avec plus de jugement et même avec une tendance à la monographie : des fragments d'émissions ou de bulletins d'informations qui avaient été émis publiquement, des enregistrements de la télévision, coupés et montés plus tard (ou bien des émissions entières que je devais m'envoyer, récentes ou anciennes et même de personnes décédées, comme lady Diana Spencer avec son anglais catastrophique et plein de fautes et l'écrivain Graham

Greene avec son excellent anglais) ; des interventions au Parlement, des discours ou des conférences de presse de politiciens éminents ou obscurs, britanniques et étrangers, de diplomates aussi ; des interrogatoires d'inculpés dans des dépendances de la police et leurs dépositions postérieures devant le tribunal de service, ainsi que les sentences ou les admonestations de juges emperruqués, un nombre assez important de vidéos montrant des juges sévères, je ne sais pas pourquoi ; des interviews de célébrités qui n'avaient pas toujours l'air d'avoir été faites par des journalistes ni destinées à être montrées, certaines avaient tout l'air de conversations informelles ou plus ou moins privées, peut-être avec des curieux ou de prétendus admirateurs (je me souviens d'en avoir vu une, ineffable, avec le chanteur Elton John, absolument joyeux, une autre, très sympathique, avec l'acteur Sean Connery, l'authentique James Bond à qui Rosa Klebb donnait des coups de pied dans *Bons baisers de Russie*, pointes mortelles, et une autre tout aussi agréable avec l'ex-footballeur buveur George Best ; une autre, à faire dresser les cheveux sur la tête, de Murdoch, le patron, et une, assez pompeuse et comique de lord Archer, l'ex-politicien — condamné à l'époque pour avoir menti sur quelque chose, j'ai oublié quoi — et romancier d'action volontariste) ; parfois, les visages me disaient quelque chose, mais n'étaient pas assez célèbres pour que je les identifie, peut-être des gloires locales à l'excès (il n'y avait pas toujours de petit écriteau avec le nom de celui qui parlait, il arrivait qu'il n'y ait pas la moindre indication et uniquement quelques lettres et numéros pour chaque visage signalé comme digne d'intérêt ou sujet à interprétation — A2, BH13, Gm9 et ainsi de suite —, auxquels je pouvais faire référence ensuite dans mes rapports); et il y avait aussi des interviews ou des scènes avec des personnes anonymes dans des circonstances variées, souvent filmées, à mon avis, sans qu'elles le sachent et par conséquent sans leur consentement : quelqu'un qui sollicitait un emploi ou se proposait pour tous travaux, certains étaient tout à fait désespérés; un fonctionnaire granitique (les yeux révulsés) écoutant un citoyen et ses soucis, probablement dans son bureau municipal ou ministériel; un couple qui bavardait dans une chambre d'hôtel; un individu sollicitant un crédit désavantageux dans une banque; quatre supporters de l'équipe de Chelsea dans un *pub*, se préparant pour écraser celle de Liverpool avec ingestion d'alcool et ardeur vociférante; un déjeuner d'affaires à la charge d'une entreprise, avec une vingtaine de convives (par bonheur pas dans son intégralité, uniquement des *highlights* et un discours final) ; un *don* faisant un cours pestifère; à l'occasion une conférence (malheureusement pas dans son intégralité, j'en vis une, très intéressante, d'un professeur de Cambridge, sur la littérature qui n'a jamais existé) ; le sermon d'un évêque anglican qui avait l'air un peu ivre (intégral le sermon, en revanche) ; des *prelims* oraux à des étudiants qui aspiraient à entrer dans telle ou telle université; un médecin établissant un diagnostic avec suffisance, force détails et verbosité; des jeunes filles répondant à des questions étranges durant des séances de *casting*, pour une publicité ou une plus grande bassesse, Dieu seul le sait, tout cela trop monosyllabique pour essayer de le vérifier. Parfois il y avait des vidéos indubitablement familiales ou très personnelles, plus mystérieuses par conséquent (je ne pouvais m'empêcher de me demander comment elles étaient arrivées jusqu'à nous et ainsi jusqu'à mes yeux, à moins qu'il n'y ait eu aussi des particuliers parmi nos clients) : les vœux de Noël patriarcaux d'un absent qui se croyait regretté et par conséquent manquant aux autres; le message d'un homme riche (on pouvait le supposer posthume ou destiné à l'être) expliquant à ses héritiers et déshérités le pourquoi de son testament arbitraire, capricieux, décevant, délibérément injuste; la déclaration d'amour d'un timide maladif avoué (mais plutôt prétendu tel), qui affirmait « en direct » être incapable de supporter le « Non » de sa destinataire qu'il disait attendre sans rémission et qu'en même temps il n'attendait pas du tout, on en était certain en l'entendant. Cela, pour ce qui concernait le matériau britannique, qui bien évidemment était le plus important. J'eus conscience du nombre d'occasions et d'endroits où les gens sont enregistrés et filmés ou peuvent l'être : pour commencer, dans presque toutes les situations où nous nous soumettons à une épreuve ou un examen, pour ainsi dire, et où nous sollicitons quelque chose, que ce soit un emploi, un prêt, une opportunité, une faveur, une subvention, une recommandation, un alibi. Et bien entendu de la clémence. Je vis que chaque fois que nous demandons nous sommes exposés, vendus, à la merci presque absolue de celui qui accorde ou qui refuse. Et aujourd'hui on nous enregistre, on nous immortalise souvent au moment de notre plus grande humilité ou, si l'on préfère, à celui de notre humiliation. Mais aussi dans n'importe quel lieu public ou semi-public, le plus frappant et le plus scandaleux c'était les chambres d'hôtel, en principe on se doute qu'on prendra notre image dans une banque, un commerce, une station-service, un casino, une enceinte sportive, un parking, un bâtiment gouvernemental.

On me précisait rarement à l'avance à quoi je devais faire attention, quels traits de caractère, ou quel degré de sincérité, ou quelles intentions concrètes de chaque personne ou visage signalés je devais essayer de déchiffrer, quand j'emportais mon travail chez moi. Le lendemain, ou quelques jours plus tard, j'y consacrais une séance avec Mulryan ou Tupra ou avec les deux, et ils me demandaient alors ce qui pouvait les intéresser, parfois une seule et même chose et parfois de façon très étendue, en se référant aux personnages de ces vidéos soit par leurs noms respectifs si ces derniers figuraient dans les films ou s'il ne pouvait y avoir d'hésitation tant ils étaient connus, soit, dans le cas contraire, par les lettres et les numéros qui leur avaient été assignés : « Pensez-vous que Mr Stewart fraude de nouveau le fisc, malgré ses paroles de contrition ? On l'a découvert il y a cinq ans, on est arrivé à un accord, il a payé plus du maximum pour s'éviter des problèmes, pourrait-il croire qu'il est à l'abri des soupçons pour autant ? » « Croyez-vous que FH6 avait l'intention de rembourser son crédit au moment où il l'a demandé à la Barclays ? Ou n'en avait-il pas la moindre intention ? Il lui a été accordé, vous devez le savoir, et cela fait trois mois qu'on a aucune trace de lui. » Je répondais ce que je pensais ou ce que je pouvais et on passait au suivant, cela dans les cas les plus brefs, les plus pratiques et les plus prosaïques. La plupart, pourtant, ne l'étaient pas du tout, mais plutôt évasifs et d'aspect complexe, facilement flottants et même éthérés, il était toujours risqué d'y répondre, plus semblables à ceux que Wheeler avait élucidés en son temps et qu'il avait aussi annoncés pour le mien, ou plutôt il avait laissé entendre que je les connaîtrais, même s'il n'y avait plus de guerre actuellement ; qu'ils se présenteraient tôt ou tard à mon discernement. Et pour cette majorité de cas il fallait en effet ce qu'il avait distraitement appelé, comme pour ôter de la solennité à ces deux expressions contradictoires uniquement au premier abord ou même pas, « le courage de voir » et « l'irresponsabilité de voir ». J'éprouvais bien davantage la seconde pendant assez longtemps, jusqu'au jour où je m'habituai, et en m'habituant je cessai de me préoccuper. Et alors... Ah, oui, alors, c'est certain, la grande irresponsabilité.

Ce processus d'accoutumance, cependant, Wheeler l'avait déjà initié en ce dimanche oxfordien où il m'avait aussi parlé de moi. Ou peut-être Toby Rylands, qui de son côté avait parlé de moi à Wheeler antérieurement, et m'avait classé comme leur semblable, fait de cette pâte dont ils avaient été modelés tous les deux. Mais non, ce n'était pas Rylands, parce que ce qui change les choses ce n'est pas ce qu'on dit de nous sans que nous le sachions — ce n'est pas ce qui les change au plus profond de nous-même —, mais ce que quelqu'un nous dit de nous en face, avec autorité ou simplement insistance, ce qu'il découvre et explique et nous induit à croire. C'est le danger qui guette tout artiste ou tout homme politique, ou tout individu qui reçoit des opinions et des interprétations au sujet de ses activités. Un cinéaste, un écrivain, un musicien, on

239

commence à les traiter de génies, de lumières, de réinventeurs, de géants, et il ne leur est pas difficile d'admettre tout cela comme possible. Ils deviennent alors conscients de leur valeur, et ils se mettent à avoir peur de décevoir, ou — ce qui est plus ridicule et plus insensé, mais c'est bien la formulation — de ne pas être à la hauteur d'eux-mêmes, c'est-à-dire de ceux qu'ils ont été — on le leur dit maintenant, ils s'en rendent compte maintenant — dans leur œuvre précédente, d'une telle grandeur. « Donc ce n'était pas le produit du hasard, ni de mon intuition, ni même de ma liberté, peuvent-ils penser, il y avait effectivement de la cohérence et une intention dans tout ce que je faisais, quel honneur de le savoir mais aussi quelle malédiction. Parce que maintenant il ne me reste qu'à m'y tenir et à atteindre chaque fois ce sacré niveau pour ne pas démériter de moi-même, quel désastre, quel effort énorme, et quelle désolation pour mon travail. » Et cela peut arriver à n'importe qui, même si ses travaux et sa personnalité ne sont pas publics, il suffit qu'il entende une explication plausible de ses penchants ou de sa façon de faire, une description incantatoire de ses actes ou une analyse de son caractère, une valorisation de sa méthode — savoir que cela existe, ou qu'on le lui attribue —, pour que n'importe qui perde son cap bienheureux, changeant, imprévisible, incertain, et avec lui sa liberté. Nous avons tendance à penser qu'il y a un ordre caché que nous ignorons et aussi une trame dont nous voudrions être partie consciente, et si nous en apercevons un seul épisode qui nous y inclut ou du moins le croyons-nous, si nous percevons qu'elle nous incorpore dans sa faible roue un instant, alors nous pouvons facilement devenir incapables de nous voir de nouveau dégagés de cette trame entrevue, partielle, devinée — produit de l'imaginaire —, et à tout jamais. Rien de pire que de chercher le sens ou de croire qu'il y en a un. Et s'il y en avait un, pire encore : croire que le sens de quelque chose, ne fût-ce que du plus humble détail, dépendra de nous ou de nos actes, de notre intention ou de notre fonction, croire qu'il y a une volonté, qu'il y a un destin, et même une laborieuse combinaison des deux. Croire que nous ne nous devons pas entièrement au plus erratique, au plus oublieux, divagant et irraisonné des hasards, et qu'on peut attendre de nous quelque chose de conséquent en vertu de ce que nous avons donné ou fait précédemment, hier ou avant-hier. Croire qu'il peut y avoir en nous cohérence et intention, comme l'artiste croit qu'il y en a dans son œuvre ou le puissant dans ses décisions, mais seulement une fois que quelqu'un les a convaincus qu'il y en a en effet.

Finalement, Wheeler avait commencé par le début, si toutefois il y a jamais un début à quelque chose. Quoi qu'il en soit, ce dimanche matin où je m'étais réveillé plus tard que je ne l'aurais voulu et bien entendu qu'il ne l'avait espéré, il ne fut plus question de préambules ni de reports ni de circonlocutions, dans la mesure où il lui était possible de renoncer complètement à ces traits tellement stables de sa pensée et de sa conversation. Il avait déjà suffisamment de mystère et de limites, je suppose, avec les mots incomplets dont il disposait pour me raconter ce qu'il allait me raconter. Dès qu'il me vit descendre l'escalier, mal rasé et l'air endormi (simplement un rapide aller et retour de rasoir pour être présentable, ou du moins pas patibulaire), il me pria instamment de m'asseoir en face de lui et à la droite de Mme Berry, qui occupait un bout de la table où ils avaient fini de déjeuner tous les deux. Il attendit qu'elle me serve aimablement mon café, mais pas que je le boive ni que je sois un peu mieux réveillé. Sur la moitié de la table libre de nappe et d'assiettes et de tasses et de confitures et de fruits il y avait, ouvert, un volume grand et gros, toujours des livres partout. Il me suffit de le regarder du coin de l'œil (l'attrait de la lettre imprimée) pour que Peter me dise, d'un ton pressant, probablement dû à mon réveil tardif, auquel il ne s'était pas attendu :

« Prends-le, allez. Il est là pour que tu le voies. »

Je tirai le volume à moi, mais avant d'en lire une ligne je le fermai à demi — un doigt au milieu — pour jeter un coup d'œil au dos et savoir de quel livre il s'agissait.

« Le *Who's Who* ? » C'était une question rhétorique, car c'était sans aucun doute le *Who's Who*, avec sa couverture d'un rouge intense, le guide des noms plus ou moins illustres, l'édition de l'année au Royaume-Uni.

« Oui, le *Who's Who*, Jacobo. Je suis sûr qu'il ne t'est jamais venu à l'idée de m'y chercher. Mon nom s'y trouve, à cette page, là où il est ouvert. Lis ce qu'on y dit, allez, s'il te plaît. »

Je regardai, cherchai, il y avait quelques Wheeler, sir Mark et sir Mervyn, un certain Muir Wheeler et l'honorable sir Patrick et le révérendissime Philip Welsford Richmond Wheeler, et lui-même, entre les deux derniers : « Wheeler, Prof. Sir Peter », suivi d'une parenthèse que je ne compris pas tout de suite, et qui disait : « (Edward Lionel Wheeler). » Mais je ne mis que quelques secondes à me rappeler que Peter signait généralement ses écrits comme « P. E. Wheeler », et que le E était celui d'Edward, donc la parenthèse se limitait à consigner le nom dans son intégralité officielle.

« Lionel ? » demandai-je. Ce fut une nouvelle question rhétorique, mais pas tant que ça. Je fus étonné de ce troisième prénom, qui m'avait toujours semblé être un prénom d'acteur, à cause bien sûr de Lionel Barrymore, et de Lionel Atwill qui fut le professeur Moriarty, l'ennemi juré du grand Basil Rathbone qui incarnait Sherlock Holmes, et de Lionel Stander qui fut persécuté en Amérique par le sénateur McCarthy et dut s'exiler en Angleterre pour pouvoir travailler (se transformer en faux Anglais). Il y avait ensuite Lionel Johnson, mais ce dernier était un poète ami de Wilde et de Yeats, et qui avait pour descendant John Gawsworth, à ce que racontait celui-ci (John Gawsworth, le pseudonyme littéraire de celui qui dans la vie fut Terence Ian Fytton Armstrong, cet écrivain secret, mendiant et roi, qui m'avait quelque peu obsédé à l'époque où j'enseignais à Oxford, tant d'années plus tôt : bien entendu, son ascendance fantaisiste incluait aussi des nobles jacobites, c'est-à-dire des Stuarts, et le dramaturge

Ben Jonson contemporain de Shakespeare, et la supposée
« Dame noire » ou « *Dark Lady* » des sonnets de ce dernier,
Mary Fitton la courtisane). « Lionel ? répétai-je avec un léger
persiflage que Wheeler remarqua.

— Oui, Lionel. Je ne l'utilise jamais, quelle importance ?
Ne t'arrête pas à ces sottises, ce n'est pas ça qui t'intéresse, ce
que je veux que tu voies. Continue, allez. »

Je revins à la notice biographique, mais je dus aussitôt
m'arrêter et lever de nouveau les yeux, après avoir lu les renseignements relatifs à sa naissance, qui disaient ceci :

« Né le 24 octobre 1913, à Christchurch, Nouvelle-Zélande.
Fils aîné de Hugh Bernard Rylands et de feu Rita Muriel, dont
le nom de jeune fille était Wheeler », « *née\** », disait la notice,
à la française en anglais. « A adopté le nom de Wheeler selon
un acte officiel en 1929. »

« Rylands ? » Cette fois, Il n'y avait plus rien de rhétorique
dans la question, rien d'autre qu'une stupéfaction spontanée
et sincère. « Rylands ? » répétai-je. Mes yeux durent montrer
de la défiance, et peut-être un peu de reproche. « Ce n'est pas,
ce n'est sans doute pas, ce ne peut pas être une coïncidence,
hein ? »

Le regard que me rendit Wheeler refléta un mélange d'impatience et de patience, ou de contrariété et de paternalisme,
comme s'il avait prévu que je m'arrêterais sur ce point, sur
le nom inattendu de son père Rylands, et qu'il acceptait ou
comprenait ma réaction, mais que cette question l'ennuyait,
ou qu'il la voyait comme une formalité assommante avant de
se concentrer sur celle qu'il voulait aborder. À en juger par
son expression, il aurait parfaitement pu dire : « Ce n'est pas
ça non plus qui est intéressant, ce que je veux que tu voies,
Jacobo. Continue. » Et il me le dit en fait plus ou moins, mais
pas tout de suite, il eut un peu de considération pour moi ;
non sans faire auparavant une légère tentative pour se mettre
à l'abri de mes reproches :

* En français dans le texte. (*N.d.T.*)

« Oh, allons. Tu ne vas pas me dire maintenant que tu ne le savais pas.

— Peter. » Mon ton était celui d'un avertissement sérieux et même de clair reproche, comme celui que je prenais parfois avec mes enfants quand ils s'entêtaient à faire les étonnés pour ne pas obéir.

« Bon, bon, je croyais que tu étais au courant, j'aurais juré que oui. En fait, je suis vraiment stupéfait que tu ne le saches pas.

— S'il vous plaît, Peter : personne n'est au courant, pas à Oxford. Ou si les gens le savent ils ne le disent pas, ils l'ont caché avec une discrétion insolite. Croyez-vous que s'ils l'avaient su Aidan Kavanagh ou Cromer-Blake, Dewar ou Rook ou Carr, Crowther-Hunt, Clare Bayes elle-même ne me l'auraient pas dit ? » C'étaient d'anciens amis ou simplement des collègues de mon époque dans la ville, les uns moins cancaniers que les autres. Clare Bayes avait été en outre ma maîtresse, il y avait longtemps que je ne l'avais vue et que je n'avais pas de ses nouvelles, ni de son petit Eric qui ne devait plus être petit, il devait avoir terminé de grandir. Peut-être qu'elle ne me plairait plus, ma lointaine amante, si je la voyais. Et que je ne lui plairais plus moi non plus, peut-être. Mieux vaut ne pas se revoir, cela vaut mieux. « Vous le saviez, vous, madame Berry ? »

Mme Berry sursauta un peu, mais répondit aussitôt sans hésiter :

« Oui, j'étais au courant. Mais tenez compte du fait que j'ai été au service des deux frères, Jack. Et ensuite, je n'ai pas l'habitude de parler. » Comme tous les Anglais qui avaient des difficultés à prononcer le nom de Jacques et qui ignoraient l'espagnol pour le changer en Jaime ou en Jacobo ou en Diego, elle m'appelait comme ça (approximation phonétique), par ce diminutif de John ou Juan, et non de James. Quand ils oublièrent leurs « Mr Deza » (ce fut très rapide), Tupra et Mulryan m'appelèrent Jacques eux aussi. Rendel non, il ne se permettait jamais de familiarités avec personne, du moins pas dans l'immeuble sans nom ni fonction apparente. Et la jeune Nuix, tout comme Luisa, avait penché pour Jaime, ou parfois pour mon nom seul, Deza tout court, tout comme Luisa également.

« Frères, murmurai-je, et cette fois je réussis à ne pas transformer la répétition en question. Frères, hein ? Vous savez bien que je n'en savais rien, Peter. Je ne savais même pas que vous étiez d'origine néo-zélandaise, vous me l'avez dit pour la première fois de ma vie il y a quelques jours à peine, au téléphone. » À mesure que je parlais m'arrivèrent de rapides souvenirs de Rylands, ils surgissent parfois avec une rapidité terrible. « Et alors Toby — dis-je en me souvenant : on murmurait qu'il était né en Afrique du Sud, et je l'ai tenu pour certain en l'entendant une fois dire en passant que jusqu'à l'âge de seize ans il n'avait pas quitté ce continent, l'Afrique. L'âge auquel vous êtes arrivé ici, cela aussi vous me l'avez dit en passant pour la première fois lors de cette conversation téléphonique toute récente. Vous n'allez pas me dire maintenant que vous étiez jumeaux, n'est-ce pas ? »

Wheeler me regarda de nouveau en silence, ses yeux me dirent qu'il n'était pas disposé à écouter des reproches ni des quasi-ironies, pas ce matin-là, il avait d'autres choses à l'esprit, ou dans l'ordre du jour prévu pour cette séance.

« Eh bien, si vraiment tu l'ignorais... Je suppose que tu ne me l'as jamais demandé, alors, répondit-il. Ce n'est pas que je l'aie caché. Toby peut-être, il est possible qu'il ait préféré ne rien dire, peut-être que lui te l'a caché. Moi, pas. Je ne vois pas non plus pourquoi j'aurais été obligé de te le dire. » Il prononça cette phrase sur le même ton presque de disculpation, sans altération ; mais je l'isolai et je la reconnus : c'était une phrase destinée à me remettre à ma place. « Nous n'étions pas jumeaux. J'avais presque un an de plus que lui. Maintenant je suis nettement plus vieux. »

Je savais comment était Wheeler quand quelque chose l'incommodait ou quand il devenait évasif, insister c'était perdre son temps, l'irriter peut-être, c'était toujours lui qui décidait de ce dont on parlait.

« Comme vous voudrez, Peter. Si vous avez la bonté de me l'expliquer, je suis tout ouïe, curiosité et intérêt. Je suppose que c'est ce que vous vouliez que je voie dans le *Who's Who*, j'ai bon espoir que vous me direz pourquoi. Pourquoi maintenant, veux-je dire.

— Ah non, pas du tout, répondit-il. Je t'assure que je te croyais au courant, sinon je n'aurais pas pris le risque de nous voir échouer ici. Non. C'est d'autre chose que je veux te parler, même si cela a à voir indirectement avec Toby, cela a quelque chose à voir. Hier soir j'ai remis certains sujets à aujourd'hui n'est-ce pas ? Allez, continue à lire, tu n'as pas terminé, sois gentil de le faire. » Et d'un index impérieux qui remua de haut en bas comme s'il était autonome et que c'était sa gravité qui le dirigeait (il le laissa presque tomber à la verticale), il toucha le gros volume qui était ouvert devant moi.

« Peter, vous ne pouvez pas me laisser comme ça maintenant, osai-je protester.

— Cela viendra, Jacobo, ne t'inquiète pas, tu sauras tout. Mais l'histoire est banale, tu seras déçu. Allez, continue. Et lis à voix haute, s'il te plaît. Je ne veux pas non plus que tu ailles jusqu'au bout, quel ennui. Et comme ça je te dirai où tu pourras t'arrêter. »

Je revins à la notice biographique, au paragraphe suivant, qui était celui de « *Éducation* » ou « *Études* ». Et je lus à voix haute et en anglais, mais en sautant les abréviations et les sigles incompréhensibles pour moi :

« "*Cheltenham College ; Queen's College, Oxford ; Lecturer of St. John's College, 1937-53, and Queen's College, 1938-45. Enlisted, 1940.*" » Et là, je ne pus éviter de m'arrêter, si tôt, bien qu'il ne m'eût pas encore indiqué de le faire. Je levai les yeux. « Vous vous êtes engagé en 40, je l'ignorais, dis-je. Et je ne vois nulle part mentionnée l'année 1936. C'est peut-être à cette époque que vous êtes allé en Espagne ? De nombreux Britanniques qui y sont allés sont partis début 37 ou au milieu, effrayés ou blessés ils n'y restèrent pas longtemps, et parmi eux George Orwell lui-même. » Je me souvins alors que j'avais aussi cherché à tout hasard, mais sans succès, le nom de Rylands dans les index onomastiques des volumes consultés pendant la nuit, donc ce n'était pas non plus son possible premier ou véritable nom, Peter Rylands, que Wheeler avait porté pendant la guerre de mon pays. Ou peut-être que si, mais il n'y avait rien fait d'assez remarquable pour mériter plus tard une mention dans les livres d'histoire, et ce n'était que pour plaisanter qu'il m'avait laissé imaginer que oui.

Wheeler sembla lire dans mes pensées, en plus d'entendre ma question intempestive.

« Beaucoup n'en sont jamais repartis, ils sont toujours là-bas, effrayés et blessés. Blessés à mort, me répondit-il. Mais laissons maintenant la guerre d'Espagne, même si tu as passé la nuit à t'en imbiber, je t'en supplie. Presque personne ne portait son vrai nom, et tant de gens pendant la Seconde Guerre mondiale non plus. Orwell lui-même ne s'appelait pas George Orwell, tu t'en souviens certainement. (Je ne m'en souvenais pas, et comme il remarquait cet oubli, il ajouta :) Non ? Son véritable nom était Blair, Eric Blair, je l'ai un peu connu, pendant la guerre il était dans la section Indes de la BBC. Eric Arthur Blair. Il était né au Bengale, et avait vécu en Birmanie dans sa jeunesse, il connaissait bien l'Orient. Il avait dix ans de plus que moi. Maintenant je suis infiniment plus vieux que lui. Il est mort jeune, ça tu le sais, il n'avait même pas cinquante ans. » « Un de plus, pensai-je, un autre Britannique étranger ou faux anglais. » « C'est bon, allez, continue à lire ou nous ne parlerons jamais de ce dont il faut parler.

— Excusez-moi, Peter. » Et je lus : « *"Commissioned Intelligence Corps, December 1940 ; Temporary Lieutenant-Colonel, 1945 ; specially employed in Caribbean, West Africa and South East Asia, 1942-46. Fellow of Queen's College, 1946-53..."*

— Ça suffit. » « *That's enough* », dit-il en anglais, la langue dans laquelle nous parlions, autrement c'eût été une impolitesse envers Mme Berry, j'étais un peu étonné qu'elle ne se soit pas retirée, elle le faisait généralement, même lors de conversations plus conventionnelles ou sans but, j'ignorais encore quel était celui de ce matin-là. C'était donc cela que Wheeler voulait me montrer : « Versé au corps des renseignements en 1940 » (aujourd'hui les mauvais traducteurs diraient « corps d'intelligence », peu importe, dans les deux cas il s'agirait des services secrets, le MI5 et le MI6, les initiales signifient Military Intelligence, pour certains une contradiction dans les termes, l'équivalent britannique des GPU, OGPU, NKVD, MGD, KGB soviétiques, innombrables leurs noms tout au long du temps : le MI5 pour l'intérieur et le MI6 pour l'extérieur, le premier chargé des affaires nationales et le second des internationales) ; « Lieutenant-colonel provisoire en 1945 ; charges spéciales » (c'est-à-dire « missions ») « dans les Caraïbes, en Afrique-Occidentale et dans le Sud-Est asiatique entre 1942 et 1946 ». Voilà ce que je venais de lire. « Le reste ne nous concerne pas pour le moment, ce sont mes mérites, mes publications et mes postes, bla bla bla, ajouta-t-il.

— Toby a lui aussi fait partie du MI5, c'est ce qu'on disait quand j'enseignais ici, dis-je. Et bon, le fait est qu'un jour il me l'a confirmé.

— Il t'a parlé de ça ? demanda Wheeler. C'est curieux. Curieux et même très curieux, tu dois être l'un des rares à qui il en ait parlé. Il faisait plutôt partie du MI6, nous y étions tous les deux pendant la guerre, comme presque tout le monde à Oxford et Cambridge, je veux dire ceux qui comme nous avaient une formation et une aisance suffisantes, et qui parlaient plusieurs langues, et qui auraient été bien moins utiles sur les différents fronts, d'ailleurs, bien qu'ils y soient aussi parfois allés. Qu'on nous ait recrutés ou réclamés pour le MI5 ou le SOE n'eut très vite rien de particulier, bien plus, ils commencèrent à se nourrir de nous pour les tâches et les postes à responsabilité. » Il s'aperçut que je ne connaissais pas le dernier sigle et il me l'expliqua : « Special Operations

Executive, il n'a fonctionné que pendant la guerre, entre 40 et 45. Non, je mens, il a été démantelé officiellement en 46. Pour de bon et entièrement, ma foi, je suppose que rien de ce qui existe ne se démantèle jamais entièrement et pour de bon. C'était cela, des exécuteurs, et assez brutaux : le MI6 se consacrait à l'investigation et à l'information, bien, disons à l'espionnage et à la tromperie préméditée ; le SOE au sabotage, à la subversion, aux assassinats, à la destruction, à la terreur.

— Aux assassinats ? » Je crains que devant ce mot personne ne sache se retenir et se taire, encore moins que devant sa compagne la terreur.

— Oui, bien sûr. Ce sont eux qui tuèrent Heydrich, par exemple, le protecteur du Reich en Bohême et en Moravie, un de leurs plus grands exploits, qu'est-ce qu'ils en étaient fiers, en 42. Ce furent deux résistants tchèques qui lancèrent des grenades sur sa voiture et qui le mitraillèrent, mais l'opération avait été conçue et organisée par le colonel Spooner, un des chefs du SOE. Avec une prévision réduite, un mauvais calcul et une exécution passable, à vrai dire, tu as peut-être entendu parler de cet épisode ou tu l'auras vu au cinéma, je ne sais pas si la Seconde Guerre mondiale t'a beaucoup intéressé. Heydrich ne fut pas atteint par des blessures nécessairement mortelles ; on crut qu'il s'en tirerait, et chaque jour de sa convalescence (qui fut son agonie, en fait) eut pour prix cent otages fusillés à la tombée de la nuit. Il mit une semaine à mourir, tu imagines, et si effectivement il mourut ce fut, dit-on, parce que le poison dont étaient chargées les balles eut un effet très lent. Bon, ça, d'après les Allemands : ils ont dit qu'elles avaient été imprégnées de bacille botulinique rapporté d'Amérique par le SOE, je n'en sais rien, il est possible que les médecins nazis aient fait une gaffe, qu'ils aient voulu sauver leur peau et qu'ils aient inventé ce truc-là. Mais si l'histoire est vraie et que Frank Spooner a vraiment ordonné d'empoisonner les munitions, ils auraient pu le faire avec quelque chose d'un peu plus rapide et de foudroyant, non ? Peut-être avec du curare, comme les Indiens avec leurs flèches et leurs lances, non ? » Et Wheeler rit un peu, sans joie : pour la première fois son rire me fit penser à celui de Rylands, qui était bref et sec et un peu diabolique et n'était pas aspiré *(ah ah ah)*, mais explosif, avec un *t* nettement alvéolaire, comme l'est toujours le *t* en anglais : *Ta, ta, ta,* faisait-il. *Ta, ta, ta.* « La rapidité aurait eu le même résultat, bien sûr. Quand Heydrich mourut enfin, les nazis exterminèrent toute la population de Lidice, le village où avaient atterri avec leurs parachutes les agents du SOE qui dirigèrent l'attentat *in situ*. Il ne resta pas âme qui vive, mais cela ne leur suffit pas, alors ils réduisirent l'endroit en cendres, ils le rasèrent, le rayèrent de la carte, leur fort sens de l'espace était étrange, quelque chose de malsain, une haine des lieux, comme s'ils croyaient au *genius loci*, une détestation de l'espace. » « Franco l'avait aussi, pensai-je ; et par-dessus tout il haïssait ma ville, Madrid, parce qu'elle ne voulait pas de lui et ne se rendit qu'à la fin. » « Les hommes du SOE étaient un peu bornés, ils agissaient souvent sans estimer si les conséquences compensaient ou non l'action. Certains soldats les détestaient, les méprisaient. J'ai lu il y a quelques mois dans un livre de Knightley que le chef des bombardements, sir Arthur Harris, les traitait d'amateurs, d'ignorants, d'irresponsables et de menteurs. D'autres ont dit pis encore. Leur effet le plus bénéfique fut psychologique, en réalité, ce qui n'est pas à dédaigner : connaître leur existence et leurs exploits (qui étaient plutôt de la légende) remontait le moral des pays occupés, où on leur supposait des pouvoirs qu'ils n'avaient pas, et beaucoup plus d'intelligence et d'infaillibilité et d'astuce qu'ils n'en eurent jamais. Ils ont connu beaucoup d'échecs, ça oui. Mais les gens croient ce qu'ils ont besoin de croire, nous le savons, et il y a un temps pour tout croire. Où en étions-nous ? Pourquoi parlons-nous de cela ?

— Vous me parliez des gens d'Oxford et de Cambridge qui entraient au MI6 ou au SOE. » Il suffit qu'on nous cite et explique un nom pour que nous l'employions aussitôt, presque avec familiarité. Wheeler avait dit la même phrase que Tupra, « il y a un temps pour tout croire », je me demandais si ce n'était pas une devise, qu'ils connaissaient tous les deux. Pendant que Wheeler parlait, j'avais jeté des coups d'œil au reste de sa notice biographique qui ne nous concernait plus : un homme couvert de distinctions et d'honneurs, espagnols, portugais, britanniques, nord-américains, commandeur de l'ordre d'Isabelle la Catholique, de celui de l'infant Dom Henrique. Je vis que parmi ses écrits se trouvait ce titre de 1955 : *The English Intervention in Spain and Portugal in the Time of Edward III and Richard II*. « Il a passé toute sa vie à étudier les ingérences de son pays à l'étranger, pensai-je, depuis le XIVᵉ siècle, depuis le Prince Noir, cet intérêt lui est peut-être venu de son passage par le MI6. » « Vous disiez que Toby appartenait au premier.

— Ah oui. Oui, oui. Bon, tu connais notre privilège : on considère que nous sommes préparés, qualifiés par principe pour toute activité, qu'elles aient ou non à voir avec nos études ou nos disciplines. Et bon, cette université intervient à travers ses rejetons dans le gouvernement de ce pays depuis de trop longs siècles pour que nous ayons refusé de collaborer quand on avait le plus besoin de nous. On n'avait pas le choix non plus à l'époque, nous n'étions pas en temps de paix. Bien qu'il y en ait eu qui l'ont fait, qui ont refusé. Et qui l'ont payé, très cher. Toute leur vie. Et aussi qui furent des agents doubles et qui trahirent, tu as certainement entendu parler de Philby, Burgess, Maclean et Blunt, leur scandale étiré tout au long des années cinquante et soixante, et même pendant les années soixante, on ne sut rien de Blunt jusqu'en 79, quand Mrs Thatcher décida de ne pas respecter le pacte dont elle avait hérité et de rendre public ce qu'il avait avoué en secret quinze ans plus tôt, et de l'enfoncer bien comme il faut, il fut dépossédé de tout, à commencer, ridiculement, par son titre de sir. Mais enfin, tant de monde avait été enrôlé qu'il n'y a rien d'étrange à ce qu'il ait surgi quatre traîtres de nos universités, par chance ils appartenaient tous les quatre à l'autre, pas à la nôtre, cela fait un demi-siècle que cela nous favorise

251

tacitement, un peu plus. » « La rancœur spatiale, le châtiment du lieu, pensai-je, ici aussi. » « Bon, quatre : les Quatre de la Renommée du Cercle des Cinq, mais il y en a eu infiniment plus. » Je ne compris pas à quoi il faisait allusion : « *The Four of Fame from the Ring of Five* », telles avaient été ses paroles en anglais. Mais cette fois je dissimulai mon ignorance jusque sur mon visage, je ne voulais pas qu'il soit obligé de s'interrompre de nouveau à cause d'elle. « *Ring* » pouvait être « anneau », aussi. « J'y suis entré, Toby y est entré, comme tant d'autres, ça n'a jamais cessé d'être commun, pas même après la guerre, ils ont toujours eu besoin de tout et ils ont été le chercher dans les meilleurs endroits, dans les endroits indiqués. Et ils ont toujours eu besoin de linguistes, de déchiffreurs, de gens qui parlent plusieurs langues : je ne crois pas qu'il y ait un seul des membres de la sous-faculté d'études slaves ici qui ne leur ait rendu service un jour. Pas sur le terrain, bien sûr, pas en mission, un membre de ce département était trop marqué professionnellement pour leur être utile là-bas, cela aurait été comme envoyer un espion portant un écriteau sur le front avec "Espion" dessus. Mais on a eu recours à eux pour traduire, servir d'interprètes, déchiffrer, authentifier des enregistrements et polir des accents, réaliser des écoutes et interroger, à Vauxhall Cross ou à Baker Street. Avant la chute du Mur, bien sûr, aujourd'hui ils ont moins besoin d'eux, c'est le tour des arabisants et des érudits de l'Islam, ils n'ont pas encore une idée très juste de ce qui leur tombe dessus, ils ne les laisseront pas en paix. » Je me souviens alors de cette grosse tête de Rook, éternel traducteur de Tolstoï et supposé mais invraisemblable ami de Vladimir Nabokov et de Dewar l'Éventreur, le Tueur d'abattoir, le Marteau et l'Inquisiteur (pauvre Dewar atteint d'insomnie, et que ces surnoms étaient injustes), qui était hispaniste mais lisait Pouchkine en russe, à ce que je découvris, et qui se délectait de ses stances iambiques à haute ou à mi-voix. Vieilles connaissances de la ville d'Oxford où j'étais resté deux ans mais toujours en passant, j'avais interrompu mes relations avec presque toutes en rentrant à Madrid. Cromer-Blake et Rylands morts, avec qui j'avais tissé les meilleurs liens d'amitié. Clare Bayes de retour auprès de son mari Edward Bayes, peut-être, ou avec un nouvel amant, en tout cas il n'y avait plus la moindre place pour moi comme ami, ou pour moi il n'y avait aucune justification à cela, nos effusions avaient été secrètes. Je gardais avec Kavanagh un contact sporadique, c'était le chef de ma sous-faculté, un homme drôle, un grand hypocondriaque, c'est peut-être pour cela qu'il écrivait sous ce pseudonyme ses romans d'épouvante, deux manières d'addiction à la terreur. Et Wheeler. Mais en réalité il était postérieur à mon séjour, c'était plutôt un héritage de Rylands et son successeur, son remplaçant ou sa relève dans ma vie, je prenais conscience maintenant de son caractère familial, celui de l'héritage et de la succession, je veux dire. Wheeler resta un moment pensif (peut-être s'apitoyait-il sur quelque arabisant de ses connaissances, et sur son imminent destin harcelé par le MI6), puis il revint sur un point précédent, en insistant : « Il est très étrange que Toby t'ait parlé de tout cela. Il n'aimait pas que ça se sache, ni se le rappeler. Comme moi, en fait, ne crois pas maintenant que je vais te raconter des aventures dans les Caraïbes ni en Afrique-Occidentale ni dans le Sud-Est asiatique, d'après les accusations imprécises du *Who's Who*. Que t'a-t-il dit en cette occasion ? Te souviens-tu comment ça s'est passé ? »

Oui, je m'en souvenais, presque mot pour mot, en aucune autre occasion Rylands ne m'avait parlé avec autant d'intensité, en se fiant autant à sa mémoire et en faisant autant abstraction de sa volonté. C'était vrai : il n'aimait pas se souvenir en compagnie, et il ne voulait pas laisser savoir. « Nous parlions de la mort », dis-je. « Ce qu'il y a de grave quand la mort approche, ce n'est pas la mort elle-même, avec ce qu'elle apporte ou n'apporte pas, c'est qu'on ne pourra plus rêvasser à ce qui viendra plus tard », avait dit Rylands, assis sur une chaise dans son jardin près de la même rivière calme que nous voyions maintenant, la Cherwell aux eaux terreuses, sauf que la maison de Rylands donnait sur une partie plus sauvage, plus féerique, et beaucoup moins tranquillisante. On y voyait parfois des cygnes, auxquels il lançait des morceaux de pain. « De la mort ? Ça aussi c'est étrange, commenta Wheeler. Il est curieux que Toby en ait parlé, et il est curieux que qui que ce soit en parle, et plus encore si on doit compter avec elle, à cause de la maladie ou de l'âge. Ou du caractère, aussi. » « Wheeler compte déjà avec elle, pensai-je, mais plus par l'effet de son intelligence qu'à cause de son âge. »

« Cromer-Blake était déjà très malade, nous craignions ce qui s'est passé ensuite. Parler de cela, et du peu de temps restant, poussa Toby à faire des récapitulations. » « J'ai eu ce qu'on appelle communément une vie bien remplie, ou du moins je la tiens pour telle, avait dit Rylands. Je n'ai eu ni femme ni enfants, mais je crois avoir eu une vie de connaissance, qui était ce qui m'importait. Je n'ai jamais cessé d'en savoir plus que je n'en savais avant, et peu importe où tu mettras cet *avant*, soit aujourd'hui, soit demain. »

« Et il t'a alors raconté ce qu'il avait fait, il t'a raconté ses aventures ? me demanda Wheeler, je crus remarquer un peu d'appréhension dans sa voix, comme s'il faisait allusion à quelque chose de plus concret que sa collaboration avec le MI6, qui au fond, à Oxford, était une chose sans importance, banale.

— Il a voulu m'expliquer qu'il avait eu une vie bien remplie, qu'il ne s'était pas limité à l'étude et à la connaissance et à l'enseignement, comme on pouvait le penser », répondis-je. « Mais j'ai aussi eu une vie bien remplie parce que cette vie a été pleine d'action, et d'imprévus », avait dit Rylands. Et c'est alors qu'il me confirma la rumeur que j'avais entendue par ici : qu'il avait été espion, c'est le mot dont il se servit. Et j'en déduisis qu'il avait appartenu au MI5, il ne me vint pas à l'esprit que ce pût être au MI6, peut-être parce que ce dernier ne nous parle pas autant, à nous autres Espagnols.

« Il t'a dit ça. » Le ton n'était pas interrogatif. « Il s'est servi de ce mot, hmm, murmura Wheeler, comme tant de gens le faisaient à Oxford, et Rylands aussi. Hmm. » Je vis Peter si pensif et si curieux qu'il me sembla égoïste et peu digne d'un véritable ami de ne pas élargir le contexte, dont je me souvenais aussi, et de ne pas lui citer *verbatim* son frère cadet. « Hmm », marmotta-t-il de nouveau.

« J'ai été espion, m'a-t-il révélé, comme tu l'as sûrement entendu dire et comme l'ont été tant d'entre nous parce que cela peut faire partie de notre travail ; pas de bureau, comme le sont ce Dewar de ton département et la plupart, mais de terrain. » Je remarquai dans les yeux de Wheeler qu'il accusait la coïncidence avec quelques-unes des expressions qu'il venait lui-même d'employer.

« A-t-il dit autre chose ? demanda-t-il.

— Oui, il a dit autre chose : il a parlé un moment sans pause, comme si je n'étais pas là, et il a ajouté certains détails. Par exemple il a dit : "J'ai été en Inde et dans les Caraïbes et en Russie, et j'ai fait des choses que je ne peux plus raconter à personne parce qu'elles sembleraient ridicules et on n'y croirait pas, je sais bien ce qu'on peut raconter et ce qu'on ne peut pas selon les périodes, parce que j'ai consacré ma vie à le savoir dans le domaine de la littérature, et je fais la distinction."

— Toby avait raison sur ce point, il y a des choses qu'on ne peut plus raconter même si elles sont arrivées, ou difficilement. Les faits de guerre semblent puérils en temps de paix relative, et que quelque chose soit arrivé n'est pas suffisant pour en admettre le récit, il ne suffit pas que ce soit vrai pour être plausible. Parfois la vérité devient invraisemblable avec le temps ; elle s'éloigne, et alors elle a l'air d'une fable, ou de n'être plus vraie. Certains épisodes que j'ai vécus me semblent fictifs à moi-même. Des épisodes importants, mais de ceux dont le temps qui suit commence à douter, peut-être pas notre propre temps, mais les époques, ce sont les époques nouvelles qui rabaissent ce qui a précédé et qu'elles n'ont pas vu, je ne sais pas, presque comme si elles en étaient jalouses. Le présent infantilise souvent le passé, il tend à le rendre imaginaire et puéril, et il nous le rend inutilisable, il nous l'abîme. » Il fit une pause, acquiesça de la tête à la cigarette que j'avais d'un air dubitatif portée à mes lèvres après avoir bu mon café (je ne savais pas si la fumée pouvait les déranger à cette heure-là). Il regarda par la fenêtre vers la rivière, vers son tronçon de rivière plus civilisé et plus harmonieux que celui de Toby Rylands. Il avait momentanément perdu toute hâte et toute impatience, cela arrive souvent quand on évoque les morts. « Qui sait si ce n'est pas pour ça que nous mourons, en partie : parce qu'on annule entièrement ce que nous avons vécu, et alors nos souvenirs eux-mêmes deviennent caducs. Ce sont d'abord les faits vécus qui le deviennent. Et ensuite nos souvenirs aussi.

— Il y aussi un temps pour ne *pas* tout croire, c'est cela, n'est-ce pas ?»

Wheeler sourit vaguement, comme malgré lui. Mon inversion de la phrase qu'il avait prononcée un peu plus tôt ne lui avait pas échappé, de la possible devise qu'il partageait avec Tupra, si toutefois c'était une devise et non une coïncidence de leurs pensées, une affinité de plus entre eux.

«Mais même comme ça il t'a raconté, murmura alors Wheeler, et plus que de l'appréhension je crus percevoir cette fois du fatalisme ou de la déroute ou de la résignation dans sa voix, c'est-à-dire de la reddition.

— Ne croyez pas ça, Peter. Il m'a raconté et pas raconté. Même s'il était de temps en temps plongé dans ses pensées, il ne perdait jamais entièrement sa volonté, me semble-t-il, et il n'en disait jamais plus que ce qu'il avait conscience de vouloir dire. Même si c'était une conscience lointaine ou secrète, ou amortie. Exactement comme vous.

— Que t'a-t-il raconté et pas raconté, donc ?» Il ne releva pas ma dernière observation, ou la garda pour plus tard.

«En fait, il ne m'a pas raconté, il a simplement dit. Il a dit : "Rien de tout ça ne doit plus être raconté, mais j'ai couru des risques mortels et j'ai dénoncé des hommes contre lesquels je n'avais rien personnellement. J'ai sauvé des vies et j'ai envoyé d'autres gens au poteau ou à la potence. J'ai vécu en Afrique, dans des endroits invraisemblables et à d'autres époques, et j'ai vu se tuer la personne que j'aimais."

— Il a dit ça, "j'ai vu se tuer..."?» Il ne répéta pas toute la phrase. La surprise de Wheeler était grande, ou peut-être était-ce de l'irritation. «Et c'est tout ? Il a dit de qui il s'agissait, comment ça s'est passé ?

— Non. Je me souviens qu'il s'est arrêté net, comme si sa volonté ou sa conscience avaient envoyé un avertissement à sa mémoire, pour qu'il n'aille pas trop loin ; puis il a ajouté : "Et j'ai assisté à des combats", je m'en souviens bien. Ensuite il a continué à parler, mais de son présent. Il n'a plus rien dit de son passé, ou seulement en termes très généraux. Encore plus généraux.

— Puis-je savoir quels étaient ces termes ?» La question de Wheeler n'était pas autoritaire, timide, plutôt, comme s'il me demandait une permission ; ce fut presque une prière. « Bien sûr, Peter, lui répondis-je, et en fait il n'y eut ni réserve ni insincérité dans le ton de ma réponse. Il a dit qu'il avait la tête pleine de souvenirs nets et fulgurants, effrayants et exaltants, et que celui qui pourrait les voir dans leur ensemble comme il les voyait lui-même penserait qu'il y en avait assez pour ne pas en vouloir davantage, pour que la seule remémoration de tant de faits et de tant de personnes émouvantes remplisse les jours de sa vieillesse plus intensément que le présent de bien d'autres. » Je m'arrêtai un instant, pour lui laisser le temps de réfléchir à ce que je venais de dire. « De façon assez approximative, tels furent les termes qu'il a employés, ce qu'il a dit. Et il a ajouté qu'il n'en allait pas ainsi, pourtant. Qu'il n'en allait pas ainsi, dans son cas à lui. Il a dit qu'il en voulait encore davantage. Il a dit qu'il continuait à vouloir tout. »

Wheeler parut alors à la fois soulagé et attristé et inquiet, ou peut-être rien de tout cela, mais simplement remué. Dans son cas il n'en allait certainement pas ainsi non plus, malgré tous les souvenirs fulgurants et nets qu'il conservait. Assurément rien ne remplissait assez les jours de sa vieillesse, en dépit de ses manœuvres et de ses efforts.

« Et tu as cru tout ce qu'il te disait, fit-il.

— Je n'avais aucune raison de ne pas le croire, répondis-je. Et d'ailleurs il parlait avec sincérité, c'est quelque chose qu'on sait parfois sans l'ombre d'un doute, que quelqu'un parle avec sincérité. Cela n'arrive pas souvent, c'est vrai, ajoutai-je. Qu'il n'y ait pas le moindre doute.

— Te souviens-tu quand c'était, quand cette conversation a eu lieu ?

— Oui, c'était Hilary de ma deuxième année ici, vers la fin mars.

— C'est-à-dire deux ans avant sa mort, n'est-ce pas ?

— Plus ou moins, un peu plus peut-être. Il est possible qu'à l'époque il ne nous ait pas encore présentés l'un à l'autre. Vous et moi avons dû nous rencontrer pour la première fois à Trinity de cette année-là, peu avant mon retour définitif à Madrid.

— Nous étions déjà âgés, Toby et moi, depuis longtemps à la retraite l'un et l'autre. Je n'aurais jamais cru que je le serais tellement plus, je ne sais pas comment il aurait porté, lui, tout cet âge qui m'a été ajouté, et pas à lui. Probablement mal, plus mal que moi. Il avait plus à se plaindre que moi parce qu'il était plus optimiste, et par conséquent plus passif, n'êtes-vous pas d'accord, Estelle ? »

Je fus étonné de l'entendre soudain appeler Mme Berry par son prénom, je ne l'avais jamais entendu le faire, il avait été très souvent seul avec moi et même ainsi il s'était toujours adressé à elle en disant « Mrs Berry ». Je me demandai si la nature de la conversation n'y était pas pour quelque chose. Comme s'ils m'ouvraient tous les deux une porte ou plusieurs (je ne savais pas encore laquelle ni combien il y en avait), parmi elles celle de leur quotidien sans témoins. Elle l'appelait toujours « *Professor* », ce qui ne signifie pas simplement « professeur » à Oxford, mais titulaire d'une chaire ou chef de département, et donc il n'y a qu'un seul *Professor* dans chaque sous-faculté, et les autres sont de simples *dons*. Et cette fois Mme Berry lui répondit de la même façon en l'appelant « Peter » tout court. C'est ainsi qu'ils devaient s'appeler quand ils étaient seuls, Peter et Estelle, pensai-je. Impossible de savoir s'ils se tutoyaient, cependant, puisqu'en anglais actuel il n'y a aucune distinction entre le « tu » et le « vous », *only* « *you* ».

« Oui, Peter, vous avez raison. » Je décidai d'imaginer qu'ils auraient conservé le « vous » s'ils s'étaient parlé dans une autre langue, comme je le faisais mentalement avec Wheeler quand je m'adressais à lui dans la sienne. « Il comptait sur le fait que les personnes et les choses devaient venir toutes seules, et donc il était plus souvent déçu. Je ne sais pas s'il était plus optimiste ou plus orgueilleux. Mais il n'allait pas les chercher. Il n'allait pas au-devant d'elles comme vous le faites. » Le ton calme et discret de Mme Berry était pourtant celui de toujours, je ne perçus pas la moindre variation.

« L'orgueil et l'optimisme ne sont pas des caractéristiques qui s'excluent, Estelle, lui répondit un Wheeler légèrement professoral. C'est lui qui m'a parlé de toi », dit-il ensuite en me regardant, et chez lui en revanche il y eut un net changement de ton par rapport à avant : la brume qui l'enveloppait s'était dissipée (l'appréhension ou une possible irritation ou la fatalité) comme si, après quelques instants d'alarme, il avait été tranquillisé de constater que je n'en savais pas trop sur Rylands malgré les confidences improvisées de ce dernier en ce jour d'Hilary de ma deuxième année à Oxford. Que sa remémoration n'avait pas tout à fait trahi sa volonté en ma présence, ni peut-être en celle de qui que ce soit, jamais. Que j'étais au courant de sa condition passée d'espion et de quelques autres faits imprécis sans date ni lieu ni nom, mais rien de plus. Il se sentit de nouveau maître de la situation après son bref déséquilibre, je le vis dans ses yeux, je l'entendis dans l'accent un peu didactique de sa voix. Il était sans doute contrarié de découvrir qu'il ne possédait pas toutes les données, s'il avait cru les posséder, et maintenant il tenait pour assuré qu'il les avait toutes, celles dont il avait besoin ou qui lui procuraient aisance et commodité. Dans la lumière de la matinée un peu avancée, ses yeux étaient très transparents, pas aussi minéraux que d'ordinaire, mais beaucoup plus liquides, comme l'étaient ceux de Toby Rylands ou du moins le droit, celui qui prenait la couleur du xérès ou celle de l'huile selon la façon dont l'éclairait le soleil, et qui prédominait sur l'autre et s'imposait à lui quand on les regardait de loin : ou bien est-ce qu'on est porté à trouver davantage de ressemblances entre les personnes quand on se sait appuyé par leur consanguinité ? Wheeler ne m'avait encore rien expliqué de cette parenté ignorée jusque-là, mais il ne m'avait guère été difficile d'appliquer cette correction à ma pensée et de ne plus les voir comme des amis, mais comme des frères. Ou comme des frères qui sont aussi amis, ce qu'en tout cas ils devaient avoir été. Les yeux de Wheeler me semblèrent alors presque deux grosses gouttes de vin rosé. « C'est Toby qui m'a suggéré que tu pouvais être comme nous, peut-être, ajouta-t-il.

— En quel sens, comme nous ? Que voulez-vous dire ? Que voulait-il dire ? »

Wheeler ne me répondit pas directement. Le fait est qu'il le faisait très rarement.

« Il n'y a presque plus personne comme ça, Jacobo. Il n'y en a jamais eu beaucoup, et plutôt bien peu, et c'est pourquoi le groupe a toujours été réduit, et dispersé. Mais de nos jours la rareté est absolue, ce n'est ni un topique ni une exagération que de dire que nous sommes en voie d'extinction galopante. Notre époque est devenue gnangnan, minaudière, vraiment hypocrite. Personne ne veut rien voir de ce qu'il faut voir, personne n'ose regarder, encore moins lancer ou risquer un pari, se prémunir, prévoir, juger, ne disons pas préjuger, ce qui est une offense capitale, oh, de lèse-humanité, cela attente à la dignité : de celui dont on préjuge, de celui qui préjuge, de qui tu voudras. Personne n'ose plus se dire ou reconnaître qu'il voit ce qu'il voit, ce qui est souvent là, muet peut-être ou peut-être très laconique, mais évident. Personne ne veut savoir ; et savoir à l'avance, eh bien, c'est une chose qui fait horreur, horreur biographique et horreur morale. Pour tout il faut des démonstrations et des preuves ; le bénéfice du doute, ce qu'on a appelé comme ça, a tout envahi, sans laisser une seule sphère à coloniser, et a fini par nous paralyser, par nous rendre formellement impartiaux et scrupuleux et ingénus, et dans la pratique idiots, complètement *necios*. » Il prononça ce dernier mot tel quel, en espagnol, probablement parce qu'il n'en existe pas en anglais qui lui ressemble phonétiquement et étymologiquement : « *utter necios* », dit-il dans un mélange. « *Necios* au sens strict, au sens latin de *nescius*, celui qui ne sait pas, celui qui manque de science, ou comme dit votre dictionnaire, sais-tu la définition qu'il en donne ? "Ignorant et qui ne sait pas ce qu'il pourrait ou devrait savoir", tu te rends compte : "*ce qu'il pourrait ou devrait savoir*", c'est-à-dire celui qui ignore consciemment et avec la volonté d'ignorer, celui qui refuse de se tenir informé et déteste apprendre. L'*insipiente* satisfait de l'être. » Et pour la citation comme pour ce dernier substantif il eut également recours à l'espagnol : on se souvient toujours de termes des langues étrangères que les gens des pays concernés n'utilisent plus et dont ils ignorent quasiment le sens. « Et c'est comme ça, pour faire d'eux des ignorants, qu'on éduque les gens dès leur enfance, dans nos pays tellement pusillanimes. Il ne s'agit pas d'une évolution ni d'une dégénérescence naturelle, ce n'est pas dû au hasard, c'est au contraire quelque chose de recherché, de délibéré, d'institutionnel. Tout un programme pour la formation des consciences, ou pour leur annulation (pour l'annulation du caractère, *ça va sans dire**). Aujourd'hui on déteste la certitude : ça a commencé comme une mode, ça faisait bien d'aller contre elle, les naïfs la mirent dans le même sac que les dogmes et les doctrines, ces gens quelconques (et il y eut des intellectuels parmi eux), comme si tout était synonyme. Mais la chose a prospéré, s'est enracinée, et à un point... Les gens haïssent aujourd'hui ce qui est définitif et certain, et par conséquent ce qui est déjà fixé dans le temps ; et c'est en partie pour cette raison qu'ils détestent aussi le passé, sauf quand on réussit à le contaminer avec notre hésitation, ou lui transmettre l'imprécision du présent, ce qu'on ne cesse d'essayer de faire. Aujourd'hui on ne supporte pas de savoir que quelque chose a été ; que cela ait déjà été et de cette façon, comme cela a été, de façon certaine. En fait, ce qu'on ne supporte pas ce n'est pas de le savoir, mais le simple fait que cela

---

* En français dans le texte. *(N.d.T.)*

ait été. Rien d'autre, uniquement cela : que cela ait été. Sans notre intervention, sans notre évaluation, comment dire, sans notre indécision infinie ni notre assentiment scrupuleux. Sans notre si chère incertitude pour impartial témoin. Notre époque est plus orgueilleuse qu'aucune autre, Jacobo, depuis que je suis venu au monde (moque-toi d'Hitler), et il m'est difficile de croire le contraire. Dis-toi que chaque jour en me levant je dois faire un effort considérable, et avoir recours à l'aide d'amis plus jeunes, comme toi, pour oublier que je conserve un souvenir direct de la Première Guerre mondiale, ou comme vous l'appelez pour ma plus grande douleur et ma plus grande dérision, de la guerre de 14. Dis-toi qu'un des premiers mots que j'ai appris ou retenus, à force de l'entendre, c'est "Gallipoli", c'est incroyable de penser que j'étais né quand ce massacre a eu lieu. Notre époque est si orgueilleuse qu'il s'y produit un phénomène que j'imagine sans précédent : la rancœur que le présent éprouve pour le passé : pour ce qui a osé arriver sans que nous soyons là, sans notre opinion circonspecte ni notre consentement dubitatif, et ce qui est pis encore, sans profit pour nous. Le plus extraordinaire est que ce ressentiment n'obéit pas, en apparence du moins, à l'envie de splendeurs passées qui ont disparu sans nous inclure, à l'aversion pour une excellence que nous percevrions et à laquelle nous n'avons pas contribué, que nous n'avons pas goûtée et que nous avons perdue, qui nous a dédaignés et dont nous n'avons pas été témoins, parce que la forfanterie de notre temps est d'un tel calibre qu'elle ne peut admettre l'idée, pas même l'ombre ni la brume ni la buée d'aucune supériorité ancienne. Non, ce n'est rien d'autre que de la rancœur pour ce qu'on n'a pu saisir et qui ne nous doit rien, pour ce qui est fini et par conséquent nous échappe. Qui échappe à notre contrôle et à nos manœuvres et décisions, malgré tous les pardons que les gouvernants demandent aujourd'hui pour les violences de leurs prédécesseurs, en allant jusqu'à prétendre les réparer par des deniers offensants versés aux descendants de leurs victimes, et même si ces

descendants les empochent de bon gré et vont jusqu'à les réclamer, devenant à leur tour des profiteurs sans vergogne. On n'a jamais vu stupidité plus grande ni plus grande farce, des deux côtés : cynisme chez ceux qui donnent, cynisme chez ceux qui reçoivent. Et un acte d'orgueil de plus : comment un pape, un roi ou un Premier ministre s'arroge-t-il le droit d'attribuer à son Église, à sa Couronne ou à son pays, à ceux de leur temps, les fautes de leurs prédécesseurs, que ces derniers ne tinrent jamais pour telles et n'ont jamais reconnues depuis des siècles ? Pour qui se prennent nos représentants, nos gouvernants, pour demander pardon au nom de ceux qui furent libres de faire et ont fait, et qui sont morts ? Qui sont-ils pour les corriger, pour contredire les morts ? Si ce n'était que symbolique, ce serait une bêtise, rien de plus, de la prétention et de la propagande. Mais il n'y a pas de symbolisme possible s'il y a aussi "des compensations", grotesquement rétrospectives et uniquement monétaires. Un individu est un individu et ne se prolonge pas dans ses lointains rejetons, pas même dans les immédiats, qui sont souvent infidèles ; et ces transactions et ces gestes ne rendent pas service à ceux qui ont été lésés, qu'on a persécutés et torturés, réduits en esclavage et assassinés pour de bon dans leur unique et véritable vie : ils sont tout à fait perdus dans la nuit des temps et dans celle des infamies, qui ne sera à coup sûr pas moins longue. Présenter ou accepter des excuses maintenant, par personne interposée, en exiger ou en faire pour le mal infligé à des victimes qui sont désormais pour nous informes et abstraites, c'est se moquer, et rien d'autre, de leurs chairs calcinées bien concrètes et de leurs têtes coupées, de leurs os brisés et de leurs gorges tranchées. De leurs noms concrets et inconnus, dont ils furent privés ou auxquels ils durent renoncer. C'est se moquer du passé. On ne supporte pas le passé, non, non ; nous ne supportons pas de ne rien pouvoir y faire, de n'avoir pu le conduire, le diriger ; ni l'éviter. Et donc on le falsifie ou on le truque ou on l'altère lorsque c'est possible, on le fausse, ou bien on en fait une liturgie, une

cérémonie, un emblème et finalement un spectacle, ou alors on se contente de le remuer encore et toujours pour donner l'impression que nous intervenons malgré tout et bien qu'il soit figé, ce dont nous faisons abstraction. Et sinon, si ce n'est pas possible, alors on l'efface, on le supprime, on l'exile ou l'expulse, ou on l'enterre. Cela peut se faire, Jacobo, on y arrive trop souvent parce que le passé ne se défend pas, il n'en a pas la possibilité. Et c'est pourquoi personne ne veut rien savoir aujourd'hui de ce qu'il voit ni de ce qui arrive ni de ce qu'il sait, au fond, de ce qui se devine déjà et sera instable et mobile ou même ne sera rien, ou dans un certain sens n'aura pas été. Personne n'est disposé par conséquent à savoir quoi que ce soit avec certitude, parce que les certitudes ont été abolies, comme si elles étaient pestiférées. Et cela nous convient, ainsi va le monde. »

Le regard de Wheeler était devenu dense et s'était éclairé à mesure qu'il parlait, ses yeux me faisaient maintenant penser à des gouttes de muscat. Ce n'était pas simplement qu'il aimait discourir, comme tout ancien conférencier ou enseignant. C'était aussi que la nature de ces réflexions le brûlait intérieurement et un peu extérieurement aussi, comme si la tête ardente d'une allumette crépitait dans chacune de ses pupilles. Il se rendit compte lui-même, quand il cessa de parler, qu'il était agité, et je n'eus donc aucune hésitation à le refroidir par ma réponse, ou à le décevoir, l'air inquiet de Mme Berry — partagée entre nous deux — me rappela qu'une trop grande excitation dialectique lui était préjudiciable.

« Vous voudrez bien me pardonner, Peter, mais je regrette de vous avouer que je ne comprends pas bien tout ce que vous me dites, lui répondis-je, en profitant de sa pause (qui au départ ne devait peut-être que lui permettre de reprendre haleine). Je n'ai pas beaucoup dormi et je dois être très lent, mais le fait est que je ne sais pas très bien de quoi vous me parlez.

— Donne-moi une cigarette », dit-il. Il n'avait pas l'habitude d'en fumer. Je lui tendis mon paquet. Il en prit une, je la lui allumai, il la tint entre ses doigts de façon malhabile, tira deux bouffées et aussitôt je le vis se calmer, le tabac sert à ça quelquefois, les médecins peuvent bien dire ce qu'ils veulent. « Je sais, je sais. J'ai l'air de divaguer, mais je ne suis pas en train de divaguer, pas vraiment, Jacobo. Je te parlais de ce dont nous parlons, ne me retire pas ton attention, ne t'y trompe pas. Je n'ai pas oublié ce que tu m'as demandé. Ce que j'ai voulu dire, et à quoi faisait allusion Toby quand il m'avertit que tu pouvais être comme nous, c'est bien ça, non ?

— C'est ça, exactement. Et qu'est-ce qu'il a voulu dire ? Vous ne me l'avez pas encore expliqué.

— Si, je suis en train de te l'expliquer. Mais attends. » La cendre de sa cigarette commençait à grandir. Je poussai le cendrier vers lui, mais il n'en fit pas cas tout de suite. « Bien que nous ayons été séparés pendant plusieurs années et sans avoir de nouvelles l'un de l'autre, je connaissais bien Toby, et sur certaines questions je me fiais entièrement à lui (pas sur toutes, bien sûr, je n'avais guère confiance en ses jugements littéraires). Mais je le connaissais plus ou moins, je connaissais tout autant l'enfant qui lui aussi était né quand on a envoyé nos aînés à l'abattoir à Gallipoli avec les Australiens... tous comme des cochons, certains uniquement avec leurs baïonnettes, sans balles..., que le collègue retraité de l'université et voisin de rivière de ses dernières années ; voisins quand je venais ici, bien sûr. Quand nous y étions en même temps. » Il fit une brève incise remémorative et historique, peut-être celle qu'il avait remise à plus tard pour finir sa phrase précédente ; il fit, donc, une nouvelle pause : (« Anzac, c'est ainsi qu'on les appelait, j'ignore si tu es au courant : un acronyme de Australian and New Zealand Army Corps ; et les Anzacs, comme ça, au pluriel, fut le nom aujourd'hui glorieux de ces sacrifiés pour rien de nos pays, ceux de Chunuk Bair, ceux de Suvla... Il y en a eu tellement à mon époque, tant à cause de cela, parce qu'on ne voyait pas ce qu'on avait sous les yeux et qu'on ne savait pas ce qui se savait, tant au cours d'une seule vie. La mienne est longue, soit, mais ce n'est qu'une vie. C'est effrayant de penser aux sacrifiés qu'il y a eu et qu'il y aura encore pour cette raison, parce qu'on n'ose pas et qu'on ne veut pas... Quel gâchis.) Nous avions des vies étonnamment parallèles, Toby et moi, pour des gens qui s'étaient séparés dans la préadolescence, lui qui en plus avait changé de pays et de continent. Je veux dire dans nos carrières, dans l'accessoire, c'est drôle que nous ayons obtenu chacun une chaire dans la même université anglaise (et pas n'importe laquelle) avec le temps. Ce qui n'est pas autant dû au hasard, en revanche, c'est que nous ayons tous les deux fait partie du groupe, je suppose que c'est moi qui l'ai recruté. L'histoire de nos noms est banale, je te l'ai dit, ce n'est pas un grand mystère. Nos parents divorcèrent alors que nous avions respectivement huit et neuf ans, vers 1922 ou quelque chose comme ça, il était mon cadet d'un an, je te l'ai déjà dit. Nous sommes restés avec ma mère, entre autres raisons parce que notre père se dépêcha de prendre le large, je crois qu'il ne voulait pas voir ma mère approcher tôt ou tard un autre homme, il en était sûr (mais ça, c'est ce que je crois maintenant ; bon, depuis longtemps). Il partit s'installer en Afrique du Sud, et ne sembla pas trop nous regretter. Au point que, et durant des années éternelles, ce fut quelque chose d'indubitable et de certain pour moi, et je n'eus pas de mal à lui en vouloir. Notre grand-père maternel, notre grand-père Wheeler, décida de prendre ses deux petits-enfants à sa charge, économiquement parlant. Et comme il n'avait que ces deux-là, nommés Rylands, en toute logique, ma mère, nullement experte en psychologie des préadolescents, changea son nom et le nôtre, je veux dire qu'elle récupéra son nom de jeune fille et nous le donna à nous aussi : une façon de perpétuer notre grand-père, j'imagine, nominalement ; c'est peut-être lui qui l'imposa, qui sait. La chose devint officielle à tous effets en 1929, par un acte légal — "by deed poll", était l'expression anglaise, je l'avais vu dans le *Who's Who* —, mais nous utilisions ce nom de Wheeler depuis l'époque qui suivit le divorce. C'était sous ce nom que nous étions inscrits au collège, et que nous étions connus à Christchurch, où nous sommes nés. Cette mesure de la pauvre Rita, ma mère, fut probablement une preuve de gratitude ou une compensation pour notre grand-père, son père, et de plus probables et puériles représailles contre le nôtre, son ex-mari Hugh. D'un jour à l'autre ou presque nous cessâmes de nous sentir Peter et Toby Rylands pour devenir les frères Wheeler, sans père et sans patronyme *stricto sensu*. Mais alors que pour ma part je ne protestai pas à ce sujet (je me suis rendu compte plus tard du trouble, des dérèglements, comment dire : qu'on ne change pas impunément de plaque d'identité), Toby se rebella dès le premier instant. Il continuait à répondre "Toby Rylands" quand on lui demandait son nom et à signer de cette façon au collège, y compris pour les examens. Et au bout de deux ou trois ans de lutte et de malheur évidents, je ne sais pas, à onze ans, il exprima le strident désir non seulement de garder son nom de naissance, mais d'aller vivre avec son père. Il avait pour lui plus d'affection que moi, plus d'admiration, plus de camaraderie, et une plus grande dépendance à son égard ; il était plus sentimental, d'une certaine façon il ne devait pas supporter de nous perdre notre mère et moi, même s'il ne me l'a jamais dit, en effet il était orgueilleux ; mais il regrettait davantage son père, immensément ; et la rancœur que je développai contre lui, c'est contre notre mère que Toby la développa. Par assimilation ou par intuition, également contre notre grand-père Wheeler, qu'il ne réussit jamais à ne pas voir comme un remplaçant ou un rival de son père, le grand-père n'était peut-être pas si paternel avec sa fille. Et je n'y coupai pas non plus, aucun Wheeler. La contrariété et l'hostilité de Toby devinrent si insupportables, pour lui et pour nous, que ma mère finit par accéder à son départ, pour le cas où notre père serait disposé à le prendre et à se charger de lui, ce qui semblait improbable. Que mon père l'ait accepté, contre tout pronostic (ou contre le mien, un *desideratum* plus qu'autre chose, je l'ai compris plus tard), ne fut pas pour rien dans mon désir d'éliminer totalement celui-ci de ma conscience, comme s'il n'avait jamais existé, et de la même manière, par assimilation et par dépit, dans le fait que je réussisse presque à supprimer mon frère de mon souvenir, lui qui avait préféré notre père et qui était parti. Bon, tu le sais bien, ça nous arrive à tous, à l'âge adulte et même dans notre vieillesse, je t'assure : mais durant notre enfance l'impression d'abandon et de malheur est plus accusée (et de trahison : c'est ça : de désertion subie) pour celui qui reste tranquille, là où il se trouve, alors que d'autres s'en vont et disparaissent. De même quand les autres meurent, l'impression n'est guère différente, pour moi du moins, je garde une certaine rancœur à mes morts. Toby partit pour l'Afrique du Sud et moi je restai en Nouvelle-Zélande. Non que ce fût mieux, l'Afrique du Sud, il n'y avait aucune raison objective de le croire, mais pour moi elle devint alors un endroit infiniment plus attrayant, et je ne tardai pas à m'impatienter, à désirer atteindre l'âge d'entrer à l'université qui me ferait sortir du pays, peut-être, dans ma perception, assombri et diminué par les absences, et venir ici. Je le fis, enfin, à seize ans, embarqué dans un bateau si lent qu'il semblait ne pas devoir atteindre sa destination, et désormais avec Wheeler pour nom officiel. Je ne m'en souviens pas et je ne crois pas non plus que ce soit vrai, parce que j'ai ressenti une sorte d'offense postérieure en ce qui concerne mon changement de nom, le changement *de facto* plus que celui *de jure*, mais ma mère disait que l'acte officiel avait été demandé pour ma convenance, si ce n'est pour me faire plaisir. Il est vrai que dans les années vingt et même trente tout était plus facile et plus naturel, et par bien des aspects on était plus libre que maintenant : ni l'État ni la justice ne contrôlaient ni n'intervenaient autant, ils vous laissaient respirer et bouger, ça aujourd'hui c'est fini, notre obsession tutélaire n'existait pas, et n'aurait pas été acceptée. Il est donc possible qu'avec le temps mon nom ait été Wheeler, de toute façon et à tout effet sans qu'il y ait eu besoin pour cela de paperasserie, sanctionné par l'usage et l'habitude, de la même façon que Toby avait pu partir avec son père sur simple accord de ses parents et avec l'assentiment de sa mère, sans qu'aucune autorité, aucun juge, que je sache, se mêlent d'une affaire aussi privée. En tout cas, c'est à cette époque que je commençai à m'appeler Wheeler, légalement *aussi*, et de très bon gré. Inutile de dire que l'acte n'affecta que moi, et pas Toby (il n'aurait plus manqué que ça), dont je n'avais pratiquement plus de nouvelles depuis quatre ans déjà. Il ne garda pas de contact direct, ou bon, ni lui ni moi n'essayâmes d'en garder. De loin en loin je recevais une vague nouvelle de lui à travers ma mère, à qui elle arrivait surtout, je le crains, à travers notre père. Et quant à lui il devait en recevoir de moi par le même conduit mais à l'envers. Ce qui fait que je suis né "Peter Rylands" et que je l'ai été jusqu'à neuf ou dix ans, sinon jusqu'à seize *in partibus*. Mais crois-le bien, lui aussi fut "Toby Wheeler" pendant une période, malgré lui cependant, c'est sûr : tu ne peux savoir à quel point il en était mortifié dans notre collège de Christchurch, par exemple quand on faisait l'appel. Cela n'arrive pas avec celui qu'on vous donne à votre naissance, mais de Toby on peut dire en toute justice que, en plus de le recevoir, il a conquis ou gagné son nom. » Wheeler changea d'expression un instant, et je supposai, en voyant la nouvelle, qu'allait suivre une remarque ironique ou humoristique. « Et pourtant, il n'a jamais été très d'accord avec son prénom, le même que celui de notre grand-père Wheeler, c'est lui qui l'a reçu, quelle malchance. Si c'était ce prénom qui avait été soumis au changement, il aurait accepté avec plaisir, j'en suis sûr. Et si ça se trouve nous serions alors restés ensemble, qui sait. Il disait qu'il lui rappelait le plus que pénible chevalier de *La nuit des rois*, sir Toby Belch — en fait, il avait dit *"Twelfth Night"*, il n'allait pas appeler autrement cette œuvre de Shakespeare —, tu sais ce que signifie *"belch"*, n'est-ce pas ? Par la suite, une fois adulte, il se réconcilia un peu avec son prénom, quand il lut *Tristram Shandy*, grâce au personnage d'Oncle Toby. » Et Wheeler donna l'impression d'en avoir terminé avec ses explications sur Wheeler et

Rylands, parce qu'il ajouta en guise de conclusion : « Tu vois. Je te l'avais dit. Une histoire banale. Un divorce. L'attachement à un nom. À une mère. À un père. Une ségrégation. L'aversion pour un autre nom. Pour une mère. Et pour un grand-père. Pour un père. » Il mélangeait les deux subjectivités, la sienne et celle de son frère. « Cela n'a rien de très mystérieux. » J'eus alors l'impression, à cause de la lenteur avec laquelle il les avait émis, qu'il attendait de moi une réfutation de ces mots, maintenant qu'il m'avait raconté l'histoire ; mais en tout cas, il ne l'obtint pas. Il savait forcément qu'elle n'était absolument pas banale (cette si drastique séparation des partis ; Rylands me disant en son temps « quand j'ai quitté l'Afrique pour la première fois », comme s'il y était né et niant carrément, par conséquent, ses dix ou onze premières années en Nouvelle-Zélande, un autre continent même si ce sont des îles), et qu'elle était bien sûr mystérieuse, malgré tout le naturel avec lequel il avait voulu la raconter. Et il devait n'en avoir raconté qu'une partie : il n'avait pas raconté le mystère lui-même, mais la partie qui le bordait, ou qui le signalait comme une flèche.

« Et ensuite ? lui demandai-je. Quand vous êtes-vous retrouvés ?

— En Angleterre, beaucoup plus tard. À l'époque j'étais Wheeler pour de bon et lui Rylands. Je crois que j'étais déjà celui que je suis, si je suis celui que je crois être. Nous ne nous sommes pas retrouvés, pas exactement. C'est moi qui l'ai cherché. Mais c'est une autre histoire.

— Sûr, répondis-je, un peu impatienté sans le vouloir, peut-être : mon manque de sommeil me passait la note, de temps à autre, et on n'aime pas attendre ce qui nous concerne, même si ce n'est qu'un commentaire. « Et j'imagine qu'à un endroit de cette histoire se cache la réponse à ma question déjà vieille et par vous provoquée : en quoi pouvais-je être comme vous deux, selon Toby ? Vous n'allez pas me dire que c'est à cause de mon prénom variable, vous le savez : vous et d'autres m'appellent Jacobo, mais Luisa et d'autres plus nombreux m'appellent Jaime, et il y en a même qui me connaissent sous le nom de Diego ou de Yago. Pour ne rien dire de Jack, ici, en Angleterre. Ce n'est pas rare du tout. »

Wheeler remarqua ma légère impatience, ces choses ne lui échappaient pas. Je vis que ça l'amusait, que ça ne le troublait pas du tout, qu'il ne se sentait pas pressé.

« Moi je vous appelle Jack, par exemple, dit timidement Mme Berry. J'espère que cela ne vous dérange pas..., Jack. » Et cette fois elle hésita en prononçant mon prénom.

« Pas le moins du monde, Mrs Berry.

— Et par lequel te connais-tu toi-même ? » Wheeler en profita pour me poser cette question.

Je n'eus pas besoin de réfléchir une seconde.

« Jacques. C'est comme ça que je l'ai appris, et je l'ai fait mien dès mon enfance. Même si à part ma mère personne ou presque ne m'a appelé comme ça. Même mon père ne me fait pas cette grâce.

— Nous y voilà », dit Wheeler sur un ton absurdement démonstratif. « *There you are* », telle avait été son expression, qu'il ne me vient pas à l'idée de traduire ici autrement. « Mais non, ce n'était pas à ça que Toby faisait allusion, ni moi non plus, ajouta-t-il aussitôt. Il m'avait pas mal parlé de toi, avant que nous ne fassions connaissance toi et moi. En fait, c'est en partie à cause de ça que nous nous sommes connus, il avait éveillé ma curiosité. Suggéré qu'il n'était pas impossible que tu sois comme nous... C'est ce qu'il avait avancé, et il me l'avait confirmé à une autre occasion, un jour où on s'était mis à parler du vieux groupe. Mais évidemment, tu ne vivais plus ici à l'époque, et je ne pouvais pas penser que tu reviendrais un jour pour rester. Ne t'inquiète pas, je ne veux pas dire que désormais tu vas rester pour toujours, je suis sûr que tôt ou tard tu rentreras à Madrid, vous autres Espagnols vous ne supportez pas d'être trop longtemps loin de votre pays ; même si tu es madrilène, et les Madrilènes sont les moins nostalgiques de tous. Mais tu es revenu ici pour y rester indéfiniment, en principe, tant pis pour cette contradiction relative, et ça c'est un sacré retour. Ce qui fait que ce que pensait Toby acquiert tout à coup et de façon posthume, comment dire, un supplément d'intérêt pratique. Surtout parce que moi aussi je le pense (en fin de compte, lui il n'a plus d'influence, et on ne peut plus le harceler), après t'avoir pas mal fréquenté depuis qu'il est mort. De façon intermittente, bien sûr, mais cela commence à faire de longues années. Pour ses jugements littéraires, je ne lui faisais pas beaucoup confiance, je te l'ai dit. Mais il parlait beaucoup des gens, de ses jugements sur les gens, de son interprétation et de ses anticipations, il les voyait, ou comme vous dites, vous autres, il les perçait à jour.» Et il avait dit ces derniers mots dans ma langue. «En ce domaine, il se trompait rarement, il était à peu près infaillible. Presque autant que moi.» Il rit une seconde de façon étudiée, pour annuler ou amoindrir son manque de modestie. «Probablement plus que notre ami Tupra, qui est très bon, ou que cette fille qui est avec lui et qui est si compétente, je suppose, vous autres il vous revient de vivre à une époque qui ne met pas autant à l'épreuve : espagnole elle aussi, cette fille, ou seulement à moitié, il m'a plusieurs fois parlé d'elle, mais je n'arrive jamais à me souvenir de son nom, il dit qu'avec le temps elle sera la meilleure du groupe, s'il s'arrange pour la retenir assez longtemps, c'est une de ses difficultés, la plupart se fatiguent et le quittent très vite. Toby était presque aussi infaillible que tu dois l'être, à ton époque de moindre exigence. Bon, d'après lui. Il pensait que tu devais l'être plus que lui, que tu pourrais le surpasser dès que tu en prendrais conscience, pour commencer, et que tu t'en détacherais par la suite, ou que tu la mettrais de côté, comme nous avons fait, nous qui étions, qui sommes conscients. Indéfiniment au début, tant pis là encore pour cette contradiction relative quant à l'ajournement des consciences. Mais à vrai dire, je ne sais pas quant à moi si tu pourras arriver aussi loin.

— De quel groupe parlez-vous, Peter? Vous l'avez déjà

mentionné plusieurs fois. » J'essayai de changer de question. Mais je ne ressentais plus d'impatience, la question avait été réflexe, instantanée. Et pour lui, si jusque-là il avait été pressé, c'était à coup sûr dû à mon retard à descendre bien réveillé, sur lequel il n'avait pas compté, l'inobservation de ses horaires et de ses plans le troublait et le contrariait. Mais maintenant qu'il m'avait devant lui, il prenait plaisir à m'intriguer, et à me voir dans l'expectative : il n'allait pas gâcher la représentation prévue, rêvée peut-être, en l'accélérant. Comme on pouvait s'y attendre, il ne répondit pas à ma nouvelle question, mais, enfin, à la première. À demi-mot, cela va sans dire, tout au plus à trois quarts de mot. Des mots entiers, je l'ai déjà dit, il ne devait pas en connaître. Il ne devait même pas y en avoir.

« Toby m'a dit qu'il admirait toujours, tout en le craignant, ce don spécial que tu as pour capter les traits caractéristiques et même essentiels, aussi bien extérieurs qu'intérieurs, de tes amis et connaissances, souvent inaperçus, ignorés d'eux-mêmes. Y compris de gens que tu n'avais vus qu'en passant ou rapidement, dans une assemblée ou une *high table*, ou que tu avais croisés une ou deux fois dans les couloirs ou les escaliers de la Tayloriana sans échanger un seul mot. Je crois d'ailleurs que tu lui as écrit un jour, peu après ton départ, quelques brefs profils de certains de nos collègues, pour l'amuser, n'est-ce pas ? »

Cela me dit vaguement quelque chose. C'était si vieux que toute trace en était effacée. On oublie beaucoup plus ce qu'on écrit que ce qu'on lit, si ça s'adresse à vous ; ce qu'on envoie que ce qu'on reçoit, ce qu'on dit que ce qu'on entend, les moments où l'on a offensé que ceux où on l'a été soi-même. Et même si on ne le croit pas, on efface plus vite ce qui s'est passé avec ceux qui sont morts. Quelques petites vignettes, peut-être, quelques lignes, oui, sur mes collègues de l'époque à Oxford, ceux de la sous-faculté d'espagnol, que Rylands, *Professor* de littérature anglaise alors tout juste retraité, connaissait bien, mais pas si bien cependant que Wheeler lui-même, chef direct de la plupart d'entre eux pendant des années et jusqu'à sa retraite, surtout de ceux qui étaient déjà des vétérans en ce temps-là. J'en éprouvai une honte rétrospective soudaine, ma mémoire était diffuse : c'étaient peut-être des portraits festifs, affectueux mais un poil malicieux ou ironiques. C'est pour cela sans doute que je niais, de prime abord.

« Je ne m'en souviens pas, dis-je. Non, je ne crois pas lui avoir écrit aucun portrait de qui que ce soit. De vive voix, c'est bien possible, oui. Nous parlions beaucoup de tout, de tous.

— Voulez-vous me passer la chemise, je vous prie, Estelle ? » demanda Wheeler à Mme Berry, qui en prit une et la lui tendit aussitôt, comme s'il s'était agi des instruments d'un médecin que son infirmière lui tient prêts. Elle devait l'avoir gardée tout ce temps-là contre son cœur, comme un trésor. Wheeler la mit sous son bras, ou plutôt sous son aisselle. Puis il se leva et me dit : « Allons un peu au jardin, marcher sur la pelouse. Il faut que je fasse de l'exercice et Mrs Berry a besoin que la table soit libre si nous voulons déjeuner plus tard. Il ne fait pas très froid, mais mieux vaut que tu te couvres, cette rivière est traîtresse, elle vous transperce jusqu'aux os sans qu'on s'en aperçoive. » Et de ses yeux à nouveau minéralisés, il ajouta, avec sérieux et calme (ou plutôt avec adresse, comme s'il me tenait attaché avec ses mots mais sans vouloir me mettre en fuite) : « Écoute, Jacobo : d'après Toby, tu avais le don rare de voir chez les gens ce qu'ils ne sont pas capables de voir en eux-mêmes, ou pas souvent. Ou, s'ils le voient ou le devinent, ils refusent aussitôt de le voir : le flash les rend borgnes et ils ne se regardent plus qu'avec leur œil aveugle. C'est un don extrêmement rare de nos jours, de moins en moins fréquent, que de voir les gens à travers eux-mêmes et directement, sans médiation ni scrupules, sans bonne volonté mais sans mauvaise non plus, sans efforts, comment dire, sans prédispositions et sans chichis. C'est en cela que tu pouvais être comme nous,

Jacobo, d'après Toby, et maintenant je suis d'accord avec lui. C'est comme cela que nous voyions lui et moi, sans médiation ni scrupules, sans bonne ni mauvaise volonté. Nous voyions. Et nous rendions service comme cela. Et moi je continue à voir. »

Un soir à Londres je crus m'être effrayé moi-même, après avoir d'abord pensé qu'on me suivait, et que peut-être on me menaçait. C'est sans doute à cause de la pluie, pensai-je en imaginant la première possibilité, les pas résonnent sur le pavé comme s'ils lançaient des étincelles ou le faisaient briller, le coup de brosse rapide des cireurs de jadis ; ou le frôlement de ma gabardine sur mon pantalon, comme je marchais vite (le frôlement de ses pans volants, dansants, ma gabardine était déboutonnée, et les rafales la frappaient) ; ou l'ombre de mon propre parapluie ouvert, que je sentais tout le temps comme une inquiétude qui s'attarde dans mon dos, je le tenais un peu penché, posé sur mon épaule en fait, comme on porte un fusil ou une lance pour un défilé ; ou peut-être le très léger crissement de ses baleines forcées, tant elles avaient été secouées. J'avais l'impression incessante qu'on me suivait de près, à certains moments j'entendais comme de véloces et brefs pas de chien, qui semblent toujours marcher sur des braises et tendre vers l'air, tant ils posent peu sur le sol leurs dix-huit doigts invisibles, on dirait en permanence qu'ils vont sauter ou s'élever. Tis tis tis, tel était le bruit qui m'accompagnait, c'était ce que j'entendais et ce qui m'obligeait à me retourner tous les trois ou quatre pas, un rapide mouvement du cou sans m'arrêter ni ralentir ma marche, à cause du vent mon parapluie ne remplissait qu'à moitié sa fonction, je marchais avec une célérité constante, j'étais pressé de rentrer à la maison, je revenais d'une journée trop longue dans l'immeuble sans nom et il était tard pour Londres mais absolument pas pour Madrid (mais moi je n'étais plus jamais à Madrid) ; je n'avais eu pour tout déjeuner que quelques sandwiches, il y avait de nombreuses heures de ça et de plus nombreux visages encore, certain observé du compartiment de mon train immobile ou de mon refuge tapissé de boiseries, mais la plupart sur des vidéos, et leurs voix entendues ou plutôt étudiées, leurs tons sincères ou présomptueux, apeurés ou faux, sournois ou fanfarons, dubitatifs ou dégagés. L'effort de compréhension, d'affinage auquel j'étais obligé n'était pas minime, et j'avais l'impression qu'il pourrait devenir de plus en plus grand : plus on satisfait une attente, plus celle-ci grandit et plus les subtilités et les précisions qu'elle exige sont importantes. Et si j'avais d'emblée (peut-être dès le caporal Bonanza) fabulé à partir de mes intuitions, maintenant le degré d'irresponsabilité et de fiction auquel me forçaient ou m'amenaient Tupra, Mulryan, Rendel et Pérez Nuix me créait de la tension, presque de l'angoisse, parfois, généralement avant ou après, mais pas pendant mon travail d'invention, qu'on l'appelle interprétations ou rapports. Je m'apercevais que je perdais chaque jour plus de scrupules, ou, comme l'avait dit sir Peter Wheeler, que je mettais ma conscience de côté et que je l'estompais, que je la repoussais indéfiniment ; et que je m'aventurais désormais sans qu'elle m'accompagnât, de plus en plus loin et avec de moins en moins de réserve.

Je pensai qu'il n'y avait rien d'étrange à ce que je me fisse peur à moi-même, par un soir de pluie dans des rues presque vides et sans un taxi libre, auquel j'avais déjà renoncé ; à ce que j'eusse les nerfs à fleur de peau et qu'un rien me fît sursauter, mes chaussures sonores et mouillées, le fouettement anarchique des pans de ma gabardine, la coupole battue de mon parapluie que l'asphalte me rendait, flottant, dans les endroits les plus éclairés, quand je passais devant les monuments, mélancoliques depuis la tombée du jour, qui parsèment les nombreuses places, le chant de grillon métallique produit par mon balancement et les rafales de vent nocturne, peut-être les pas réels et légers d'un chien perdu que je ne voyais pas, mais qui en effet me suivait par simple élimination de candidats — j'avais longé des pâtés d'immeubles entiers sans rencontrer personne —, et peut-être par dissimulation, avant qu'on le chasse, voyant qu'il était sans maître. Tis tis tis. Toutes mes odeurs étaient imbibées d'eau : odeur de soie mouillée et de laine mouillée, et peut-être même que je transpirais, sans la moindre trace de mon eau de toilette du matin. Tis tis tis, je tournais la tête et il n'y avait rien ni personne, rien que l'inquiétude sur ma nuque et l'impression de menace — ou simplement de vigilance — qui accompagnait tous mes pas rythmés et constants — un, deux, trois, quatre —, comme si j'avançais dans une interminable marche avec mon parapluie-fusil ou mon parapluie-lance, même si son humble fonction était celle d'un heaume fragile et ample, ou celle d'un écu instable au bras qui tremble et qui danse. « Je suis ma propre douleur et ma fièvre, pensais-je tant que je crus me faire peur tout seul, je dois l'être moi-même. »

Non, cela n'avait rien d'étrange. Quelqu'un qui passe ses journées à donner des avis, à pronostiquer et même à diagnostiquer — ne parlons pas pour l'instant de vaticinations —, à se prononcer souvent sans fondement, à s'entêter à avoir vu même s'il n'a rien vu ou pas grand-chose — si toutefois il ne fait pas semblant —, à tendre l'oreille en quête d'emphase ou d'hésitations étranges, de bredouillements ou de tremblements de voix, à faire attention au choix des mots quand les gens observés disposent d'un vocabulaire suffisant pour cela (et ce n'est pas fréquent, il y en a qui ne trouvent même pas le seul qui soit possible et alors il faut les guider et le leur suggérer, et il devient facile de les manipuler), à ouvrir l'œil pour détecter les regards volontairement opaques et les clignements de paupières exagérés, le recul d'une lèvre qui prépare son mensonge ou la vibration de mâchoire de l'ambitieux insensé, à scruter les visages au point de ne plus les voir comme des visages vivants et mouvants, à les observer comme si c'étaient des peintures, des personnes endormies ou mortes, ou comme le passé; quelqu'un dont le travail consiste à être méfiant finit par tout percevoir sous cette lumière soupçonneuse, circonspecte, interprétative, non satisfaite par les apparences ni par ce qui est évident et tout simple; ou plutôt, non satisfaite par ce qui existe. Et alors il oublie facilement que ce qui se voit à la surface ou au premier abord est parfois tout ce qu'il y a à voir, sans verso ni duplicité ni secret, car il y a des gens qui ne cachent rien parce qu'ils ne savent pas comment faire pour le cacher, ou qui ignorent jusqu'aux notions et pratiques mêmes de la dissimulation.

Cela faisait maintenant des mois que je remplissais mes fonctions presque quotidiennement, rares étaient les jours où on me dispensait totalement de me rendre à l'immeuble sans nom, ne fût-ce qu'un instant pour rendre compte de ce que j'avais analysé et capté, ou de ce que j'avais décidé auparavant chez moi. J'avais bien avancé dans le processus typique des événements (si ce n'était pas plutôt de la hardiesse). On commence par dire « Je ne le sais pas », fréquemment, « Je l'ignore » ; ou par nuancer et se prémunir au maximum : « Cela se pourrait », « Je parierais que... », « Je n'en suis pas sûr, mais... », « Je pense que c'est possible », « Peut-être bien que oui », « Ce n'est pas certain », « C'est improbable », « Possiblement », « Je ne sais pas si ce serait aller trop loin, mais... », « C'est beaucoup s'avancer, malgré tout... », « *Perhaps* », « *It might well be* », l'archaïque « *Methinks* », l'américain « *I daresay* », toutes les nuances existent dans les deux langues. Oui, on évite dans sa langue les affirmations et on chasse de son esprit les certitudes, sachant que les premières entraînent les secondes comme les secondes les premières, il y a quasi-simultanéité, il n'y a presque pas de différence, la pensée et la parole se contaminent de manière excessive. Ça, c'est au début. Mais on s'enhardit vite : on se sent félicité ou critiqué par un regard oblique ou par un commentaire dégagé, sans destinataire apparent et prononcé sur un ton neutre mais dont on comprend qu'il vous concerne, et on sait se l'appliquer. On remarque que le « Je ne sais pas » ne plaît pas beaucoup, que l'inhibition n'est pas appréciée, que les ambiguïtés sont vécues comme des déceptions et que la circonspection n'a aucun écho ; que ce qui est trop incertain et trop prudent ne compte pas et n'est pas retenu, ce qui est douteux ne convainc pas, même du doute, les réserves sont presque un fiasco ; que les « Peut-être » et les « C'est possible » sont tolérés pour le bien de l'entreprise ou du groupe, qui ne veut pas se suicider en dépit d'une telle audace, mais qu'ils ne suscitent jamais enthousiasme ni passion, ni même approbation, qui sont pris pour de la timidité ou de la mansuétude. Et à mesure qu'on s'enhardit, on vous questionne de plus en plus et on vous attribue davantage de facultés, la perspective du connaissable est toujours à deux doigts d'être perdue, et un beau jour on s'aperçoit qu'on attend de vous que vous voyiez l'indiscernable et que vous soyez au fait de ce qu'on ne peut vérifier, que vous répondiez non seulement à ce qui est probable et même à ce qui n'est que possible, mais à ce qui est inconnu et insondable.

Le plus frappant de la question, ce qu'elle a de dangereux, c'est que peu à peu on se sent capable de le voir et de le sonder, de l'apprendre et de le connaître, et par conséquent de l'oser. L'audace ne reste jamais tranquille, elle diminue ou grandit, elle s'emballe ou se rencogne, elle se soustrait ou se soumet, et il arrive qu'elle disparaisse après un énorme revers. Mais si elle est là, elle bouge, elle n'est jamais stable et ne se tient jamais pour satisfaite, elle est tout sauf stationnaire. Et son penchant premier est à l'expansion illimitée, tant qu'on ne lui rogne pas les ailes ou qu'on ne l'arrête pas net, brutalement, ou qu'on ne l'oblige pas à reculer méthodiquement. Dans cette période d'expansion les perceptions s'altèrent beaucoup ou se grisent, et l'arbitraire, par exemple, cesse de vous paraître tel, parce que vous croyez fonder vos avis et vos visions sur des critères solides, pour aussi subjectifs qu'ils soient (un moindre mal, qu'y faire) ; et vient un moment où peu importe l'aptitude à voir juste, surtout parce que dans mon activité on ne pouvait que très rarement vérifier cette justesse, ou si on le pouvait on ne me le disait généralement pas, c'est bien certain. Du fait qu'on me gardait, qu'on sollicitait mes prestations — de façon bureaucratique et ridicule, disons-le —, qu'on ne me renvoyait pas, je déduisais que mon pourcentage était bon, mais je me demandais aussi de temps à autre si telle ou telle chose était vérifiable, et si quelqu'un se donnait la peine de la vérifier, le cas échéant. J'émettais mes opinions et mes verdicts et mes préjugés et mes jugements : on les lisait ou on les écoutait ; on me posait des questions concrètes : j'y répondais, amplifiant, écourtant, détaillant, précisant ou synthétisant, allant forcément toujours trop loin. Après quoi je ne savais jamais ce qu'on faisait de tout cela, si cela avait des conséquences, si c'était utile et avait des effets pratiques ou si cela nourrissait seulement les archives, si vraiment cela favorisait quelqu'un ou lui portait préjudice ; en général cela s'arrêtait là, on ne m'informait pratiquement pas ensuite, tout s'arrêtait — pour moi du moins — à ce premier acte dominé par mes discours et par un bref interrogatoire ou dialogue ; et comme il n'y en avait ni un deuxième ni un troisième ni un quatrième, tout me semblait, vu dans son ensemble (au quotidien, qui est ce qui compte le plus), un jeu sans grande importance, ou d'hypothétiques paris, des séances d'exercices d'affabulation et de perspicacité. Et c'est ainsi que, durant longtemps, je n'eus jamais l'impression ni l'idée de pouvoir faire du tort à quelqu'un.

Quand eut lieu le coup d'État contre Hugo Chávez au Venezuela, je ne pus faire moins que de me demander si nous n'avions pas eu quelque chose à y voir, indirectement ; d'abord dans son apparent succès initial, puis dans son échec grotesque (il ne semblait pas y avoir eu grande détermination) ; et dans son chaos, de toute façon. Je regardai attentivement la télévision pour le cas où paraîtrait le général Ponderosa, ou quel que fût son véritable nom, mais je ne le vis pas, peut-être n'y avait-il pas participé. Peut-être que le putsch avait échoué parce que Tupra avait déconseillé tout financement et tout appui, qui sait. Avec lui, je ne fus pas capable de garder entièrement silence :

« Avez-vous vu ce qui s'est passé au Venezuela ? lui demandai-je un matin, au moment où j'entrai dans son bureau.

— Oui, j'ai vu, me répondit-il, sur le même ton que celui avec lequel il avait en son temps confirmé au militaire civil vénézuélien que celui-ci n'avait pas notre numéro de téléphone, mais que nous avions bien le sien. C'était son ton conclusif, ou peut-être faudrait-il dire concluant. Et comme il remarquait que je me demandais si je devais insister ou non, il ajouta : « Autre chose, Jack ?

— Rien d'autre, Mr Tupra. »

Non, on n'avait pas pour habitude de me dire si j'avais raison ou si je me trompais.

« C'est peut-être osé, mais... », « je peux me tromper, pourtant... ». Ce « mais » et ce « pourtant » sont les fentes qui finissent par ouvrir grandes toutes les portes, et peu après ce sont nos formules verbales elles-mêmes qui révèlent notre hardiesse : « Je mettrais ma tête à couper que cet individu changerait de camp au moindre contretemps, et changerait de nouveau aussi souvent qu'il en aurait besoin, son plus grand problème serait de n'être accepté dans aucun, à cause de sa pusillanimité manifeste », dit-on d'un visage de fonctionnaire — calvitie bien nette, lunettes sales — qu'on n'avait jamais vu une demi-heure plus tôt et qu'on observe maintenant par la fausse fenêtre ou la fausse glace ovale avec une disposition d'esprit qui est un mélange de supériorité et de vulnérabilité (vulnérabilité, croire qu'on va essayer constamment de vous tromper, supériorité, regarder incognito, tout voir sans risquer ses yeux).

« Cette femme meurt d'envie qu'on s'intéresse à elle, elle serait capable d'inventer les fantaisies les plus échevelées pour attirer l'attention, et en outre elle a besoin de se donner de grands airs devant tout ce qui bouge et en toute cir-

283

constance, pas seulement devant ceux qui vaudraient la peine et pourraient lui être utiles, mais devant son coiffeur, son marchand de fruits et légumes et jusque devant son chat. Elle ne sait même pas doser ses efforts ni sélectionner son public : elle ne distingue rien, elle n'est pratiquement d'aucune utilité pour personne », dit Tupra d'une actrice célèbre — beaux cheveux longs mais menton très tendu, de pierre ; ensorcelée par la suffisance — en l'observant sur une vidéo, et nous savons tous qu'il a raison, qu'il a vu juste comme presque toujours, même s'il n'existe pas un seul élément de jugement — comment dire — descriptible pour étayer ses assertions.

« Ce type a des principes et il est impossible à suborner, j'en mettrais ma main au feu. Ou plutôt : ce ne sont même pas des principes, c'est qu'il a si peu d'aspirations et qu'il dédaigne tout à tel point que ni la flatterie ni la récompense ne le pousseraient à soutenir des positions qui ne le convaincraient pas ou du moins qui ne l'amuseraient pas. On n'aurait prise sur lui que par la menace, car il peut en revanche connaître la peur, la peur physique je veux dire, il n'a pas reçu une seule gifle de sa vie, ou disons depuis qu'il a quitté le collège. Il s'effondrerait au premier mal. Oh, oui, ça le déconcerterait tellement. Il serait désarmé à la première égratignure, au premier coup d'épingle. On pourrait l'utiliser dans certains cas, à condition de lui éviter de courir ce genre de risques », dit Rendel d'un romancier à la cinquantaine juvénile, agréable — traits aigus de lutin, voix posée, léger accent du Hampshire d'après Mulryan, lunettes rondes, ce qu'il dit n'est pas du tout creux —, en écoutant et regardant une interview de lui enregistrée de trop près, presque uniquement des plans serrés, nous n'avons pas vu ses mains une seule fois ; et il nous semble que Rendel a raison, que le romancier est un homme courageux dans son attitude et en paroles, mais qu'il aurait peur à la moindre violence parce qu'il ne peut même pas l'imaginer dans sa réalité quotidienne : il est capable d'en parler, mais simplement parce qu'elle est abstraite pour lui.

Il n'aurait pas de mains, comme sur la bande, ne serait-ce que pour se défendre.

« Avec cet individu, je ne traverserais même pas la rue, il pourrait me pousser sous les roues d'une voiture si je tombais sur lui quand il est énervé, dans une crise. Il est intempestif et impatient, c'est incompréhensible qu'il puisse avoir quelqu'un sous ses ordres depuis un bureau, ni qu'il ait monté une affaire, encore moins une affaire prospère, et que dire de son pouvoir. Son destin naturel aurait été d'agresser les passants à la tombée de la nuit ou de flanquer des raclées exagérées, un tueur à gages survolté. C'est une boule de nerfs, il ne sait pas attendre, il n'écoute pas, ce qu'on lui dit ne l'intéresse jamais, il ne sait pas rester seul ne fût-ce que cinq minutes, non qu'il veuille de la compagnie, mais il lui faut un public. Ce doit être un coléreux très dangereux, il doit avoir la main leste, et sa voix, n'en parlons pas, il doit passer le jour et la nuit à crier sur ses employés, sur ses enfants, sur ses deux ex-femmes et ses six maîtresses (elles sont peut-être sept, le doute subsiste). Un mystère qu'il soit chef d'entreprise ou chef de quelque chose, hormis d'un bordel de Soho tous les jours au bord de la fermeture. La seule chose qui me vienne à l'esprit pour l'expliquer est qu'il inspire de grandes paniques et que son hyperactivité est d'un tel calibre que quelques-uns de ses innombrables projets et trafics réussissent forcément : probablement et par pur hasard, ceux qui rapportent le plus. Il se peut aussi qu'il ait du flair, mais ça ne colle pas très bien avec ses accélérations : il y faut de la persistance et du calme, et ce type ignore le sens de ces deux mots : il laisse tomber sur-le-champ ce qui lui résiste ou ce qui lui coûte, c'est sa façon à lui de gagner du temps. Je ne sais fichtrement pas ce qu'il pourrait faire en politique, s'il se met à en faire, comme on l'assure. Sauf des énormités et des abus, bien sûr. Je veux dire face à l'électorat, il insulterait ceux qui pourraient voter pour lui dès qu'ils lui adresseraient leur premier reproche, au moindre moment d'inattention il les abreuverait d'insultes », dit Mulryan d'un multimillionnaire qu'on voit sourire sur presque toutes les photos lors de différents événements, manifestations sportives, galas de bienfaisance, réceptions royales, sur le point de monter en ballon, aux courses à Ascot et au derby d'Epsom avec les grotesques suppléments vestimentaires respectifs, à la signature d'un accord avec une maison de disques, ou avec une compagnie cinématographico-mercantile nord-américaine, à l'université d'Oxford lors d'une exotique cérémonie aux toges colorées (peut-être célébrée *ad hoc*, je n'y ai jamais rien vu de semblable), serrant la main du Premier ministre, celle de diverses personnes de second rang et celle de quelque époux anobli par sa conjugalité, précisément, à des premières, des inaugurations, des concerts, des bals, dans de vagues aristocraties, parrainant des talents de tous les arts tapageurs, ceux qui comportent public, *performances* et bravos ; et bien qu'il sourie et semble toujours satisfait dans les reportages télévisés ou sur ses portraits — tempes largement dégarnies, ce qui pourtant ne lui allonge pas le front, qui paraît horizontal, oblong ; des dents envahissantes et très fortes, pratiquement équines ; un bronzage insolite ; une tentation de bouclettes survolant sa nuque et même un peu plus bas comme vestige plébéien ; des vêtements adaptés à chaque occasion mais qu'on dirait invariablement usurpés ou même loués ; un corps emprisonné et forci et furieux, comme dégoûté de lui-même —, nous pensons tous que Mulryan ne se trompe pas, et nous n'avons aucun mal à imaginer le richard distribuant des gifles aux gens de sa suite (et bien sûr des hurlements à ses subalternes) aussitôt qu'il serait sûr que plus aucune caméra n'est en train de le filmer.

« Cette femme sait beaucoup de choses ou elle les a vues et a décidé de ne pas les raconter, j'en suis sûre. Son problème, ou plus encore, son tourment est qu'elle y pense sans cesse, les choses graves dont elle a été témoin ou dont elle est informée et son vœu particulier de ne rien en dire. Non qu'elle ait pris cette résolution un jour et que cela l'ait aussitôt apaisée, même s'il lui en a coûté mille morts de la prendre. Non qu'à partir de ce jour-là elle ait pu vivre avec la tranquillité acceptable de savoir au moins ce qu'elle veut, ou plutôt ce qu'elle ne veut pas qu'il arrive ; qu'elle ait été capable d'enfouir dans un coin de son esprit ces faits ou ces connaissances, de les amortir, de leur donner peu à peu la consistance et la forme de rêves, ce qui permet à de nombreuses personnes de vivre avec le souvenir d'atrocités ou de désillusions : douter qu'elles aient existé, parfois ; les brouiller, les envelopper dans la fumée des années postérieures accumulées, et de cette façon mieux les laisser de côté. Au contraire, cette femme y pense sans cesse et de façon très vive, non seulement à ce qui est arrivé ou ce qu'elle a constaté, mais elle se dit aussi qu'elle doit ou veut garder le silence. Non qu'elle soit tentée de se dédire (ce ne serait que pour son for intérieur, uniquement face à elle-même) ; non qu'elle ressente la décision qu'elle a prise comme définitivement provisoire, non qu'elle examine la possibilité de revenir en arrière et qu'elle passe des nuits blanches à la reconsidérer. Je dirais qu'elle est irrévocable, comme toute décision de ce genre, ou davantage encore, si on me presse de le dire, parce qu'elle n'obéit pas à un engagement. Mais c'est comme si elle l'avait prise hier, toujours hier. Comme si elle était sous l'effet perturbant de quelque chose d'éternellement récent et qui ne s'use pas, alors que le plus probable est qu'aujourd'hui tout soit très ancien, tant ce qui est arrivé que sa volonté première que cela ne se sache jamais, ou pas à cause d'elle. Je ne fais pas allusion à des faits relatifs à sa profession, il doit aussi y en avoir, en sécurité, mais à sa vie personnelle : des faits qui l'ont affectée et qui l'affectent chaque jour, ou qui la blessent et l'infectent et qui lui donnent la fièvre tous les soirs au moment où elle s'apprête à se coucher. "Ça ne sera pas à cause de moi, on ne saura rien de tout ça par ma faute", doit-elle penser continuellement, comme si elle avait ces expériences anciennes sous la peau, toutes palpitantes. Comme si elles étaient encore le noyau de son existence et ce qui exige le plus d'attention, ce doit être la première chose qui lui vient à l'esprit quand elle se réveille, la dernière qui la quitte quand elle s'endort. Cela n'a rien d'une obsession, il ne faut pas se tromper, son quotidien est léger et énergique; et il est clair, il ne se ressent de rien. Il s'agit de quelque chose d'autre : de fidélité à son histoire. Cette femme serait extrêmement utile à beaucoup, elle est parfaite pour garder les secrets et par conséquent aussi pour les administrer ou les répartir, en cela elle est absolument fiable, précisément parce qu'elle est en permanence sur ses gardes et que pour elle rien ne cesse d'être vivant et bien présent. Même si le secret qu'elle garde s'éloigne dans le temps, il ne s'estompe pas, et ce serait la même chose avec ceux qu'on lui transmettrait. Elle ne perd pas un seul détail. Jamais elle n'oublierait qui sait quoi et qui ne sait pas, une fois la répartition faite. Et je suis sûre qu'elle se souvient de tous les visages et de tous les noms qui ont défilé dans sa salle d'audience », dit la jeune Pérez Nuix d'une juge d'âge mûr et au visage placide et gai, que nous observons tous les deux depuis le refuge pendant que Tupra et Mulryan lui posent des questions respectueuses et sinueuses, ils offrent toujours le thé aux dames si c'est l'après-midi et si ce sont de vraies dames par leur position ou leur port, mais pas aux messieurs sauf si ce sont de gros poissons ou s'ils peuvent être très influents sur une question concrète, tout au plus une cigarette (mais jamais les pharaoniques), et exceptionnellement un vermouth ou de la bière si c'est l'heure de l'apéritif et que la chose traîne en longueur (il y a un mini-réfrigérateur camouflé entre les étagères); et malgré l'attitude sereine et l'expression joviale de la juge — son sourire avenant; sa peau très blanche mais pleine de santé; ses yeux mobiles et vifs bien qu'ils soient d'un bleu si clair; ses cernes bien placés, si profonds et tellement flatteurs qu'elle devait déjà en avoir toute petite; son rire généreux et prompt, avec un élément d'éducation qui n'empêche pas sa spontanéité, mais toute adulation, il n'y en pas le moindre soupçon; sa conscience amusée qu'il émane de Tupra un certain désir pour elle, malgré son âge, qui n'est plus propice (désir théorique peut-être, ou rétrospectif, ou imaginatif), parce qu'il perçoit la jeune femme qu'elle a été, ou il la sent encore, et cela est perçu à son tour par celle qui a cessé de l'être, et cela l'amuse et la rajeunit —, en écoutant la jeune Nuix tout ce qu'elle remarque et me décrit me semble plausible, parce que je vois chez cette juge, en effet, quelque chose de semblable à l'excitation ou à la vitalité que vous procure le fait de connaître un secret de grande importance et de s'être juré de ne jamais le partager.

Bien entendu, la jeune Nuix ne parle pas comme ça pendant que nous regardons tous les deux et prenons quelques notes dans le compartiment, pas de façon aussi suivie ni si précise (j'ordonne tout cela et le mets en forme maintenant, comme nous faisons tous quand nous racontons quelque chose, et je le complète en outre avec son rapport postérieur, écrit), elle me fait des commentaires ponctuels par-dessus la table, les autres ne nous voient ni ne nous entendent, même s'ils savent parfaitement où nous sommes, détachés ici par Tupra en personne. Et en l'entendant je me souviens — je m'en souviens à chaque occasion, pas seulement quand elle interprète cette juge, la juge Walton — des mots que Wheeler avait attribués à Tupra ce fameux dimanche : « Il dit qu'avec le temps elle sera la meilleure du groupe, s'il s'arrange pour la retenir assez longtemps », et je me demande chaque fois si elle ne l'est pas déjà, celle qui affine le mieux et qui est la plus douée, celle qui se risque le plus et voit plus profondément de nous cinq, la jeune Nuix, de père espagnol et de mère anglaise, élevée à Londres mais aussi familiarisée que moi avec son pays paternel (elle n'y a pas passé pour rien vingt et quelques étés, sans en manquer un seul), totalement bilingue contrairement à moi, chez qui prévaut la langue dans laquelle j'ai commencé à parler, de la même façon que Jacques sera toujours pour moi *le* prénom, parce que c'est celui auquel j'ai répondu au début, et par lequel j'ai été appelé par celle qui m'appelait le plus. Son sourire aussi est avenant et son rire généreux et prompt, à cette jeune fille, et ses yeux sont eux aussi très mobiles et très vifs, à plus forte raison parce qu'ils sont marron et qu'ils ne doivent pas encore être trop lourds de visions durables qui ne disparaissent pas. Elle doit avoir vingt-cinq ans, peut-être deux de plus ou un de moins, et quand nos regards se croisent, par-dessus la table ou en toute autre circonstance, je remarque que Luisa et les enfants commencent à s'estomper, alors que le reste du temps je les vois trop nettement malgré leur grand éloignement, sans compter que les visages des enfants sont si changeants qu'ils n'ont jamais une seule image figée ; je me rends compte que peu à peu s'installe, ou prédomine, celle des photos les plus récentes que j'ai emportées en Angleterre, je les ai dans mon portefeuille comme n'importe quel bon ou mauvais père, et en plus je les regarde. Je remarque aussi que la jeune Nuix ne me regarde pas d'un mauvais œil malgré la différence d'âge ; ou plutôt il faudrait le dire au conditionnel : l'idée me trotte dans la tête qu'elle a ou a eu un lien sexuel avec Tupra, même si rien ne me le dit de façon indubitable et que leurs rapports soient emprunts de déférence et d'humour, et d'une sorte de paternalisme réciproque, peut-être est-ce là le meilleur indice. (Mais l'idée me trotte dans la tête, et on ne rivalise pas avec Tupra.) Qu'elle me regarde, me regarderait ou m'aurait regardé d'un bon œil, je le vois dans ses yeux à elle, comme je l'ai vu depuis quelques années dans ceux d'autres femmes sans me tromper — quand on est jeune, on est plus myope et plus astigmate et plus presbyte, tout cela à la fois —, et je le respire et l'entends dans la façon dont elle rassemble brièvement son énergie, par timidité ou à cause de la rougeur qui la guette, avant de s'adresser à moi pour bavarder un moment, c'est-à-dire au-delà du salut ou de la question ou de la réponse isolés, comme si elle prenait son élan ou de l'impulsion, ou comme si elle construisait mentalement et dans sa totalité la première phrase (qui n'est jamais brève, c'est curieux), comme si elle la structurait et la mémorisait avant de la prononcer. C'est une chose qu'on fait souvent quand on parle une langue étrangère, mais cette jeune femme et moi, quand nous sommes seuls ou dans les apartés, nous utilisons l'espagnol, qui lui est propre à elle aussi.

Et cela ne fit plus aucun doute pour moi un matin où la rougeur ne la guetta pas alors qu'elle aurait dû l'assaillir plus que jamais. On m'avait donné les clés de l'immeuble sans nom, et croyant être le premier à y arriver ce matin-là, et à gagner l'étage que nous occupions (une insomnie matinale m'avait poussé à sortir, pour commencer la journée pour de bon et mettre la dernière main à un rapport sur place), et croyant par conséquent l'ouvrir (les verrous nocturnes étaient poussés), je fus étonné d'entendre du bruit et un doux fredonnement dans l'un des bureaux, dont j'ouvris la porte non pas avec violence mais cependant avec fougue, d'un coup brusque, dans l'idée diffuse de déconcerter le possible intrus, l'espion tombé du lit ou le subreptice *burglar*, et avoir ainsi l'avantage si je devais l'affronter, tout fredonnant qu'il fût et bien tranquille qu'il parût. Et c'est alors que je la vis, la jeune Nuix, debout devant la table, torse nu et une serviette à la main que juste à ce moment-là elle se passait sous l'aisselle, bras levé. Elle portait au-dessous une jupe étroite, sa jupe de la veille, je fais chaque jour attention à ce qu'elle porte. Cette vision me surprit tant (et à la fois pas tant ou peut-être pas du tout : je savais que c'était une voix de femme qui fredonnait) que je ne fis pas ce que j'aurais dû faire, marmonner une excuse hâtive et refermer la porte, naturellement en restant dehors. Cela ne dura que quelques secondes, mais je laissai passer ces secondes (une, deux, trois, quatre ; et cinq) en la regardant, je crois, d'un air où se mêlaient interrogation, appréciation et faux embarras (et donc d'un air stupide, décidément), avant de dire « Bonjour » sur un ton tout à fait neutre, c'est-à-dire comme si elle avait été aussi vêtue que moi ou presque, j'avais encore ma gabardine. En un certain sens, je suppose, je fis hypocritement comme si de rien n'était, et comme si je ne voyais rien ; mais je fus aussi aidé en cela — je veux le penser — par le fait que la jeune Nuix en fasse autant, comme si de rien n'était. Durant les secondes où je maintins la porte ouverte avant de me retirer, non seulement elle ne se couvrit pas, effrayée ou pudique ou au moins effarouchée (cela lui aurait été facile, avec la serviette), mais elle ne bougea pas, comme l'image figée d'une vidéo, exactement dans la même position que lorsque j'avais fait irruption dans le bureau, en me regardant d'un air interrogateur mais absolument pas stupide, ni faussement ni véritablement gênée. La seule chose qu'elle fit, donc, fut d'interrompre son fredonnement et son mouvement : elle s'essuyait, se frottait, et elle cessa de le faire, sa serviette resta arrêtée au niveau de son flanc. Et dans cette position non seulement elle ne couvrait pas sa nudité (elle ne le fit pas, pas même dans un réflexe), mais en gardant son bras levé elle me permit de contempler son aisselle, et quand une femme nue permet de voir cela, et en découvre une ou les deux, c'est comme si elle offrait par là un supplément de nudité. C'était évidemment une aisselle nette et lisse et fraîchement lavée, à ce que je déduisis, et bien sûr épilée, sans l'horrible buisson que certaines femmes s'entêtent à conserver de nos jours comme un signe étrange de protestation contre le goût traditionnel des hommes, ou de la majorité d'entre eux. « Bonjour », fit-elle aussi sur un ton neutre. Cela ne dura que quelques secondes (cinq, six, sept, huit ; et neuf), mais le calme et le naturel avec lesquels nous nous comportâmes pendant qu'elles s'écoulaient me rappelèrent la fois où ma femme Luisa, peu après la naissance du petit, s'était arrêtée à demi dévêtue (torse nu, seins grossis par la maternité, elle allait se coucher) et avait répondu à quelques questions absurdes que je lui avais posées sur le nouveau-né (« Crois-tu que cet enfant vivra toujours avec nous, tant qu'il sera enfant ou très jeune ? »). Elle était en train de se déshabiller, elle tenait encore dans une main les bas qu'elle venait d'ôter, dans l'autre la chemise de nuit qu'elle allait mettre (« Évidemment, qu'est-ce que c'est que ces bêtises, avec qui veux-tu qu'il vive, sinon ? », et elle avait ajouté : « S'il ne nous arrive rien ») pendant que la jeune Nuix tenait dans une main la serviette avec laquelle elle ne pensait pas se couvrir et ne se couvrit pas, l'autre main libre et levée, comme une statue de l'Antiquité. Elles étaient à moitié nues toutes les deux (« Que veux-tu dire ? », avais-je alors demandé à Luisa), et la nudité de l'une n'avait rien à voir avec celle de l'autre (je veux dire pour moi, parce qu'elles gardaient en fait une certaine ressemblance, objectivement) : celle de ma femme m'était connue et même habituelle, ce n'est pas qu'elle me laissait indifférent pour autant, loin de là, et c'était pourquoi j'avais remarqué ses seins grossis même à cet instant volatil et domestique ; mais il était normal que nous continuions à parler comme si de rien n'était, que nous n'interrompions pas notre conversation pour autant (« Rien de mal, je veux dire », avait-elle répondu) ; en revanche, celle de ma jeune camarade de travail était nouvelle, inattendue, inédite, absolument pas prévue et même imméritée et furtive de mon point de vue, produit d'un malentendu ou d'une imprudence, et par conséquent je la regardai d'une autre façon, sans impudence ni lascivité mais avec une attention qui découvrait et mémorisait en même temps, avec les yeux apparemment voilés de notre époque, qui ont toujours été en vigueur en Angleterre, où nous nous trouvions et où ce regard qui ne regarde pas ou ce non-regard qui regarde, se développe et se perfectionne, et dont je n'ai vu là-bas s'affranchir ou se libérer que le seul Tupra, ou presque ; et elle me laissa regarder ainsi sans regarder, elle ne tenta pas de m'en empêcher, mais il n'y avait pas non plus d'impudence ni d'exhibitionnisme dans ses yeux ni dans son attitude, et quand elle ajouta quelque chose, une explication que je n'attendais pas et qui n'était pas nécessaire, et qui bien que ce fût la première phrase qu'elle m'adressait ce jour-là ne sembla pas cette fois composée d'avance dans son esprit (« J'ai dormi ici, bon, dormir, pas vraiment beaucoup, j'ai passé la nuit accrochée à un rapport du diable »), sa voix et son ton n'étaient pas très différents de ceux d'une vie matrimoniale que je connais bien. Et donc passé les secondes suivantes (neuf, dix, onze et douze : « Oui, ne t'en fais pas, de mon côté je suis venu de bonne heure pour essayer de terminer celui que je suis en train de faire » dis-je à mon tour, non tant pour m'expliquer qu'en guise d'excuse tardive et implicite), je refermai enfin la porte, d'un seul mouvement décidé, presque violent (je n'avais pas lâché la poignée), et je me retirai dans mon bureau, qui était contigu et que je partageais avec Rendel, elle partageait le sien avec Mulryan. Elle appartient à une autre génération, cette jeune Nuix, me dis-je ; je me dis qu'elle passait certainement ses étés buste à l'air sur les plages ou au bord des piscines d'Espagne, qu'elle devait avoir l'habitude d'être vue comme ça et admirée, toute pudeur atténuée. Je me dis aussi que nous étions compatriotes et qu'à l'étranger cela équivaut presque à une parenté : cela crée des complicités et des solidarités insolites et fait naître des confiances sans fondement, ainsi que des amours et des amitiés qui seraient inimaginables, aberrantes, presque, dans le pays d'origine commun (une amitié avec De la Garza, Rafita l'énorme abruti). Mais elle, elle était plus anglaise qu'espagnole, assurément, je ne devais pas l'oublier. Et je sais très bien, en tout cas, que lorsqu'une femme ne fait même pas le geste de couvrir sur-le-champ sa nudité surprise, ne fût-ce qu'instantanément (sauf s'il s'agit de danseuses de strip-tease et assimilées, j'en ai fréquenté une), c'est parce qu'elle regarde celui qui l'a surprise et qui la contemple d'un bon œil, et cela vaut encore pour toutes les générations vivantes, pour celles adultes du moins. Non que la femme se sente attirée par ce quelqu'un ou le désire forcément, loin de moi de si naïves présomptions. C'est tout simplement qu'elle le voit d'un bon œil, ou qu'il ne lui est pas complètement indifférent, pas entièrement, et il est très probable que ce ne soit qu'à ce moment-là qu'elle le constate ou s'en rende compte, au moment où elle est vue par ce quelqu'un et où elle décide de ne pas se couvrir pour lui, ou peut-être n'y a-t-il aucune décision dans cette affaire. Le bras levé de la jeune Nuix ne me fit pas penser, finalement, à celui d'une statue, ou pas dans mon souvenir : je le vis plutôt comme s'il était suspendu à la barre d'un bus, ou sa main accrochée à la poignée haute d'un wagon de métro. Elle y était toujours accrochée, bras en l'air, quand je refermai la porte et cessai de le voir, ainsi que l'aisselle lisse qui rehaussait le reste. Elle dut le baisser aussitôt. Tout cela avait duré douze secondes. Je ne les comptai pas sur le moment, mais plus tard, dans mon souvenir.

Je ne savais pas à l'époque ce qu'on voulait dire avec cette expression fréquente dans les rapports, tant écrits qu'oraux, et jusque dans les commentaires improvisés et apparemment sans importance qu'on échangeait tout en étudiant les photos ou les vidéos, ou des personnes en chair et en os que Tupra pouvait avoir invitées, ou souvent convoquées, ou même auxquelles il avait donné l'ordre de venir, pensais-je. Si nous travaillions sur commande, si nous n'avions pas d'intérêts personnels et que nous ne faisions que donner notre avis, si nous considérions et nous prononcions, on pouvait supposer que les gens observés qui pouvaient « être utiles » ou « ne pas être utiles », être « d'une grande » ou « d'aucune utilité » (j'en vins moi-même très vite à employer ces expressions, et m'habituai au concept sans le comprendre tout à fait, la pratique supplée à tant de choses, si nombreuses sont celles dont l'habitude étourdie fait abstraction), le seraient dans chaque cas pour ceux qui avaient commandé les tâches respectives, relativement à leurs besoins concrets et leurs investigations ou soucis particuliers, qui devaient être plus variés que je ne me l'étais figuré au début, quand Wheeler m'avait parlé du passé ou de la préhistoire du groupe, comme il le nommait pour ne pas le nommer, par manque de véritable nom (« Ces livres ne te diront rien de tout ça, m'avait-il prévenu ; n'y cherche rien, tu ne ferais que perdre ta patience et ton temps »).

La provenance ou origine de chaque commande, je l'ignorai généralement, on n'y faisait que rarement allusion, je tendais à penser que toutes ou la plupart d'entre elles venaient d'instances officielles, étatiques, gouvernementales, administratives britanniques, ou, en certaines occasions (selon la nationalité éloignée ou réitérée des sujets d'étude), de leurs équivalents dans des pays amis ou alliés de façon intéressée et conjoncturelle : surprenant était le grand nombre d'Australiens, de Néo-Zélandais, de Canadiens, d'Égyptiens, de Saoudiens et de Nord-Américains qui défilaient sur nos écrans, surtout les derniers nommés. Je ne m'expliquais pas vraiment non plus pourquoi on soumettait à surveillance et jugement certains de ces sujets (car c'était bien l'impression prédominante : que nous les surveillions et jugions), encore moins quand on ne nous posait pas de questions ensuite sur aucun terrain ni sujet ni trait déterminés. La juge Walton, par exemple. Ni Tupra ni Mulryan ni Rendel ne me demandèrent rien de particulier sur elle après ma faction (peut-être à la jeune Nuix, qui avait perçu tant de choses de son caractère), et que diable, il m'était difficile d'imaginer ce qu'il était intéressant de voir, d'interpréter, de déchiffrer, de percer ou de démasquer chez une femme aussi accomplie, intelligente et solide qu'elle le semblait. D'autres fois, si, le caractère même des questions me donnait une idée des objectifs recherchés, de ce qui préoccupait Tupra, Mulryan, Rendel, Nuix, ou plus probablement les instances supérieures ou inférieures — les clients — qui les engageaient et se servaient d'eux, c'est-à-dire de nous et de notre don supposé, ou de nos talents présumés, ou peut-être était-ce simplement de notre audace, qui allait toujours plus loin, toujours plus loin, qui augmentait toujours.

À mesure que les semaines passaient, puis les mois, j'élargissais le spectre de mes réponses, ainsi que mon aplomb :
« Tu crois que cette femme est infidèle, même si elle jure le contraire, et qu'il n'y a pas de preuves ? » me demandait Mulryan à propos d'une dame bien habillée et au nez un peu

recourbé qui le niait à son mari dans leur salon, tous deux assis sur un canapé devant le téléviseur allumé et filmés sans nul doute par une caméra cachée, peut-être installée dans l'appareil par le mari en personne (un type au visage large et enclin à sourire, même hors de propos, ce qui était le cas à ce moment-là), qui avait eu recours à nos conseils, probablement, parce qu'il se sentait incapable désormais de distinguer chez elle un ton sincère d'un ton trompeur, l'habitude et la vie commune tendent parfois à niveler, il s'établit une certaine défaillance ou une certaine atonie dans les dialogues et les réponses, et vient le jour où ce qui est important et ce qui est insignifiant, ce qui est vrai et ce qui est faux, reçoit la même faible dose d'emphase.

« Oui, je crois qu'elle l'est, répondais-je. Ses dénégations ont été trop aisées, trop éloquentes, sarcastiques presque. La question de son mari ne l'a pas vraiment surprise, malgré ses grands gestes. Et elle ne l'a pas offensée non plus. Elle l'attendait un jour ou l'autre depuis longtemps, et donc sa réaction était toute prête, elle avait presque mémorisé les mots qu'elle allait employer, et répété le ton et l'air avec lesquels elle les lui enverrait. Peut-être pas devant sa glace, mais mentalement au moins. Son imagination était imprégnée de tout cela depuis beau temps, elle n'a eu qu'à le réactiver. Elle souhaitait presque que ce moment désagréable arrive.

— Tu le crois. Tu le crois. C'est tout, Jack ? Ou bien en es-tu sûr ? » insistait Mulryan, sans tenir compte de ce que nous savons tous : que personne ne peut être sûr de rien, à moins qu'il n'ait fait quelque chose ou n'y ait participé ou en n'ait été témoin (et même comme ça, si souvent : la tache de sang).

« J'en suis sûr dans la mesure où ma certitude provient de ce que je vois et perçois, de ce que tu m'offres, disais-je de façon peu claire, dans une ultime tentative pour protéger un peu mes arrières et ne pas plonger tout à fait dans l'audace. Par exemple, elle a dit que les soupçons de son mari lui semblaient "hystériquement drôles". Elle n'aurait pas utilisé cet adverbe si elle n'y avait pas pensé avant, si elle ne l'avait pas choisi, prévu. Pas même s'ils lui semblaient vraiment drôles. Dans ce cas, elle n'en aurait employé aucun, ou tout au plus un plus courant, comme "terriblement", qui souligne moins, qui a moins de charge burlesque. Et si l'accusation était fausse, elle ne l'aurait pas qualifiée de "stimulante" ou de "réjouissante" — "*exhilarating*", avait-elle dit —, et elle ne se serait pas rabaissée à ce point avec l'argument qu'elle aimerait bien, "pauvre de moi", éveiller du désir chez d'autres hommes. Peu de femmes croient fermement et sincèrement qu'elles ne pourraient pas en éveiller, quels que soient leur âge et leur physique. Je parle des femmes qui ont de l'argent, et cette dame semble en avoir pas mal. Elles peuvent faire semblant de le croire, elles peuvent se lamenter ouvertement pour qu'on les contredise et les conforte dans leur idée, elles peuvent se le demander et même en douter dans un instant d'abattement ou après un rejet. Rarement davantage. Elles récupèrent vite de ce genre d'abattements. Elles ne sont pas longues à mettre ce rejet sur le compte d'un cœur déjà occupé, c'est en général une solution décente, acceptable pour elles. "*Nor Hell a fury, like a woman scorn'd*", citai-je pour moi-même : "Il n'y a pas en Enfer de furie semblable au dépit d'une femme." Et je pensai : "Il ne faut pas exagérer." Et si finalement elles le croient un jour, elles ne le crient pas sur les toits. À leur mari moins qu'à personne.

— Mais lui l'a crue, m'objecta ou me signala Mulryan.

— Eh bien, il faudra le tirer de sa crédulité, répondis-je avec plus d'aplomb encore. Il lui restera toujours la ressource de ne pas tenir compte de notre verdict, de se le foutre au cul, si toutefois c'est à lui qu'il est destiné, si c'est lui qui nous a fait cette commande. » Je savais déjà à cette époque qu'on ne surveillait pas trop son vocabulaire, pendant les séances. « Et pourtant elle lui est infidèle, j'en donne ma tête à couper. » On finissait toujours par risquer le maximum. C'était peut-être l'orgueil défié, qui y voyait peut-être de plus en plus clair, cette façon qu'on avait de parler ; ou de se convaincre. Qu'il est dangereux de dire. Ce n'est pas seulement que d'autres ne puissent pas éviter d'en tenir compte, de ce que nous avons dit. C'est aussi qu'on est obligé soi-même de ne pas en faire abstraction, une fois que cela a flotté dans l'air et pas seulement dans notre pensée, où il est encore possible de tout rejeter. Une fois que cela a été entendu et que cela fait donc partie du savoir des autres, lesquels peuvent en faire usage, et même se l'approprier, et même le retourner contre nous.

Ou bien ce pouvait être Tupra qui m'interrogeait dans son bureau accueillant, le lendemain d'un dîner saupoudré de célébrités auquel il m'avait incorporé et emmené — « Un vieil ami espagnol tout juste débarqué, et un grand artiste, je n'allais pas le laisser tout seul dans son hôtel » : « Être un grand artiste est un merveilleux passeport de nos jours, me disait-il souvent, et qui de plus n'engage pas à grand-chose, parce qu'on peut l'être dans n'importe quel domaine, l'architecture d'intérieur, la chaussure, la Bourse, le carrelage ou la pâtisserie » — parce que deux de mes compatriotes y assistaient — lui, artiste de la finance, elle du monde du spectacle — qu'il désirait que je distraie et qu'au passage je sonde un peu au sujet de notre hôte, tandis que lui se chargeait de celui-ci et d'autres pièces britanniques de gros calibre.

« Dis-moi, Jack, tu crois que ce guignol, notre hôte d'hier soir, oui, ce chanteur ridicule, tu crois qu'il serait capable de tuer ? Dans une circonstance extrême, s'il se sentait vraiment menacé, par exemple. Ou qu'il ne pourrait absolument pas, qu'il serait de ceux qui baissent les bras et se laissent poignarder, plutôt que de porter leurs coups ? Ou au contraire, crois-tu qu'il pourrait, et même à froid ? »

Et je m'arrêtais à y penser un instant, et désormais je ne me contentais plus de répondre simplement « Je ne le sais pas, comment puis-je le savoir ? », je ne répondais ainsi à aucune question pour étrange ou alambiquée ou fantastique ou trop précise qu'elle fût, même si elle se rapportait à des mystères comme celui-ci, qui donc a idée de qui peut tuer, et quand, et de quel sang, chaud ou froid ou tiède. Et pourtant je hasar-

300

dais toujours quelque chose en essayant d'être sincère, c'est-à-dire en essayant de voir quelque chose avant de le dire, et en évitant de parler pour parler, ou simplement parce qu'on attendait de moi que je parle. J'essayais de me mettre au moins dans la situation ou l'hypothèse où me jetait chaque question de mes supérieurs ou de mes camarades. Et le plus curieux ou le plus terrifiant était qu'à chaque occasion je finissais par voir quelque chose ou par l'entrevoir (je veux dire que je ne l'inventais pas, ce n'étaient pas des visions ni d'astucieuses fables), et donc par avance quelque chose, tel est le procédé de l'audace, sans aucun doute, et on obtient tant de choses à force de pratique, et d'exiger beaucoup de soi. Le problème de presque tous les gens, leurs limites, provient du manque de persistance, de leur paresse ou du fait qu'ils se satisfont de peu, de leur peur aussi. Presque tout le monde fait un bref parcours et freine, s'arrête vite et s'assied et se remet de sa peur ou s'endort, et donc ne va pas assez loin. Quelqu'un a une idée et normalement cela lui suffit, de l'avoir eue, il s'arrête, content, devant le premier raisonnement ou la première trouvaille et ne continue pas à penser, ni à écrire avec plus de profondeur s'il écrit, ni à exiger de lui-même d'aller plus loin ; il se tient pour satisfait par la première fêlure ou pas même cela : par la première tranche, de ne traverser qu'une seule couche, des personnes et des faits, des intentions et des soupçons, des vérités et des leurres, notre temps est l'ennemi de l'insatisfaction intime et bien entendu de la constance, il est organisé pour que tout fatigue tout de suite et que l'attention soit sautillante et errante et que le vol d'une mouche la distraie, on ne supporte pas l'investigation soutenue ni la persévérance, de rester pour de bon sur quelque chose, pour connaître ce quelque chose. Et on n'admet pas le regard long, celui qu'avait Tupra et qui finit par affecter celui qui est regardé de la sorte. Les yeux qui s'attardent offensent aujourd'hui, et c'est pourquoi ils doivent se cacher derrière des rideaux et des jumelles et des téléobjectifs et des caméras éloignées, et épier devant leurs mille écrans.

En un sens — mais en un seul — Tupra me rappelait mon père, qui ne nous permettait jamais, ni à mes frères et sœur ni à moi, de nous contenter de l'apparence d'une victoire dialectique dans nos discussions, ou d'un succès quand nous nous expliquions. « Et quoi d'autre », nous disait-il après que nous avions tenu pour terminés, épuisés, un exposé ou un argument. Et si nous lui répondions « Rien d'autre. C'est tout. Ça te semble peu ? », il répondait, ce qui nous déséquilibrait momentanément : « Oui, tu n'as fait que commencer. Continue. Allons, vite, dépêche-toi, continue à réfléchir. Penser une seule chose, ou l'entrevoir, c'est un début, mais ce n'est presque rien, une fois qu'elle est assimilée : c'est avoir atteint l'élémentaire, que la plupart des gens, c'est certain, n'atteignent même pas. Mais ce qui est intéressant et difficile, ce qui peut valoir la peine et qui coûte le plus, c'est de continuer : continuer à penser et continuer à regarder plus loin qu'il n'est nécessaire, quand on a l'impression qu'il n'est plus besoin de penser ni de regarder, que la séquence est complète et que continuer c'est perdre son temps. L'important est toujours là, dans le temps perdu, dans ce qui est gratuit et semble superflu, au-delà de la limite où l'on se sent résigné, ou bien où l'on se fatigue et se rend, souvent sans le reconnaître. Là où l'on dirait qu'il ne peut plus rien y avoir. Alors dis-moi quoi, dis-moi ce qui te vient encore à l'esprit, quels arguments as-tu encore, qu'offres-tu et qu'as-tu de plus ? Continue à réfléchir, vite, ne t'arrête pas, allons, continue. »

Tupra adoptait lui aussi cette méthode, il signalait l'insuffisance, il l'avait fait dès la première fois face au Soldat Bonanza, avec ses « Quoi d'autre ? », « Expliquez-moi ça », « Dites-moi ce que vous pensez », « Pourquoi croyez-vous cela ? », « Continuez », « Parlez-moi de ces détails », « Autre chose ? », « Est-ce là tout ce que vous avez observé ? ». C'était une ténacité douce et mesurée, avec laquelle cependant il extrayait tout ce qu'on pouvait avoir pensé ou vu, et même le rêve ou l'ombre des pensées et des images, ce qui n'était pas encore formulé ni dessiné ni par conséquent tout à fait pensé ni tout à fait vu, mais simplement ébauché ou pressenti ou implicite, encore impossible à reconnaître et fantasmagorique, comme la sculpture qui dort dans le marbre ou les poèmes que contiennent presque dans leur totalité les grammaires et les dictionnaires. Il obtenait que ce qui était illusoire acquière la parole et prenne corps. Et que cela se façonne. Il m'arrivait de prendre ça pour un acte de foi de sa part : foi en mes capacités, en ma perspicacité, en mon don supposé, comme s'il était certain que face à son insistance appropriée — guidé par elle, instruit par elle —, je finirais toujours par lui donner le dessin ou le texte, par lui offrir le portrait qu'il me demandait, ou dont il avait besoin.

Oui, ce devait être quelque chose comme ça, si le rapport sur moi que j'avais vu un jour était authentique, et il n'y avait pas de raison qu'il ne le fût pas. Je l'avais trouvé un matin en cherchant des informations dans de vieux fichiers. Ce qui n'était pas fait pour les yeux de tout le monde devait être rangé et emmagasiné là, et non dans les ordinateurs, si peu sûrs et si mal protégés. J'avais vu mon nom, « *Deza Jacques* » et j'avais pris ma fiche sans y réfléchir à deux fois. Elle datait de deux mois après ma première intervention (du moins était-ce ainsi que je la voyais), traduction de la recrue Bonanza et interrogatoire postérieur à propos de mes impressions sur cet individu, et en fait ce n'était pas un rapport dans les règles, mais quelques notes improvisées, probablement prises à la main — probablement par Tupra lui-même — à la suite de Dieu sait quelles activités ou interprétations de ma part, en tout cas, qui que ce fût, il les avait jugées dignes d'être archivées et les avait fait transcrire sur ordinateur ou à la machine — peut-être avait-il pris la peine de les taper lui-même. Je les lus rapidement, et les ensevelis de nouveau. Personne ne m'avait jamais interdit de consulter ce vieux fichier, mais j'eus la très nette impression qu'il valait mieux que je ne sois pas surpris en train de fouiner dans ce qui avait été écrit sur moi et qu'on ne m'avait pas montré. Le rapport était bref, c'étaient des notes quasiment impressionnistes, pas du tout systématiques ni organisées, un peu perplexes et contradictoires, indécises peut-être. Elles disaient plus ou moins ceci : « C'est comme s'il ne se connaissait pas bien. Il ne se pense pas, même s'il croit le contraire (il ne met d'ailleurs pas beaucoup d'acharnement à le croire). Il ne se voit pas, ne se sait pas, ou plutôt il ne s'ausculte ni ne s'interroge sur lui-même. Oui, c'est plutôt cela : ce n'est pas qu'il ne se connaît pas, mais il s'agit d'une connaissance qui ne l'intéresse pas et que par conséquent il ne cultive presque pas. Il ne s'étudie pas en profondeur, il verrait cela comme une perte de temps. Peut-être que cela ne l'intéresse pas parce qu'il trouve ça trop vieux jeu, et qu'il n'a que peu de curiosité pour lui-même. Il se donne comme allant de soi, ou se tient pour connu. Mais les gens changent. Lui, il ne s'occupe pas d'examiner ni d'analyser ses changements, il n'est pas à jour sur ce point. C'est un introspectif. Et pourtant il regarde au-dehors quand il donne plus l'impression de regarder au-dedans. Seul l'extérieur l'intéresse, les autres, et c'est pour cela qu'il voit si bien. Mais ce n'est pas pour pouvoir intervenir dans leur vie ni avoir de l'influence sur eux que les autres l'intéressent, ni par utilitarisme. Il est possible que ce qui arrive aux autres ne lui importe guère. Non qu'il ne regrette pas les faits ou qu'il n'y applaudisse pas, il est solidaire, ils ne lui sont pas indifférents. Mais d'une manière un peu abstraite. Ou c'est peut-être qu'il est très stoïque, avec ce qui touche les autres et ce qui le touche lui-même. Les choses arrivent et il en prend note, sans aucune intention définie, sans se sentir concerné le plus souvent, et encore moins mêlé aux événements. C'est probablement pour cela qu'il en perçoit tant. Il y a tant de choses qui ne lui échappent pas qu'on a presque peur d'imaginer ce qu'il sait, tout ce qu'il voit et tout ce qu'il sait. De moi, de toi, d'elle. Il en sait plus sur nous que nous-mêmes. Je veux dire sur nos caractères. Ou mieux encore, sur nos moules. Il juge peu. Le plus curieux, c'est qu'il ne fait pas usage de ce qu'il sait. C'est comme s'il vivait parallèlement une vie théorique, ou une vie future qui attendrait son tour dans une arrière-chambre, son heure dans une autre existence. Et comme si c'était là qu'allaient finir ses découvertes, ses reconnaissances, ses informations et ses constatations. Mais pas dans la vie présente, la vie effective. Y compris ce qui l'affecte vraiment, jusqu'à ses propres expériences et ses désagréments qui semblent se séparer en deux parties, l'une des deux étant destinée à ce savoir simplement théorique, ou d'attente. À l'enrichir, à le nourrir. Curieusement, sans aucune visée. Du moins dans sa vie réelle qui avance. Il ne fait pas usage de son savoir, c'est très curieux. Mais il l'a. Et s'il venait à en faire usage un jour, alors il faudrait le craindre. Je crois qu'il ne pardonne pas. Je le vois parfois comme une énigme. Et parfois je pense qu'il en est aussi une pour lui-même. Et alors je pense de nouveau qu'il ne se connaît pas bien. Et qu'il ne se prête pas attention parce qu'en fait il y a renoncé, à se comprendre. Il se tient pour un cas perdu sur lequel il ne doit pas gaspiller ses réflexions. Il sait qu'il ne se comprend pas et qu'il ne se comprendra pas. Et par conséquent il ne prend pas le temps de le faire. Je crois qu'il n'y a en lui aucun danger. Mais qu'en revanche il faut le craindre. »

Le fait est que je restai comme j'étais, bien que ce texte m'ait fait penser qu'il devait y avoir quelque part un véritable rapport en règle, avec données et dates, faits vérifiables et caractéristiques détaillées, avec mon curriculum vitae conventionnel (ou qui sait, celui qui était inavouable) et avec des observations et des descriptions moins éthérées et moins impossibles à vérifier. Il devait y en avoir sur nous tous, le contraire aurait été une incongruité, je me promis de les chercher un jour calmement, ceux de Rendel et de la jeune Nuix pouvaient m'intéresser, celui de Mulryan un peu moins ; et bien entendu celui de Tupra, s'il en existait un sur lui aussi. Avant de refermer le fichier j'appuyai mon pouce sur le bord supérieur des fiches et en fis défiler quelques-unes, pas très vite, en les arrêtant au hasard de temps en temps. Je vis des en-têtes très connus : « *Bacon, Francis* », « *Blunt, sir Anthony* », « *Caine, sir Michael (Maurice Joseph Mickle-*

*white)* », « *Clinton, William Jefferson "Bill"* », « *Coppola, Francis Ford* », « *Le Carré, John (David Cornwell)* », « *Richard, Keith (The Rolling Stones)* », « *Straw, Jack* » (le ministre des Affaires étrangères britannique, précédemment de l'Intérieur, celui qui avait relâché Pinochet, quel affront, c'était sur lui que j'avais besoin de renseignements ce matin-là, de son passé impropre), « *Thatcher, Margaret Hilda, baroness* ». C'étaient leurs fiches que mon doigt avait freinées, certains étaient morts. De nombreuses autres inscriptions ne me disaient rien, noms inconnus de moi : « *Booth, Thomas* », « *Dearlove, Richard* », « *Marriott, Roger (Alan Dobson)* », « *Pirie-Gordon, Sarah Jane* », « *Ramsay, Margaret "Meta", baroness* », « *Rennie, sir John* », « *Skelton, Stanyhurst (Marius Kociejowski)* », « *Truman, Ronald* », « *West, Nigel (Rupert Allason)* », mes regards étaient tombés sur eux, combien de gens ne s'appelaient pas comme ils s'appelaient, j'ai une excellente mémoire des noms.

J'appréciais qu'ils se soient donné cette peine pour moi, parmi une pareille compagnie ; qu'ils aient voulu me percer à jour, qu'ils aient fait attention à moi. Ce qui m'avait le plus intrigué c'était sans nul doute le moment où le rédacteur ou le penseur, quel qu'il fût, s'adressait à une autre personne, à quelqu'un d'autre ouvertement, ce qui indiquait que ses impressions ou conjectures avaient un destinataire concret : « De moi, de toi, d'elle, disait-il. Il en sait plus sur nous que nous-mêmes. » Je pensai que, par exclusion, la jeune Nuix devait être « elle », même si je ne pouvais en être absolument certain. Mais qui était ce « toi », qui était ce « moi » ? Il y avait plusieurs possibilités, je ne pouvais absolument pas le savoir. De même, qui était celui qui croyait, par conséquent, qu'on devait me craindre, cela aussi m'avait pas mal étonné, parce qu'à l'époque je ne le croyais pas. (Sauf s'il s'agissait d'un « moi », d'un « toi » et d'un « elle » métaphoriques, hypothétiques, interchangeables, comme si l'expression avait été « On a presque peur d'imaginer ce qu'il sait, tout ce qu'il voit et tout ce qu'il sait. D'un tel, de tel autre ou d'un troisième ».) Il va sans dire que ces notes n'étaient pas signées, comme toutes celles du fichier, ou du moins de ce tiroir-là. Toutes avaient l'air écrites au fil de la plume, pour autant que j'aie pu prendre le temps de les regarder, quand mon pouce en arrêtait une : celles qui me concernaient étaient aussi vagues et spéculatives que celles qui concernaient l'ex-président Clinton ou Mrs Thatcher, j'y avais jeté un coup d'œil.

« Je crois que oui, qu'il le pourrait », répondis-je à Tupra au sujet de l'hôte du dîner-*cum*-célébrités (chanteur-célébrité lui-même, je l'appellerai ici Dick Dearlove, comme l'un des noms inconnus et invraisemblables que j'avais vus dans le fichier, j'y avais appris que c'était un haut et très sérieux fonctionnaire de quelque chose, je n'avais lu qu'une ou deux lignes, mais avec un nom pareil il aurait mérité d'être une grande idole des masses trottant sur toutes les planches du monde, comme notre hôte-chanteur ex-dentiste), après avoir réfléchi quelques secondes. « Dans une situation de danger, sûr qu'il frapperait le premier, s'il avait la possibilité de le faire. Et même prématurément, je veux dire avant que le risque couru par sa vie soit imminent et certain. Le simple soupçon d'une menace grave ferait de lui un homme perdant toute mesure, incontrôlé, même. Il réagirait avec violence, je pense, facilement. Ou plutôt il l'anticiperait : je ne sais pas si ce dicton existe en anglais, mais en espagnol on dit que celui qui donne le premier donne deux fois. Mais ce ne serait pas pour ça, par calcul, ni par bravoure, même pas à cause de ses nerfs, ni exactement par panique. Il est si satisfait de sa biographie et de l'existence qu'il mène, si étonné et si fier de ce qu'il a obtenu et de ce qu'il continue à obtenir (on n'en voit pas encore les limites), son conte de fées est si achevé, si parfait, qu'il ne pourrait supporter que tout soit détruit en quelques secondes, trop vite, à cause d'une mauvaise passe ou de la malchance, d'une imprudence ou d'une mauvaise rencontre. Surtout, il n'en supporterait pas l'idée. Imaginons que des voleurs pénètrent chez lui, prêts à tout — *"burglars"*, avais-je dit ; ou qu'on l'agresse dans la rue : non, lui, jamais il ne

307

marcherait dans la rue. Imaginons que sa voiture tombe en panne dans un mauvais quartier, qu'il coule une bielle un soir très tard en rentrant de sa maison de campagne, alors qu'il est seul au volant ou accompagné d'un garde du corps, il doit toujours en avoir au moins un, il ne ferait pas cent yards sans une protection minime. Et qu'à peine descendu de voiture ils se voient entourés par une bande nombreuse, agressive, armée, une bande de désespérés contre laquelle deux hommes ne pourraient pas faire grand-chose, dont l'un, de plus, ne serait habitué qu'aux louanges et aux cajoleries, et à une absence totale de frayeurs.

— Ils demanderaient aussitôt de l'aide avec leurs téléphones portables ou ils l'auraient déjà fait avec celui de la voiture, à la police ou à qui que ce soit », m'interrompit Tupra. Je m'amusais de la facilité avec laquelle il se prêtait à mes affabulations ou s'y incorporait. Je crois qu'il s'amusait avec moi, d'une certaine façon.

« Mettons que celui de la voiture est mort avec la voiture elle-même, et que les autres n'avaient pas de couverture, ou qu'ils les leur avaient déjà prise, sans leur laisser le temps de s'en servir. Je ne sais pas en Angleterre, mais en Espagne c'est la toute première chose que volent les délinquants, ils arrachent les portables avant même les portefeuilles, et c'est pour ça que tous les malfaiteurs, y compris les plus minables, ceux qui ont une seringue dans une main qui tremble, disposent invariablement de mobiles. Vous ne verrez pas à Madrid un voleur, vous ne verrez pratiquement pas un mendiant qui n'ait pas son petit téléphone.

— Vraiment? » dit Tupra, tenté de sourire. Il comprenait mes exagérations, il ne les désapprouvait pas.

« Vraiment. Je vous assure, allez voir sur place. Bien, dans cette situation, si Dearlove avait un couteau sur lui, ne parlons pas de pistolet (il en serait capable, avec une licence et tout), il est probable qu'il se mettrait à tirer des coups de feu ou à lancer des coups de couteau sans même parlementer et avant d'être certain de la portée de la menace, du niveau de désespoir et de haine des désespérés, qui si ça se trouve ne seraient en fait que des admirateurs qui auraient fini par lui demander des autographes en le reconnaissant, c'est possible, il ne faut exclure aucune sorte de popularité dans son cas. En Espagne, par exemple, c'est aussi une idole immense, surtout au Pays basque, je ne sais pas si vous le savez.

— Je le suppose. De nos jours tous les guignols ont un succès universel, dit Tupra. Continue.» À l'époque, il m'appelait déjà Jack, mais moi je l'appelais encore Mr Tupra.

«Ce que Dearlove ne pourrait pas supporter — je n'appelais pas Dearlove Dearlove, bien sûr, mais par son véritable nom —, c'est que sa fin soit comme celle-là, comment dire : il le supporterait presque moins que sa fin elle-même. Bien entendu, il serait atterré de voir tronquée sa vie de succès et de la perdre, comme tout le monde, et même si c'était une vie d'échecs ; d'ailleurs, je ne crois pas qu'il soit courageux, je l'ai déjà dit, il éprouverait une peur infinie. Mais ce qui effraie le plus Dearlove, comme d'autres gens en vue (même s'ils ne le savent peut-être pas), c'est que la fin de son conte soit d'une nature telle qu'elle prédomine sur ce qui l'a précédée et jette de l'ombre sur tout ce qu'il a fait et accumulé jusqu'à aujourd'hui, qu'elle l'éclipse ; qu'elle efface presque et annule le reste et finalement s'érige en donnée unique, celle qui compte et de laquelle on parle. S'il était capable de tuer (et je crois qu'il le serait), c'est avant tout pour cette raison, par répugnance narrative, si vous me permettez l'expression. Vous voyez, Mr Tupra, si quelqu'un comme lui est tué par un groupe de patibulaires à Clapham ou à Brixton, ou plus frappant encore, s'il est lynché, ce genre de mort ferait un tel esclandre dans son cas, elle impressionnerait tant les gens, qu'elle serait toujours mise sur le tapis en même temps que son nom, en toute occasion et toute circonstance, même si c'était pour une tout autre raison qu'on parlait de lui, pour son apport à la musique populaire de son temps ou à l'histoire et à l'essor des guignols, pour l'énorme fortune amassée avec sa gorge ou comme l'un des exemples de délire des masses les plus préoccupants. Peu importerait, on ajouterait toujours la même rengaine, il est mort lynché à Brixton dans une mauvaise affaire, à Clapham pendant une nuit funeste en même temps que son meilleur garde du corps, des mains de scélérats de Stratham d'une indicible cruauté. Viendrait un moment où, en fait, ce serait tout ce dont on se souviendrait de lui. Les mères elles-mêmes se serviraient de cette rengaine pour admonester leurs enfants quand ils iraient dans des faubourgs sauvages ou des zones troubles : "Souviens-toi de ce qui est arrivé à Dick Dearlove, et pourtant il était célèbre et avait un garde du corps." Une véritable malédiction posthume, pour quelqu'un comme lui, je veux dire.

— "Souviens-toi de Dick Dearlove, mon chéri, de la façon dont ils l'ont descendu", l'améliora Tupra, avec un sourire ouvert maintenant : « *Darling* », avait-il dit. « *How they did'im in* », avait-il dit (si ma mémoire est bonne), en imitant un accent *cockney* (ou peut-être était-ce celui du sud de Londres, éducation moyenne, la distinction est trop fine pour moi) et en prenant une voix de mère. « Dieu du ciel, sûr que lui-même n'a pas pensé à une épitaphe aussi sordide. Même pas dans ses appréhensions les plus abominables. Ni dans ses cauchemars les plus vexatoires. Quoi d'autre alors, continue.

— Eh bien, je ne sais pas si cette phobie est enregistrée, ni si elle a un nom moins pédant que celui que je lui ai donné. Bien entendu, Dearlove n'emploierait pas des termes pareils. Il ne doit même pas avoir conscience de ce que je suis en train de décrire, ça serait de l'hébreu pour lui. Mais c'est bien de cela qu'il s'agit : c'est une horreur narrative, une répugnance ; c'est la peur panique d'une histoire démolie par son dénouement, définitivement ratée, fichue, de son complet gâchis à cause d'une fin trop spectaculaire pour le monde et trop haïssable pour l'intéressé ; la peur d'un dommage sans remède possible pour le conte, d'une tache si puissante et si avide qu'elle s'étendrait jusqu'à engloutir tout le reste, rétrospectivement. Dearlove serait capable de tuer pour s'éviter pareil destin. Pareil destin esthétique, argumentaire, narratif, comme vous préférez. Il serait capable de tuer pour ça, j'en suis sûr. Ou du moins je le crois. » En terminant je reculais parfois d'un pas, je me démontais un peu, je ne servais plus à rien, j'avais parlé, j'avais dit. « "Vous finirez comme Dick Dearlove, vous finirez tous comme ça." (Tupra insista dans son imitation un moment encore, avec un rire bref et en levant un doigt d'admonition. Puis il ajouta :) Le seul problème, Jack, c'est qu'un type comme lui ne traverserait jamais Clapham ni Brixton en voiture, ni pour rentrer en ville ni pour la quitter.

— D'accord, c'est vrai, mais il pourrait se perdre, se tromper de sortie sur l'autoroute et échouer dans ce genre d'endroits, non ? Ça arrive parfois, non ? J'ai vu quelque chose comme ça dans un film qui s'appelait *Grand Canyon*, vous l'avez vu ?

— Je ne vais pas beaucoup au cinéma, uniquement si le travail m'y oblige. Autrefois oui, quand j'étais jeune. Mais j'ai l'impression que tu n'as pas idée du niveau de vie de ces gens-là, Jack. Le plus probable est que Dearlove se déplace dans son hélicoptère personnel pour la plupart des distances moyennes. Et pour les plus longues dans son avion privé, avec une suite qui doit faire paraître toute petite celle de la Reine. » Il se tut quelques secondes, comme s'il se rappelait un voyage dans un de ces avions, les avions privés. Tupra se montrait très méprisant pour Dearlove et d'autres personnages du même genre, mais ce qui est sûr c'est qu'il avait des relations occasionnelles avec bon nombre d'entre eux, de la télévision, de la mode, de la chanson ou du cinéma, et dans la mesure où j'en ai été témoin, il les traitait avec familiarité, sympathie et confiance. Je me demandais parfois si ces contacts, difficiles pour le commun des gens, lui étaient assurés par les hautes sphères, en fonction de sa charge et pour lui faciliter le travail. Évidemment, je n'ai jamais su exactement quelle était cette charge. D'ailleurs, il n'avait pas l'air mal à l'aise en compagnie des célébrités les plus frivoles. Cela pouvait faire partie de sa préparation, de son métier, cela ne signifiait pas nécessairement qu'il appréciait ladite compagnie. À vrai dire, il n'avait l'air mal à l'aise dans aucun milieu, ni dans les plus sensés ni dans les plus sérieux, ni dans les plus prétentieux ni dans les plus idiots ni dans les bas-fonds ni dans les milieux les plus simples, c'était sans le moindre doute un homme qui s'acclimatait là où il le fallait. Puis il revint en arrière : « Dis-moi, crois-tu qu'il serait capable de tuer dans d'autres circonstances, en dehors de celle où il verrait sa vie non seulement en danger, mais, d'après toi..., disons, mise en question ? Tu as peut-être raison, peut-être serait-il horripilé que sa fin soit laide, inadéquate, accablante, sans grâce, sarcastique, turbulente, sale...

— Je ne sais pas », répondis-je, un peu désappointé par sa rigueur réaliste, et je me repentis aussitôt d'avoir prononcé les mots les plus décevants dans cet immeuble, « Je ne sais pas », ou les plus méprisés. Je m'empressai de les recouvrir. « Cela me semble le principal motif possible, mais je suppose qu'il ne serait pas nécessaire que sa vie soit en danger, si, comme je le pense, dans un certain sens lui importait plus son histoire, plus le récit de cette vie que cette vie elle-même. Même s'il l'ignore, probablement. Cette priorité ne serait pas tant motivée, je crois, par ses biographes, futurs ou déjà présents, que par la nécessité où il serait de se la raconter à lui-même tous les jours, parce qu'il lui faudrait vivre avec elle. Je ne sais pas si je m'explique bien.

— Non. Pas tout à fait, Jack. Applique-toi, s'il te plaît. Allez. Ne t'embrouille pas. »

Ce genre de commentaires me stimulait, avec un peu d'infantilisme de ma part, je ne m'en suis jamais libéré et je ne m'en libérerai plus, c'est sûr.

« Il aime son image, il aime son histoire dans son ensemble, avec sa phase odontologique et tout ; il ne la perd jamais de vue, il ne l'oublie jamais, essayai-je de m'appliquer. Il a toujours à l'esprit sa trajectoire entière : son passé, et par conséquent son futur aussi. Il se voit lui-même comme un conte, dont il doit soigner la fin, mais pas moins son déroulement. Non qu'il n'admette revers et faiblesses ou taches, dans ce conte, il n'est pas naïf à ce point. Mais il faudrait qu'ils soient d'un genre qui ne se mette pas trop en évidence par sa stridence, qui ne ressorte pas obligatoirement (une horrible proéminence, une masse) quand il se regarde le matin dans la glace en pensant à "Dick Dearlove" comme à un tout, une idée, ou comme si c'était un titre de roman ou de film, et déjà classiques en plus. Cela n'a rien à voir avec la morale, ni avec la dignité, ce n'est pas ça, en fait presque tout le monde se regarde en face sans le moindre problème, on trouve toujours des excuses pour ses propres excès, ou pour nier qu'ils en soient, la mauvaise conscience et le repentir ne sont plus de notre temps, je veux parler d'autre chose. Lui, il se voit du dehors, surtout du dehors, il n'a aucune difficulté à s'admirer. Et peut-être que la première chose qu'il se dit en se réveillant ressemble à ça : "Oh, bon sang, ce n'était pas un rêve : je suis Dick Dearlove, rien de moins, et j'ai le privilège de me voir et de fréquenter chaque jour une légende pareille." En fait, cela n'a rien d'étrange, qu'on garde ou qu'on supprime le mot "légende". On connaît des écrivains qui ont reçu le Nobel et qui ont passé le reste de leur vie à penser presque à chaque instant : "Je suis prix Nobel, je le suis, je suis un Nobel, et que j'ai été brillant à Stockholm", en se le disant même parfois à voix haute, ils ont été entendus par leurs proches, assez préoccupés. Mais je connais aussi pas mal de gens sans signification objective ni renommée qui se perçoivent malgré tout de cette façon ou d'une façon semblable, et qui assistent à leur vie comme s'ils étaient au théâtre. Un théâtre permanent, bien sûr, réitératif et monotone jusqu'à la nausée, qui n'épargne pas un détail, ni deux secondes d'ennui. Mais ces personnes sont des spectateurs tout à fait bienveillants et faciles à satisfaire, ce n'est pas pour rien qu'elles sont l'auteur, l'acteur et le protagoniste de leurs œuvres dramatiques respectives (dramatiques, façon de parler). Vous savez qu'Internet a rendu possible cette façon de vivre et de se voir. Je crois savoir qu'il y a des individus qui

313

gagnent même de l'argent en montrant cela, chaque instant soporifique et misérable de leur existence, cadrée de façon ininterrompue par une caméra statique. Ce qui est stupéfiant, ce qui est cérébralement maladif, vitalement malsain, c'est qu'il y ait des gens prêts à contempler tout ça, et à payer pour le faire ; je veux dire des spectateurs distincts des auteurs, des acteurs et des protagonistes eux-mêmes, chez eux ce n'est guère anormal, cela peut s'expliquer.

— Allons, Iago, s'il te plaît : viens-en au fait. Je ne te suis pas dans tes digressions. Dearlove. Quand crois-tu qu'il pourrait vraiment tuer quelqu'un ? »

Bien sûr que Tupra me suivait dans mes digressions, il ne se perdait jamais, même si ce qu'il entendait ne l'intéressait que médiocrement, et je crois qu'il ne s'ennuyait pas avec moi, ce sont des choses qu'on remarque, quand on capte l'attention de celui qu'on a en face de soi, je n'ai pas donné des cours pour rien, cela commence à faire pas mal de temps. Parfois il m'appelait comme ça, Iago, sous la forme classique, quand il voulait m'irriter ou bien me recentrer. Il savait que Wheeler m'appelait Jacobo et il ne devait pas oser essayer de le prononcer, à cause de la *jota*, il s'arrêtait donc à mi-chemin, dans la familiarité shakespearienne, peut-être avec des arrière-pensées moqueuses, on ne pouvait les écarter. Bien sûr que Tupra me suivait, mais il faisait parfois comme si l'aversion traditionnelle pour le côté spéculatif et théorique de la formation et de l'esprit anglais lui interdisait de me suivre très loin dans ces digressions. Non seulement il suivait tout, mais de plus il l'enregistrait, l'archivait, le retenait. Et il était tout à fait capable de se l'approprier.

« Excusez-moi, Mr Tupra, je n'avais pas l'intention de dévier de mon sujet, dis-je — j'étais encore sage à l'époque. Eh bien, on dit que Dearlove est bisexuel, ou pentasexuel, ou pansexuel, je ne sais pas, sexuelissime, une furie vivante, il ne manque pas d'insinuations dans la presse. Et il est bien vrai qu'hier soir il m'a eu l'air hyperstimulé quand il s'est fourré dans sa blouse verte et qu'il s'est mis en devoir de soigner la carie de Mrs Thompson. Bien qu'il eût sans nul doute joui davantage en farfouillant dans la bouche de son jeune fils. Dommage pour le docteur Dearlove, je suppose, que le garçon ne se soit pas prêté à ses pratiques malgré son insistance mielleuse. On dit aussi qu'il est fort troublé par les... les jeunes pubères, disons ?

— On le dit, oui, répondit Tupra d'un ton sérieux, mais en dissimulant à peine sur son visage que tout cela l'amusait. Et ?

— Eh bien, imaginons qu'un mineur lui tende un piège, un mineur ou une mineure, ça m'est égal. Si je ne suis pas mal informé, il laisse tranquillement courir ces rumeurs, vu que ce ne sont que cela, des rumeurs. J'imagine que ce n'est pas une mauvaise façon de les divulguer : faire comme si elles n'existaient pas, sans même leur donner un certificat d'existence par des démentis et des requêtes et des plaintes. Il n'a jamais dit un mot sur ses préférences sexuelles, crois-je savoir. Et en fin de compte, on sait qu'il a été marié deux fois, même s'il n'a pas eu d'enfants, et c'est à cela qu'il s'en tient, officiellement, non ?

— Plus ou moins. Je ne suis pas très au fait de ces aspects-là.

— Bien, imaginons qu'un mineur ou une mineure l'endorme avec une pilule dans son verre. En plein effort, nus tous les deux et tout ça. Imaginons qu'on le prenne en photo pendant qu'il erre dans les limbes, le garçon ou la fille est aussi dans le cadre, bien entendu, il met l'obturateur en position automatique et se charge de la mise en scène, un pantin tout mou entre ses mains, notre ex-dentiste. Imaginons que malgré tout l'effet de la pilule n'est pas assez puissant sur le titanique docteur Dearlove : qu'une sensation intérieure d'alarme l'aide à se remettre. Si bien qu'il ne s'endort pas profondément, ou qu'il se réveille prématurément. D'un œil à demi ouvert, il voit ce qui se passe. Avec un quart de sa conscience il se rend compte de la situation, avec la dixième partie, même. Non qu'il soit puritain dans ses positions et ses déclarations publiques, cela lui ferait perdre des adeptes ; il est plutôt audacieux, sans aller trop loin, il soutient la légalisation des drogues, l'euthanasie responsable, ce type de causes qui n'enlèvent pas de clients. Mais l'apparition de ce genre de photos dans la presse appartient à une autre sphère, à la même que celle de son agression à coups de couteau par des malfaiteurs de Brixton, Clapham ou Stratham. Exactement à la même, je ne sais pas si vous en êtes d'accord. Bien que dans une affaire il soit le méprisable et dégoûtant contrevenant et dans l'autre la pauvre, la pitoyable, la regrettée victime. D'un point de vue narratif la distance n'est pas grande, les deux choses sont des proéminences. Ici, il ne s'agirait pas d'une fin, dans cette histoire de baiser du sommeil et des photos, mais bien d'un épisode qui se ferait pour toujours une place dans son histoire, qui ne serait plus jamais éludé dans le conte, ni dans l'idée de Dick Dearlove. Et dans l'état où sont les esprits pour ce qui est des abus sur mineurs, cela pourrait même lui valoir de la prison et un mauvais procès. Et même s'il en sortait blanchi, simplement à cause de l'accusation et de son écho, des images vues et mille fois reproduites, à cause du scandale et du grave soupçon qui auraient duré plusieurs mois, cela pourrait aussi finir en rengaine répétée par les mères à leurs rejetons adolescents : "Fais attention à qui tu fréquentes, ne tombe pas sur un Dick Dearlove." Vous voyez, c'est le problème quand on est aussi célèbre, on finit héros de ballade au premier moment d'inattention.

— Je vois que tu connais bien le guignol. Y compris ses opinions, Il y a du mérite à ça, dit Tupra d'un ton gouailleur.

— Je vous ai dit que c'est une idole incroyable en Espagne, presque autant qu'ici, dirais-je. Il y a donné bien des concerts. Il est difficile ne pas être au courant.

— J'avais l'idée que les gens de l'actuel Pays basque étaient des gens sévères », ajouta-t-il avec un étonnement sincère. Il ne laissait jamais rien passer, il n'oubliait rien.

« Sévères ? Bon, ça dépend pourquoi. Il y a beaucoup de guignols là-bas aussi. C'est le caudillo qui donne le ton, vous savez. Comme en Lombardie. Ou bon, comme dans toute l'Italie aujourd'hui. Pour ne rien dire du Venezuela, rappelez-vous notre ami Bonanza.

— On n'en est pas loin ici non plus, crois-le bien », répondit-il, et cela me scandalisa un peu, sans raison, en fait : je ne savais pas de façon certaine pour qui travaillait Tupra (c'est-à-dire, pour qui nous travaillions), tout n'était qu'insinuations de Wheeler et déductions irréfléchies de ma part. « Le baiser du sommeil, as-tu dit ?

— C'est sous ce nom qu'on connaît ce piège en Espagne, on l'utilise pour dévaliser la maison du dormeur, principalement. C'est comme ça que la presse l'a appelé.

— Ce n'est pas mal, le baiser du sommeil. » Le nom lui plaisait. « Que se passe-t-il avec celui de Dearlove, alors ? Il se réveille embrassé, avec la moitié d'un œil. Et qu'est-ce qui se passe ?

— N'importe quelle horreur, n'importe quoi. J'allais y venir. Il pourrait aussi tuer pour quelque chose de ce genre, ce n'est qu'un exemple possible, il y en aurait d'autres. L'horreur narrative, la répugnance. Cela lui fait perdre son contrôle, j'en suis convaincu, ça l'aveugle. J'ai connu des gens qui avaient cette aversion, ou cette peur, et pourtant ce n'étaient même pas des gens célèbres, la célébrité n'est pas un facteur décisif en ce domaine, il y a beaucoup d'individus qui sentent leur vie comme la matière d'un récit minutieux, ils y sont installés, suspendus à son hypothétique ou future relation. Ils n'y réfléchissent pas beaucoup, ce n'est qu'une façon de vivre les choses, une façon accompagnée, disons, comme s'il y avait des spectateurs ou des témoins en permanence, y compris de leurs plus petits riens et de leurs moments creux. C'est peut-être un succédané de la vieille idée de l'omniprésence de Dieu, qui avec son œil était à chaque seconde attentif à la vie de chacun, c'était très flatteur au fond, très réconfortant en dépit de l'élément de menace et de châtiment implicite, et trois ou quatre générations ne suffisent pas pour que l'homme accepte que sa laborieuse existence se passe sans que personne y assiste ni la contemple jamais, sans que personne la juge ni la désapprouve. Et assurément il y a quelqu'un, toujours : un auditeur, un lecteur, un spectateur, un témoin ; et un conteur et un acteur simultanés, qui coïncident avec eux : ce sont ces individus en personne qui se racontent leur histoire à eux-mêmes, chacun la sienne, qui se penchent sur elle et la regardent et la regardent quotidiennement, du dehors jusqu'à un certain point ; ou d'un faux dehors, plutôt, la généralisation du narcissisme, qu'on appelle parfois "conscience". C'est pourquoi tant de gens ne supportent pas la moquerie, les vexations, le ridicule, la montée du sang au visage, le dédain, et ça moins que rien. Ce dégoût, cette alarme sont plus forts que Dearlove, il est vaincu par ce vertige, et quand il en est victime, quand il a une crise, alors il ne réfléchit plus. Le plus probable est qu'en ouvrant son œil à demi et en se rendant compte de ce qui se passe, il ne lui viendrait même pas à l'esprit d'acheter ces photos, d'offrir pour elle plus que ne donnerait jamais n'importe quel journal à scandales, d'arriver à un accord avec le garçon ou la fille, de faire un pacte, de le suborner, de le tromper, de passer à tout jamais un contrat avec lui. Sa fortune, s'il possède un avion et un hélicoptère, lui permettrait de l'acheter dix mille, cent mille fois, corps et âme en esclavage.

— Il ne tenterait pas de le faire. C'est ce que tu dis. Qu'est-ce qu'il ferait ? D'après toi, qu'est-ce qu'il ferait alors ?

— La même chose qu'avec les manieurs de couteau de Brixton, à mon avis. Il prendrait les devants, et mal. Il se précipiterait. Il essaierait de tuer, il tuerait. Il tuerait le mineur, la fille ou le garçon, ce qu'il aurait ramené chez lui ce soir-là. Un lourd cendrier tue, brise un crâne. Une potiche, un presse-papiers, un coupe-papier, n'importe quoi tue, ne parlons pas de ces épées et de ces lances avec lesquelles il a décoré ce mur du salon contigu à la pièce où nous avons dîné ; vous l'avez remarqué hier soir, je suppose.

— Je l'ai remarqué, dit Tupra. Ce n'était peut-être pas la première fois que j'allais chez lui, ne crois-tu pas ?

— Bien sûr. Dearlove se pique d'être un adepte du Moyen Âge, ou du climat celte, ou semi-magique. Du chic fantastique. Je vois ça comme ça : même s'il est très abruti par la pilule, ou justement parce qu'il l'est, il tire des forces de sa terrible peur et va jusqu'à ce mur en titubant ; il vit comme si l'épouvantable proéminence narrative avec laquelle il devra coexister à jamais à cause de ces photos qu'on a prises de lui par traîtrise était un fait consommé, et c'est ce qui le légitime ou l'autorise, au milieu de sa brume, à se mettre en colère et à passer la mesure. Donc il décroche une de ces lances et en perce la poitrine de la fille ou du garçon et détruit ces chairs qu'il désirait un peu plus tôt, sans penser aux conséquences, pas à cet instant-là. En de pareils moments ces hommes ne voient pas, ne voient pas ce qui trois minutes plus tard seulement leur deviendra évident : qu'il est moins difficile de faire disparaître des photos qu'un cadavre, moins ardu de fermer la bouche à quelqu'un que de nettoyer tous les litres de sang qu'il a répandus. Je vous le dis : j'ai connu des types comme ça, des types qui n'étaient personne et qui pourtant avaient cette peur superlative de leur histoire, de celle que les gens pourraient raconter et par conséquent qu'ils devraient se raconter eux aussi. Peur de leur histoire griffonnée et laide. Mais c'est toujours du dehors, j'insiste, ce qui est déterminant est extérieur : tout cela n'a pas grand-chose à voir avec la dignité, le regret, le remords, le mépris de soi, même si ce sont des facteurs qui à certains moments peuvent faire une apparition éphémère. Ces individus ne se voient vraiment obligés à se raconter leurs actions ou leurs omissions, bonnes ou mauvaises, valeureuses, viles, lâches ou désintéressées, que si d'autres les connaissent aussi (s'ils sont la majorité, plutôt) et elles sont ainsi incorporées à ce qu'on sait d'eux, c'est-à-dire à leurs portraits officiels. Ce n'est pas une affaire de conscience en réalité, mais de représentation, ou de miroirs. Ce qui n'est pas reflété par ces derniers peut être très vite mis en doute, et l'on peut croire que c'était illusoire, on peut l'envelopper dans le brouillard de la mémoire diffuse ou mauvaise et finir par décider que cela n'est pas arrivé et qu'il n'y en a pas de souvenir, parce qu'il ne peut y en avoir de ce qui n'est pas arrivé. Et ainsi il n'est plus possible que cela les tourmente, ces individus : incroyable la capacité qu'ont certaines personnes de se convaincre que ce qui s'est passé n'est pas arrivé et que ce qui n'a pas existé a existé. Ce qui serait grave pour Dick Dearlove, ce qui serait insupportable, ce ne serait pas d'avoir tué un malfaiteur des rues ou un adolescent rusé, mais qu'on le sache, et que le fait reste collé (pour ainsi dire) à son dossier. Dans son obnubilation au moment de l'homicide, il sait peut-être, bien que ce soit terriblement difficile, qu'il est possible de cacher cela. Mais pas sa mort des mains de quelques sauvages, ni ses photos nu avec un petit jeune ou avec une nymphe, une fois qu'elles auront été reproduites et universellement admirées. » Je m'arrêtais alors un instant. Je pensai, comme toujours à la fin de mes interprétations ou de mes rapports, que j'avais été trop loin. Et que je m'étais plongé de nouveau dans des digressions. Je me dis aussi que je ne racontais probablement rien à Tupra qu'il ne sût déjà. Il était sans nul doute au courant de ce qui concernait ces individus, y compris peut-être de ce qui se rapportait à Dearlove, il le connaissait déjà pour avoir été chez lui plusieurs fois et même si cela se trouve pour avoir pris l'avion avec lui (Tupra dans son cortège, mêlés aux invités, les superviseurs, les jeunes pubères et les gardes du corps). C'était peut-être moi qu'il étudiait, plutôt qu'il n'apprenait des choses par mon intermédiaire. « J'ai connu d'autres types de ce genre, Mr Tupra, de tout âge, partout, ajoutai-je, comme pour m'excuser. Vous aussi, j'en suis sûr. Nous les connaissons bien vous et moi.

— Une cigarette, Jack ? » dit-il. Et il m'en offrit une, pharaonique, de son paquet d'un rouge voyant. C'était un geste d'estime, ou du moins le prenais-je ainsi.

Et je pensai, ou restai à penser : « Moi, je connais Comendador, par exemple. Depuis toujours. »

Je commençai à faire le test de m'arrêter net, ce soir si entêté de sa pluie à Londres : m'immobiliser tout à coup et sans préavis pour avoir la certitude que ce n'était pas de moi que venait ce bruit léger et presque ailé, tis tis tis, le pas mou d'un chien ou le va-et-vient de ma gabardine quand je marchais avec entrain, l'oscillation de mon parapluie ou le glissement dissimulé de quelqu'un qui hésitait, qui ne se rapprochait pas de moi ni ne se laissait voir, mais ne renonçait pas non plus à me suivre — ou qui m'accompagnait en parallèle, à quelques yards — pour voir s'il se décidait enfin, il avait le temps d'y penser avant que j'arrive chez moi, et que j'ouvre la porte et qu'avant d'entrer je referme mon parapluie en le secouant fortement sur le pavé (quatre gouttes de plus sur les lagunes et ruisseaux miniatures, improvisés des rues des villes), et que je referme très vite ma porte derrière moi, impatient d'être en haut, dans ce lieu où j'étais de passage mais que je sentais devenir de plus en plus protecteur et plus approprié, maintenant cela m'apaisait, même, de monter et de m'enfermer, et d'observer seul avec moi-même — à l'abri des questions et des réponses, de la parole — le square ou place du haut de mon troisième étage, avec ses arbres gazouillants au milieu comme s'ils servaient d'accompagnement à chaque douceur ou chaque élévation de l'esprit ; et les lumières des familles ou des célibataires d'en face (mes semblables), l'hôtel élégant toujours éclairé et vivant comme une scène muette ou comme un plan général de film qui ne changerait jamais et n'aurait pas de fin, les bureaux énormes en plein repos surveillé de sa guérite par le veilleur de nuit qui bâille en écoutant sa radio, casquette sur le sommet du crâne et visière relevée, et dans le noir les clochards zigzagants et fugitifs qui semblent dégager de la cendre quand ils se disputent et se grattent, à travers leurs vêtements englués, ou peut-être secouent-ils leur poussière accumulée ; et bien sûr mon voisin danseur (il se désintéresse tant du monde qu'il fait plaisir à voir) et ses partenaires occasionnels, dansant eux aussi, dernièrement je l'avais vu se livrer intrépidement au *sirtaki*, on aurait dit une tapette, pas exactement un homosexuel mais quelque chose d'autre — un orgueilleux raffiné, un niais, un genre de chiffe molle sucrée et minaudière —, ce terme n'a rien à voir ici avec les préférences charnelles réelles de celui qu'il qualifie, moi du moins je fais la différence, c'est mon avis, et il n'y a pas de danse plus ridicule pour un homme seul que le *sirtaki* grec, probablement si on excepte l'*aurresku* basque, par bonheur mon voisin ne devait pas le connaître.

Et donc je fis ce test deux ou trois fois, je m'arrêtai net à un moment où rien n'indiquait que j'allais le faire, et chaque fois le bruit de pas feutrés ou semi-aériens, le chant de grillons ou le frou-frou ou quoi que ce fût — comme le trottinement affolé d'une vieille pendule murale, le pas d'un chien ressemble aussi à ça —, tarda plus qu'il ne fallait à s'arrêter, je pus encore l'entendre alors que je m'étais immobilisé et sans qu'aucun son involontaire ou incontrôlé puisse sortir de moi. Je ne tournai pas la tête en faisant ce test, ni derrière moi ni sur les côtés, contrairement à ce que je faisais quand je marchais de façon régulière avec mon parapluie sur l'épaule, presque à la façon d'une ombrelle pendant la promenade, comme si je voulais par-dessus tout me protéger la nuque, la protéger du vent et de la pluie et des possibles regards et des balles imaginaires qui les auraient troués (ma nuque et mon parapluie), on pense à des choses absurdes quand on parcourt de nuit une bonne distance tout seul et qu'on se sent suivi sans voir personne derrière soi. Dans les derniers tronçons il y avait des zones de pelouse à gauche et à droite, par moments, le trajet était plus court si on passait par les allées ou plutôt les sentes d'un petit parc voisin, de quartier, et peut-être qu'ils foulaient l'herbe, ces pas jamais vus. J'attendis d'avoir laissé derrière moi ce parc à peine éclairé et d'être tout près de chez moi. Je n'avais plus que deux pâtés de maisons à franchir et une autre place à traverser quand je refis mon test, et cette fois-là, oui, je tournai la tête et je les vis, deux silhouettes blanches à une certaine distance qui normalement ne m'aurait pas permis d'entendre des halètements ou des pas. Le chien était blanc et la femme, la personne, portait comme moi une gabardine claire. La silhouette m'avait semblé être celle d'une femme dès le premier instant, et c'était le cas, parce que après une seconde ou un brin de doute ses jambes me plurent, quand je vis qu'elles n'étaient pas couvertes par un pantalon sombre mais par des bottes noires et hautes (mais sans talons, ou alors très plats) qui dessinaient bien ou accentuaient la courbe de ses mollets forts. Son visage était caché par son parapluie, ses deux mains étaient occupées, avec l'autre elle tenait la laisse du chien, qui tirait dessus sans grand espoir et peut-être avec une grande fatigue, rien ne protégeait l'animal, il devait être tout dégoulinant, la pluie devait certainement le contrarier, il avait beau la secouer violemment durant les pauses (et il en faisait tomber beaucoup alors), et ils faisaient une de ces pauses parce que les deux silhouettes avaient freiné elles aussi, avec un léger retard inévitable par rapport à moi, ou à ma halte si abrupte. Je restai quelques secondes à les regarder, quelques longues secondes. Cela sembla à peu près égal à la femme qu'on la voie, je veux dire que ce pouvait toujours être quelqu'un qui, en dépit de ce temps délirant, avait sorti son chien, et elle n'avait pas non plus de raison de me donner des explications, si je lui en avais demandé. Tout pouvait n'être qu'une coïncidence : il arrive qu'on suive le même chemin qu'un autre passant durant de très longues minutes, même si on ne marche pas en ligne droite, et il arrive qu'on s'énerve un peu pour cela, pour rien, on désire simplement que se dissolve et cesse cette coïncidence, dans laquelle on voit quelque chose de mauvais augure ou dont on se lasse, il arrive qu'on fasse exprès de s'écarter de son trajet et même de faire un détour inutile, uniquement pour quitter et perdre de vue cet être parallèle et insistant.

Il pouvait y avoir entre nous deux, ou plutôt entre eux et moi, quelque deux cents yards ou un peu plus, suffisamment pour que je doive crier ou revenir assez loin en arrière si je décidais de lui parler, de poser des questions à la silhouette humaine, une femme jeune à coup sûr, ses bottes étaient imperméables, souples, brillantes, elles adhéraient à la jambe, ce n'était pas des bottes de pluie quelconques, mais des bottes choisies, étudiées, chères probablement, avantageuses, peut-être de marque. Je la regardai sans dissimulation, elle ne montra pas son visage, à aucun moment elle ne releva le parapluie qui le lui cachait et par conséquent ne me rendit pas mon regard, mais elle ne s'inquiéta pas non plus de se voir observée par un homme arrêté pas très loin d'elle, la nuit et sous une telle pluie. Elle s'accroupit, les pans de sa gabardine s'écartèrent ce qui me permit de voir une partie de sa cuisse, elle tapota et caressa le dos du chien, lui murmura certainement quelque chose à l'oreille, elle se releva et les pans de sa gabardine se refermèrent, fini la vue de la chair, elle resta immobile, sans reprendre sa marche dans aucune direction, il me vint alors à l'idée qu'elle était dans un certain abandon, comme si elle était perdue dans une zone inconnue d'elle, ou s'il s'agissait d'une jeune aveugle avec son guide, ou d'une étrangère qui ne parlait pas la langue, ou d'une pute dans un tel besoin qu'elle ne pouvait pas se priver de la moindre exposition nocturne, ou qui hésitait à me demander de l'argent, de l'aide, un conseil, quelque chose. Pas parce que c'était moi, mais parce que j'étais le seul être parallèle présent sur les lieux. J'eus le sentiment que la rencontre était impossible, et, en même temps, que ce serait dommage qu'elle ne se produise pas, et qu'il valait mieux qu'elle n'ait pas lieu. J'eus un sentiment de pitié, pour elle ou pour moi, je ne saurais le dire, pas pour nous deux bien sûr, parce que l'un de nous deux en serait sorti lésé — pensai-je — et l'autre gagnant, en général cela se passe comme ça avec ce qui surgit dans la rue.

Bien des années plus tôt dans le même pays, lorsque j'enseignais à Oxford, j'avais été suivi à ses moments perdus par un homme avec un chien à trois pattes, l'arrière gauche proprement amputée, et il était ensuite venu me voir chez moi sans s'être annoncé, il s'appelait Alan Marriott, boitait notablement quant à lui de la jambe gauche (mais il l'avait gardée) et c'était un bibliomane qui avait entendu parler de mes intérêts livresques, qui coïncidaient en partie avec les siens, par les marchands de livres d'occasion que je fréquentais. Ce chien était un terrier, il devait être mort depuis longtemps le pauvre, ils ne durent pas autant que nous. Celui de la jeune femme me sembla de loin être un pointer et ses quatre pattes étaient intactes, cela me fit un étrange plaisir, par contraste avec le chien infirme, je suppose, qui me revint tout à coup en mémoire dans cette nuit de pluie éternelle. « Mais je ne veux rien de personne, pensai-je, je n'attends rien de personne, et j'ai hâte de quitter cette pluie et d'être à la maison, et de me soustraire aux interprétations de cette longue journée qui n'en finit pas ou qui ne finira que lorsque je serai en sécurité là-haut. Qu'elle m'approche, elle, si elle veut quelque chose de moi ou si elle me suivait. Qu'elle aille au diable. Ce ne doit pas être pour rien, pour ne pas me parler, qu'elle le faisait ou qu'elle le fait encore. » Je fis demi-tour et accélérai le pas vers mon but, mais je ne pus m'empêcher de tendre l'oreille pendant le reste du parcours, pour continuer ou non à entendre ce tis tis tis qui en effet était produit par un chien avec ses dix-huit doigts, ou peut-être par une paire de bottes hautes à talons si plats qu'ils glissaient sur l'asphalte sans jamais le battre, et sans résonance.

J'arrivai à mon porche, mis la clé dans la serrure, ouvris, ce n'est qu'alors que je refermai mon parapluie et le secouai dans la rue pour mouiller le moins possible l'intérieur, et une fois en haut je l'emportai aussitôt à la cuisine, où je laissai aussi ma gabardine pour qu'elle sèche, après quoi j'allai à la fenêtre, plein d'impatience, et observai la place, je n'y vis pas la jeune femme ni son pointer, bien que j'eusse entendu son bruit aérien jusqu'au bout, qui m'accompagnait jusqu'à la porte de l'immeuble, ou du moins l'avais-je cru. Je levai alors les yeux et cherchai, à ma hauteur, le voisin dansant qui me calmait souvent. Je le vis, en effet, il était prévisible qu'il ne serait pas sorti par un si sale temps, et de plus il avait de la visite, la femme noire ou mulâtre avec laquelle il dansait parfois : par leurs mouvements, leur attitude et leur rythme, il ne fit aucun doute pour moi qu'ils étaient absorbés dans une danse pseudo-gaélique, grande vitesse de pieds qui ne font aucun déplacement (ces pieds s'en tiennent à un point sur lequel ils insistent, qu'ils percutent et répercutent sur l'espace d'une brique, ou d'un carreau si nous n'exagérons pas), bras tombants en revanche, collés au corps, inertes, volontairement très raides, je pensai qu'ils écoutaient la musique de quelque spectacle démentiel de cette idole des îles qui frappe des pieds comme un possédé, Michael Flatley, on repassait ses vieilles vidéos avec une fréquence remarquable, j'ignore s'il s'est retiré ou s'il se restreint beaucoup, pour que ses bonds furibonds sur scène soient plus exceptionnels. Qu'il avait l'air toujours content, mon voisin, quoi qu'il dansât, avec ou sans compagnie, il m'arrivait d'éprouver la tentation de l'imiter, c'est quelque chose que tout le monde peut faire, danser chez soi quand on croit que personne ne nous voit ni ne nous écoute, on ne s'aperçoit pas toujours qu'on est observé, ni qu'on est suivi.

Ce pauvre terrier du bibliomane Marriott devait n'avoir que quatorze doigts, pensai-je, vu qu'il avait une patte en moins. Je m'étais peut-être souvenu de lui parce que son image était toujours restée associée dans mon esprit à celle d'une fille qui portait elle aussi des bottes hautes, une fleuriste gitane qui se postait tous les dimanches juste en face de ma demeure d'Oxford, au-delà de la longue rue qu'on connaît là-bas comme St Giles'. Elle s'appelait Jane, elle était mariée malgré son extrême jeunesse et portait des jeans et un blouson de cuir la plupart du temps, il m'arrivait d'échanger quelques mots avec elle, et cet Alan Marriott s'était arrêté à son poste pour lui acheter deux fleurs juste avant de sonner chez moi le matin ou l'après-midi où il me rendit visite, un de ces dimanches « exilés de l'infini » (citai-je pour moi-même). Nous avions fini par parler de l'écrivain gallois Arthur Machen (un de ses favoris) et de la littérature d'épouvante ou de terreur que ce dernier avait cultivée pour le plus grand plaisir de Borges et de peu d'autres personnes, bien que je me souvienne qu'il ignorait qui était Borges. Et soudain il avait illustré pour moi l'horreur par une hypothèse où étaient impliqués son chien à trois pattes et la fleuriste aux bottes hautes. « L'épouvante dépend dans une bonne mesure des associations d'idées, avait-il dit. De la conjonction d'idées. De la capacité de les réunir. » Il s'exprimait par phrases courtes et presque sans avoir recours aux conjonctions, en faisant des pauses très brèves mais très profondes, marquées, comme s'il retenait son souffle tant qu'elles duraient. Comme s'il boitait aussi un peu de la parole. « Vous pouvez ne jamais associer deux idées de façon qu'elles vous montrent leur épouvante, l'épouvante qui naît de chacune d'elles, et ne pas la connaître de toute votre vie. Mais vous pouvez aussi vivre en vous y installant si vous avez la malchance d'associer continuellement les idées justes. Par exemple, cette fille qui vend des fleurs en face de chez vous », avait-il dit en montrant la fenêtre d'un index très tendu, un de ces doigts qui, même propres, semblent toujours imprégnés de ce qu'ils ont l'habitude de toucher, même si leurs propriétaires les lavent soigneusement : je l'ai vu chez des charbonniers et des bouchers et des peintres en bâtiment et même chez des marchands de fruits (chez des charbonniers dans mon enfance); dans les siens restait cette poussière de livres qui colle tant, c'est pourquoi il mettait des gants quand il fouillait les librairies d'ancien ou d'occasion, et moi en revanche c'était la craie qui adhérait à mes doigts quand j'enseignais. « Il n'y a rien de terrible en elle, elle ne peut à elle seule inspirer l'épouvante. Au contraire. Elle est très séduisante. Elle est sympathique et aimable. Elle a caressé mon chien. Je lui ai acheté ces œillets. » Il les tira de la poche de sa gabardine, dans laquelle il les avait mis avec une absolue négligence, comme si c'étaient des crayons ou un mouchoir. Il n'y en avait que deux, ils étaient à moitié écrabouillés. « Mais cette fille peut inspirer l'horreur. L'idée de cette fille associée à une autre idée peut inspirer l'horreur. Vous ne le croyez pas ? Pour l'instant nous ne savons pas quelle est l'idée qui manque, l'idée adéquate pour nous l'inspirer. Son complément terrifiant. Mais il est certain qu'il existe. Il doit exister. Il suffit qu'il apparaisse. Il peut aussi ne jamais apparaître. Ce pourrait être, qui sait, mon chien. » Il le montra de son index pointé vers en bas, le terrier s'était couché à ses pieds, il ne pleuvait pas ce jour-là, il n'y avait pas de risque qu'il salisse le salon, il ne méritait pas l'exil de la cuisine, au rez-de-chaussée (son index invisiblement poussiéreux). « La fille et mon chien », répéta-t-il, et il signala de nouveau d'abord la fenêtre (comme si la fleuriste était un fantôme et avait son visage collé à la vitre, c'était la fenêtre du deuxième étage, cette maison pyramidale en avait trois, je couchais au dernier et travaillais dans ce salon) puis le chien, le doigt toujours très droit et très raide. « La fille avec ses longs cheveux châtains et ses bottes hautes et ses jambes longues et pleines et mon chien sans sa patte gauche. » Je me souviens qu'il toucha alors son moignon avec affection ou plutôt avec prudence, comme s'il pouvait encore lui faire mal, l'animal s'était à moitié endormi. « Que ce chien me suive est normal. C'est nécessaire. C'est étrange, si l'on veut. Je veux dire tous les deux ensemble. Mais il n'y a pas d'horreur en cela. Si le chien la suivait, elle, ce serait plus litigieux. Ce serait peut-être terrifiant. Ce chien *est* sans patte. Personne d'autre que moi ne se souvient de lui quand il en avait quatre. Mon souvenir personnel ne compte pas. Ce n'est rien face aux yeux des autres. Face à ses yeux à elle. Aux vôtres. À ceux des autres chiens. Maintenant, c'est comme si mon chien avait toujours été sans patte. S'il avait été à elle, il ne l'aurait sûrement pas perdue lors d'une bagarre idiote après un match. » Marriott m'avait déjà raconté cette histoire, je l'avais interrogé : des supporters ivres d'Oxford United, la gare de Didcot un soir tard, le boiteux bastonné et maintenu par plusieurs d'entre eux, son chien qui ne boitait pas encore posé sur la voie pour qu'un train qui ne s'arrêtait pas l'écrase. Ils l'avaient lâché, ils s'étaient écartés peureusement au dernier moment, il avait pu se sortir de là, il avait eu de la chance malgré tout (« Vous ne pouvez pas savoir comme il saignait »). « Ça, c'est un accident. Les inconvénients du métier de chien d'un boiteux. Mais avec elle, peut-être l'aurait-il perdue pour une autre raison. Le chien *est sans patte*. Pour une raison plus importante. Plus grave. Pas par accident. Il est difficile d'imaginer cette fille dans une bagarre. Il l'aurait peut-être perdue par *sa* faute. » L'expression anglaise était « *because of her* », sans confusion possible quant au « sa », qui se rapportait à la fille. « Pour que ce chien ait perdu sa patte alors qu'il appartenait à cette fille, il aurait peut-être fallu qu'elle l'ampute elle-même. Sinon, comment un chien bien protégé, soigné et chéri par une fille aussi attirante et sympathique qui vend des fleurs pourrait-il perdre une patte ? Cette idée est horrible. L'idée de cette fille en train de couper de ses mains la patte de mon chien est horrible ; en le voyant de ses yeux ; en y assistant. » Ces dernières phrases d'Alan Marriott étaient légèrement indignées ; indignées contre la fleuriste. Il s'était alors interrompu, comme s'il s'était suggestionné à l'excès avec son effrayante hypothèse et qu'il avait effectivement aperçu un couple d'épouvante. « Avec les yeux de l'esprit », comme si c'était avec eux qu'il l'avait vu, citai-je pour moi-même, par ma fenêtre. Il eut l'air de s'être troublé, de s'être effrayé lui-même. « Laissons cela », dit-il. Et bien que j'aie insisté — « Non, continuez, vous êtes en train d'inventer une histoire » —, il ne fut pas disposé à continuer à penser à ça, ou à l'imaginer : « Non. N'en parlons plus. Ce n'est pas un bon exemple », avait-il répondu d'un ton catégorique. « Comme vous voudrez », avais-je répliqué, et nous étions passés à autre chose. Il n'y aurait pas eu moyen de le convaincre de prolonger son histoire, je le sus à l'instant, une fois qu'il s'était alarmé à cause d'elle. Peut-être en avait-il était horrifié. Il devait s'être épouvanté lui-même, avec son propre esprit.

Un chien et une jeune fille avec des bottes hautes. Cette nuit de pluie-là c'était en fait la première fois que j'avais vu cette conjonction, cette image, de mes yeux ; mais ma mémoire l'avait déjà enregistrée ou sinistrement associée depuis de longues années, dans ce même pays qui n'était pas le mien, à une époque ou je n'étais pas marié et où je n'avais pas d'enfants. (Le temps que je vivais maintenant ressemblait à celui-là : il n'y avait plus ni femme ni enfants, mais je tenais compte d'eux et leur envoyais de l'argent et je regrettais leur absence quotidiennement, à un moment ou un autre de chaque jour.) La fleuriste Jane portait en général ses bottes par-dessus son jean, presque à la mousquetaire. La femme cachée par son parapluie portait une jupe, j'avais entraperçu une de ses cuisses. C'était probablement à cause de ce précédent invisible, par cette idée transmise en son temps par le bibliophile qui boitait, que j'avais été tellement soulagé que le pointer blanc et nocturne ait toujours ses quatre pattes, je les avais comptées une par une bien que je les eusse naturellement vues d'un seul coup. Mais j'avais voulu m'assurer (ces cas de superstition réflexe, je m'en rendais compte maintenant) que lui et sa maîtresse ne formaient pas un possible couple d'épouvante qui aurait déjà été imaginé par quelqu'un.

C'était exactement ce que je faisais contre un salaire, dans l'immeuble sans nom. Je faisais sans cesse des associations, plus que des interprétations ou du déchiffrement ou des analyses, ou ces dernières ne venaient qu'ensuite, comme faible conséquence. Sans avoir peut-être recours à la parole,

Wheeler me l'avait annoncé ce dimanche-là, à Oxford, dans son jardin ou pendant le déjeuner : Il n'y a pas et il n'y a jamais eu deux personnes semblables, nous le savons ; mais il n'y a personne non plus qui ne soit apparenté sous un certain aspect avec quelqu'un qui a déjà traversé le monde, qui n'ait pas avec un autre ce que Wheeler avait appelé des affinités. Il n'y a personne, il n'y a jamais eu personne qui n'ait quelque lien, quelque rapport de destin ou de caractère, ce qui est le même concept (paraphrasa ouvertement Wheeler), sauf peut-être les premiers hommes, s'il y en a vraiment eu qui aient précédé les autres et s'ils n'ont pas au contraire surgi nombreux en de nombreux endroits, simultanément. On voit deux personnes entièrement différentes et de plus on les voit séparées par des siècles de sa propre vie, au point d'avoir oublié la première depuis les siècles en question quand on voit paraître la seconde, tout comme je gardais moi-même, anesthésiée, l'image de ce couple d'épouvante imaginé par Alan Marriott. Ce sont des personnes différentes par l'âge, le sexe, l'éduca-tion, les croyances, la mentalité, le tempérament, les affec-tions ; elles peuvent parler des langues différentes, venir de pays très éloignés entre eux, avoir des biographies opposées et ne pas partager une seule expérience, ni une heure paral-lèle de leurs passés respectifs et disproportionnés, pas une seule qui soit comparable. Vous connaissez une jeune fille très jeune, avec son ambition si intacte qu'on ne peut même pas savoir encore si elle en a ou pas, me souviens-je en écou-tant Wheeler. Sa timidité la rend hermétique, à tel point qu'on ne peut être sûr que cette timidité n'est pas simple feinte, masque farouche. C'est la fille d'un ménage espagnol ami à qui on va rendre visite, ses parents l'obligent à saluer, à être présente au moins un petit moment, à dîner avec l'invité et avec eux. Le jeune fille ne veut pas être connue ni même vue, elle est mal à l'aise, simule l'indifférence et du désintérêt pour le monde, elle attend que ce soit le monde, qu'elle sent en dette, qui s'intéresse à elle et la courtise et la recherche et lui offre réparation, mais elle éprouve un ennui énorme si l'ami

331

de ses parents (qui pour elle ne fait pas partie du monde : elle l'a exclu par assimilation) fait preuve à son endroit d'une curiosité insistante, l'observe par sympathie, la sonde pour la flatter. C'est une sphinge vaguement offensée, ou peut-être est-elle craintive, ou vulnérable et interrogative, ou trompeuse, cette fille est un leurre. Impossible de la percer à jour, elle désire qu'on s'intéresse à elle et en même temps tient cela pour de l'intromission, elle ne supporte pas cet intérêt s'il vient de quelqu'un qui ne compte pas, de quelqu'un à qui il ne revient pas de le lui montrer, d'après sa perception et son opinion. Elle n'est pas, elle ne peut pas être antipathique ou ne réussit pas à l'être, quelqu'un dont le joli visage rougit ne peut pas l'être tout à fait, mais il n'y a pas moyen d'imaginer ce qui se cache sous le heaume de son extrême jeunesse, comme si elle en gardait la visière baissée et qu'on ne distinguait de ses yeux que quelques cils. Ce qui est immature et inachevé, voilà le plus difficile à sonder, comme les quatre traits d'un dessin incomplet et très vite abandonné, qui ne permettent même pas de conjectures sur la silhouette qu'ils voulaient former, ou qu'ils essayaient de former. Et pourtant quelque chose finit par apparaître, presque toujours, dit Wheeler. Rare est la personne devant laquelle on reste définitivement dans les ténèbres, rares sont les cas où une silhouette ne surgit pas au bout du temps de notre persistance, même si elle est floue et très ténue, très différente souvent de celle qu'on pouvait attendre, fréquemment éloignée, distincte ou inadaptée à ces premiers traits, très souvent incongrue. On s'habitue peu à peu à l'obscurité de chaque visage ou de chaque personne, chaque passé, chaque histoire ou chaque vie, on commence à discerner après avoir scruté les ombres sans jamais renoncer, la pénombre se fraie un passage et alors on capte enfin quelque chose, on distingue : le découragement s'apaise alors ou bien nous envahit et nous enveloppe, selon que nous souhaitions voir ou ne rien voir, selon la personne et les traits ou les affinités que nous découvrons chez elle, ou ne s'agit-il que de traces et de réminiscences de notre part. Celui qui est décidé à voir finit presque toujours par voir, et ne parlons pas de celui qui s'y emploie, ou qui en fait profession, comme toi et comme moi, tu penses que tu n'as pas commencé mais il y a longtemps que tu as commencé, il te manque d'être rétribué et tu vas l'être, très bientôt ; mais c'est déjà comme cela que tu vis. Nous sommes si peu nombreux à avoir le courage et la patience de continuer à regarder que c'est pour ça qu'on nous paie si bien (« Allons, cours, dépêche-toi, continue à penser et continue à regarder au-delà du nécessaire, et aussi lorsque tu sentiras qu'il n'y a plus rien, plus rien à penser, que tout est pensé, ni à regarder, que tout est regardé »), pour pénétrer en profondeur dans ce qui a l'air lisse et opaque et noir comme un champ de sable héraldique, des ténèbres compactes. Mais on perçoit soudain une mimique, une intonation, une lueur, une hésitation, un rire, un tic, un œil oblique, ce peut être n'importe quoi, même quelque chose d'insignifiant. On entend ou on voit quelque chose, n'importe quoi, on voit cela chez la jeune fille du ménage ami, quelque chose qu'on reconnaît et qu'on associe, qu'on a déjà entendu ou vu chez quelqu'un, me dis-je pendant que Wheeler s'explique. On voit chez la fille la même expression vaniteuse et cruelle, complexée, identique, qu'on a vue si souvent chez un homme mûr, presque vieux, un éditeur de revues avec lequel on a trop longtemps travaillé, un seul jour avec lui aurait déjà été plus qu'il ne fallait. Ils n'ont rien à voir en principe, personne n'aurait fait la relation entre eux, une ineptie. Il n'y a pas de ressemblance, ni bien sûr de parenté. Cet homme avait les cheveux grisonnants et comme crépus, la jeune fille a une éblouissante chevelure d'un châtain intense ; ses chairs à lui tombaient, son visage s'affaissait de façon visible un peu plus chaque jour, le sien est si exultant et ferme qu'auprès d'elle ses parents ont l'air plats (et soi-même, peut-on supposer, mais on ne s'observe pas), comme si elle seule dans la pièce avait du volume, ou si elle était la seule à être en relief ; ses yeux à lui étaient petits et faux, avides et nuisibles malgré les sourires qui fréquentaient ses dents écartées et comme si elles n'étaient pas limées ni polies (ou l'émail en était parti, elles faisaient l'effet de minuscules scies souillées), dans l'espoir de rendre l'ensemble cordial (et il trompait beaucoup de monde, et moi-même durant un temps, ou plutôt je détournais les yeux de ce que je voyais, c'est ce que font les gens constamment, et on ne peut pas toujours se détacher des gens), et ses yeux à elle sont grands et fuyants et graves et semblent ne rien convoiter, ses lèvres n'accordent pas de sourires à ceux qui ne les méritent pas de son avare point de vue, et peu lui importe de se montrer revêche (elle ne cherche pas encore à enjôler les gens), et sa dentition entrevue est une radieuse bénédiction. Non, ils n'ont rien à voir, ce propriétaire et éditeur de revues malhonnête, cet homme d'âge mûr vantard et jamais miséricordieux, si incertain de ses réussites et si bon connaisseur de ses vols monétaires et intellectuels qu'il avait besoin d'écraser s'il le pouvait ceux qu'il carottait ; non, rien ne les unit, lui et cette fille pour laquelle on dirait que le rideau ne s'est pas encore levé, que sa potentialité et son énigme sont encore entières, une toile déjà apprêtée sur laquelle ne sont tombés que quelques coups de pinceau d'essai, des essais de couleurs. Et pourtant. Au bout d'un moment, au dessert peut-être, au bout du temps de notre persistance, nous voyons avec une netteté et une amertume désintéressée ce flash, cette mimique ou ce regard, celui de l'homme à qui elle ne ressemble pas et qu'elle ne connaît pas (donc toute mimésis est à écarter). Ce n'est pas, ce ne peut pas être une superposition de visages, si différents, si opposés, ce serait une aberration visuelle, une bourde de l'œil. Non, c'est une association, une reconnaissance, une affinité captée. (Un couple d'épouvante.) C'est la même mimique d'exaspération ou la même expression exigeante, motivées sans nul doute par des causes différentes ou par des trajectoires si divergentes que la sienne à lui est sur le déclin et que celle de la fille en est à peine à son début. Ou peut-être que dans les deux cas il n'y a pas de cause et que les trajectoires ne comptent pas beaucoup, ne sont pas des expressions ni des mimiques qui naissent du revers ou de la chance, ni qui soient dues aux événements. Elles étaient déjà bien implantées chez l'homme d'affaires, habitantes perpétuelles de son teint rouge d'alcoolique parsemé de petits vaisseaux éclatés, alors qu'elles ne sont chez la fille qu'une tentation momentanée, une brume si l'on veut, sans doute quelque chose de réversible et sans importance pour le moment. Et pourtant on sait, après avoir observé ce lien. On sait comment elle est sous un certain aspect, et que sur ce point si crucial il n'y aura pas d'amendement : mal en prendra à ceux qui la contrarieront, mais pas mieux à ceux qui lui plairont (« Il y a des personnes qui sont tout simplement impossibles, et la seule conduite sage est de s'écarter d'elles et de les maintenir éloignées, et de ne pas exister pour elles »). Cette mimique, cette expression indique quelque chose qui a été remarqué dès le premier instant et qui a été mentionné auparavant, mais sans le relier encore avec ce petit vieux voleur à l'orgueil immense, sans que je me sois aperçu que la jeune fille partageait ce trait avec lui, ou le reproduit (elle le calque sans le connaître, à l'identique). Tous deux sentent, jugent peut-être, que le monde est en dette envers eux ; tout ce qui leur arrive de bien leur est simplement dû, eh bien voyons ; ils ne connaissent pas la satisfaction et par conséquent la gratitude non plus ; ils ne tiennent jamais compte des faveurs qu'on leur fait ni de la clémence avec laquelle on les traite ; ils voient les premières comme des hommages, la seconde comme de la faiblesse et de la peur de la part de celui qui a eu la baguette en main et qui s'est abstenu de les frapper. Ce sont des gens infréquentables, qui n'apprennent jamais, ne se corrigent jamais. Ils se sentent constamment créditeurs du monde, même s'ils passent leur vie tout entière à l'offenser et le dépouiller, à travers les innombrables rejetons que celui-ci a placés à portée de leur tir. Et si, vu son âge, la fille n'avait pu en abattre encore beaucoup, il ne fit aucun doute pour moi qu'elle se dédommagerait bien vite de l'insupportable temps d'attente auquel la paresseuse croissance physique soumet les caractères résolus doués de grande vitesse et de grande avance. C'est alors, en reconnaissant cette expression vaniteuse et cruelle, complexée — toujours présage de colère —, c'est en voyant ce lien néfaste qu'on cesse de montrer de la curiosité pour la fille, de l'observer par sympathie, de la flatter par ses captivantes questions d'adulte. Et elle, qui le supportait mal et dédaignait les égards parce qu'ils venaient de qui ils venaient — un ami de ses parents, si ennuyeux, quelqu'un de vieux —, supporte moins encore l'arrêt de ses attentions. C'est pourquoi elle termine en toute hâte son dessert, se lève de table, sort sans dire au revoir. Elle a subi, elle a accumulé, elle a collectionné une nouvelle offense.

Parfois aussi c'est le contraire, par bonheur : ce qu'on voit, ou identifie, associe, est quelque chose qu'on regrette tant et qui nous est si cher qu'on se tranquillise à l'instant, me dit Wheeler. On entend un timbre de voix et une diction familiers chez la femme avec qui on parle, elle vient de vous être présentée. On écoute son rire facile avec un plaisir nostalgique, ou même plus, une émotion lointaine. On se souvient, on écoute, on se souvient d'elle : oh oui, bien sûr, je pense bien, je connais cette prédisposition pour la fête, cette jovialité contagieuse, cette prompte dissipation des brouillards, cet appel à la distraction, cet esprit qui s'ennuie de sa propre tristesse et fait tout ce qui est en son pouvoir pour alléger et abréger la mesure que la vie lui impose comme à n'importe qui, à elle aussi, elle n'en est pas délivrée. Mais elle ne s'offre pas pour autant ni ne se plie, sans défense, et dès qu'elle voit qu'elle survit à cette charge, elle se redresse un peu et essaye de la secouer, de la rejeter le plus loin possible de son dos fragile. Non pour supprimer la peine, comme s'il n'y en avait pas, ce n'est pas qu'elle s'en désintéresse ou se dérobe, ce n'est pas qu'elle oublie de manière irresponsable ; mais elle sait qu'elle ne pourra surveiller cette tristesse que si elle la garde en perspective, à distance, et que du même coup elle la comprendra peut-être. Et chez cette femme d'âge moyen on perçoit l'affinité impossible à confondre avec une jeune femme qui l'a été pour toujours, avec votre propre épouse

— Valérie, Val, il ne vous reste plus que le souvenir de son nom, mais voilà que reparaissent des vestiges vivants ou animés de ce qu'elle était, dans une autre voix et sur un autre visage —, qui est morte très tôt et n'a même pas pu rêver peut-être d'atteindre cet âge-là, ni bien sûr donner le jour à un fils ni l'imaginer probablement, trop jeune sa mort pour qu'elle se soit imaginée mère, presque sans avoir eu le temps de s'imaginer mariée avec Peter Wheeler, ou Peter Rylands, de s'imaginer mariée en plus de l'être. Elle avait un regard plein de rêve et diaphane, et des lèvres très gaies, affectueusement ironiques. Elle plaisantait beaucoup, elle n'avait pas laissé derrière elle les usages de ses jeunes années, elle n'a jamais été en condition de le faire. Un jour, elle me dit pourquoi elle m'aimait, avec ces lèvres : « Parce que j'aime te voir lire le journal pendant que je prends mon petit déjeuner, pour ça plus que pour toute autre raison. Je vois sur ton visage comment le monde s'est levé et comment tu te lèves toi-même chaque matin, toi qui es dans ma vie le principal représentant du monde. Le plus visiblement différent. » Ces mots reviennent sans qu'on s'y soit attendu, quand on entend le timbre et la diction identiques, et quand on voit le sourire, si comparable. Et alors on sait tout de suite qu'on peut se fier à cette femme mûre qu'on vient de vous présenter, absolument. On sait qu'elle ne vous fera pas de mal, ou du moins pas sans prévenir.

« Cette aptitude ou ce don fut très utile pendant la guerre, c'est quelque chose qui n'a pas de prix en temps de guerre, c'est pour cette raison qu'on l'organisa et le canalisa à l'époque, et qu'on le suivit consciencieusement à la trace, on s'aperçut vite que peu nombreux étaient ceux qui le possédaient, ce don, cette faculté, et peut-être encore moins durant cette période, la guerre déforme la vision à un point inconcevable, la moitié des gens voient des fantômes et des sorcières partout et chez l'autre moitié la tendance ordinaire à ne rien voir, ainsi qu'à tâcher de ne rien voir, s'aiguise encore. Mais c'est la guerre qui nous y a amenés, nous ne pensons aux choses que lorsque nous en avons besoin, même les plus simples », avait murmuré Wheeler dans le jardin, pendant que nous nous promenions lentement au bord de la rivière, en attendant le déjeuner. « Ce qui est dommage, c'est que nous n'ayons pas eu cette idée quelques mois plus tôt, Val, ma femme, Valérie ne serait peut-être pas morte, qui sait. Mais malheureusement elle était déjà morte quand cette idée est venue à Menzies ou à Ve-Ve Vivian, je ne sais plus, ou alors à Cowgill ou à Hollis et même à Philby (pas à Jack Curry, je ne crois pas, je l'exclus), c'était à qui serait le plus inventif, on s'est toujours vanté de ça au MI5 et au MI6, ils se regardaient du coin de l'œil, ils finissaient par s'espionner aussi entre eux, et ce sera toujours comme ça, c'est sûr. Le plus probable est que c'est Churchill en personne qui l'a eue, c'était le plus intelligent et le plus audacieux, celui qui avait le moins peur du ridicule. Aucune importance. Ce genre de choses, ces paternités, personne n'en sait rien, et tout le monde s'en moque excepté ceux qui prétendent avoir éclairé la déviation de la mort poussiéreuse dans nos hiers déjà lointains », Wheeler avait livré avec un humour amer une variante de la célèbre citation de Shakespeare, « chacun raconte son histoire et on ne croit personne, on ne s'intéresse à personne ». « Quoi qu'il en soit, tout partit de la campagne contre le *careless talk*, tu en as entendu parler ? » L'expression me disait quelque chose, « conversation insouciante », littéralement, ou « négligente », ou « distraite », ou « bavardage imprudent », difficile de donner une traduction satisfaisante et exacte, je la reliais à celle que nous connaissons comme « parler à la légère », même si ce n'est pas ça non plus, ni « commérage » ni « cancan » ni « potins ». Je fis signe que non : en tout cas, je ne savais rien d'une campagne contre ce qu'on appelait ainsi. À l'époque j'ignorais aussi quels étaient ces noms que Wheeler avait énumérés avec tant de facilité, à l'exception de Churchill, bien sûr, et du fameux agent double Kim Philby (cet autre Anglais étranger ou faux né en Inde et fils d'un explorateur et orientaliste né pour sa part à Ceylan et converti à l'islam à quarante et quelques années), qui d'ailleurs avait séjourné en Espagne pendant notre guerre comme correspondant du *Times* du côté des insurgés, mais à ce qu'il semble avec la mission (soviétique, pas britannique) de profiter de sa proximité avec Franco pour l'assassiner (il ne l'accomplit pas, bien sûr, même au niveau de la tentative : on aurait dû le punir pour ça). Ce n'est que plus tard que je sus qu'ils avaient tous été fonctionnaires ou espions avec de très hautes responsabilités, tout comme je tardai à savoir (je ne vais pas me targuer de connaissances infuses) que le premier nom énoncé par Wheeler, Menzies, était celui-là et qu'il s'écrivait de cette façon, parce qu'il l'avait prononcé étrangement comme « Mingiss ». « Non ? Hmm, poursuivit Wheeler tout en ouvrant une chemise, dans laquelle il chercha quelque chose. Elle a eu lieu pendant la guerre, on recouvrit le pays tout entier d'affiches, d'avis, d'exemples illustratifs, avec annonces à la radio et dans la presse, avec les vignettes d'Eric Fraser et de nombreux autres, Eric Kennington, Wilkinson, Bergarstaff (j'en ai quelques-unes ici, tu vas voir), à un moment où nous nous persuadions et où nous étions tous convaincus que l'Angleterre, l'Écosse et le pays de Galles étaient infestés d'espions nazis, dont un grand nombre étaient aussi britanniques que n'importe qui de naissance, d'éducation et de goûts, des gens achetés ou fanatiques et ensorcelés, traîtres, malades et infectés. On se méfiait de tout le monde, surtout quand la campagne eut commencé, avec des résultats pratiques inégaux (elle combattait quelque chose d'invincible) mais avec une efficacité animique ou psychique considérable : on se défiait de son voisin, de son parent, de son professeur, de son collègue, du commerçant, de son médecin, de sa femme, de son mari, beaucoup profitèrent de ces soupçons si faciles, si répandus, si compréhensibles dans un tel climat, pour perdre de vue un conjoint détesté. Même si on ne pouvait pas démontrer qu'on vivait avec un agent allemand dissimulé ou infiltré, le seul et insupportable doute semblait un obstacle suffisant pour rendre impossible la cohabitation avec le prétendu monstre détecté, ou ce qui revient au même, un motif suffisant pour divorcer. Comment pouvait-on partager son oreiller, nuit après nuit, avec quelqu'un dont on se méfiait aussi fort, avec quelqu'un de si terrible qu'il n'hésiterait pas à nous tuer s'il se sentait découvert ou menacé ? Telle était l'idée qu'on se faisait de l'espion ennemi, qu'il soit jeune ou vieux, homme ou femme, britannique ou étranger, celle d'individus impitoyables, sans aucun scrupule ni aucune limite, toujours prêts à faire le plus grand mal possible, directement ou non, à l'arrière ou au front, sur le plan moral collectif ou contre le matériel de guerre, à la population civile ou aux troupes, c'était la même chose. L'idée n'était pas fausse, assurément. Les gens exagéraient leurs craintes pour ne pas les croire, au fond, pour finir par conclure que rien ne pouvait être aussi mauvais qu'on l'imaginait, c'est quelque chose que nous faisons tous, d'imaginer exprès le pire mais sans conscience apparente, de façon paranoïaque, insensée, de nous figurer ce qu'il y a de plus effrayant pour finir par l'écarter en notre for intérieur : au terme du processus, de cet atroce voyage mental, pour le nommer ainsi, nous nous disons invariablement : bah, pas la peine de faire tant d'histoires. Ce qui est drôle, ou triste, c'est que la vérité le justifie, en fait : tant d'histoires, et même plus. D'après mon expérience, d'après mes connaissances, la réalité coïncide souvent avec ce qu'on a pressenti de plus cruel et le surpasse même à l'occasion, c'est-à-dire qu'elle coïncide précisément avec ce qu'on a repoussé au summum ou au point culminant de notre peur, avec ce qu'on avait fini par prendre pour des cauchemars excessifs, fous, pour de l'appréhension et des idées extravagantes. Bien entendu, les nombreux agents nazis sur le sol britannique tuaient tous ceux qu'ils jugeaient nécessaire de tuer ou qui représentaient pour eux le moindre risque, tout comme les nôtres sur le continent occupé, ceux du SOE principalement, mais pas seulement. En temps de paix il est tout à fait impossible de se faire à cette idée ou de comprendre ce qu'est une guerre, en fait c'est quelque chose d'inconcevable, et on ne peut même pas se rappeler celles qu'on a vécues, celles qui ont eu lieu et ici même, de plus, y compris celles auxquelles on a soi-même pris part ; de la même façon qu'en temps de guerre c'est la paix qu'on ne peut se rappeler, qui est inconcevable. Les gens ne savent pas à quel point l'une nie l'autre, la supprime, la rejette, l'exclut de notre mémoire et la chasse de notre imagination et de notre pensée (comme la douleur et le plaisir quand ils ne sont pas présents), ou tout au plus en fait quelque chose de fictif, on a l'impression de n'avoir jamais connu ni vraiment expérimenté ce qui est absent de chaque époque ; et cette chose absente, si elle a existé auparavant, ne fonctionne pas de la même façon, ne ressemble pas au passé, ou au reste de ce qui n'est plus, mais aux romans et aux films. Elle devient irréelle, c'est une invention. Et en ce qui concerne la guerre, un tel gâchis nous semble incroyable. » Je fus tenté de demander à Wheeler si lui aussi il avait tué, au MI6 (sac de chair, tache de sang), peut-être dans les Caraïbes, ou en Afrique-Occidentale, ou dans le Sud-Est asiatique ; ou un peu plus tôt en Espagne. Mais la tentation n'eut pas le temps de prendre, parce que c'est à peine s'il fit une pause avant d'ajouter : « Il nous est indiciblement difficile d'y croire ensuite, quand la guerre s'achève ; dès que nous nous retrouvons avec la défaite ou la victoire, surtout avec la victoire. L'état de paix, l'état de guerre sont comme des compartiments étanches. Quel gâchis. » Et aussitôt il revint à ce qui l'occupait antérieurement : « Regarde ça, tu n'en avais jamais vu de reproduction ? »

Wheeler sortit de sa chemise une coupure de journal jaunie avec une vignette sur laquelle ce qui sautait d'abord aux yeux était une grande croix gammée, au centre, aussi velue qu'une araignée, et la toile que celle-ci avait tissée, qui enveloppait ou plutôt saisissait quelques scènes. « Information à l'ennemi », disaient les grandes lettres, un titre probablement, à en juger par les petites, au pied de l'image, qui disaient plus ou moins ceci : « Cette œuvre de G. R. Rainier, qui montre comment les éléments de ces conversations imprudentes » (traduisons ici « *careless talk* » de cette façon), « pour innocents qu'ils puissent paraître sur le moment, pourraient être réunis et emboîtés par l'ennemi et trahir ainsi des secrets vitaux, sera diffusée de nouveau ce soir à dix heures précises. » Les scènes étaient au nombre de quatre : trois types bavardent dans un pub tout en jouant aux fléchettes, celui qui est en arrière doit être l'espion, à en juger par son monocle apparent, son nez busqué, sa volumineuse chevelure d'artiste et sa barbe bien coupée ; un soldat bavarde dans un train avec une dame blonde, elle est sans nulle doute l'espionne, non seulement par défaut, mais par son élégance ; deux couples parlent dans la rue, deux hommes d'un côté et un homme et une femme de l'autre : les espions respectifs

**information** ERIC FRASER

**to the enemy**

This play by G. R. Rainier, which illustrates how careless talk, however innocent it may seem at the time, might be pieced together by the enemy and give away a vital secret, will be broadcast again tonight at 10.0.

doivent être l'individu au nœud papillon et celui qui a une écharpe, bien qu'ici ce ne soit pas aussi clair (mais je dirais que ce sont eux qui écoutent) ; enfin, un aviateur est reçu à la maison, probablement par ses parents, et au second plan par une jeune domestique à tablier et coiffe : à coup sûr l'espionne c'est elle, parce qu'elle est jeune, que c'est une employée et une intruse. Outre ces scènes, un avion en bas et un autre en haut, ce dernier tout près d'une incompréhensible fourgonnette (peut-être une couverture) avec une pancarte où est écrit « Teinturerie ».

« Non, je ne connaissais pas », dis-je, et après avoir regardé attentivement la vignette d'Eric Fraser je retournai la coupure, comme je fais toujours avec celles qui sont anciennes. *Radio Times*, 2 mai 1941. On y voyait une partie des programmes de ce jour-là, de la BBC, je suppose, qui alors n'était qu'une radio. Le titre complet de l'œuvre tactique de ce Mr Rainier (cela avait l'air d'un nom plus allemand qu'anglais, ou peut-être était-il monégasque) était, à ce que je pus voir, *Fifth Column : Information to the Enemy*. Cette expression, cinquième colonne, était apparue dans ma ville, je crois, à Madrid, assiégée pendant trois ans par Franco et ses aviateurs allemands et ses assaillants maures, et infestée de membres de leur cinquième colonne, nous avions rapidement exporté cette expression vers d'autres langues et d'autres lieux : à l'époque, en mai 41, cela ne faisait que vingt-cinq mois que nous nous étions retrouvés les uns avec la défaite et les autres avec la victoire, et moi aussi, lorsque je naîtrais (il y a beaucoup plus de pertes et cela dure plus longtemps chez les vaincus). Ce programme radiophonique vieux de soixante ans bien sonnés incluait (nos yeux se portent toujours sur les mots de notre propre langue) le numéro de « *Don Felipe and the Cuban Caballeros, with Dorothe Morrow* », il était prévu qu'ils jouent pendant une demi-heure, jusqu'à la clôture, à onze heures : « *Time, Big Ben : Close down* ». Où pouvaient-ils bien être maintenant, Don Felipe et les Caballeros de Cuba et cette improbable Dorothée Demain, probablement la chanteuse ? Où donc, s'ils sont vivants, et où donc, s'ils sont morts ? Qui sait, en fait, s'ils avaient pu donner leur représentation ce soir-là ou s'ils en avaient été empêchés par un bombardement de la Luftwaffe, planifié et dirigé par des membres de la cinquième colonne et des informateurs espions de notre territoire ? Qui sait même s'ils avaient survécu au-delà de ce jour ?

« Et ça ? Et ça ? Regarde ça ; et ça, et ça. » Wheeler continua à tirer des vignettes de sa chemise, elles étaient en couleurs maintenant et ce n'étaient plus des originaux, mais des extraits de revues ou peut-être de livres, ou des cartes postales et des cartes de l'Imperial War Museum de Lambeth Road et d'autres institutions, elles devaient se vendre désormais comme des souvenirs nostalgiques ou simplement curieux, elles servaient même à illustrer un jeu de cartes, c'est étrange comme les choses utiles et même vitales de votre vie deviennent des ornements et des pièces d'archéologie, alors que cette vie n'est pas encore terminée, je pensai à celle de Wheeler et je pensai que je verrais moi-même un jour dans des catalogues et des expositions des objets et des journaux et des photographies et des livres, des nouveautés à la création ou à la prise de vue ou même à l'écriture desquels j'aurais assisté, si je vivais assez longtemps ou peut-être même pas, tout devient très vite ancien. Ce musée, le Musée impérial de la Guerre, se trouvait à deux pas du quartier général ou du siège principal du MI6, c'est-à-dire du Secret Intelligence Service ou SIS, à Vauxhall Cross, ce siège véritablement voyant n'avait rien de secret architecturalement parlant, il n'était même pas discret, mais proéminent, une ziggourat, un phare ; il n'était pas éloigné non plus de l'immeuble sans nom où je me rendrais tous les matins pendant une période que je finis par trouver longue, même si j'ignorais encore à l'époque que ce serait un de mes lieux de travail parmi les autres, j'en ai eu plusieurs.

« Vous les collectionnez, Peter ? » lui demandai-je tout en les regardant avec attention. Nous nous assîmes un moment

345

dans des fauteuils couverts de toiles ou de housses imperméables que Wheeler avait dans son jardin autour d'une petite table, il les sortait tôt au printemps et les rentrait tard en automne, tant que le soleil se montrait encore assez longtemps, mais ils les laissaient recouverts selon les jours, ou la plupart d'entre eux, lui et Mme Berry, le temps est toujours si variable en Angleterre, c'est pour cela que leur langue possède l'expression « *as changing as the weather* », qui s'applique par exemple aux personnes versatiles. Nous prîmes place directement sur les toiles de couleur gabardine claire, elles étaient sèches, ce n'était qu'une pause pour mieux nous installer et pour étaler les vignettes sur la petite table également recouverte d'une housse, tous ces meubles déguisés en sculptures modernes, ou en fantômes enchaînés. Il y en avait aussi dans le jardin de Rylands, identiques, dans son jardin tout proche, au bord de la même rivière, je m'en souvenais.

« Oui, plus ou moins, il y a des choses dont on veut se souvenir avec la plus grande précision possible. Mais c'est plutôt Mrs Berry, c'est elle qui s'en occupe, elle s'y intéresse elle aussi et elle va plus souvent à Londres que moi. On ne pense pas à conserver les petites choses quand elles apparaissent, en leur temps, quand elles existent de façon naturelle, on a l'impression de les avoir sous la main et que ce sera toujours le cas. Après, elles deviennent de véritables raretés, et avant qu'on s'en rende compte elles sont devenues des reliques, il suffit de voir les futilités qu'on vend aux enchères aujourd'hui, sous le seul prétexte qu'on ne les fabrique plus et qu'elles sont introuvables. On trouve des collections de chromos d'il y a quarante ans qui atteignent des prix exorbitants, c'est le plus souvent ceux-là mêmes qui les réunissaient quand ils étaient enfants et qui les ont jetées ou offertes quand ils étaient plus grands qui surenchérissent comme des fous, qui sait s'ils n'achètent pas exactement, après un long voyage, après leur passage entre bien des mains, les albums mêmes qu'ils ont jadis collectionnés et complétés avec une persévérance enfantine. Une vraie malédiction, le présent, il ne nous

A FEW
CARELESS WORDS
MAY END IN THIS—

Many lives were lost in the last war through careless talk.
Be on your guard ! Don't discuss movements of ships or troops.

Keep mum
she's not so dumb!
CARELESS TALK COSTS LIVES

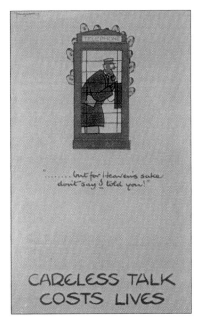

"........ but for Heavens sake don't say I told you!"

CARELESS TALK
COSTS LIVES

You never know whos listening!

CARELESS TALK
COSTS LIVES

What I know - I keep to myself

CARELESS TALK COSTS LIVES

laisse presque rien voir ni rien apprécier. Qui pourrait croire que c'est au présent que nous vivons, il nous a joué un bien mauvais tour », dit Wheeler avec humour, et aussitôt après il me montra ces vignettes, son index tremblait un peu : « Regarde, tu peux voir ce qu'elles recommandaient. C'est insolite, non ? Vues d'ici, surtout, notre époque est si vorace et si incontinente. Elle ne sait ni interroger ni se taire. »

Sur l'une d'elles on voyait un bateau de guerre qui sombrait en haute mer et en pleine nuit, sans aucun doute après avoir été torpillé, dans le ciel un flamboiement et de la fumée, et quelques survivants qui s'en éloignaient en canot à rames sans lui tourner le dos, les yeux rivés sur ce désastre dont ils ne se sauvaient qu'à demi, comme tout homme d'équipage et tout naufragé. « Voilà ce que peuvent provoquer quelques mots imprudents », disait la légende de ce qui avait dû être une affiche, ou peut-être une annonce de la presse illustrée ; et en lettres plus petites on expliquait : « De nombreuses vies ont été perdues au cours de la précédente guerre à cause des conversations imprudentes. Soyez sur vos gardes ! Ne parlez pas de mouvements de bateaux ou de troupes. » La « précédente » était celle de 14, dont Wheeler gardait un souvenir direct de son enfance, de l'époque où il s'appelait encore Rylands.

Sur une autre c'était une scène mondaine : une femme séduisante bien installée dans un fauteuil (collier, robe du soir, fleur au corsage, ongles longs et vernis) regarde devant elle avec une froideur goguenarde, elle est entourée, courtisée et servie par trois officiers avec leurs cigarettes et leurs verres au cours d'une fête, on peut supposer qu'ils lui racontent de récents exploits ou lui annoncent d'imminentes prouesses pour l'éblouir, ou qu'ils en parlent entre eux sans se soucier d'être entendus par la femme. La légende disait : « Gardez la bouche fermée » (ou, pour chercher quelque chose de plus parlé encore, et de plus proche de l'original en partie : « Chut »), « elle n'est pas si sotte ! » (mais il y avait ici un jeu de mots servi sur un plateau, car « *dumb* » signifie « sot » ou

« idiot », mais aussi « muet » ; et en plus, ça rimait). En lettres rouges, au-dessous, la devise principale de la campagne : « Les conversations imprudentes coûtent des vies. » Une autre était encore plus explicite et instructive, et alertait contre la possible chaîne, involontaire et incontrôlable, à laquelle les mots prononcés sont toujours exposés, et ici l'espion ou l'espionne n'était pas aux aguets au début de cette chaîne, mais attendait à l'autre bout. La vignette était divisée en quatre parties, deux sur fond rouge, deux sur fond blanc. Le carré supérieur gauche montrait un marin en train de parler avec une jeune femme aux cheveux blonds (sa fiancée, sa sœur, une amie peut-être) dont il n'a aucune raison de se méfier, elle l'écoute avec un intérêt désintéressé (c'est-à-dire qu'elle s'intéresse davantage à lui qu'à ce qui est révélé ou raconté) et le regarde avec une énorme considération, sinon avec ravissement. Au-dessous, en majuscules, les mots « LE RACONTER ». Le carré suivant, le supérieur droit, présentait la même jeune femme blonde en train de bavarder avec une amie aux cheveux châtains relevés sur le devant, qui l'écoute d'un air étonné, son intérêt à elle ne semble pas aussi désintéressé : à tout le moins, elle savoure à l'avance l'information qu'elle pourra donner à son tour ; elle n'a peut-être pas de mauvaises intentions, elle est peut-être simplement cancanière, une de ces personnes qui ont plaisir à raconter et à donner la primeur des nouvelles et à montrer qu'elles sont au courant, et étonnent les autres avec tout ce qu'elles savent sur tout. Au-dessous, et en minuscules, « à un ami peut ». Le carré inférieur gauche montrait la femme aux cheveux châtains en train de rapporter ce qu'elle a entendu à une autre amie, cette dernière aux cheveux noirs avec la raie au milieu et une espèce de chignon bas, avec des yeux froids en amande et un air d'intérêt tout à fait intéressé cette fois, car tout en écoutant elle pense surtout à son prochain interlocuteur, auquel elle ne donnera plus une simple nouvelle désormais, mais une information de très grande valeur. Au-dessous, de nouveau en minuscules, « signifier le raconter ». Enfin, le carré inférieur droit représentait la troisième femme, celle aux cheveux noirs, en train de murmurer quelque chose — ses yeux mi-clos et mauvais — quasiment à l'oreille d'un homme blond au regard oblique et aux traits d'une grande dureté, sans nul doute un impitoyable espion nazi dont la démarche suivante ne sera pas de raconter à son tour, mais de passer à l'action, de prendre des mesures qui conduiront à coup sûr de nombreuses personnes à la mort, y compris l'innocent et coupable marin. Au-dessous, les lettres étaient de nouveau majuscules, « À L'ENNEMI », ce qui fait qu'en les reliant toutes, les inscriptions disaient « LE RACONTER à un ami peut signifier le raconter À L'ENNEMI », le message principal étant délivré par les majuscules sur fond rouge. Je ne pus m'empêcher de remarquer, en souriant intérieurement, la gradation étudiée des trois femmes : la « bonne » était blonde et avait les cheveux courts, au cou un modeste et simple nœud blanc ; la « frivole » ou « insensée » était châtaine, ses cheveux étaient relevés et elle avait un collier (une femme plus coquette) ; la « mauvaise », l'espionne, avait une chevelure noire nettement plus travaillée, son cou était orné d'une sorte de ruban avec une broche verdâtre qui brillait au milieu, et c'était la seule à avoir des boucles d'oreilles (une séductrice en règle, probablement). Nombre de mes compatriotes, parmi lesquelles ma mère, pensai-je, auraient peut-être eu mauvaise presse en Angleterre, durant ces années-là.

Une autre vignette présentait un soldat de l'infanterie qui regardait devant lui : un homme d'âge moyen (un vétéran), avec une cigarette aux lèvres, portait l'index de sa main gauche à sa tempe, sous son casque, et recommandait, en traduction littérale : « Garde ça sous ton chapeau », idiotisme qui en fait équivaut à « De ça, pas un mot », ou « Là-dessus, boucle-là », ou peut-être, d'une façon plus châtiée et un peu vieillotte, « Garde ça pour ton bonnet ». Et au-dessus, en lettres rouges : « Attention aux espions ! »

« Ces vignettes étaient surtout destinées aux forces armées, n'est-ce pas ? dis-je à Wheeler.

— Ah, oui, mais pas seulement, me répondit-il avec une légère vibration dans la voix. C'est ce qui est le plus intéressant, que ce message ne s'adresse pas seulement aux soldats, qui étaient ceux qui en savaient le plus et qui devaient faire le plus preuve d'attention et de discrétion, mais à tout le monde, à n'importe quel civil. Regarde celles-ci. » Et il en tira d'autres de la chemise qui, en effet, ne s'adressaient pas aux militaires, mais à l'ensemble de la population.

Certaines étaient des caricatures. L'une représentait un monsieur en train de téléphoner d'une cabine publique de couleur rouge, comme les anglaises le sont toujours : « ... mais pour l'amour de Dieu, ne dis pas que c'est *moi* qui te l'ai dit ! », telles étaient ses paroles d'après le texte, tandis que sur les parois et le toit de la cabine quatorze ou quinze petits Hitler montraient leurs visages de clones. Sur une autre, on voyait deux dames assises dans le métro, et la première disait à la seconde : « On ne sait jamais *qui* écoute ! » Deux rangs derrière, bouffis de satisfaction, étaient assis deux gros poissons nazis en uniforme, l'un maigre, l'autre gros et couvert de décorations, lui aussi ressemblait à Hitler. Sur une autre vignette, peut-être faite à partir d'une photo, on voyait un homme ordinaire et d'un type courant avec sa cravate, sa gabardine et sa casquette (peut-être un *cockney*), qui avait l'air de faire un clin d'œil au spectateur et qui nous disait à peu près : « Ce que je sais... je le garde pour *moi* », ou « je me le réserve ». Il y en avait aussi pour convaincre les enfants et leur inculquer, par mimétisme, le bien-fondé du silence (« Fais comme papa : chut »), d'autres étaient des avis officiels simplement typographiques, sans illustration (« Des milliers de vie ont été perdues lors de la précédente guerre à cause d'informations primordiales révélées à l'ennemi par les conversations imprudentes. Soyez sur vos gardes ! »), qui avaient dû envahir les tableaux d'affichage et les panneaux de liège des bureaux et des écoles et des pubs et des usines, ainsi que les rues, les murs, l'intérieur des trains et des bus, les gares et les stations de métro. Sur d'autres était expliqué, en vers, pourquoi on censurait des informations en principe inoffensives et qui en temps de paix étaient communiquées sans aucun problème ou même de façon systématique, comme par exemple les raisons pour lesquelles un train voyait son départ différé, était arrêté ou attendu avec des retards accumulés : « La censure refusant qu'elles soient révélées / les causes du retard ne seront pas données : / pour les nazis ce serait une information / dont ils profiteraient avec délectation », tel était à peu près le style des quatrains ou vers de mirliton (preuve de considération ou de civisme, que d'expliquer aux citoyens pourquoi on ne leur expliquait pas). Et d'autres vignettes encore s'adressant aux membres des forces armées, car c'était leurs imprudences qui risquaient le plus de mettre tout le monde et bien sûr eux-mêmes en danger. Un soldat casqué dont le corps était un téléphone alertait : « Halte ! Réfléchissez-y à deux fois avant de faire un appel à longue distance. » Ou un homme et une femme en uniforme ne laissaient voir que leurs pieds et leurs têtes derrière un paravent bleu qui cachait leurs signes distinctifs avec le mot « CENSURÉ » en grandes lettres blanches ; le jeune homme et la jeune fille joignaient les braises de leurs cigarettes respectives, l'un donnait du feu à l'autre et de ce fait ils unissaient leurs lèvres par tabac et feu interposés (fumer n'était pas mal vu ni fortement critiqué, il fallait bien que ces temps fussent heureux en quelque point), mais on les avertissait : « Vous ne devez pas révéler vos unités ! » La plupart des vignettes insistaient, en tout cas, sur la devise fondamentale de la campagne : « *Careless talk costs lives* », « Les conversations imprudentes coûtent des vies ». « Se payent en vies » ne serait pas une traduction tout à fait infidèle.

« Il me semble vaguement que pendant notre guerre civile il y avait des avertissements de ce genre contre les membres de la cinquième colonne, mais je n'en suis pas certain, vous en souvenez-vous, Peter ?, lui demandai-je. Je ne sais pas, j'ai dans la tête une devise du genre "L'ennemi a des milliers d'oreilles", mais peut-être que j'invente, je ne sais pas, et

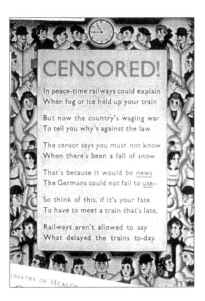

# YOUR UNITS MUST NOT BE
## DISCLOSED !

d'autre part ma rétine n'a pas conservé d'images équivalentes à celles que vous me montrez, je ne crois pas en avoir vu de reproductions. » En fait je n'en savais rien, mais on ne pouvait écarter l'idée que nous ayons aussi exporté cette initiative. Ou peut-être que ma mémoire confondait avec l'affiche diffamatoire contre le POUM du printemps 37, ce visage traversé par une croix gammée qui apparaissait sous son masque avec la faucille et le marteau ; Nin avait été victime de la paranoïa à demi justifiée qui avait fait voir des espions et des collaborateurs de Franco à tous les coins de rue, ou plutôt ses ennemis s'étaient servis de cette paranoïa pour l'accuser de trahison et d'espionnage. On l'accusa d'avoir renseigné, d'avoir parlé, et paradoxalement c'est quelque chose qu'il ne fit jamais face à ses tortionnaires. Il se tut et ne fut pas sauvé, il garda la bouche fermée, il n'eut pas la langue trop bien pendue, il resta muet, *he kept mum* précisément, il garda ce qu'il savait pour lui ou pour son bonnet, ou c'est peut-être parce que toutes les incriminations étaient fausses qu'il ne dit rien, il aurait dû inventer des bobards et des histoires pour pouvoir les admettre et les reconnaître, pour avouer qu'il était le « cheval de Troie » sur lequel le poétique « amant de la vérité », « vraiment digne de don Quichotte », glosa plus tard avec sa « voix de lampe » qui séduisit Trapp-Tello, elle était tellement infamante, cette voix.

« Je t'ai dit hier soir qu'avant la guerre contre l'Allemagne j'étais passé par la vôtre, et j'ai toujours eu l'habitude de m'exprimer avec assez de précision, Jacobo. Je crois le faire encore. Cela veut dire que je ne suis pas resté longtemps en Espagne. J'y suis passé, rien de plus », me répondit Wheeler, et je perçus une légère note d'impatience dans sa voix, comme si je l'importunais un peu en lui parlant à cet instant d'un autre conflit et d'une autre époque, quelque relation que ce conflit pût avoir avec le sien et aussi proche que fût pour lui l'époque en question. « Ce qui fait que je ne suis pas en condition de te le jurer, mais je ne me rappelle pas avoir assisté dans ton pays à quelque chose de semblable, et je n'ai rien lu à ce sujet, dont je n'ai pas entendu parler non plus. Des affiches, une campagne contre les membres de la cinquième colonne, oui, il y en a eu si je ne me trompe pas ; on incita la population de Madrid et de Barcelone, et peut-être de Valence, à les rechercher et à les découvrir, à les faire sortir de leur cloaque et à les écraser, et pareil de l'autre côté : suivre les embusqués à la trace et les anéantir, il ne devait pas en rester beaucoup de vivants dans cette zone pleine de curés confesseurs si loquaces, mais telle fut l'instigation. Bien sûr, on demanda aux gens d'ouvrir les yeux et de surveiller l'arrière, comme cela s'était aussi fait timidement pendant la première guerre, ici et en France, que je sache. Mais je ne crois pas qu'il y ait jamais eu de campagne comme celle qui a été menée contre le *careless talk*, durant laquelle non seulement on mit les citoyens en garde contre les possibles espions, mais on leur recommanda le silence comme règle générale : on leur recommanda de ne pas parler, on leur ordonna et on les implora de se taire. On présenta soudain aux gens leur propre langue comme une ennemie invisible, incontrôlable, inattendue et imprévisible : comme la pire, la plus meurtrière et la plus terrible, comme une arme effrayante que n'importe qui, chaque individu, pouvait activer et mettre en mouvement sans qu'il fût possible de savoir quand il en partirait ou non une balle, ni si celle-ci se transformerait en torpille qui coulerait un de nos cuirassés au milieu de l'océan à des milliers de milles, ou en bombes d'un Junker qui toucheraient avec une précision extraordinaire nos quartiers et nos maisons, ou qui tomberaient sur les objectifs militaires qu'il fallait le plus protéger et défendre, sur les plus secrets et les plus vitaux. Je ne sais pas si tu t'en rends tout à fait compte, Jacobo : on alerta les gens contre leur principale forme de communication ; on les poussa à se méfier de l'activité à laquelle ils se livrent et se sont toujours livrés de façon naturelle, sans réserve, de tout temps et en tout lieu, pas seulement ici à cette époque-là ; on nous brouilla avec ce qui nous définit et nous unit le mieux : parler, raconter, se dire, commenter, murmurer, et se transmettre l'information, critiquer, se donner des nouvelles, cancaner, diffamer, calomnier et murmurer, rapporter des événements et relater des circonstances, se tenir au courant et se faire connaître, et bien sûr aussi plaisanter et mentir. C'est la roue qui fait bouger le monde, Jacobo, par-dessus toute chose; c'est le moteur de la vie, celui qui ne s'épuise jamais, c'est son véritable souffle. Et brusquement on demanda aux gens de l'arrêter, ce moteur; de l'empêcher de respirer. On leur demanda de renoncer à ce qui leur est le plus cher et le plus indispensable, à ce pour quoi nous vivons et dont tout le monde peut jouir et se servir sans exception ou presque, les pauvres comme les riches, les plus ignorants comme les plus instruits, les vieux comme les enfants, les malades comme ceux qui sont en bonne santé, les soldats comme les civils. S'ils font, si nous faisons tous quelque chose qui ne soit pas une stricte nécessité physiologique, si quelque chose nous est vraiment commun en tant qu'êtres doués de volonté, c'est parler, Jacobo. Cette funeste parole. La malédiction de parler. Parler et parler sans cesse, personne n'est jamais à court de munitions pour ça. Peu importent les connaissances grammaticales et syntaxiques et lexicales, les aptitudes oratoires encore moins, et moins encore la prononciation, la diction, l'accent, l'euphonie, le rythme. L'homme le plus savant du monde parlera de façon plus ordonnée, appropriée et précise, et avec plus de profit pour ses auditeurs, peut-être, ou alors seulement pour ceux qui seront semblables à lui ou qui voudront l'être. Mais il ne parlera pas nécessairement davantage ni avec plus de facilité que la maîtresse de maison à demi analphabète qui ne cesse pas une seconde de parler toute la journée, simplement la nuit venue parce qu'elle est vaincue par le sommeil et par sa gorge, dont elle a abusé et qui lui en veut. Le plus grand voyageur du monde pourra raconter une infinité d'histoires agréables et merveilleuses, des anecdotes innombrables et des aventures de pays incroyables, lointains, exubérants et dangereux. Mais il ne parlera pas forcément plus et avec plus de bagou que le rude bistrotier qui n'a jamais quitté son comptoir et qui n'a vu de toute sa vie que les vingt rues et les deux places que compte son bourg perdu. Le plus illuminé des poètes ou le narrateur le plus zigzagant pourront inventer et réciter en improvisant des mots reliés et hypnotiques qui sonneront comme de la musique, au point que peu importera leur sens à ceux qui les écouteront, ou plutôt, ils le capteront sans effort et sans avoir à y réfléchir avant de l'appréhender ou d'être absorbés, tout sera simultané, tout ne fera qu'un, même si peut-être ensuite, une fois la musique terminée, ces auditeurs ne sont pas capables de le répéter ou de le résumer, pas même, peut-être, de continuer à comprendre ce qu'ils comprenaient si bien un instant plus tôt, quand ils se sentaient bercés et que l'enchantement durait, avec autant de légèreté dans leur esprit que dans leurs oreilles, avec la même perméabilité ici et là. Mais ils ne parleront pas nécessairement davantage ni avec plus d'aisance ou de facilité que le bureaucrate ignorant, répétitif et obtus qui se croit plein d'esprit et de grâce et qu'on trouve avec une fréquence obsédante dans tous les bureaux du monde, peu importe la latitude ou le climat, et même si ce sont des bureaux d'interprètes et d'espions... »

Wheeler se tut un instant, surtout — me sembla-t-il — pour reprendre son souffle. Il avait dit dans ma langue les mots « esprit » et « grâce », en paraphrasant peut-être Cervantès ailleurs que dans son *Don Quichotte*, chose peu fréquente mais bien possible avec lui. Je ne résistai pas à l'envie d'essayer de le vérifier, et je profitai de sa pause pour citer lentement, petit à petit, presque syllabe par syllabe, comme quelqu'un qui fait semblant de rien ou n'ose pas tout à fait se lancer, en murmurant : « Adieu, traits d'esprit ; adieu, grâces ; adieu, joyeux amis ; voici que je me meurs... »

Je ne pus terminer ma citation. Peut-être cela déplut-il à Wheeler que je lui rappelle cette dernière phrase à voix haute, souvent les personnes âgées ne veulent même pas entendre parler de cela, de leur fin, peut-être parce qu'elles commencent à la voir comme quelque chose de vraisemblable, ou de plausible, ou de non rêvé, de non fictif. Mais non, je ne le crois pas ou n'en suis pas sûr, personne ne voit de cette façon son propre terme, pas même ceux qui sont très vieux ou très malades, ni ceux qui sont très menacés et en danger constant. Ce sont plutôt les autres qui commencent à la voir de cette façon en eux. Il passa outre et continua. Il fit semblant de ne pas remarquer ce que j'avais cité dans ma langue, et je ne pus donc savoir s'il s'agissait d'une coïncidence ou s'il avait fait allusion à Cervantès et à ses joyeux adieux.

« On dit parfois de quelqu'un qu'il n'a pas de conversation. C'est ridicule. C'est quelqu'un de cultivé qui le dit, le Premier ministre (bon, tenons-le pour exercé mentalement), de quelqu'un qui ne l'est absolument pas, par exemple son coiffeur. En fait, ce que dit le ministre c'est qu'il se fiche de tout ce que son coiffeur peut lui raconter, que ça l'ennuie au plus haut point. Autant, probablement, qu'ennuiera le coiffeur ce que le Premier ministre lui sortira pendant qu'il lui coupe les cheveux, c'est toujours un temps mort qui n'est pas facile à remplir, comme les trajets en ascenseur, et encore plus si la tête tondue a besoin qu'on fasse des acrobaties pour la rendre à moitié présentable et n'ait pas l'air d'une carotte pointe en l'air. Mais je pense bien qu'il a de la conversation, ce coiffeur, et peut-être même plus que ce ministre obtus, obsédé par la marche du pays, sur le plan abstrait, et par celle de sa carrière sur le plan concret. Je ne sais pas, des gens qui ne savent rien, des personnes qui ne se sont jamais arrêtées une minute à réfléchir sur quoi que ce soit avec la conscience de le faire, qui n'ont pas une seule idée personnelle et presque aucune empruntée à autrui, parlent pourtant infatigablement, sans arrêt, sans aucune inhibition et sans le moindre complexe. Ce n'est pas seulement le cas des individus sans formation ni études, en avoir fait n'est pas d'une grande aide au fond, ou n'est que secondaire ; il y a des cas beaucoup plus étonnants que ceux des rustauds : on voit un groupe de m'as-tu-vu ou de snobs idiotiques » (bon, Wheeler avait dit en anglais *idiotics*, je trouve cet anglicisme drôle), « la plupart docteurs de Cambridge ou de chez nous, et on se demande de quoi diable ils pourront bien parler entre eux après la première heure à échanger des saluts et à se communiquer leurs quatre pauvres nouvelles déjà connues par les cancans, à se mettre au courant de leurs deux futilités et de leurs trois vilenies (je me le suis toujours demandé, de quoi pouvaient parler ce genre d'individus, dans les réceptions royales, où ils sont pléthore). On pense qu'ils doivent être obligés de se taire et de se racler souvent la gorge, d'être embarrassés par leurs longues pauses, de supporter des traits d'esprit variés sur la pluie et les nuages et les silences encombrants propres aux temps morts et plus que morts, ou directement mort-nés : par leur absolu manque d'idées, de mots d'esprit, de connaissances, d'inspiration pour se raconter quoi que ce soit, de talent et de dialogue et même de monologue : de lumières et de substance. Et ce n'est pas le cas. On ne sait pas très bien de quoi, ni pourquoi, ni comment, mais le fait est qu'ils passent des heures et des jours à bavarder sans fin, bestialement, des soirées entières de bla-bla, sans fermer la bouche un seul instant, et bien plus, en s'arrachant la parole les uns les autres, en essayant de l'accaparer. C'est un mystère et en même temps ce n'en est pas un. Parler, bien plus que penser, c'est quelque chose qui est à la portée de tout le monde (je fais allusion à ce qui est volitif, j'insiste, et pas simplement organique, ou physiologique) ; et c'est ce que partagent et ont toujours partagé les méchants et les bons, les victimes et les bourreaux, les cruels et les compatissants, les sincères et les menteurs, les rares intelligents et les nombreux sots, les esclaves et les maîtres et les dieux et les hommes. Tous comptent dessus, les imbéciles, les idiots, les impitoyables, les assassins, les tyrans, les sauvages, les simples ; et même les fous. C'est à tel point la seule chose qui nous rend égaux que cela fait des siècles que nous créons tous de légères différences, de prononciation, de diction, d'intonation, de vocabulaire, phonétique ou sémantique, pour que chaque groupe se sente en possession d'un langage que les autres ignorent, d'un signe de reconnaissance pour initiés. Ce n'est pas seulement l'affaire des classes jadis appelées supérieures, désireuses de se distinguer et méprisant les autres ; celles qu'on appelait inférieures ont elles aussi toujours fait de même, leur mépris n'était pas en reste, et elles se sont forgé leurs argots, leurs langages secrets ou codés qui leur permettaient de se reconnaître entre elles et d'exclure leurs ennemis, à savoir les savants et les puissants et les raffinés, et de leur interdire partiellement la compréhension de ce que leurs membres se transmettaient, tout comme les délinquants inventent leurs jargons et les persécutés leurs codes. À l'intérieur d'une même langue, ce qu'on essaie artificiellement c'est de ne pas se comprendre ou de ne se comprendre qu'à demi ; on essaie d'obscurcir, de voiler, et pour ce faire on cherche des dérivations étranges et des variantes capricieuses, des métaphores boiteuses ou très arbitraires, des sens tangentiels ou obliques qui puissent s'écarter de la norme commune à tous, et on forge même des vocables nouveaux, substitutifs et inutiles, pour soustraire ce qui est dit et masquer ce qu'on communique. Et s'il en est ainsi c'est précisément parce que ce qui est habituel et normal c'est de se comprendre dans la langue. Et ce langage, ou cette langue, sont presque la seule chose que certains possèdent et donnent et reçoivent : les plus pauvres, les plus humbles, les déshérités, les illettrés, les captifs, les malheureux, les dominés ; les pestiférés et les contrefaits, comme ce roi de chez nous et de Shakespeare, Richard III, qui tira tant de profit de son bagou persuasif. C'est ce qu'on ne peut pas leur enlever, le parler, la langue, la seule chose peut-être qu'ils aient apprise et qu'ils sachent, ce qui leur sert à s'adresser à leurs enfants ou à leurs amours, ce avec quoi ils plaisantent, aiment, se défendent, implorent, persuadent, sauvent et convainquent ; et aussi ce avec quoi il empoisonnent, incitent, haïssent, se parjurent, insultent, maudissent et trahissent, corrompent, se condamnent et se vengent. Tant bien que mal, tout le monde le possède, le roi comme ses vassaux, le prêtre comme ses fidèles, le maréchal comme

363

ses soldats. C'est pour cette raison qu'il existe un langage sacré, qui n'appartient pas à tout le monde, qui n'est pas destiné aux hommes mais aux divinités. Mais on oublie que le Dieu comme les dieux parlent et écoutent aussi selon notre vieille croyance un peu moribonde peut-être (que sont les prières sinon des phrases, des mots, des syllabes ?), et ce langage sacré finit lui aussi par être déchiffré et alors on l'apprend, tous les codes sont susceptibles d'être un jour décryptés, tôt ou tard, et aucun secret sans doute ne l'est éternellement. » Wheeler s'arrêta de nouveau, très brièvement, cette fois encore pour reprendre haleine. Il posa une main sur les vignettes qu'il venait d'étaler sur la table, geste instinctif, comme s'il voulait éviter qu'une rafale de vent inexistante ne les fasse envoler, ou peut-être les caresser. Il ne faisait pas froid, le soleil était très haut, paresseux et pâle, il y avait simplement une agréable fraîcheur. « Cela nous rapproche et nous unit tant que les puissants ont toujours dû chercher des marques et des devises et des signes non verbaux pour être obéis et se différencier. Tu te rappelles cette scène de Shakespeare où le roi dissimule son visage sous une cape empruntée et s'approche, se mêle à trois soldats la veille de la bataille, s'assied sur le terrain avec eux en faisant semblant d'être un autre combattant insomniaque au milieu de la nuit, en armes, ou juste avant l'aurore ? Il leur adresse la parole, se présente comme un ami, parle avec eux et en parlant ils sont tous les quatre semblables, c'est lui qui raisonne le plus, qui est le plus cultivé, les autres sont plus rustres et plus intuitifs, mais ils se comprennent parfaitement, ils sont sur le même plan quant à la compréhension et la parole et rien ne les empêche d'échanger leurs avis et leurs impressions et même leurs peurs, ils en arrivent même à se disputer et à se fâcher, pour deux d'entre eux, le roi qui n'est pas le roi et un de ses sujets qui n'est pas non plus un sujet à ce moment-là. Ils parlent un bon moment et le roi sait qu'en parlant ils sont sur un même pied, ils sont égaux tant que dure leur dialogue. C'est pourquoi, lorsqu'il est seul, pensant à ce qu'il vient d'entendre, il nous dit la différence, il murmure dans son soliloque et nous révèle ce qui le distingue en réalité. Tu te souviens de cette scène, Jacobo ? »

Je posai moi aussi une main sur les vignettes, comme si je craignais le vent.

« Non, Peter, dis-je. Quel est ce roi ? »

Mais Wheeler, sans répondre à ma question, se mit à citer à voix haute sans que j'aie le moindre doute que c'était bien ce qu'il faisait, car peu d'auteurs à part Shakespeare auraient écrit « great greatness » (et tant de professeurs et de critiques actuels de mon pays l'auraient crucifié pour ça).

« "De quelle infinie tranquillité du cœur doivent se priver les rois, dont jouissent les hommes du privé ! Et qu'ont donc les rois que n'ont pas les hommes du privé, à part le cérémonial, à part la cérémonie générale ?" Ainsi s'exprime le roi seul à seul, et un peu plus tard il fait ce reproche à ce qui le singularise : "Oh, cérémonial, montre-moi donc ta valeur !" Puis il le défie : "Oh, sois malade, grande grandeur, et ordonne à ton cérémonial de te guérir !" Voyons ce qu'il peut, ou s'il ne peut rien. Et plus tard encore le roi ose envier le misérable esclave qui s'éreinte au soleil toute la journée mais qui ensuite dort profondément "le corps plein et l'esprit vide" et "ne voit jamais la nuit horrible, rejeton de l'enfer", et qui "continue ainsi, tout au long des ans toujours en retraite, avec une profitable tâche jusqu'au tombeau". Et le roi conclut avec l'exagération obligée de tout monologue que personne n'écoute sur scène et qui n'est entendu qu'hors d'elle, seulement dans la salle : "Et sauf pour le cérémonial ce malheureux, enveloppant de sommeil avec effort les jours et les nuits, a surpassé les rois et les a devancés en privilège." » C'est plus ou moins ce que dit Wheeler, qui ajouta aussitôt : « Les anciens rois étaient bien impudents, mais au moins ceux de Shakespeare ne se trompaient pas tout à fait : ils savaient que leurs mains étaient tachées de sang et n'oubliaient pas à quoi ils devaient de pouvoir ceindre leur couronne, outre les crimes et les trahisons et les conspirations (je ne sais pas s'ils ont été trop humains). Le cérémonial, Jacobo, c'est cela. La cérémonie changeante, illimitée, générale. Et aussi la pratique du secret, du mystère : l'hermétisme, le silence. Ne jamais parler, ne jamais raconter, ne jamais proférer de mots pour exquis ou captivants qu'ils soient. Parce que c'est là quelque chose qui au fond est à la portée du premier mendiant venu, de n'importe quel rebut ou pauvre diable, et de la pire loque. Ils ne se différencient du roi, sur ce terrain, que par une insignifiante et négligeable question de perfectionnement et de degré. »

« *What infinite heart's ease must kings neglect that private men enjoy!* » avait en fait dit ou récité sir Peter Wheeler dans sa langue, à ce que je pus vérifier plus tard, en trouvant et reconnaissant les textes. Et il avait ensuite cité *verbatim* tout le reste du monologue, il avait toujours ce genre de mémoire intacte.

« Mais ce n'est pas à la portée des tout-petits, observai-je alors, ni des muets, ni de ceux à qui on a arraché la langue ou à qui on ne donne ou permet la parole, il y en a eu beaucoup dans l'histoire, et il y a des pays islamiques où les femmes sont même privées de ce droit, à ce que je crois savoir. C'était du moins le cas avec les talibans afghans, si je n'ai pas mal lu et si ma mémoire est bonne.

— Non, ne te trompe pas, Jacobo : les enfants sont dans l'attente, leur incapacité est transitoire ; je suppose en outre qu'ils se préparent dès leur premier vagissement, à la naissance, et ils se font comprendre très tôt : par d'autres moyens ils *disent* déjà des choses. Quant aux muets et à ceux qui n'ont pas de langue ou pas de voix ou pas la parole, ce sont des exceptions, des anomalies, des châtiments, des soumissions, des outrages ; mais jamais la norme, et comme tels ils ne comptent pas. Et ils ne suffisent pas à l'annuler, pas même à la contredire. De plus, ceux qui sont ainsi lésés recourent à d'autres systèmes de signes, à des codes non verbaux dans lesquels ils s'installent très vite, et tiens pour sûr que c'est aussi pour parler qu'ils s'en servent, et pas pour autre chose. Ils racontent et transmettent tout de suite de nouveau, comme tout le monde ; même si c'est par écrit ou par signes et sans émettre un son ; même si c'est de façon muette, ils continuent à *dire*. » Wheeler se tut et regarda le ciel, comme si en parlant de cela il voulait se joindre au silence éloquent qu'il avait évoqué. Le soleil blanchâtre et apathique illumina ses yeux et je vis qu'ils étaient très jaspés, comme des billes de marbre où prédominait la couleur corinthe. « Je te disais tout à l'heure que le parler, la langue, est ce que tout le monde partage, y compris les victimes avec leurs bourreaux, les maîtres avec leurs esclaves et les hommes avec leurs dieux, tu n'as qu'à voir la Bible et Homère, ou bien sûr Thérèse d'Ávila et Jean de la Croix dans ta langue. Mais il est certain que certains cessent de le partager, comment dire, il y en a qui ne le possèdent pas, et ce ne sont pas précisément les muets et les tout-petits. » Cette fois en revanche il regarda le sol une seconde, et il avait encore les yeux fixés sur l'herbe, ou peut-être au-delà, sur la terre sous l'herbe ou au-delà, sur l'invisible terre sous la terre, quand il ajouta, après cette pause si brève : « Les seuls qui ne la partagent pas, Jacobo, ce sont les vivants avec les morts. »

« Moi je crois que la seule dimension qu'ils partagent et qu'ils peuvent se communiquer, la seule qu'ils aient en commun et qui les unit, c'est le temps. » Je me rappelai cette citation ou peut-être était-ce une paraphrase, et je ne pus m'empêcher de la dire sans tarder, ou de la marmotter.

Mais Wheeler se rapprochait peu à peu du terme de sa digression, pensai-je. En fait, il savait toujours où il en était, et ce qui chez lui semblait hasardeux ou involontaire, conséquence de la distraction, de l'âge ou d'une perception un peu confuse du temps, de ses tendances à divaguer et à discourir, était généralement calculé, mesuré et assujetti, et faisait partie de ses manœuvres et de ses parcours tracés et prévus. Je me dis qu'il ne tarderait pas beaucoup à revenir au *careless talk* et aux vignettes, il les regardait de nouveau avec intensité, sur la toile cirée qui recouvrait la petite table, comme si c'étaient les cartes d'une réussite, nous étions assis également tous les deux sur les toiles qui protégeaient nos fauteuils, et ces draperies froissées romanisaient un peu la silhouette de ce faux vieillard et la mienne aussi, j'imagine, cela nous donnait peut-être un air lointain de sénateurs peints à fresque, avec à nos pieds les pans de tuniques très longues et excessives qui nous enveloppaient presque. Si bien qu'il ne m'écouta pas ou ne voulut pas faire cas de moi, ou alors son attention n'avait pas été attirée par mes phrases qui n'étaient pas de moi mais de quelqu'un d'autre, elles étaient d'un mort qui les avaient dites de son vivant.

« Et il n'en a même pas toujours été ainsi, reprit-il, suivant son idée. Tout au long des siècles eux aussi l'ont partagé, dans l'imagination des vivants au moins, c'est-à-dire dans celle de futurs morts. Il ne s'agit pas simplement des bavards fantômes et des revenants loquaces, des esprits discoureurs et des spectres babillards de presque toutes les traditions. Il était aussi prévu qu'on parlerait et dirait et raconterait avec naturel dans l'autre monde. Dans la même scène de Shakespeare, sans aller plus loin, un des soldats avec qui le roi bavarde avant de dire son monologue annonce que celui-ci sera dans de beaux draps au moment de rendre des comptes si la cause de sa guerre n'est pas une bonne cause. "Quand tous ces bras et ces jambes et ces têtes tranchés dans la bataille, dit-il, se rassembleront au dernier jour et crieront tous 'Nous sommes morts à tel endroit'." Tu le vois, on croyait non seulement que les morts parleraient et même protesteraient, mais aussi leurs têtes et leurs membres dispersés et séparés, une fois qu'ils seraient rassemblés pour se présenter décemment au jugement. »

« *We died at such a place.* » Voilà ce que Wheeler avait cité dans sa langue, et alors je complétai pour moi-même l'autre citation, de Cervantès, dans ma langue à moi, qu'il ne m'avait pas laissé terminer et qui attestait elle aussi cette croyance : « Adieu, grâces ; adieu, traits d'esprit ; adieu, joyeux amis ; je me meurs, et je souhaite vous voir vite contents dans l'autre vie. » C'est ce qu'espérait Cervantès, me dis-je, pas des plaintes ni des accusations, pas des reproches ni des règlements de comptes ni des dédommagements pour les peines et les offenses terrestres, il en avait subi quelques-unes. Même pas la justice ultime, qui est ce qu'on regrette le plus depuis qu'on ne croit plus. Mais il souhaitait retrouver les grâces et les traits d'esprit, l'allégresse des amis, contents dans l'autre vie aussi. C'est simplement de cela qu'il prend congé, c'est tout ce qu'il souhaiterait conserver dans l'éternité, où qu'il la passe. J'avais souvent entendu mon père parler de ces adieux écrits, pas aussi célèbres qu'ils devraient l'être, ils se trouvent dans le livre que presque personne ne lit et qui est, peut-être, supérieur à tous les autres, y compris le *Quichotte*. J'aurais aimé rappeler à Wheeler cette citation tout entière, mais je n'osai pas insister, le détourner de son chemin avec ça. Je me contentai donc de lui tenir compagnie, et je dis :

« L'idée même de jugement dernier annonçait que c'était bien cela qui se ferait le plus, selon les attentes communes, après la mort : raconter tout entières les histoires de tout le monde, et donc parler, relater, exposer, argumenter, réfuter, faire appel, et à la fin écouter la sentence. Et un jugement si monumental, de plus, pour tous ceux qui sont passés par le monde, en une seule journée, tous en même temps, les pharaons égyptiens mêlés à nos cadres et à nos chauffeurs de taxi, les empereurs romains à nos mendiants et nos gangsters, nos astronautes, nos toreros, que sais-je. Imaginez un peu ce charabia, Peter, l'histoire du monde entier avec tous ses cas particuliers, transformée en poulailler. Et les morts les plus vieux et antiques fatigués d'attendre, de compter l'incalculable temps qui manquait pour leur jugement, révoltés sûrement par ce retard infini, c'est le cas ou jamais de le dire. Eux, oui, muets et solitaires des millions de siècles durant, dans l'attente du dernier mort et du jour où il n'y aurait plus un seul vivant. En fait, cette croyance nous condamnait tous à un très long silence. Ça oui, c'était bien *"the whips and scorns of time"*, ça oui, c'était bien *"the law's delay"* », et cette fois c'est moi qui citai son poète, « les fléaux et les outrages du temps », « le retard de la justice », dis-je dans sa langue. « Et d'après elle, d'après cette croyance, le tout premier mort de tous les temps doit être encore aujourd'hui en train de raconter ses heures de solitude muette, celles qui sont passées et celles qui doivent venir ; et si j'étais lui, je souhaiterais égoïstement que le monde s'achève une fois pour toutes et que ce soit enfin le néant. »

Wheeler sourit. Quelque chose que j'avais dit l'avait amusé, ou peut-être plusieurs choses.

« C'est cela, justement, me répondit-il. Un silence *sine die* : cela dans le meilleur des cas et quand la foi était solide. Mais tout cela avec la circonstance aggravante qu'à l'époque, pendant notre deuxième guerre, on ne croyait plus guère à ce discours ou justification ou dernier récit de chaque individu à la fin des temps, et on avait du mal à croire que les têtes et les membres qui nuit après nuit étaient tranchés par les bombes qui tombaient sur ces villes puissent se rassembler un jour, et crier plus tard : "Nous sommes morts à tel endroit" ; et que les causes soient justes n'était qu'une maigre consolation, et il n'importait guère de savoir si elles étaient bonnes ou non, quand la principale cause de la mort et du meurtre ne fut plus que la survie de chacun ou de ceux qu'il aimait. Le plus probable est qu'on croyait peu depuis quelque temps déjà, peut-être depuis la première guerre, qui ne fut pas moins atroce pour le monde qui la connut et qui est aussi le mien, ne l'oublie pas, autant que celui-ci, qui nous tolère aujourd'hui toi et moi, ou qui nous entraîne. Les atrocités rendent les hommes incrédules au fond de leur conscience et de leurs sentiments, même s'ils décident de montrer le contraire par un réflexe de superstition, un autre de tradition et un autre de reddition, tout cela mélangé, et s'ils se rassemblent dans les églises pour chanter des hymnes afin de se sentir plus unis et de s'imprégner de force et de résignation plus que de courage, de la même façon que les soldats chantaient en marchant, presque sans défense, baïonnette en arrêt, surtout pour s'anesthésier un peu avec leurs hurlements avant l'impact ou le coup ou avant de voler dans les airs, pour étourdir leur pensée blessée bien avant leur chair, et faire taire les multiples bruits de la mort qui rôdait par là dans sa chasse facile. Ça, je le sais, je l'ai vu sur les champs de bataille. Mais ce ne sont pas seulement des horreurs, des cruautés qu'on subit et qu'on en vient à commettre soi-même, pour la cause aussi juste qu'injuste de sa survie. C'est aussi l'entêtement des faits : personne n'est jamais revenu nous parler après sa mort, malgré tous les efforts des spirites, des visionnaires, des amateurs de fantômes, des faiseurs de miracles et même de nos actuels mécréants de croyants, résiduels ou par inertie même s'ils sont encore des millions... ; toute cette longue expérience nous a obligés à savoir, au cours des siècles, peut-être au plus profond de nous-mêmes et sans nous le dire, que les seuls qui ne possèdent pas la langue et ne parlent ni ne racontent ni ne s'expriment jamais ce sont eux, les morts. » Peter se tut et baissa de nouveau les yeux, et ajouta aussitôt sans les lever : « Et donc nous aussi, quand nous grossirons leurs rangs. Mais alors seulement, et pas avant. »

Il resta ainsi, à regarder l'herbe. Il semblait attendre que je fasse des commentaires, ou que je lui pose une question. Mais je ne savais pas laquelle, laquelle il voulait ou me demandait en silence, ou s'il en avait vraiment besoin d'une. Et c'est ainsi que je ne sus que murmurer ce qui me vint à l'esprit, et je le murmurai dans ma langue, qui n'est pas celle dans laquelle ces mots furent écrits, mais la seule dans laquelle je les connaissais :

« Étrange de ne plus pouvoir habiter la terre. Étrange de n'être plus ce qu'on était et de devoir se défaire même de son nom. Étrange de ne plus désirer de désirs. Et pénible la besogne d'être mort. »

Mais par bonheur, je suppose, Wheeler n'y fit pas davantage attention.

« Ils ne nous parlent qu'en rêve, c'est vrai », continua-t-il alors, comme si ces demi-vers qu'il n'avait pas relevés avaient cependant réactivé en lui un ressort. « Et nous les entendons si clairement, et leur présence y est si vive, que tant que dure notre sommeil il nous semble que ce sont ces personnes avec qui il n'est pas possible d'échanger une phrase ou un regard quand nous sommes éveillés, ni d'établir un contact, qui en effet nous racontent et nous écoutent et même nous réjouissent l'âme avec leurs rires regrettés, semblables à ceux qu'ils avaient durant leur vie et sur cette terre : ce sont les mêmes, ces rires ; nous les reconnaissons sans hésiter. C'est très étrange, bien sûr ; inexplicable, si tu m'obliges à le dire, l'un des rares mystères encore intacts pour nous. Mais ce qui ne fait aucun doute, au moins pour les rationalistes comme toi et moi, et comme l'était Toby et l'est également Tupra, c'est que ces voix et leurs mots nouveaux sont en nous-mêmes et non pas au-dehors, où que ce soit. Ils sont dans notre imagination et dans notre mémoire. Disons-le ainsi : c'est la mémoire qui imagine, et qui pour une fois ne fait pas que se souvenir, ou qui le fait de façon impure et mélangée. C'est dans *nos* rêves qu'ils sont, ces morts ; c'est nous qui les rêvons, c'est notre conscience endormie qui les fait venir et personne d'autre ne peut les entendre. Le fait ressemble davantage à une incarnation, à une supplantation, à une personnification de notre part » (en réalité, Wheeler n'avait employé qu'un seul terme en anglais : « *impersonation* ») « qu'à de prétendus visites ou avertissements d'outre-tombe. Ce mécanisme ne nous est pas tout à fait inconnu, à l'état de veille je veux dire. Il arrive qu'on aime tellement quelqu'un qu'il ne nous est pas trop difficile de voir le monde avec ses yeux et de sentir ce qu'il ressent, aussi loin qu'il est possible de reconnaître les sentiments d'autrui. Prévoir cette personne, l'anticiper. Se mettre à sa place, littéralement. C'est pour cela que cette expression existe, et aucune ou presque n'est vaine dans les langues. Et si nous faisons ça quand nous sommes éveillés, il n'est pas si étrange que ces fusions ou conversions ou juxtapositions interviennent quand nous dormons, ou qu'elles soient presque des métamorphoses. Souviens-toi du sonnet de Milton, tu le connais ? Il y a déjà quelque temps que Milton est aveugle quand il l'écrit, une nuit il rêve de sa femme Catherine, qui est morte, et il la voit et l'entend parfaitement dans cette dimension, celle du rêve, qui accueille et tolère si bien la narration poétique. Et il y récupère triplement la vision : la sienne, comme faculté et sens ; l'impossible image de sa femme, car non seulement lui, mais personne ne peut la voir dans le temps présent, elle s'est effacée de la terre; et surtout son visage et sa silhouette, dont il ne peut se souvenir mais qu'il imagine, nouveaux et jamais vus encore, parce qu'il ne l'avait jamais contemplée quand elle vivait autrement qu'en esprit et par le toucher, c'était son second mariage et il était déjà aveugle quand il l'avait épousée. Et comme elle se penche pour l'enlacer dans son rêve, alors *"I wak'd, she fled, and day brought back my night"*, c'est ainsi qu'il termine.» («Je me réveillai, elle s'évanouit, et le jour me rendit ma nuit.») «Avec les morts on revient toujours à la nuit, et on n'entend que leur silence, et jamais on n'obtient de réponse. Non, ils ne parlent pas, et ce sont les seuls; et ils sont aussi la majorité, si nous comptons tous ceux qui ont traversé ce monde avant de le laisser derrière eux. Même s'il ne fait pas de doute qu'ils parlaient tous, pendant leur séjour.» Wheeler toucha de nouveau les vignettes, il leur donna des petits coups avec l'index, en les montrant avec véhémence comme si elles étaient plus que ce qu'elles étaient. «Te rends-tu bien compte, Jacobo, de ce que ça signifie? On demandait aux citoyens de se taire, de rester bouche cousue, de clore soigneusement le bec, de s'abstenir de toute conversation imprudente et même de celles qui ne semblaient pas l'être. On leur fit peur à tous, y compris aux enfants. Peur d'eux-mêmes et de se trahir, et bien entendu peur de l'autre, jusqu'à celui qui était le plus cher et le plus proche et le plus digne de confiance. Alors je ne sais pas si tu t'en rends compte, mais ce qu'on leur demandait avec ces consignes, ce n'était pas seulement de renoncer à l'air, mais ce faisant de s'assimiler aux morts. Et ce de plus en un temps où nous arrivaient chaque jour des nouvelles de tant de nouveaux morts, ceux des innombrables fronts répartis sur la moitié du globe, ou qu'on voyait ici même dans le quartier, dans sa propre rue, victimes des bombardements nocturnes et alors que n'importe qui pouvait être le suivant. Ces morts ne suffisaient-ils pas? Le silence définitif et irréversible imposé à tant de personnes, pour que nous qui étions encore vivants nous devions en plus les imiter et devenir muets avant l'heure, ne suffisait-il pas ? Comment pouvait-on demander ça à tout un pays ou à quiconque, pas même à un individu isolé ? Si tu observes ces vignettes (et il y en eut davantage), tu verras que personne n'était exclu, aussi insignifiant pût-il paraître. Que pouvaient savoir d'intéressant ou de dangereux, par exemple, ces deux dames qui sont dans le métro et qui parlent probablement de leurs petits chapeaux ou de leur quotidien le plus inoffensif ? Ah, elles pouvaient avoir sous les drapeaux un mari, un frère, un fils, en fait c'était le plus courant, et même si ces hommes, déjà avertis, ne leur racontaient pas grand-chose, elles pouvaient être au courant de faits d'une importance utilisable, comment dire : sans savoir qu'elles les connaissaient ou en ignorant qu'ils étaient importants. Tout le monde peut savoir quelque chose, jusqu'au plus misanthrope des mendiants à qui personne ne parle, non seulement en temps de guerre mais toujours, et même si la plupart des gens n'ont pas conscience de la valeur de ce qu'ils savent. Et moins on est conscient, plus on devient dangereux. Cela a l'air d'une exagération, mais en fait personne n'est à l'abri de déchaîner des calamités, des désastres, des crimes, des malentendus tragiques et des vengeances simplement pour avoir parlé, innocemment, librement. Il est toujours possible et même facile de *s'en aller de la langue*, quelle belle expression, à la fois ample et précise, vous avez en espagnol, qui couvre autant l'intentionnalité que le caractère involontaire de la chose. » Et Wheeler avait clairement dit ces mots dans ma langue. « À toute époque et en toutes circonstances, personne n'est à l'abri de cela. Et n'oublie pas ceci non plus : il y a un temps pour tout croire, jusqu'aux choses les plus invraisemblables et les plus anodines, les plus incroyables et les plus bêtes. »

Wheeler leva de nouveau les yeux, comme s'il avait entendu avant moi ce que j'avais entendu moi-même au bout de quelques secondes, un bruit de moteur en l'air et aussi un bruit d'hélice, peut-être s'était-il habitué à percevoir le moindre son ou la moindre vibration aérienne pendant la guerre ou ses guerres, avant même qu'il soit audible, je suppose qu'on apprend aussi à pressentir les pressentiments. Nous vîmes alors surgir au-dessus des arbres un hélicoptère qui volait très bas, c'était une vision étrange dans le ciel d'Oxford et plus encore un jour de fête, un de ces dimanches exilés de l'infini, peut-être célébrait-on une cérémonie académique en présence du Premier ministre ou d'un autre fonctionnaire de haut rang ou de quelque individu de la dense hiérarchie monarchique (le duc et la duchesse de Kent tendent à se multiplier, avec une aide surnaturelle, dit-on) et que nous n'étions pas au courant, Wheeler était tellement retraité désormais que les autorités universitaires oubliaient un peu plus chaque année de l'inviter à leurs fastes. Les Premiers ministres britanniques ont traditionnellement montré de l'attachement pour notre université, je me souvenais encore du jour où, à l'époque où j'enseignais, les membres de la congrégation avaient refusé le doctorat *honoris causa* à Mrs Thatcher (rancunière, cette Margaret Hilda) alors qu'elle n'était encore que madame et non baronne ni lady. Elle avait fait ses études en ses murs et était alors au pouvoir, mais cela ne lui avait pas servi à grand-chose. J'avais momentanément droit de vote et j'avais uni le mien avec angoisse et plaisir à celui de la majorité du refus. Cette femme avait mal encaissé pareil camouflet, et elle avait donné par la suite l'impression de se venger par des restrictions et des lois préjudiciables à l'université et pas seulement à la nôtre, mais ce fut la première Premier ministre à qui fut refusé ce titre, qui de fait avait été accordé à tous ses prédécesseurs ou presque, sans opposition ou presque, simple formalité, disons même gratuitement.

En un instant le bruit des ailes devint insupportable, Peter porta les mains à ses oreilles en même temps qu'il clignait fortement des yeux, comme si le fracas denté — une crécelle géante — blessait aussi sa vision, si bien qu'il ne put empêcher les vignettes de s'envoler à cause des turbulences de l'air. Il ne les vit même pas. J'essayai d'arrêter toutes celles que je pus avec les mains, très peu. L'hélicoptère se mit à passer et repasser, comme si nous étions l'objet de sa surveillance, peut-être que le pilote s'amusait de voir un vieil homme effrayé, et celui qui lui tenait compagnie courir après des petits papiers farouches qui fuyaient vers la rivière. Je dus plonger en avant dans l'herbe (pas une seule fois, ni même deux) pour en freiner et rattraper le plus possible avant qu'elles tombent à l'eau, pendant que l'hélicoptère nous rasait pour faire ce que je pris pour une farce pendant que je me lançais de la sorte, je me trompais peut-être. Puis il s'éloigna et disparut en quelques secondes, comme il était venu.

Quelques vignettes volaient encore, surtout celle qui était faite de papier journal et qui par conséquent était la plus légère, intitulée « Information à l'ennemi » de Fraser, je craignis qu'elle ne s'émiette comme un papyrus (il avait soixante longues années, ce morceau), en plus de se mouiller. Je courais derrière elles quand je vis que Wheeler avait enfin rouvert les yeux et les oreilles, et — ses mains de nouveau libres — il levait maintenant un bras jusqu'à son front — ou son poignet à sa tempe —, comme s'il avait très mal ou s'il vérifiait s'il avait de la fièvre, ou alors était-ce un geste de cauchemar. Et je vis son autre bras tendu, et montrant de l'index comme il l'avait fait la veille au soir quand il n'avait pu sortir un mot et que j'avais dû le deviner, ou le subodorer. J'aurais pensé qu'il ne s'agissait de nouveau que de cela, d'une aphasie momentanée, si elle n'avait pas été précédée par le vol de l'hélicoptère et par la surdité et la cécité recherchées de Peter quand l'hélice nous assourdissait, je l'avais vu, comment dire, sans défense et désemparé, et peut-être même bouleversé. Je m'approchai de lui, rempli de crainte, et donc j'abandonnai les petits papiers, la chasse à ceux restés rebelles :

« Peter, vous vous sentez mal, quelque chose ne va pas ? »
Il fit non de la tête et continua à montrer avec une expression alarmée la rive de la paisible Cherwell, je n'eus pas besoin cette fois d'approximations : « *The cartoon* ? » demandai-je, et il acquiesça aussitôt bien que je me sois trompé de terme, me semble-t-il, c'était la vignette authentique qui le préoccupait,

il s'était rendu compte du risque dès qu'il avait rouvert les yeux après son moment de peur ou son souvenir éclair, mais pas avant ; je courus donc de nouveau, sautai, retombai, la saisis avec deux doigts, intacte, au bord des eaux calmes, je devais ressembler à un joueur de cricket, ceux qui s'envolent et se jettent sur la pelouse, ce jeu tellement anglais que je ne comprends pas, ou à un gardien de but en train de se détendre, dans cet autre jeu plus tellement anglais quant à lui et que je comprends parfaitement. L'air était serein maintenant, je ramassai encore deux ou trois papiers qui traînaient, ils étaient tous saufs, aucun ne s'était perdu, ni mouillé, quelques-uns étaient simplement froissés. « Tenez, Peter, je crois qu'ils sont tous là, ils ne sont pratiquement pas abîmés, il me semble », lui dis-je tout en lissant certains d'entre eux. Mais Wheeler ne pouvait pas encore prononcer ces mots, et il tendit son index vers moi à plusieurs reprises, comme vers un héritier ou un destinataire, je compris que ces vignettes étaient pour moi, il me les donnait. Il ouvrit sa chemise et les y rangea, sauf celle de Fraser, qui n'était pas une reproduction mais une coupure originale, car il leva son index pour m'arrêter comme j'allai la déposer avec les autres, et sitôt après il toucha sa poitrine avec son pouce. « Pas celle-là, celle-là est pour moi », disait ce geste. « Celle-là, vous la gardez ? » voulus-je l'aider. Il fit oui de la tête, la mit à part. C'était étrange qu'il soit brusquement privé de la parole, juste au moment où il était en train de parler des rares ou nombreuses personnes — selon le point de vue — qui étaient comme cela, privées de parole. La veille au soir, quand le mot « coussin » avait refusé de sortir, il m'avait ensuite expliqué, lorsqu'il avait récupéré sa voix ou son aisance : « Cela m'arrive de temps en temps. Cela ne dure qu'un instant, comme si ma volonté se retirait. » Et c'est alors qu'il avait utilisé ce mot savant peu fréquent, pas tant en anglais que dans ma langue : « C'est comme une annonce, ou une prescience... », sans pouvoir finir sa phrase, pas même quand un peu plus tard j'avais insisté pour qu'il le fasse ; il m'avait alors répondu : « Ne demande pas ce que tu sais déjà, Jacobo, ce n'est pas ton genre. » La prescience, c'était la connaissance des choses futures, ou la notion préalable et sûre des événements. Je ne sais pas si cela existe, mais il arrive aussi qu'on nomme ce qui n'existe pas, et c'est alors que naît l'incertitude. Je n'avais plus aucun doute maintenant sur la fin de sa phrase, je m'étais interrogé à ce propos ou je l'avais devinée la veille, et aujourd'hui j'avais la réponse sûre, même s'il ne me l'avait pas donnée : « C'est comme une annonce, ou une prescience de ce que c'est qu'être mort. » Et il aurait peut-être pu ajouter : « C'est ne pas parler, même si on le veut. Sauf qu'en plus on ne veut plus rien, la volonté s'est retirée. Il n'y a pas de vouloir ni de pas vouloir, l'un et l'autre ont disparu. » Je regardais vers la maison, Mme Berry avait ouvert une fenêtre du rez-de-chaussée et nous faisait signe, bras levé. Elle s'y était peut-être penchée dès qu'elle avait entendu le vacarme de l'hélice harcelante et avait été témoin de mes courses et de mes plongeons sans que nous nous en soyons aperçus. J'élevai la voix, pour lui demander : « C'est l'heure de déjeuner ? » en accompagnant mon cri d'un geste de la main à la hauteur de ma bouche plutôt absurde, comme celui de quelqu'un qui enroule des spaghetti autour de sa fourchette. Je ne pense pas qu'elle m'ait entendu, mais elle me comprit. Elle fit non de la main, puis la laissa un moment en position d'attente, comme pour me dire « Non, pas encore », puis elle montra Peter avec un geste d'inquiétude, ou de doute, « Il va bien ? », telle était la traduction dudit geste. Je fis plusieurs fois oui de la tête, et la rassurai. Elle leva les deux mains en même temps, comme si on la menaçait d'une arme, « Ah, bon », puis referma la fenêtre et disparut à l'intérieur. C'est alors que Wheeler recouvra la parole :

« Oui, celle-là, je la garde, je t'en ferai une copie si tu la veux, dit-il en parlant du dessin de Fraser. Les autres, tu peux les prendre, j'en ai des doubles, ou de meilleures reproductions dans des livres ; j'ai aussi un ou deux autres originaux. J'aime particulièrement celle avec la grosse araignée gammée. Fichu hélicoptère, ajouta-t-il sans pause et l'air contrarié, qu'est-ce qu'il pouvait bien chercher ici, c'est une zone de savoir. J'espère qu'il ne reviendra plus nous décoiffer, tu n'aurais pas un peigne sur toi ? Vous autres Latins, vous en avez un, généralement. » Les cheveux de Wheeler ressemblaient, en effet, à de l'écume rageuse au sommet d'une vague, et je sentais que les miens étaient comme si on en avait fait des nœuds. « Que voulait Mrs Berry ? », il enchaîna également ces mots sans faire de pause. Il l'avait de nouveau appelée comme quand il y avait du monde. Il se remettait et devait s'y forcer ; ou bien était-ce l'habitude de la dissimulation. « Elle nous demandait de venir à table, déjà ? » Il regarda sa montre sans s'arrêter à la regarder, il essayait de sortir de son émotion sans que je fasse de commentaire, bien qu'il sût fort bien que je ne le lâcherais pas sans faire au moins une tentative.

« Non, ce n'est pas encore prêt. Je suppose que le bruit lui a fait peur, elle ne savait pas ce que c'était », répondis-je, et j'ajoutai sans faire de pause à mon tour : « Vous avez de nouveau avalé votre voix, Peter. Hier soir vous m'avez dit que ça ne vous arrivait que de temps en temps. Mais cela fait déjà deux fois ce week-end.

— Bah, répondit-il en se défilant, c'était un hasard, de la malchance, ce maudit hélicoptère. Ils sont assourdissants, celui-ci, on aurait presque dit un vieux Sikorsky H-5, rien que son bruit provoquait la panique. Et c'est aussi que je parle beaucoup, avec toi je parle trop et je finis par m'en ressentir, je n'en ai plus l'habitude. Tu me laisses parler, tu me laisses parler, tu prends un air intéressé et je t'en suis très reconnaissant, mais tu devrais me couper plus souvent, m'obliger à aller plus vite au fait. Je suis un peu seul ici à Oxford, ces derniers temps, j'imagine, et avec Mrs Berry, nous avons vite fait le tour de ce dont nous pouvons parler, ou de ce dont elle veut que nous parlions. Ne crois pas que je reçoive beaucoup de visites. Bien des gens que je connaissais sont morts, d'autres sont partis pour l'Amérique sitôt retraités et ils y vivent en parasites, moi je n'ai pas voulu, ils se contentent d'attendre en prenant le soleil autant qu'ils peuvent, ils se permettent des bermudas, prennent goût à travers la télévision à ce football qu'on joue là-bas avec tous ces postiches et ces casques, se préoccupent de leurs intestins et ne se nourrissent plus que de brocolis, rôdent dans la bibliothèque et sur le campus où ils ont atterri, acceptent que leurs départements les exhibent de loin en loin comme de prestigieuses momies d'outre-mer ou comme des trophées fanés de vagues temps héroïques, dont personne là-bas ne sait en quoi ils ont consisté. En somme, comme antiquités, c'est on ne peut plus déprimant. Oui, j'aime bien parler avec toi. Les Anglais fuient tout ce qui n'est pas anecdote, notion, fait et apostille ou glose ironique ; la spéculation leur déplaît, le raisonnement est pour eux superflu : tout ce qui m'amuse le plus, moi. Oui, j'aime bien parler avec toi. Tu devrais venir plus souvent : après tout, tu es très seul à Londres. Même si, peut-être, tu le seras bientôt un peu moins. Il faut encore que je te propose quelque chose, et que je te demande la faveur d'accepter sans trop réfléchir ni me poser trop de questions. Tu ne perdras d'ailleurs pas un temps que tu tiens déjà pour perdu, celui des convalescences sentimentales se remplit avec n'importe quoi, le contenu est vraiment ce qui importe le moins, avec ce qu'on a sous la main et qui peut le mieux aider à le faire passer, on n'est pas très exigeant, n'est-ce pas ? Et plus tard c'est à peine si on s'en souvient, de ces périodes, ni de ce qu'on a pu faire alors, comme si tout était permis, on se justifie beaucoup par le désarroi et la souffrance ; c'est comme si elles n'avaient pas existé et qu'à leur place il y avait un blanc. Et aussi un vide de responsabilités, "Vous savez ? Je n'étais pas moi-même à l'époque". Oh oui, la souffrance a toujours été notre meilleur alibi, celui qui feint le mieux de nous disculper de tout acte commis. Je veux dire nous les hommes, le meilleur alibi du genre humain, des individus et des nations. »

Il avait dit tout cela sans en avoir l'air, mais je n'avais pu m'empêcher d'éprouver un semblant d'émotion et un autre de fierté, en fin de compte je pensais que je le distrayais et que je lui étais sympathique, et peut-être que je le flattais parfois, qu'il me supportait sans effort, mais jamais plus que cela. Il avait toujours beaucoup de choses à raconter et à argumenter, même s'il ne racontait jamais qu'au compte-gouttes ; sa conversation était un enseignement pour moi, elle m'instruisait et me suggérait des idées ou renouvelait les miennes, pour ne pas dire qu'elle me captivait. Je ne lui offrais pas grand-chose en échange, je crois, surtout une compagnie et des oreilles attentives, mon air intéressé n'était pas feint. Rylands me l'avait laissé en héritage et de plus voilà que c'était son frère. Peter me regardait peut-être avec ces yeux bienveillants et affectueux parce qu'il me voyait en partie de son côté, comme un héritage de Toby, même si je ne pouvais pas être une figure de remplacement de celui-ci, comme Wheeler en revanche l'était de Rylands pour moi. Il me manquait quelques années, un passé commun, de la finesse, de la connaissance, du mystère. Je me troublai légèrement, ne sus pas quoi répondre, alors je pris dans la poche intérieure de ma veste le peigne latin qu'il m'avait demandé.

« Tenez, Peter, dis-je, un petit peigne. » Il le regarda un moment d'un air perplexe, il devait avoir oublié qu'il en avait besoin. Puis il le prit prudemment, l'examina à contre-jour (il était propre) et se recoiffa du mieux qu'il put, ce n'est pas très facile sans miroir et avec un peigne de poche. Le résultat fut probant pour le sommet de son crâne, moins pour les côtés, le vent aéronautique avait projeté ses cheveux en avant et ils lui envahissaient les tempes, rebelles, ce qui accentuait encore son air romain. « Vous permettez ? » dis-je. Il me rendit mon peigne sans crainte, de trois ou quatre mouvements rapides je domptai tout à fait ses cheveux sur les côtés. J'espérai que Mme Berry ne nous observait pas, elle m'aurait pris pour un coiffeur fou frustré.

« Il vaudrait mieux que tu arranges aussi un peu les tiens », dit Wheeler en regardant mon visage d'un œil critique et presque dégoûté, comme si j'avais un perroquet sur la tête. « Et je ne sais pas comment tu as fait ton compte, mais tu t'es complètement taché avec l'herbe. Tu ne t'en es même pas aperçu », et il me signala le devant de ma chemise claire, montrant par là qu'il ne faisait pas le lien entre mes deux ou trois taches vertes et le sauvetage de ses vignettes. Avec ma soirée de fête et d'étude et mes petits verres, mon manque de sommeil, mon rasage rapide et mes avatars au grand air, je devais avoir l'air d'un clochard au bout du rouleau ou un mafieux en disgrâce et tombé au plus bas. Ma veste et mon pantalon s'étaient froissés quand j'avais roulé sur la pelouse. « C'est quelque chose, ajouta Wheeler, pire qu'un gamin. » Il me mettait probablement en boîte, ce qui le remontait aussi. Je passai deux doigts sur mon peigne (geste machinal) puis démêlai mes cheveux, au petit bonheur. Quand j'eus fini, je les soumis à son appréciation :

« C'est bien comme ça ? et je lui montrai, théâtralement, mes deux profils.

— Ça peut passer », dit-il après avoir jeté sur moi un coup d'œil condescendant, comme un supérieur qui inspecte à la hâte le casque de son soldat. Puis il retourna à l'endroit où il se trouvait juste avant l'attaque aérienne, il ne perdait jamais le fil sauf s'il le décidait. En dépit de ses nombreux détours, méandres, déviations, il terminait ses trajets. « Qu'est-il arrivé avec cette campagne ? » Sa question était toute rhétorique. « Elle a globalement échoué, comme de juste. Elle y était condamnée dès sa naissance, immanquablement. Bon, elle a servi à quelque chose, bien sûr, et assurément ce n'était pas rien : les gens prirent conscience du danger qu'il y avait à trop parler, la plupart n'y avaient même pas pensé. Elle eut sans aucun doute de l'effet sur bien des troupes et c'était le principal, vu qu'elles étaient les mieux informées et les plus exposées à subir les conséquences des distractions et des excès verbaux. Et il va de soi que les cadres, politiques et militaires, se conduisirent avec la plus grande prudence. L'habitude de communiquer en code se développa, ou par de simples doubles sens et des transpositions sémantiques, avec des synecdoques et des métalepses improvisées et du cru de chacun, et ce fut quelque chose de spontané dans toute la population, selon la situation et les possibilités des uns et des autres. On créa, on implanta la suggestion que n'importe qui pouvait écouter dans une intention ennemie. Oui, on peut dire (et cela fut déjà insolite et admirable en soi) qu'on acquit une conscience pleine et collective, pour transitoire qu'elle ait été, de ce qui est illustré par la vignette du marin et de la fille et par la séquence qui suivait : que nos paroles, une fois émises, deviennent absolument incontrôlables. C'est ce qui cesse le plus certainement de nous appartenir, beaucoup plus que nos actes qui, pour ainsi dire, restent en nous, bons ou mauvais, sans qu'une autre personne puisse se les approprier autrement que dans les cas flagrants d'usurpation ou d'imposture, qu'il faut toujours dénoncer, faire avorter, battre en brèche, démasquer, même tardivement.» Wheeler avait dit « battre en brèche » dans ma langue. De même pour « comme de juste » et « du cru de chacun », il aimait faire étalage de sa connaissance de la langue familière et de la langue littéraire, en espagnol, en portugais ou en français, je suppose, il connaissait à fond ces trois langues et peut-être d'autres encore, il avait au moins des notions d'hindi, d'allemand et de russe, à ce que je savais. « Rien ne se donne autant ni aussi complètement que les paroles. On les prononce et à l'instant on s'en défait et on les laisse en dépôt, ou plutôt en usufruit, à celui qui les a écoutées. Ce dernier peut y souscrire, pour commencer, ce qui déjà n'est pas agréable parce que dans un certain sens il se les approprie ; ou les réfuter, ce qui ne l'est pas davantage ; mais surtout il peut les transmettre à son tour, et sans limites, en citant ses sources ou en les faisant siennes selon ce qui lui conviendra, en vertu de son honnêteté ou de son désir de nous perdre et de nous dénoncer, cela dépend des circonstances ; et non seulement cela, il peut aussi les enjoliver, les améliorer ou les dégrader, les déformer, les détourner, les sortir de leur contexte, en changer la tonalité, les souligner plus ou moins et leur donner ainsi un sens différent et même aisément à l'opposé de celui qu'elles avaient sur nos lèvres, ou quand nous les avons conçues. Et bien sûr les répéter avec une exactitude absolue, *verbatim*. C'était ce qu'on craignait le plus pendant la guerre, et c'est pour cette raison que nombreux étaient ceux qui essayaient de ne parler qu'à demi-mot, de façon métaphorique ou nébuleuse, avec des imprécisions volontaires ou directement dans des langages secrets. Bien des gens apprirent à dire sans dire, et s'y habituèrent.

— Il s'est passé quelque chose comme ça pendant la dictature de Franco en Espagne, pour tromper la censure », dis-je ; Wheeler m'avait invité à l'interrompre plus souvent : « Beaucoup de gens se sont mis à parler et à écrire de façon symbolique, allusive, parabolique ou abstraite. Il fallait se faire comprendre dans l'occultation délibérée de ce qu'on disait. Un non-sens : se camoufler, se voiler, et même ainsi, malgré tout, prétendre être reconnu et que soient captés les messages les plus diffus, cryptés et confus. Les gens n'ont pas la patience qu'il faut pour les travaux de décodage. Trop longtemps, cela donna l'impression de ne pas être transitoire mais définitif. Certains ne purent en perdre l'habitude ensuite, et c'est alors qu'ils devinrent muets. »

Wheeler m'écouta, et je pensai que s'il s'intéressait à ce que je disais il pourrait de nouveau s'écarter de son chemin. Mais il semblait maintenant résolu à le poursuivre, à son pas mesuré cependant :

« "Beaucoup apprirent à dire sans dire", il répéta cette phrase ; mais ce que personne ou presque n'apprit c'est à ne pas dire, à se taire, qui était ce qu'on demandait et ce qui convenait. C'était normal, c'est naturel : c'est là un apprentissage impossible pour le commun ou le gros des mortels, n'en doute pas, c'est trop exiger d'eux, c'est aller contre leur propre essence, et c'est pourquoi cette campagne devait aboutir à un échec plus que partiel. C'est comme si on avait dit aux gens : "Eh bien, non seulement vous devez supporter la rareté de toute chose et la pénurie et le rationnement, et subir les bombardements de l'aviation ennemie sans savoir à qui ce sera le tour de ne pas se réveiller demain matin ou cette nuit peut-être, pas même avec le hurlement des sirènes, et de voir sa maison incendiée ou n'être plus que décombres en un instant, après les éclairs et le fracas, et de s'enterrer des heures durant dans la profondeur des abris pour ne pas s'embraser dans des rues qui ont encore l'air d'être celles de toujours, et de subir la perte de son mari et de ses fils ou en tout cas leur absence et l'angoisse mortifère en ce qui concerne quotidiennement leur survie ou leur mort, et de monter dans des avions pour qu'ils soient mitraillés dans leur bataille avec l'air tandis que l'ennemi cherche férocement à les abattre, et de sombrer dans des sous-marins et des destroyers et des cuirassés dans des eaux lointaines et flambantes, et de s'asphyxier ou de brûler à l'intérieur d'un tank, et de se lancer en parachute au-dessus de territoires occupés et de recevoir le feu des batteries ou d'être poursuivi par les chiens s'il parvient à mettre un pied sauf sur terre, et d'exploser en morceaux s'il a la malchance toujours possible d'être atteint par un obus ou une grenade, et d'affronter torture et bourreau s'il est habillé en civil pour remplir sa mission et qu'il est capturé en un pays interdit, et de combattre corps à corps au front, baïonnette au fusil, dans les champs, dans les bois, dans les forêts, dans les marais, les glaces et les déserts, et de faire éclater la tête du jeune type qu'il aperçoit avec le casque et l'uniforme détestés, et d'ignorer jour après jour et nuit après nuit s'il perdra cette guerre et n'aura finalement servi qu'à devenir un cadavre oublié ou un prisonnier perpétuel ou l'esclave de ses vainqueurs, et d'avoir terriblement froid et faim et soif et chaud et d'étouffer et surtout d'avoir peur, de mourir de peur comme tout le monde, une épouvante continuelle à laquelle il finira par s'habituer même si cela fait des années qu'il subit ce sort et si cette habitude ne vient jamais... Oui, ajouta Peter après avoir freiné brutalement et fait une brève pause puis repris son souffle, profondément, c'est comme si on disait aux gens : "Eh bien, en plus de tout ça, vous devez vous taire. Ne parlez plus, ne racontez plus, ne plaisantez plus, ne posez plus de questions et répondez moins encore à celles qu'on vous pose, ni à votre femme, ni à votre mari, ni à vos enfants, ni à votre père et en aucun cas à votre mère, ni à votre frère, ni à votre meilleur ami. Et quant à votre amour..., ne murmurez même pas à l'oreille de votre amour, ne lui donnez aucune explication, que ce soient des vérités ou des douceurs ou des mensonges, ne lui dites pas au revoir, et ne lui donnez même pas la consolation de votre voix et de votre parole, ne lui laissez pas en souvenir ne serait-ce que la rumeur des dernières fausses promesses que nous faisons toujours en disant au revoir." » Wheeler s'arrêta et se perdit brusquement dans ses pensées, il se tapotait le menton avec les jointures de ses doigts, des petits coups très doux, comme s'il se remémorait, pensai-je, comme s'il avait dû vivre ça lui-même, retirer à son amour les mots principaux, ceux qu'on désire entendre et ceux qu'on veut dire, ceux qui ensuite s'oublient si facilement ou se confondent avec d'autres ou sont répétés à d'autres avec la même légèreté et la même allégresse, mais qui à chaque dernier instant semblent si nécessaires, même quand ce sont des douceurs exagérées et par conséquent pas tout à fait sincères, cela n'a pas d'importance, à chaque dernier instant. « Voilà ce que cela devint, ou quasiment. Pas exposé aussi crûment, pas envisagé de cette façon. Mais c'est comme cela que ce fut compris de beaucoup, c'est ainsi que le comprirent et l'assumèrent les plus pessimistes et les plus démoralisés, ceux qui avaient le plus peur, ceux qui étaient le plus abattus et ceux qui étaient déjà vaincus, et en temps de guerre ces gens-là constituent la majorité. Pendant les guerres indécises, bien sûr, celles qu'on a peur de perdre à chaque instant, et avec de bonnes raisons et dont le résultat ne tient toujours qu'à un fil, jour après jour et nuit après nuit tout au long d'années éternelles, celles qui sont vraiment à la vie à la mort, qui tendent à l'extermination totale ou à une survie malmenée et souillée. N'en font pas partie, c'est certain, toutes ces guerres plus récentes, celle d'Afghanistan, du Kosovo ou du Golfe, ni celle des Falklands, quelle farce. Ou des Malouines, comme tu voudras, il aurait fallu que tu voies comme les gens se sont pathétiquement enflammés ici, je veux dire devant leurs téléviseurs, ce fut très pénible pour moi. Dans ces guerres d'aujourd'hui il y a abondance de gens euphoriques, qui se réjouissent d'y assister de leurs fauteuils, à la maison. Euphoriquement, oui. Les imbéciles. Les criminels. Je ne sais pas. Mais à l'époque c'était trop demander, tu ne crois pas ? Que les gens supportent tout et qu'en plus ils gardent le silence sur ce qui les tourmentait sans une seule heure de trêve. Il y avait assez des innombrables morts pour se taire. »

« Et vous-même, vous l'avez gardé, le silence ? lui demandai-je. La campagne a-t-elle eu de l'effet sur vous ?

— Bien sûr. Sur moi et sur la plupart des gens. En théorie, crois-le bien, très nombreux furent ceux qui suivirent ses recommandations au pied de la lettre. Et pas seulement dans la théorie, mais dans la mémoire collective. Je dis qu'elle a globalement échoué et qu'il devait en être ainsi, mais si tu interroges d'autres personnes qui ont vécu cette époque, ou ceux qui en ont entendu parler de première main, ou si tu consultes les références au *careless talk* dans certains livres, d'histoire, de sociologie ou de ce mélange des deux qu'on appelle prétentieusement aujourd'hui microhistoire, tu t'apercevras que la version établie, et même les souvenirs personnels sincères de tout cela, coïncident pour affirmer et croire que cette campagne fut un grand succès. Et ce n'est pas qu'ils mentent en conscience et d'un commun accord ni qu'ils se trompent massivement, mais que l'effet réel de quelque chose de ce genre est très difficilement vérifiable et mesurable (comment savoir combien de catastrophes déclencha l'imprudence ou combien en évita la discrétion absolue ?), et quand les guerres finissent par être gagnées (et à plus forte raison quand tout est contre vous), il est facile, inévitable presque, de penser rétrospectivement que tous les efforts fournis furent pleins d'abnégation, vitaux et héroïques, et que nous avons tous contribué à la victoire. Puisque nous avons passé de si mauvais moments et que l'incertitude nous a tellement dévorés, racontons-nous au moins le conte qui soulagera le mieux notre deuil et compensera nos souffrances. Oh oui, je pense bien, il y eut des millions de Britanniques bien intentionnés qui prirent très au sérieux les avis et les consignes, et qui crurent les appliquer scrupuleusement dans la pratique : c'est ce qu'ils crurent dans leurs consciences, et certains les observèrent réellement, surtout les troupes et les fonctionnaires et les diplomates, comme je te l'ai dit. Et moi-même, bien sûr, mais sans aucun mérite : n'oublie pas qu'entre 1942 et 1946 je ne suis resté en Angleterre que par périodes jamais très longues, quand je venais en permission ou avec quelque mission spécifique pour laquelle je ne m'attardais généralement pas, mon lieu principal était loin, mon poste trop variable. Comme tu l'as lu dans le *Who's Who*, j'ai été dans des endroits très divers durant ces années-là, et dans des fonctions qui entraînaient ou impliquaient le secret, la discrétion, la prudence, la simulation, la tromperie, la trahison s'il le fallait (obligatoirement), et bien sûr le silence. Je bénéficiais d'un avantage, il ne me coûtait rien d'observer rigoureusement ce dernier. Bien plus, peut-être parce que j'étais toujours en alerte, où qu'on m'envoyât, je percevais plus facilement ce qui arrivait en général aux gens, ici en Angleterre, à l'arrière. Cette campagne fut aussi une terrible tentation, comment dire, pour la population tout entière : tellement énorme qu'on ne s'en doutait pas, aussi irrésistible qu'inconsciente, aussi imprévue que sibylline.

— De quoi voulez-vous parler, Peter ? Je ne comprends pas.

— Les citoyens, Jacobo, ceux de n'importe quelle nation, dans leur immense majorité, n'ont normalement rien à raconter qui ait une véritable valeur pour qui que ce soit. Si tu te mets à réfléchir, le soir, à tout ce que t'ont dit ou raconté pendant la journée les personnes que tu as rencontrées, nombreuses ou non (et leur degré de culture ou de savoir est indifférent), tu verras que très rares sont les occasions où tu auras entendu quelque chose qui ait une vraie valeur, un véritable intérêt, qui soit intelligent, en laissant de côté les détails ou les questions purement pratiques et en incluant, bien entendu, tout ce qui peut t'être parvenu par l'intermédiaire d'un journal, de la télévision ou de la radio (c'est différent si tu l'as lu dans un livre, et encore, ça dépend). Presque tout ce que nous disons et communiquons tous n'est que foutaise, c'est du remplissage, c'est superflu, c'est vulgaire, ennuyeux, interchangeable et rebattu, même si c'est "à nous" et que les gens, comme on le répète aujourd'hui avec une *cursilería* extrême, "éprouvent le besoin de s'exprimer". Rien n'aurait changé ou presque si on n'avait pas exprimé les millions d'opinions, de sentiments, d'idées, de faits et de nouvelles qu'on exprime et rapporte quotidiennement dans le monde. » (Wheeler avait donc eu recours à ma langue pour ce mot, *cursilería*, qui n'a d'équivalent exact dans aucune autre langue, et qu'on rend généralement par *snobisme*. « "C'est en parlant que les gens se comprennent", dites-vous souvent en espagnol. "Il est bon de parler", affirme-t-on en différentes situations et dans différents contextes. Il ne manquait plus que les psychologues et assimilés fourrent cette notion absurde dans la tête des bavards pour que ces derniers laissent encore plus libre cours à ce qui a toujours été leur tendance naturelle. Parler n'est en soi ni bon ni mauvais, et quant à se comprendre en le faisant, bon, c'est tout autant une source de conflits et de malentendus que d'harmonie et de compréhension, d'injustices que de réparations, de guerres que d'armistices, de crimes et de trahisons que de loyautés et d'amours, de condamnations que de salut, d'offenses et de fureurs que de consolations et de soulagements. Parler est en tout cas le plus grand gaspillage de la population tout entière, sans distinction d'âge, de sexe, de classe, de fortune ni de connaissances, le gaspillage par antonomase. Presque personne n'a rien à dire que ses possibles auditeurs puissent vraiment juger appréciable, digne d'attention, ne disons pas d'être acheté, qui donc paie pour ce qui est toujours gratuit sauf à de très rares exceptions, et qui parfois même est obligatoire ? Et pourtant, curieusement, malgré tout, la plupart des gens s'entêtent à parler sans arrêt, et tous les jours par-dessus le marché. C'est étonnant, Jacobo, si on prend la peine d'y réfléchir : les hommes et les femmes expliquent et racontent sans compter et s'expliquent aussi à satiété eux-mêmes, en cherchant quelqu'un qui les écoute ou en imposant leurs discours s'ils le peuvent, le père à ses enfants, le maître à ses disciples, le prêtre à ses paroissiens, le mari à sa femme et la femme à son mari, le commandant à ses troupes et le chef à ses subalternes, le politicien à ses partisans et même à la nation réunie, les télévisions à leurs spectateurs, les écrivains à leurs lecteurs et jusqu'aux chanteurs à leurs adolescents, qui en outre font chorus à leurs refrains, pour plus fort tribut. De même les patients à leurs psychiatres, sauf qu'ici la nature de la relation est révélatrice, il s'agit d'une transaction très claire : encaisse celui qui écoute, paie celui qui parle. Débourse celui qui jacasse, passe à la caisse celui qui débite. » (Et ces quatre derniers verbes furent eux aussi énoncés en espagnol. Je pensai à une de mes amies de Madrid, le docteur García Mallo, très savante psychanalyste : je lui recommanderais d'augmenter ses honoraires sans la moindre mauvaise conscience.) « C'est là une relation exemplaire, elle serait la plus appropriée, au fond, à toutes les situations. Car il n'y a jamais beaucoup de gens pour écouter de bon gré, ils n'y en a pas trop, surtout parce que ceux qui aspirent à la tranchée opposée, à savoir, à parler et donc à être entendus, sont infiniment plus nombreux. En réalité, si tu réfléchis bien, il y a une dispute permanente et universelle pour prendre la parole : en tout lieu fréquenté, privé ou public, il y a des dizaines, sinon des centaines de voix irrépressibles qui luttent pour prévaloir ou se frayer un passage, et le *desideratum* de chacune d'entre elles serait de s'élever au-dessus des autres et de les faire taire : elles essaient de le faire, dans la limite du tolérable. Peu importe que ce soit une rue ou un marché ou le Parlement, la seule différence c'est que dans ce dernier on établit des tours de parole et on enjoint à ceux qui attendent de faire semblant d'écouter ; peu importe que ce soit dans un pub ou à un thé dans une demeure aristocratique, seuls varient l'intensité et le tempo, dans la seconde on procède lentement, on dissimule un moment jusqu'à ce qu'on ait assez de confiance pour s'étendre autant que dans un bar, mais avec un diapason plus bas. Et il suffit de quatre personnes autour d'une table pour que deux au moins se disputent la première voix. J'ai bien fait d'être professeur : pendant de longues années j'ai joui sans lutte de l'énorme privilège de n'être interrompu par personne, ou pas sans mon consentement préalable. Et j'en jouis encore dans mes livres et mes articles. Tel est notre mirage, à nous tous qui écrivons, à savoir croire qu'on ouvre nos volumes et qu'on les parcourt de la première à la dernière page, en retenant son souffle et presque sans pause. Mirage que tous partagent et ont partagé, n'en doute pas, je le sais par expérience, celle d'autrui et la mienne, et à toi il te manque d'en avoir une, que je sache, tu n'imagines pas comme tu as bien fait de ne pas te laisser tenter par l'écriture. Telle est l'idée illusoire de ces romanciers qui lancent plusieurs gros volumes pleins d'aventures et de réflexions démesurées, comme votre Cervantès, Balzac, Tolstoï, Proust, ou ce pénible *Quatuor d'Alexandrie* qui a tellement été à la mode ou notre Tolkien d'Oxford (lui oui, il était sud-africain de naissance, le sais-tu ?), combien de fois l'ai-je croisé à Merton College ou l'ai-je vu prendre quelque chose à *The Eagle & Child* avec Clive Lewis, quand le soir tombait, sans qu'aucun de nous soupçonne ce qui allait arriver avec ses trois livraisons tellement excentriques à l'époque, lui encore moins que nous, ses très sceptiques collègues ; et celle de ces poètes torrentiels qui mettent et concentrent tant de choses dans chacune de leurs trompeuses lignes qui semblent si courtes, comme Rilke et Eliot, ou avant eux Whitman et Milton et encore avant votre grand Manrique ; et celle de ces dramaturges qui prétendent tenir les spectateurs assis pendant quatre heures ou plus, comme Shakespeare lui-même dans *Hamlet* et dans *Henri IV* : bien sûr, à leur époque, la plupart étaient debout et entraient dans le théâtre et en ressortaient comme si de rien n'était et aussi souvent que ça leur chantait ; et aussi celle de ces chroniqueurs et faiseurs de journaux intimes et mémorialistes comme Saint-Simon, Casanova, votre Inca Garcilaso, votre Bernal Díaz ou notre illustre Pepys, qui ne se lassent jamais de noircir des feuillets comme des maniaques ; et celle de ces essayistes comme l'incomparable Montaigne ou comme moi-même (toutes indispensables proportions gardées, je t'en supplie), qui se figurent naïvement, en rédigeant, que quelqu'un aura la miraculeuse patience d'ingurgiter tout ce qu'ils voudront lui sortir sur Henri le Navigateur, imagine un peu, quelle folie, mon dernier livre sur lui a près de cinq cents pages, une impolitesse, un abus. À propos, tu l'as lu ?

— Pas encore, Peter, je vous prie de m'excuser, je le regrette du fond du cœur. J'ai beaucoup de mal à me concentrer sur la lecture ces derniers temps », lui répondis-je, et je ne mentais pas. « Mais quand je m'y mettrai, soyez sans crainte, je le lirai d'un bout à l'autre, en retenant constamment mon souffle et presque d'une traite, j'en suis sûr », ajoutai-je en lui souriant et sur un ton de légère et affectueuse plaisanterie, et il y eut aussi un sourire dans son regard rapide, ses yeux étaient plus jeunes que l'ensemble de sa personne. Je lui demandai ensuite : « Quelle était cette tentation ? Celle que la campagne contre le *careless talk* entraînait avec elle. C'est ce dont vous me parliez, n'est-ce pas, ou alliez le faire ?

— Ah oui. Voilà ce qui me plaît, que tu suives mes instructions et que tu ne me laisses pas la bride sur le cou. » Et sa réponse renfermait elle aussi un peu de gouaille. « Personne ne s'en aperçut au début, mais la tentation était très simple, et pas du tout étonnante, au fond : tu vois, cette population qui n'a en général pas grand-chose d'indispensable ni d'enviable à raconter, on l'informa soudain que sa langue, ses conversations et sa logorrhée naturelle pouvaient constituer un danger, et on lui enjoignit de faire attention à ce qu'elle dirait et à regarder où, quand et devant qui elle le faisait ; on l'avertit que n'importe qui ou presque pouvait être un espion nazi ou quelqu'un de suborné à l'écoute de ses paroles, comme on le voit sur la vignette des deux maîtresses de maison qui sont dans le métro ou sur celle des joueurs de fléchettes. Et cela finit par être, rends-toi compte, comme si on disait aux citoyens : "Dans la majorité des cas, sans que vous le sachiez, de vos lèvres peuvent sortir des choses importantes, cruciales, dont il vaudrait mieux par conséquent qu'elles ne soient jamais proférées, en aucune circonstance. Vous ignorez quoi, mais parmi tous les petits riens que lâchent vos bouches chaque jour, il peut y avoir quelque chose de valeur, et d'une valeur immense pour l'ennemi. À l'inverse de ce qui se passe habituellement, c'est-à-dire le manque d'intérêt général de la plupart des gens pour ce que vous insistez à leur raconter et leur expliquer, il y a probablement parmi nous désormais des oreilles plus qu'intéressées à vous prêter toute l'attention du monde, et même à vous tirer les vers du nez. Ou plutôt, il est sûr qu'il y en a : beaucoup de parachutistes allemands sont tombés sur le sol britannique ces derniers temps, et ils sont tous bien préparés, spécialement entraînés pour nous tromper, ils connaissent notre langue comme s'ils étaient natifs de Manchester, de Cardiff ou d'Édimbourg, et ils connaissent nos coutumes parce que nombre d'entre eux ont vécu ici dans le passé ou sont à moitié anglais, par leur père ou par leur mère, même s'ils ont opté aujourd'hui pour le plus mauvais de leurs deux sangs. Ils atterrissent ou débarquent sans le moindre scrupule et pourvus d'armes et de faux papiers parfaitement imités, et sinon leurs complices d'ici, dans les Îles, leur en procurent très vite, beaucoup d'entre eux sont nos parfaits compatriotes, aussi britanniques que nos aïeux, et ces traîtres sont eux aussi suspendus à vos paroles, pour voir ce qu'ils peuvent attraper et transmettre à leurs chefs bouchers, pour voir si quelque chose nous échappe. Alors ouvrez tous l'œil et le bon : de votre bavardage irresponsable ou de votre silence loyal peut dépendre le sort de notre aviation, de notre flotte, de nos troupes terrestres, de nos prisonniers et de nos espions. Ce n'est peut-être pas entre vos mains, mais sur votre langue que se trouve aussi le sort de cette guerre qui nous a coûté tant de sang, d'efforts, de larmes et de sueur." » (Wheeler avait cité dans l'ordre exact, sans oublier le « *toil* » qu'on omet toujours.) « "Et il serait impardonnable que nous finissions par la perdre à cause d'un faux pas de votre part, d'une imprudence évitable, parce que l'un quelconque d'entre nous aura été incapable de se mordre la langue ou de la tenir." C'est comme ça qu'on voyait les choses, le pays infesté d'agents nazis à l'oreille bien dressée, qui se consacraient à l'écoute indiscrète » (et ici Wheeler employa un verbe anglais difficile à traduire, *"to eavesdrop"*), « non seulement à Londres et dans les grandes villes mais dans les petites et dans les bourgs et bien entendu sur les côtes et jusque dans les campagnes. Pour les quelques Allemands et Autrichiens qui s'étaient exilés ici des années plus tôt, après l'accès au pouvoir d'Hitler, ça ne se passa pas très bien, j'ai entendu parler de Wittgenstein, par exemple, qui était depuis fort longtemps à Cambridge, et j'ai connu le grand acteur Anton Wallbrook et l'écrivain Pressburger et ces magnifiques érudits de l'Art de l'Institut Warburg, Wind, Wittkower, Gombrich, Saxl, et aussi Pevsner, et certains de leurs voisins de toujours commencèrent soudain à se méfier d'eux, les pauvres, c'étaient des citoyens britanniques et ceux qui avaient le plus intérêt, probablement, à la défaite du nazisme. C'est à cette époque qu'on instaura ici pour la première fois un document officiel d'identité, contre notre tradition et notre préférence, pour rendre les choses un peu plus difficiles aux Allemands qui s'infiltraient chez nous. Mais les gens le perdaient, n'ayant pas l'habitude d'en avoir, et le prirent à tel point en aversion que la carte en question fut supprimée plus tard, vers 1951 ou 52, pour apaiser le mécontentement provoqué par son caractère obligatoire. Tupra m'a dit qu'on parle maintenant, dans les hautes sphères, d'introduire de nouveau quelque chose de ce genre avec toutes les autres mesures inquisitoriales, les médiocres qui nous gouvernent avec un esprit tellement totalitaire et à qui les massacres des Tours Jumelles donnent à peu près carte blanche. J'espère qu'ils n'arriveront pas à leurs fins. Ils ont beau s'obstiner, nous ne sommes pas aujourd'hui dans une véritable guerre, ni dans une incertitude et une douleur constantes. Et même si nous ne sommes plus nombreux à avoir participé activement à la Seconde Guerre mondiale, ce qu'au nom de la sécurité, oh prétexte préhistorique, ces imbéciles à la fois pusillanimes et autoritaires se proposent de faire et de nous imposer est pour nous une offense et une tromperie très grave. Nous n'avons pas lutté contre ceux qui voulaient contrôler absolument tous les aspects de la vie des individus pour que nos petits-enfants accordent maintenant une réalité sournoise mais totale aux fantaisies démentes des ennemis que nous avons vaincus. Je ne sais pas, enfin, quoi qu'il en soit je ne le verrai pas longtemps, de toute façon, par bonheur. » Et Wheeler regardait l'herbe de nouveau en murmurant ces expressions superflues, ou peut-être regardait-il les nombreux mégots que j'avais jetés par terre et écrasés sous ma semelle. Cette fois il retrouva le fil tout seul, et aussitôt : « Quel fut le résultat de cette façon de dire tout ça à nos concitoyens de l'époque ? Ils se retrouvèrent dans une situation étrange, peut-être même paradoxale : ils pouvaient posséder des informations de valeur, mais la majorité ignorait si c'était le cas et en quoi elles pouvaient bien consister, dans l'affirmative ; tout comme ils ignoraient pour qui elles pouvaient l'être dans leur entourage, pour quels parents ou connaissances ou simplement pour l'un d'entre eux, ce qui avait pour conséquence qu'ils ne puissent jamais écarter personne comme danger potentiel ; enfin, ils savaient que si ces deux facteurs ou éléments étaient réunis, impossibles à vérifier d'ailleurs — c'est-à-dire la possession inconsciente d'une information de valeur et le voisinage d'un ennemi caché qui puisse la leur arracher ou l'entendre par hasard de leur bouche » — (et ici apparut un autre verbe de la même gamme, sans équivalent exact dans ma langue, « *to overhear* »), leur conjonction pouvait avoir une importance énorme et être la cause de calamités. L'idée que ce qu'on dira, exprimera, commentera, mentionnera ou racontera puisse avoir de l'importance et faire du mal et être convoité par autrui, y compris par le Démon et ses innombrables armées, est irrésistible pour la majorité des gens ; et c'est ainsi que furent réunies et coexistèrent chez la majorité les deux tendances opposées, contradictoires, adverses : l'une, à tout taire, et toujours, jusqu'aux choses les plus anodines et les plus inoffensives, pour chasser toute menace et aussi tout sentiment de faute, ou d'avoir pu commettre une faute effrayante ; l'autre, à tout raconter et tout dire devant tout le monde et en tous lieux (tout ce qu'on savait ou qu'on avait entendu dire, le plus souvent du toc, des insignifiances, rien du tout), pour tenter ainsi l'aventure ou son spectre et faire l'expérience du risque, et aussi du frisson inconnu et nouveau de sa propre importance. À quoi cela sert-il d'avoir quelque chose de valeur si on ne peut le promener et l'exhiber et le frotter aux autres, quelque chose de convoitable si on ne palpe pas la convoitise des autres ou si on ne sent pas au moins sa possibilité et le danger qu'on vous l'arrache, et un secret si on ne le dit et ne le trahit jamais ? Ce n'est qu'ainsi qu'on peut estimer la véritable mesure de son horreur et de son prestige. Tôt ou tard, on se lasse de toujours penser tout seul : "Ah, s'ils savaient, ah, s'il l'apprenait, oh, si elle avait connaissance de ce que je ne dis pas." Et tôt ou tard également arrive le moment de le découvrir, de s'en défaire, de le livrer, ne fût-ce qu'une seule fois et à une seule personne, cela nous arrive à tous tôt ou tard. Mais comme les citoyens ne savent pas distinguer (sauf exceptions) entre l'or et la pacotille, beaucoup mettaient tout sur le comptoir ou sur la table avec un frisson de plaisir, pleins d'illusions, attirés par l'idée qu'il puisse y avoir devant eux un espion pervers, et en croisant les doigts en même temps pour qu'il n'y en ait pas, ni personne pour le lui transmettre, je veux dire leur conte étourdi ou confus. Et rien d'aussi émouvant que lorsqu'un compatriote plus responsable et inébranlable les interpellait alors et leur reprochait leur légèreté, parce que c'était un signe quasiment indubitable, pour le bavard, qu'il avait pénétré dans le territoire interdit des choses graves, pleines de sens et de poids, où il n'avait jamais mis les pieds jusque-là. Cette excitation craintive, qu'on ressent à risquer un préjudice en y exposant au passage la nation tout entière, est illustrée par la vignette du monsieur qui téléphone d'une cabine assiégée par des petits Fürhers, et aussi par le troisième carré, plus que le deuxième, de celle qui commence avec le marin et sa fiancée, tiens, celles-ci. Dans leur majorité les personnes intelligentes ou sottes, respectueuses ou déconsidérées, vitrioliques ou bonnes ressemblent beaucoup, assez ou un peu à cette jeune femme aux cheveux châtains relevés : en général, elles écoutent avec étonnement ou plaisir, même si ce qu'on leur communique est terrible, parce que s'impose à cela (et c'est pourquoi elles daignent prêter attention, brièvement et à l'occasion, parce qu'elles s'imaginent déjà en train de le raconter) le plaisir anticipé de donner à leur tour cette nouvelle, même quand elle est répugnante, épouvantable, ou qu'elle suppose une énorme contrariété, et de susciter chez d'autres la même réaction que celle qu'elle provoque à ce moment-là chez elles. Au fond, seul nous intéresse et nous importe ce que nous partageons, ce que nous transmettons et propageons. Nous voulons toujours sentir que nous faisons partie d'une chaîne, comment dire, victimes et agents d'une inépuisable contagion. Et la plus forte contagion, celle qui est à la portée de tout le monde, c'est celle que nous apportent nos paroles, celle de cette plaie de la parole qui m'affecte moi aussi, tu vois ce qui m'arrive, comme je m'emballe dès que vous me lâchez la bride. C'est pourquoi ceux qui ont parfois refusé de suivre ce penchant prédominant qui est le nôtre n'en ont que plus de mérite. Et plus encore ceux qu'on a interrogés brutalement et qui pourtant n'ont rien dit, n'ont pas lâché le morceau. Même s'ils y risquaient leur vie, même s'ils devaient la perdre. »

Le son du piano me parvint de la maison, musique de fond pour la rivière et les arbres, pour le jardin et la voix de Wheeler. Une sonate de Mozart peut-être, ou d'un des Bach, Johann Christian, son maître et pauvre fils génial du génie, il avait vécu très longtemps en Angleterre où on le connaît, de fait, comme « le Bach de Londres » et où on le joue souvent et où on se souvient de lui, un Allemand anglais comme ceux de l'Institut Warburg et cet admirable acteur viennois qui s'était d'abord appelé Adolf Wohlbrück et qui s'était lui aussi défait de son prénom, tout comme le commodore Mountbatten qui était Battenberg à l'origine, tous de faux Britanniques, Tolkien lui-même n'y échappait pas. (Et comme mon camarade Rendel, lui aussi était un Anglais autrichien.) Mme Berry devait en avoir terminé avec ses tâches ménagères et elle s'occupait jusqu'à l'heure où elle nous appellerait pour déjeuner. Elle jouait du piano, et Wheeler aussi ; elle avec énergie, lui je l'avais rarement vu ou entendu jouer, je me souvenais d'une fois où il avait voulu me faire connaître un hymne intitulé *Lillabullero* ou *Lilliburlero* ou quelque chose d'espagnolisant dans ce genre, le piano n'était pas dans le salon mais à l'étage, dans une pièce par ailleurs vide, on ne pouvait rien y faire sauf s'asseoir devant l'instrument. C'était peut-être cette musique gaie, à cause du contraste, ou directement de ses phrases plaintives, mais Wheeler eut soudain l'air très fatigué, il porta une main à son front qu'il y laissa tomber de tout son poids, en le confiant à son coude appuyé sur la petite table recouverte de sa toile cirée à longs pans. « C'est ainsi que nous passons les siècles », pensai-je en attendant qu'il poursuive ou qu'il mette fin à la conversation, je craignis qu'il ne choisisse la deuxième solution, il avait acquis une trop grande conscience de ses laïus, et je le vis fermer les yeux comme s'ils lui brûlaient, pourtant ses doigts sur son front les cachaient à demi. « C'est ainsi que nous passons les siècles et que rien ne cède ni ne s'achève jamais, tout se contamine, rien ne nous lâche. Et ce tout glisse peu à peu comme de la neige sur nos épaules, glissante et molle, sauf que c'est de la neige qui voyage dans le temps et au-delà de nous, et qui peut-être ne s'arrête jamais.

— Andreu Nin la perdit, par exemple », dis-je enfin, les études improvisées de ma nuit si étirée flottaient encore dans ma tête. « Andrés Nin », insistai-je en remarquant la perplexité de Wheeler, je la remarquai bien qu'il n'ait pas changé de posture, il était toujours immobile et comme évanoui. « Il n'a pas parlé, n'a pas répondu, n'a pas donné de noms, n'a rien dit. Nin, pendant qu'on le torturait. Ça lui a coûté la vie, même s'ils la lui auraient sûrement ôtée de toute façon. » Mais Wheeler ne comprenait toujours pas, ou ne voulait plus de bifurcations :

« Eh ? » parvint-il à proférer, et je vis qu'il ouvrait les yeux, une lueur de stupéfaction, comme s'il me trouvait perturbé, qu'est-ce que ça vient faire ici ? Son esprit était trop loin du Madrid et de la Barcelone du printemps 37, il était possible que ce qu'il avait vécu en Espagne, quoi que ce fût, n'ait eu que peu d'importance à côté de ce qui avait suivi, depuis la fin de l'été de 1939 jusqu'au printemps 1945, et peut-être même plus tard dans son cas. J'essayai donc de revenir au pays où nous étions, à Oxford, à Londres (il m'arrivait d'oublier qu'il avait plus de quatre-vingts ans ; ou plutôt je l'oubliais continuellement, et ne m'en souvenais que parfois) :

« Donc cette campagne a fait plus de mal que de bien », dis-je.

Il ôta la main de son visage, d'un geste lent, et je le vis tout frais de nouveau, c'était étonnant de constater comment il récupérait et recouvrait ses forces après ses moments de faiblesse ou de fatigue ou d'obstruction de la parole, c'était en général l'intérêt — sa tête machinatrice, ou le désir de dire ou d'entendre quelque chose, quelque chose encore — qui le ravivait. Ou l'humour aussi, une ironie, un mot d'esprit, une plaisanterie.

« Pas exactement, me répondit-il en clignant un peu des

yeux, comme si sa brûlure durait. Ce serait beaucoup simplifier, en plus d'être injuste que d'affirmer cela. Parce que ce qu'on ne trouva guère, ce fut de la malignité chez les gens, non, pas même chez les plus indiscrets et les plus fanfarons, chez les plus hurluberlus. » Et il dit ce dernier mot en espagnol, « *botarates* », on voyait parfois qu'il y avait trop longtemps qu'il n'avait pas mis les pieds dans mon pays, c'est là un terme qu'on n'entend plus, comme d'autres du même style, pour des raisons évidentes : dans une société où prédominent les sots, les imbéciles, les hurluberlus et les crétins, que quelqu'un appelle quelqu'un d'autre de cette façon n'a plus de sens. « Il y en eut aussi qui devinrent des tombeaux. Errants, je ne parle plus des morts maintenant : des gens scrupuleux, pleins de bonne volonté, dotés d'un solide sens du devoir, très tenaces, qui scellèrent leurs lèvres sans hésiter, même si personne ne devait se rendre compte de leur attitude obéissante ni les en féliciter. Ils furent très nombreux, mais peut-être pas tant que ça, c'était une consigne très difficile à respecter, presque insensée. "Ne parlez pas, pas un murmure, pas un chuchotement, rien, parce qu'on peut lire sur vos lèvres, alors oubliez votre langue." » (« Tais-toi, et alors tu seras sauvé », cette pensée me traversa l'esprit, et aussi, l'espace d'une seconde, je me demandai si mon oncle Alfonso avait parlé ou non, nous ne le saurions jamais.) « Si je dis que la campagne a été, globalement, un échec, ce n'est pas que les gens n'étaient pas prêts à la suivre, ils le furent pour la plupart ; et elle a été utile, elle a servi à nous faire acquérir la conscience générale que nous n'étions pas seuls mais aussi accompagnés que les acteurs au théâtre ; et que loin des projecteurs, dans la pénombre, l'ombre ou les ténèbres, nous avions un public nombreux, très attentif et doué de mémoire, pour invisible ou impossible à reconnaître et dispersé qu'il fût, composé d'espions et d'écoutes indiscrets » (mauvaise traduction, de nouveau, « *eavesdroppers* »), « de membres de la cinquième colonne, d'indics et des décrypteurs professionnels ; que chacun de nos mots qu'ils intercepteraient pouvait être mortel pour notre cause, tout comme étaient vitaux ceux que nous pouvions voler à l'ennemi. Mais en même temps cette campagne — et de là son échec obligé en dépit de ses bienfaits et de ses réussites indiscutables — accrut, de façon inévitable et incroyable, le nombre d'incontinents verbaux, de grandes gueules incorrigibles.

Et de même que nombre de gens qui jusqu'alors avaient parlé avec naturel et insouciance apprirent à réfléchir à deux fois comme le recommandait une des vignettes, beaucoup, qui jusqu'alors étaient restés muets ou du moins laconiques, inhibés et taciturnes, non par goût ni par prudence mais dans l'idée que tout ce qu'ils pourraient raconter et dire serait indifférent, indigne d'intéresser qui que ce soit et sans conséquence aucune, furent incapables de résister à la tentation de se sentir dangereux et censurables, une menace, méritant pour cela l'attention et d'une certaine façon protagoniste chacun dans sa sphère, même si la plupart du temps ce rôle de premier plan était simplement un peu fou, irréel, illusoire, fictif, désidératif. Mais ils se mirent à jacasser comme des pies, c'est absolument certain dans tous les cas de figure ; à se donner de l'importance et à faire ceux qui sont au courant, et celui qui feint de l'être finit aussi par essayer de l'être vraiment, dans la mesure de ses possibilités, un espion de plus, gratuit et ajouté. Et qu'il y parvienne ou non, ce qui est tout aussi vrai c'est que tout le monde sait toujours quelque chose, même quand on ne sait pas qu'on sait ou qu'on imagine réellement savoir quelque chose. Mais jusqu'à l'homme le plus fuyant et le plus solitaire qui passe ses journées à grogner contre sa propriétaire s'il la croise, et jusqu'à la femme la plus écervelée ou la plus obtuse et la moins dotée de capacités intellectives, et jusqu'à l'enfant le moins curieux ou le moins sociable et le plus renfermé du royaume, tous savent quelque chose, parce que les mots, la contagion vorace, se répandent sans qu'on les y aide et en franchissant n'importe quel obstacle, et s'étendent et pénètrent davantage, bien davantage, indiciblement plus qu'on ne peut l'imaginer, que quiconque peut l'imaginer. Et il suffit d'une oreille apte à détecter, une oreille sagace et un esprit associatif et nuisible pour distinguer ce quelque chose et en tirer profit, et pour l'exprimer. C'est une chose dont étaient bien conscients les responsables de la campagne, que nous sommes tous au courant de certains effets et de certaines causes, même s'ils n'ont aucun lien. Quelle information de valeur, j'insiste, pouvaient en principe détenir les deux dames du métro ou cet homme si simple et si commun, avec sa casquette, qui dit "Ce que je sais... je le garde pour *moi*"? Et pourtant ils s'adressèrent aussi à eux, à leurs semblables, ils tentèrent aussi de les convaincre de tenir leur langue. Tâche vaine que celle de vouloir embrasser tout le monde, ne crois-tu pas? Et toujours un effort plutôt stérile, parce que aucun résultat partiel ne le compensera. »

Wheeler se tut et montra mon paquet de cigarettes, pour m'en demander une. Je le lui tendis, la lui offris, la lui allumai aussitôt. Il tira quelques bouffées et regarda la braise d'un air étonné, craignant qu'elle n'ait pas pris, n'ayant très probablement pas l'habitude du tabac doux et insipide que j'ai sur moi en général.

« Et qu'avez-vous eu à voir avec tout ça? me hasardai-je à lui demander.

— Rien. Avec ça, rien, ou alors comme n'importe qui, mais comme privilégié. Je t'ai déjà dit que je fréquentais des endroits moins châtiés que Londres, pour ma mauvaise conscience, durant une bonne partie de ces années-là. Mais quelque chose, avec ce que cela entraîna très vite, indirectement : la formation de ce groupe. Quand les gens du MI6 et du MI5 se rendirent compte de ce qui se passait trop souvent, de ce que nous appellerions aujourd'hui l'effet collatéral de cette initiative, et contraire à celle-ci, quelqu'un eut l'idée d'en tirer au moins parti, ou de le retourner un peu en notre faveur, de le mettre un peu à notre service. Qui que ce fût — Menzies, Vivian, Hollis ou Churchill en personne, peu importe —, il vit que rien qu'en écoutant comme il fallait et en laissant parler les gens désireux de parler et d'être écoutés (et cela n'était même pas nécessaire parfois), et en les observant avec acuité, capacité déductive, audace interprétative et talent associatif, c'est-à-dire avec tout ce qu'on supposait et même accordait aux Allemands experts qui nous infiltraient et aux pro-nazis qui se trouvaient depuis le début sur notre sol, on pouvait connaître le fond ou la base de ces personnes, presque l'essentiel de ce qui les concernait ; savoir à quoi elles étaient bonnes et à quoi non, et jusqu'où il était possible de se fier à elles, quels étaient leurs caractéristiques et leurs qualités, leurs défauts et leurs limites, si leur esprit était résistant ou fragile, corruptible ou impossible à suborner, impressionnable ou intrépide, traître ou loyal, imperméable ou sensible aux flatteries, égoïste ou désintéressé, arrogant ou servile, hypocrite ou franc, résolu ou dubitatif, querelleur ou paisible, cruel ou miséricordieux, tout, n'importe quoi, tout. On pouvait savoir à l'avance qui serait capable de tuer de sang-froid et qui se laisserait tuer si c'était nécessaire ou si on le lui ordonnait, bien que ce point soit le dernier dont on puisse s'assurer chez les gens en général ; qui reculerait et qui ferait n'importe quel pas en avant, jusqu'au plus fou ; qui dénoncerait, qui protégerait, qui resterait muet, qui tomberait amoureux, qui serait envieux ou jaloux, qui nous laisserait dehors ou qui nous offrirait toujours un abri. Qui pourrait nous vendre ; qui nous vendrait cher et qui bon marché. Il se peut que les personnes qui parlaient ne racontaient que rarement des choses très graves ou intéressantes, mais elles finissaient par dire presque tout sur elles-mêmes, y compris quand elles feignaient. Voilà ce qu'ils comprirent. C'est ce qui arrive encore tous les jours, et c'est ce que nous savons.

— Mais les gens ne sont pas tout d'une pièce, dis-je. Ils dépendent des circonstances, de ce qui leur arrive, et de plus ils changent, ils se gâtent ou s'améliorent ou se confirment. Mon père dit souvent que s'il n'y avait pas eu de guerre comme celle que nous avons connue, la majorité des individus qui ont commis des bassesses lorsqu'elle se déroulait ou quand elle se termina, et plus tard, auraient sûrement eu une vie honorable, ou au moins sans grandes taches ; et ils n'auraient jamais su de quoi ils étaient capables, pour leur sort et celui de leurs victimes. Mon père fut une de ces dernières, comme vous le savez.

— Certes, les gens ne sont pas tout d'une pièce, Jacobo, et ton père a raison. Et personne n'est pour toujours comme ceci ou comme cela, qui n'a jamais vu apparaître chez quelqu'un de cher un trait alarmant et inattendu (et alors notre monde s'écroule) ; il faut toujours être sur ses gardes et ne jamais rien donner pour définitif ; ou pas tout, plutôt, parce que certaines choses sont bien irrémédiables. Et pourtant, pourtant : il est tout aussi vrai que nous voyons dès le début, chez autrui et chez nous-mêmes, bien plus que nous ne nous l'avouons. Je t'ai déjà dit que le problème majeur, c'est qu'en général nous ne voulons pas voir, nous n'osons pas. Presque personne n'ose vraiment regarder, parce que très souvent ce que nous observons ou entrevoyons avec ce regard qui ne se trompe pas, avec le plus profond, celui qui ne se contente jamais de traverser toutes les couches, mais qui insiste encore après la dernière, ce que nous voyons, disais-je, n'est pas très agréable. Et c'est comme ça en général, autant en ce qui concerne les autres que nous-mêmes, et la plupart ont besoin de se tromper et d'être un peu optimistes pour continuer à vivre avec un minimum de confiance et de calme, non seulement je le comprends mais tout au long de mes longues années c'est ce que j'ai énormément regretté, le calme et la confiance : il est désagréable et âpre de vivre en sachant, et non en espérant. Mais écoute : ce que projeta ou se proposa ce groupe, ce fut justement de savoir de quoi seraient capables les individus indépendamment de circonstances et de connaître aujourd'hui leur visage de demain, pour ainsi dire ; et savoir, pour citer tes mots ou ceux de ton père, si une vie honorable l'aurait été de toute façon ou si elle ne l'était que d'emprunt, c'est-à-dire parce qu'il ne s'était présenté aucune occasion de la salir, aucune menace sérieuse de tache ineffaçable. » (« Je ne l'ai pas encore interrogé au sujet de la tache, pensai-je soudain, celle de cette nuit que j'ai nettoyée dans l'escalier, tout en haut » ; mais je me dis aussitôt que ce n'était pas le moment, et qu'elle n'était plus aussi claire dans mon esprit.) « Cela peut se savoir, parce que les hommes ont leurs probabilités dans leurs veines, et pour qu'ils les mènent à leur accomplissement, ce n'est qu'une question de temps, de tentations et de circonstances. Cela peut se savoir. Avec des erreurs, bien sûr, mais avec beaucoup de réponses justes. En tout cas, on travaille sur une base, même si le principal point d'appui consiste toujours en un pari. » (« Il a raison en ceci, pensai-je : je crois connaître ceux qui viendront me fusiller si jamais une nouvelle guerre civile éclate en Espagne, je croise les doigts et je touche du bois et je touche du fer ; ou me tirer sans préambule une balle dans la tempe, comme à mon oncle Alfonso. Trop d'amis ont ruiné la confiance que j'avais mise en eux, et celui qui est déloyal envers vous ne vous pardonne jamais de vous avoir manqué ; et plus grande est la trahison, plus grand est, dans mon pays, le tort de celui qui est trahi et plus grande est l'offense ressentie par le traître. Quant aux ennemis, c'est peut-être la seule chose dont on n'a, là-bas, jamais été pauvre, et personne ou presque n'en manque. ») « Ce qui se révéla difficile, sans qu'on s'y soit attendu, ce fut de trouver des gens qui sachent voir, interpréter, appliquer ce regard de façon suffisamment dépassionnée et sereine, sans taper à l'aveuglette ni comme un borgne. » (Wheeler avait eu recours à des expressions et des mots en espagnol, de plus en plus fréquemment, il devait aimer faire des visites éclair à cette langue, il n'avait plus tellement l'occasion de la parler.) « À l'époque déjà c'était un don rare, et on vit très rapidement que les personnes de ce genre étaient bien moins nombreuses que ce qu'on avait pu prévoir au début, quand on avait improvisé le groupe ou qu'on l'avait créé dans l'urgence et à la diable, sa mission initiale et urgente (elle dériva ou s'élargit par la suite) était de découvrir en pleine guerre non plus des espions et des indics de chez eux et éventuellement de chez nous (je veux dire des femmes et des hommes qui auraient pu nous servir à ça), mais également les proies faciles ou propitiatoires de ces premiers nommés, les bavards qui ne résistaient pas aux tentations et dont la prédisposition au dialogue était toujours imprudente ; et cela tant sur notre territoire que n'importe où à l'arrière et dans les lieux neutres, partout il y avait des espions et des indics et des gogos et des grandes gueules, y compris à Kingston, je t'assure, je veux parler du Kingston de la Jamaïque, pas de ceux de tout près d'ici, sur l'Hull et la Tamise. Et à La Havane aussi, bien sûr. » (« Donc les Caraïbes, c'était Cuba et la Jamaïque, m'arrêtai-je à penser un instant sans pouvoir m'empêcher d'enregistrer l'information, en toute bonne conscience. Qu'avait-on envoyé faire Peter dans des endroits pareils ? ») « À l'époque, de trop nombreux Britanniques avaient développé un esprit inquisitorial ou une mentalité paranoïde ou les deux à la fois et, dans leur méfiance, ils étaient prêts à dénoncer tout le monde et à voir des nazis jusque dans leur glace avant de s'y reconnaître eux-mêmes, et donc ils n'étaient d'aucune utilité. Puis il y avait la grande masse distraite, qui en général ne voit pas grand-chose et n'observe rien et distingue encore moins, celle qui a l'air de porter en permanence des oreillettes bien serrées et un bandeau sur les yeux, ou des masques à fentes mal faites et étroites, dans le meilleur des cas. Puis il y avait les écervelés, les frivoles, les enthousiastes qui, pourvu qu'ils pussent se sentir partie prenante de quelque chose d'utile et d'important (sans aucune mauvaise volonté pour certains, les pauvres), ne voyaient pas le moindre inconvénient à sortir la première énormité qui leur passait par la tête, pour eux se prononcer c'était comme jeter les dés, toutes leurs considérations n'avaient aucune valeur ni fondement. Enfin on trouvait ceux, nombreux, qui, comme cela arrive aujourd'hui, éprouvaient une véritable aversion, plus encore, de la panique, pour l'arbitraire et pour la possible injustice de leurs opinions : ceux qui préféraient ne jamais se prononcer, bloqués par la responsabilité et par leur peur insurmontable de l'erreur, qui se demandaient, pleins d'angoisse, devant chaque visage : "Et si cet homme que je juge honnête et digne de confiance était un agent ennemi et que ma maladresse entraînait la mort de compatriotes ou la mienne ?" "Et si cette femme que je trouve si suspecte et si louche était tout à fait inoffensive et que je la menais à sa perte par mon jugement hâtif ?" Ces gens-là n'étaient même pas capables de nous orienter. Et donc cela semble idiot, mais on s'aperçut tout de suite que le choix n'était pas large, si l'on voulait un minimum de confiance. Il fallut ratisser le royaume en toute hâte pour en recruter quelques-uns, pas plus de vingt ou vingt-cinq ici, en Angleterre, plus d'autres, peu nombreux, un peu partout où nous nous trouvions, et quand nous revenions nous nous incorporions. La plupart provenaient des services secrets eux-mêmes, de l'armée, certain de l'ex-OIC, tu n'en as jamais entendu parler », Wheeler avait saisi au vol mon expression d'ignorance, « l'Operational Intelligence Centre de la Marine, ils étaient peu nombreux mais très bons, c'étaient peut-être les meilleurs ; et cela va sans dire de nos universités : on faisait toujours appel aux hommes d'étude, aux gens assis, pour les missions difficiles et délicates. Inimaginable ce qu'on nous doit depuis la guerre, quand on commença à nous utiliser sérieusement, et on aurait dû respecter l'immunité de Blunt et son pacte jusqu'au jour de sa mort et celui du jugement dernier » (« nous mourons à tel endroit », pensai-je ; ou citai-je pour moi-même), « ne fût-ce qu'en signe de reconnaissance et comme déférence de la corporation. Bien sûr, nous dûmes tous nous habituer, et nous améliorer, nous polir, adapter notre regard et affiner notre ouïe, seul l'exercice aiguise tous les sens, et aussi les dons, cela revient au même. Jamais nous n'eûmes de nom, jamais nous ne nous appelâmes quoi que ce soit, ni pendant la guerre, ni après non plus. On ne peut nier avec vraisemblance ou cacher l'existence que de ce qu'on n'a pas ; c'est pourquoi tu ne trouveras rien dans les livres, même pas dans les mieux documentés, tout au plus des indices, des conjectures, des intuitions, un ou deux cas isolés, des fils sans liens. C'était mieux comme ça :

nous finîmes par faire des rapports jusque sur la fiabilité des chefs, de Guy Liddell, de sir David Petrie, de sir Stewart Menzies lui-même, et je crois que quelqu'un en confectionna un sur Churchill, pas tout à fait propre, à partir des actualités. D'une certaine façon nous nous plaçâmes au-dessus d'eux, ce fut une grande audace. Bien entendu, ils ne se rendirent pas compte de cet excès, il resta semi-clandestin. Mais je crois que Tupra commet une grave erreur avec sa tendance à parler en privé (j'espère que c'est seulement entre nous, mais c'est déjà risqué) "d'interprètes de personnes", ou de "traducteurs de vies" ou "d'anticipateurs d'histoires" et des choses de ce style ; avec une certaine arrogance, de plus, comme il est à la tête de tout ça et qu'il y est inclus. Les appellations, les sobriquets, les surnoms, les alias, les euphémismes font fortune et restent sans qu'on s'en aperçoive, on finit toujours par faire allusion aux choses et aux personnes de la même façon, et cela devient facilement un nom. Et après personne ne peut le supprimer, ni l'oublier. » (« Et pourtant nous sommes si nombreux à nous défaire même de notre nom. »)

Wheeler se tut et regarda sa montre, et cette fois il vit bien les aiguilles ; puis il tourna les yeux vers la maison, le piano de Mme Berry nous accompagnait encore.

« Voulez-vous que j'aille voir où en est le déjeuner, Peter ? proposai-je, nous sommes peut-être en retard , c'est ma faute.

— Non, le morceau s'achève, il n'y a plus qu'un *minuetto* très bref. Elle nous appellera à moins cinq, il n'est que moins douze. Je le connais, ce morceau. »

Je fus tenté de lui demander de quoi il s'agissait, mais je préférais qu'il réponde à autre chose, les occasions disparaissent vite :

« Dois-je comprendre, Peter, que ce que vous appelez le groupe est toujours en activité, et que c'est Mr Tupra qui le dirige maintenant ?

— Nous parlerons de ça après, je veux que tu me rendes un service à ce sujet. Ce sera une bonne chose pour toi aussi, je crois, et je me suis permis de l'appeler, Tupra, ce matin, quand tu dormais encore, pour lui confirmer ta sagacité évidente s'agissant du test, je veux dire en ce qui les concerne lui et Beryl. Mais oui, je suppose qu'on peut le dire comme ça, bien que tout ait tellement changé que je ne peux presque plus rien reconnaître. Il devient difficile aujourd'hui d'assurer que quelque chose est toujours comme autrefois, ou quelqu'un, dans le cas présent. Ces fonctions ou activités sans nom ont beaucoup évolué, pour autant que je puisse le savoir, de nouveaux besoins sont apparus. J'imagine qu'elles se sont dégradées, comme tout le reste : ce n'est qu'une supposition réaliste, je ne dis pas ça pour critiquer ni accuser qui que ce soit. Mais c'est que je n'en sais rien. Regarde-moi : suis-je le même qu'alors ? Puis-je être, par exemple, celui qui a été marié à une fille très jeune et qui l'est restée à jamais et qui ne m'a pas accompagné un seul jour dans mon long vieillissement ? Cette possibilité, cette idée, cette vérité assumée n'est-elle pas incongrue à l'excès, relativement, par exemple, à celui que j'ai été ensuite ? Ou aux actes que j'ai commis plus tard, quand elle n'était plus témoin ? À mon aspect actuel, par exemple ? Une fille très jeune, rends-toi compte, et comment puis-je être le même ? »

Wheeler porta de nouveau la main à son front, mais cette fois ce n'était pas à cause d'un épuisement soudain ni d'une peur, c'était un geste réflexe, comme si ses propres interrogations l'avaient intrigué. Et je fis alors en sorte qu'il répondît à une autre question, bien qu'il fût sans doute absurde de la poser à ce moment-là, quelques minutes à peine avant le déjeuner avec Mme Berry. Quoique cela lui eût été égal de me répondre en sa présence, car elle devait connaître l'histoire, s'il avait choisi de me répondre.

« Comment votre femme est-elle morte, Peter ? Je ne l'ai jamais su. Je ne vous l'ai jamais demandé. Vous ne me l'avez jamais dit. »

Wheeler ôta la main de son front et me regarda avec une certaine excitation, mais pas de surprise ni de contrariété : il était sur ses gardes.

« Pourquoi me demandes-tu ça maintenant ? dit-il.

— Eh bien, répondis-je en souriant, peut-être pour que vous ne me reprochiez pas plus tard, comme vous l'avez fait hier soir quand avec des siècles de retard j'ai pris conscience de votre passage par notre guerre, de n'avoir pas montré de curiosité sur ce point et de ne jamais vous l'avoir demandé. Je le fais donc maintenant. »

Wheeler réprima un de ses sourires, effaça sur-le-champ cette tentation. Il prit son menton dans sa main et marmotta comme le faisait souvent Toby Rylands :

« Hmm », tel était ce son. « Hmm », tel était le son d'Oxford. Puis il parla : « Ne serait-ce pas que tu te fais du souci à cause de Luisa, et que tu as envisagé le pire, brusquement, que tu t'es vu reflété en moi ? C'est ça ? Est-ce que tu ne craindrais pas d'être veuf, plutôt que divorcé ? Méfie-toi des appréhensions. L'éloignement convoque bien des fantômes. La solitude aussi. Et l'ignorance encore plus. »

Cela me déconcerta un peu, ce pouvait être une argutie de Wheeler pour esquiver la question, un retournement rapide. Mais je n'allais pas le lâcher. Pourtant, je restai un instant pensif. Il avait en partie visé juste sans le vouloir, et je ne vis pas d'inconvénient à ce qu'il le sache, sa perspicacité le réjouissait fort :

« Oui, je me fais un peu de souci. Et aussi pour les enfants, par voie de conséquence. Depuis que je suis ici je n'ai guère de nouvelles d'eux, et encore moins de Luisa. Il y a une sorte d'opacité, même si nous nous parlons assez souvent. Je ne sais pas qui elle voit, qui elle ne voit pas, qui entre, qui sort, c'est un processus d'ignorance, d'elle et de son monde de remplacement, ou peut-être qu'elle change encore. À la vérité, je ne sais pas très bien ce qui se passe chez moi, je n'ai plus d'images. C'est comme si celles de toujours avaient perdu de leur lumière, et s'obscurcissaient un peu plus chaque jour. Mais ce n'est pas pour ça que je vous l'ai demandé, Peter, c'est parce que c'est vous qui l'avez mentionnée. Je veux dire Valérie. » Et je me hasardai à prononcer ce prénom, tellement privé que je ne l'avais jamais entendu avant ce jour. J'eus une impression d'abus sur les lèvres. « De quoi est-elle morte, dites-le-moi. »

Wheeler cessa alors de jouer. Je le vis raidir ses mâchoires, je remarquai qu'il serrait les dents, qu'il les emboîtait les unes dans les autres, comme quelqu'un qui fait une provision d'aplomb pour que sa voix ne se brise pas quand il parlera de nouveau.

« Ça..., dit-il. Laisse-moi te le dire une autre fois, si tu veux bien. Si tu n'y vois pas d'inconvénient. » Il avait l'air de demander une faveur, chaque mot lui avait coûté.

Je n'allais pas insister. J'eus envie de siffler ce que je venais d'entendre au piano, un passage qui accrochait, pour essayer de dissiper le brouillard qui l'avait tout à coup enveloppé. Mais je devais encore lui répondre, se taire ici n'était pas une réponse.

« Comme vous voudrez, dis-je. Dites-le-moi quand vous voudrez, et si vous ne voulez pas ne me le dites pas. »

Et aussitôt je me mis à siffler. Je sais que siffler est contagieux, et ce fut le cas cette fois encore : Wheeler se joignit à moi tout de suite, sans le vouloir certainement ; mais ce n'était pas pour rien qu'il connaissait ce morceau par cœur, le plus probable était qu'il le jouait lui aussi. Il s'interrompit cependant une seconde, tout net, pour ajouter quelque chose :

« En fait, on ne devrait jamais rien raconter. »

Voilà ce que dit Wheeler, debout à présent, dès qu'il se fut levé, et je l'imitai immédiatement. Il me prit par le coude, s'accrocha à moi pour retrouver de la fermeté. Mme Berry nous faisait signe de la fenêtre. La musique s'était arrêtée, et on n'entendit plus que notre sifflement, mou et sans rythme, tandis que nous tournions le dos à la rivière et que nous marchions vers la maison.

Il pleuvait toujours et je ne me lassais pas encore de le constater de ma fenêtre sur le square ou place, c'était une pluie bien installée, bien à son aise, si soutenue et si forte qu'elle semblait éclairer la nuit à elle seule avec ses traits continus comme de souples baguettes de métal ou comme des lances interminables, c'était comme si elle chassait à tout jamais la clarté et écartait tout autre temps à venir dans le ciel et ne permettait même pas de concevoir son absence, comme la paix quand c'était la paix et la guerre quand la guerre était la seule chose qui existât. Mon danseur d'en face avait encore exécuté avec sa cavalière quelques stupides *country square dances* aux figures anodines et aux pas mesurés après leur mitraillage de pieds gaéliques, et ils s'étaient coiffés tous les deux des chapeaux de cow-boys pour cette fin de fête décevante, tout fous ou tout contents qu'ils étaient. Ils venaient d'éteindre les lumières, la mulâtresse resterait dormir, avec cette pluie, mais avant de pouvoir penser un moment à elle avec sympathie il fallait que je m'en assure, et donc pendant quelques minutes je regardai vers le bas et au-delà des arbres et de la statue, je surveillai la place pour le cas où elle sortirait et s'en irait, contre toute probabilité. Et c'est alors que je vis venir vers ma porte d'entrée les deux silhouettes, la femme et le chien, elle avec son parapluie qui la couvrait et l'animal tirant de droite et de gauche — tis tis tis — et sans abri. Quand ils s'approchèrent de la façade ils sortirent presque entièrement de mon champ visuel, mon point d'observation était trop à l'aplomb quand ils s'arrêtèrent devant la porte, je n'apercevais qu'un fragment du sommet de son parapluie ouvert. Elle sonna, c'était la sonnette du rez-de-chaussée. Je regardai encore inutilement une seconde par ma fenêtre relevée, en me penchant, et de plus en plus (ma nuque et mon dos se mouillèrent), avant d'aller répondre à l'entrée : tout, sauf le morceau de toile courbe, était hors de ma vision en plongée. Je décrochai l'interphone. « Oui ? » dis-je en anglais, c'était une traduction littérale de ma langue, dans laquelle j'étais en train de penser, et c'est dans ma langue aussi qu'on me répondit : « Jaime, c'est moi, dit la voix féminine. S'il te plaît, tu peux m'ouvrir ? Je sais qu'il est un peu tard, mais il faudrait que je te parle. Ce ne sera pas long, juste un petit moment. »

Ceux qui ne se souviennent jamais que « moi » n'est jamais personne ne disent rien d'autre quand ils vous téléphonent ou sonnent à votre porte, ils disent toujours « c'est moi » et omettent de donner leur nom, tout comme ceux qui sont certains d'occuper fortement ou suffisamment les pensées des gens qu'ils cherchent. Ou bien ceux qui ne doutent pas qu'on les reconnaîtra sans autre précision — qui cela peut-il être sinon moi —, dès le premier mot et le premier instant. Et la femme au chien avait raison si elle croyait cela, même si c'était de façon inconsciente et sans y avoir réfléchi. Parce que en effet je reconnus sa voix, et je lui ouvris la porte sans me poser de question, pour qu'elle entre de nuit chez moi, et monte me parler.

*Juillet 2002*

(Fin du premier volume de *Ton visage demain*)

*Composition CMB Graphic.*
*Achevé d'imprimer*
*par l'Imprimerie Floch*
*à Mayenne, le 13 avril 2004.*
*Dépôt légal : avril 2004.*
*Numéro d'imprimeur : 59936.*

ISBN 2-07-071344-X / Imprimé en France.

123711

Cette annotation de Wheeler continuait quant à elle à m'intriguer : « Cf. *From Russia with Love* ». Que diable ce roman ou ce film d'espions déjà froids pouvaient-ils avoir en commun avec Nin, ou avec le POUM, ou avec ces belles étrangères ? Et si le *Doble Diario* ne cessait point d'attirer mon attention pour mille autres raisons et que je ne pensais pas abandonner encore mes lectures, même s'il commençait à se faire tard — tout éveillait ma curiosité gratuite, depuis des gros titres incompréhensibles comme celui du 18 juin 1937 qui disait *verbatim* : « Le torero Sidney Franklin, originaire de Brooklyn, met en évidence les mensonges de Franco », jusqu'à certains articles, sur lesquels je tombai çà et là, écrits par mon père alors qu'il était tout jeune encore dans l'*Abc* madrilène et par conséquent reproduits maintenant à l'encre rouge, soit signés de son propre nom, Juan Deza, soit avec le pseudonyme qu'il avait utilisé parfois pendant le conflit —, je me souvins brusquement de quelque chose qui me poussa à laisser les grands tomes de côté et à me lever, indécis. Dans une petite chambre contiguë à celle des invités que j'avais occupée parfois et qui devait avoir été préparée à mon intention ce soir-là, j'avais vu des romans policiers ou de mystère, dont Wheeler, comme toute personne spéculative et plus ou moins philosophe, était secrètement amateur (pas tout à fait secrètement, mais il ne pouvait non plus garder cette partie de son énorme bibliothèque dans ses salons ou dans son bureau, à la vue de n'importe quel collègue fouineur et mauvaise langue qui lui rendrait visite). Il m'était arrivé de me demander, même, si ce n'était pas lui qui les écrivait sous un pseudonyme, comme tant d'autres *dons* d'Oxford et de Cambridge qui en principe ne veulent pas voir ces activités plébéiennes liées à leur vrai nom de lumières ou d'érudits ou de savants, mais qui finissent presque toujours par se démasquer tout seuls, surtout si l'éloge et les ventes qui accompagnent ces romans, œuvres mineures ou de divertissement pour eux, auxquelles ils n'attachent jamais d'importance, mais beaucoup plus rémunératrices que celles qu'ils jugent sérieuses et de valeur et que pourtant presque personne ne lit. C'était le cas de nombre d'entre eux : le titulaire de la chaire de poésie à Oxford, Cecil Day-Lewis, avait été Nicholas Blake pour les amateurs d'énigmes, l'angliciste J.I.M. Stewart, également d'Oxford, avait été Michael Innes, et jusqu'à l'un de mes ex-collègues, l'Irlandais Aidan Kavanagh, spécialiste du Siècle d'or et chef de la sous-faculté d'espagnol dans laquelle j'avais été affecté, qui avait publié des romans d'horreur désinvoltes et à succès sous l'alias exagéré de Goliath Cherubim, qui donc a jamais pu s'appeler de cette façon.

Lors d'une nuit d'insomnie passée dans cette même maison j'avais un peu fureté dans cette petite pièce, je me souvenais d'y avoir vu des œuvres d'auteurs policiers classiques, Ellery Queen et Agatha Christie, Van Dine et Van Gulik, Woolrich, Highsmith et Dexter, et bien entendu Conan Doyle, Simenon et Chesterton, je connaissais tous ces noms à travers mon père — beaucoup plus spéculatif que moi —, pas directement leurs créations (Sherlock Holmes et Maigret mis à part, qui font partie de la culture générale de base). La chance serait peut-être avec moi — la curiosité impérieuse, quand elle nous tient — et Fleming serait alors avec eux, même s'il n'était pas à proprement parler un auteur policier, j'imagine que tous ceux susnommés l'auraient dédaigné avec un rictus, il y a